科尔沁右翼前旗年鉴

（2023）

科尔沁右翼前旗档案史志馆　编

中央民族大学出版社

图书在版编目（CIP）数据

科尔沁右翼前旗年鉴.2023/科尔沁右翼前旗档案史志馆编.—北京：中央民族大学出版社，2024.4

ISBN 978-7-5660-2141-0

Ⅰ．①科… Ⅱ．①科… Ⅲ．①科尔沁右翼前旗—2023—年鉴 Ⅳ．①Z522.64

中国国家版本馆CIP数据核字（2024）第074941号

科尔沁右翼前旗年鉴.2023

编　者	科尔沁右翼前旗档案史志馆
责任编辑	满福玺
封面设计	谢斯琴
出版发行	中央民族大学出版社
	北京市海淀区中关村南大街27号　邮编：100081
	电话：（010）68472815（发行部）　传真：（010）68932751（发行部）
	（010）68932218（总编室）　（010）68932447（办公室）
经销者	全国各地新华书店
印刷厂	呼伦贝尔市巍利斯印业有限责任公司
开　本	889×1194　1/16　插页：38　印张：23.75
字　数	579千字
版　次	2024年4月第1版　2024年4月第1次印刷
书　号	ISBN 978-7-5660-2141-0
定　价	278.00元

版权所有　翻印必究

《科尔沁右翼前旗年鉴（2023）》编纂委员会

主　任　孙书涛（中共科右前旗委书记）

　　　　　王立东（中共科右前旗委副书记、政府旗长）

副主任　丁　波（中共科右前旗委副书记、政法委书记）

　　　　　李　放（中共科右前旗委常委、组织部部长）

　　　　　刘峪伯（中共科右前旗委常委、旗委办公室主任）

　　　　　白文杰（科右前旗政府副旗长）

委　员　刘立军（科右前旗政府办公室主任）

　　　　　周岩萍（中共科右前旗委办公室副主任、档案局局长）

　　　　　常文娟（中共科右前旗委组织部常务副部长、

　　　　　　　　　公务员局局长）

　　　　　艾玉环（中共科右前旗委统战部常务副部长）

　　　　　张玉文（科右前旗财政局局长）

　　　　　李　光（科右前旗工业信息化局局长）

　　　　　邰慧璟（科右前旗统计局党组书记）

　　　　　张志国（科右前旗档案史志馆主任）

　　　　　张贺鑫（科右前旗档案史志馆副主任）

编委会日常工作由科右前旗档案史志馆负责

《科尔沁右翼前旗年鉴（2023）》编审人员

主　审　刘峪伯（中共科右前旗委常委、旗委办公室主任）

副主审　刘立军（科右前旗政府办公室主任）

《科尔沁右翼前旗年鉴（2023）》编辑人员

主　　编　张志国

副 主 编　张贺鑫

总 编 纂　谢斯琴

编　　辑　张贺鑫　谢斯琴　周东恒　翟莹丽

责任校对　谢斯琴　周东恒　翟莹丽　正　月

工作人员　佟　赫　斯琴得力格尔

编辑说明

一、《科尔沁右翼前旗年鉴（2023）》以马克思列宁主义、毛泽东思想、邓小平理论、"三个代表"重要思想、科学发展观、习近平新时代中国特色社会主义思想为指导，全面、客观、系统地记载了科尔沁右翼前旗经济和社会发展的基本情况，为读者了解、认识科尔沁右翼前旗提供权威资料，为各级领导科学决策提供依据，也为编修志书积累资料。

二、《科尔沁右翼前旗年鉴（2023）》是由科尔沁右翼前旗委员会主办、科尔沁右翼前旗档案史志馆编纂的综合性地方资料文献。

三、《科尔沁右翼前旗年鉴（2023）》记述时限为2022年1月1日至12月31日，客观真实地记载了2022年科尔沁右翼前旗自然、政治、经济、军事、文化、社会等方面的基本情况及各行业取得的进展和成绩。年鉴中部分内容根据实际情况适当上溯或下延。

四、《科尔沁右翼前旗年鉴（2023）》采用分类编纂法，由类目、分目、条目等构成。全书共设29个类目。

五、《科尔沁右翼前旗年鉴（2023）》基础资料来源于各委办局、旗直各部门及企事业单位、各苏木乡镇（场）等，由所在单位领导审核签批后上报，并由科尔沁右翼前旗档案史志馆根据年鉴的编写要求和所涉及的实际情况进行编纂。未提供资料、表彰名单的单位和部门未入卷。

六、年鉴中大事记、国民经济和社会发展内容均来源于政府网站、融媒体中心、统计局，图片资料来源于各供稿单位及文化旅游体育局。

七、《科尔沁右翼前旗年鉴（2023）》所涉数据来源多处，相关数据如有差异，则以科尔沁右翼前旗统计局发布的数据为准。计量单位一律用法定单位。

八、为行文方便，区划名称、盟直及旗四大班子名称、旗直各部门、各苏木乡镇（场）机构名称等，年鉴中适当采用简称。

重要活动

2022年8月8日，第九届内蒙古自治区乌兰牧骑艺术节暨2022·兴安盟那达慕在科右前旗开幕，文化和旅游部党组书记、部长胡和平出席并宣布开幕（旗文化旅游体育局提供）

2022年8月8日，第九届内蒙古自治区乌兰牧骑艺术节暨2022·兴安盟那达慕在科右前旗开幕，自治区党委副书记、自治区主席王莉霞出席并致辞（旗文化旅游体育局提供）

· 1 ·

2022年8月8日,第九届内蒙古自治区乌兰牧骑艺术节暨2022·兴安盟那达慕在科右前旗开幕,自治区副主席包献华主持开幕式(旗文化旅游体育局提供)

2022年8月8日,第九届内蒙古自治区乌兰牧骑艺术节暨2022·兴安盟那达慕在科右前旗开幕,兴安盟委书记张晓兵致欢迎词(旗文化旅游体育局提供)

重要活动

2022年8月8日，第九届内蒙古自治区乌兰牧骑艺术节暨2022·兴安盟那达慕在科右前旗开幕。图为现场升旗仪式（旗文化旅游体育局提供）

2022年8月8日，第九届内蒙古自治区乌兰牧骑艺术节暨2022·兴安盟那达慕在科右前旗开幕。图为开幕式盛况（旗文化旅游体育局提供）

2022年8月8日，第九届内蒙古自治区乌兰牧骑艺术节暨2022·兴安盟那达慕在科右前旗开幕。图为开幕式彩烟（旗文化旅游体育局提供）

2022年8月8日，第九届内蒙古自治区乌兰牧骑艺术节暨2022·兴安盟那达慕在科右前旗开幕。图为开幕式表演（旗文化旅游体育局提供）

重要活动

2022年8月8日，第九届内蒙古自治区乌兰牧骑艺术节暨2022·兴安盟那达慕在科右前旗开幕。图为全区各乌兰牧骑代表队入场（旗文化旅游体育局提供）

2022年8月8日,第九届内蒙古自治区乌兰牧骑艺术节暨2022·兴安盟那达慕在科右前旗开幕。图为开幕式入场表演(旗文化旅游体育局提供)

2022年8月8日,第九届内蒙古自治区乌兰牧骑艺术节暨2022·兴安盟那达慕在科右前旗开幕。图为开幕式500匹蒙古马从主席台前奔腾而过(旗文化旅游体育局提供)

重要活动

搏克

赛马

射箭

2022年8月8日，第九届内蒙古自治区乌兰牧骑艺术节暨2022·兴安盟那达慕在科右前旗开幕。图为搏克、赛马、射箭比赛现场（旗文化旅游体育局提供）

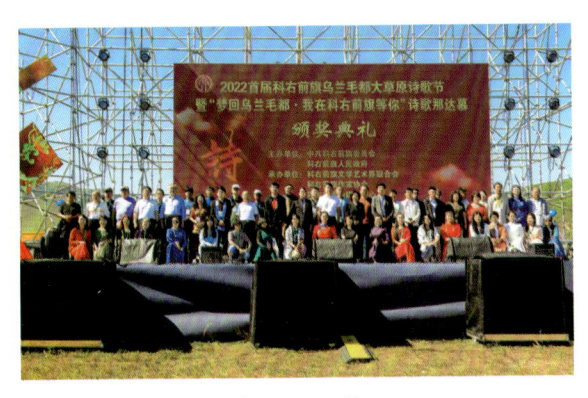

诗歌那达慕    服饰那达慕

2022年8月8日，第九届内蒙古自治区乌兰牧骑艺术节暨2022·兴安盟那达慕在科右前旗开幕。图为服饰那达慕和诗歌那达慕现场（旗文化旅游体育局提供）

重要会议

2022年1月22日，中共科右前旗十五届二次全委（扩大）会议暨全旗经济工作会议在科尔沁文化中心开幕（旗融媒体中心提供）

2022年1月7日，科右前旗第十八届人民代表大会第一次会议在科尔沁文化中心开幕（旗人大办公室提供）

2022年1月6日，中国人民政治协商会议科右前旗第十五届委员会第一次会议在科尔沁文化中心开幕（旗政协办公室提供）

学习贯彻党的二十大精神

2022年11月9日科右前旗归流河镇白音居日合嘎查"两委"、村民代表及铸牢中华民族共同体意识促进会成员学习党的二十大精神（来源：多彩前旗）

2022年11月30日，科右前旗科尔沁镇平安村村民来到番茄大院学习宣传贯彻党的二十大精神（来源：多彩前旗）

2022年11月22日，科右前旗桃合木苏木的"马背宣讲队"将党的二十大精神传递到草原深处牧民群众的心坎上（来源：多彩前旗）

2022年12月2日，乌兰毛都苏木党委书记达胡巴雅尔用蒙汉双语，把党的二十大精神传达给牧民（来源：多彩前旗）

科尔沁右翼前旗年鉴（2023）KE ER QIN YOU YI QIAN QI NIAN JIAN

　　科右前旗以铸牢中华民族共同体意识为主线深入开展民族团结进步创建工作。图为科右前旗第一小学组织开展的"石榴籽团结筑梦"活动（耿学军 摄）

　　科右前旗以铸牢中华民族共同体意识为主线深入开展民族团结进步创建工作。图为科右前旗第一小学组织学生开展"民族团结一家亲，同心共筑中国梦"社团活动（耿学军 摄）

民族团结进步创建

科右前旗以铸牢中华民族共同体意识为主线深入开展民族团结进步创建工作。图为铸牢中华民族共同体意识主题知识竞赛暨"民族政策宣传月"启动仪式（赵雨喆 刘庆元 摄）

科右前旗以铸牢中华民族共同体意识为主线深入开展民族团结进步创建工作。图为科右前旗第二小学开展铸牢中华民族共同体意识主题教育活动（旗教育局提供）

2012年，科右前旗整合边境社会资源，组建了"三队一协会"群防群治组织，即牧点骑巡护边队、夕阳红老年巡防队、红色堡垒先锋队和守望草原协会。2020年1月，科右前旗将"三队一协会"先进经验推广至前旗各边境辖区，并更名为"守望草原巡防队"。2022年，"守望草原巡防队"被评为全盟民族团结进步模范集体。图为巡边期间边境派出所民警与巡防员交谈（包青松 摄）

2022年8月25日，由内蒙古牧草产业发展协会主办的中国·内蒙古第四届牧草产业大会在兴安盟科右前旗开幕（来源：科右前旗政府网站）

2022年12月29日，科右前旗工业园区内的内蒙古兴安伊利乳业"5G+工业互联网平台"液态奶智能工厂生产车间正在生产中（来源：科右前旗政府网站）

经济发展

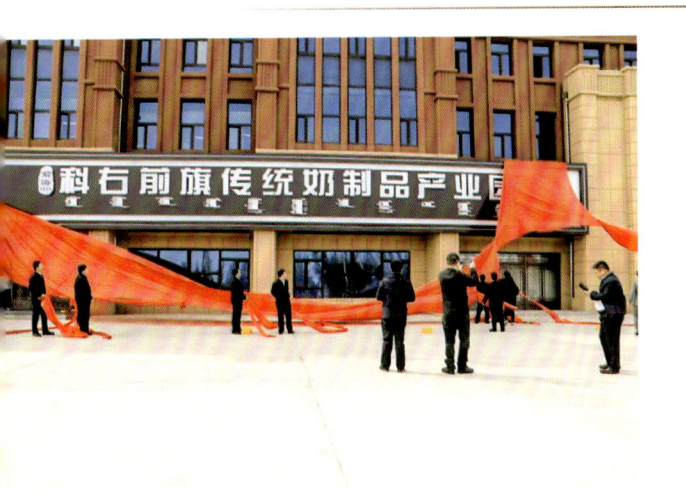

兴安盟首个推动地方特色奶制品产业发展试点。图为科右前旗传统奶制品产业园揭牌仪式（来源：《兴安日报》）

科右前旗积极谋划构建新型能源体系，稳步推进国家重要能源和战略资源基地建设（来源：《兴安日报》）

梦幻塔拉游乐园始建于2021年，占地总面积12万平方米，总投资约1亿元，是一处集水陆游乐、水吧餐饮、科普教育、休闲观光、网红打卡为一体的综合性旅游目的地。图为发展中的梦幻塔拉游乐园鸟瞰图（旗融媒体中心提供）

科右前旗以创建全国文明城市为抓手，始终坚持创建并举的工作理念，进一步明确重点、精准发力、持续攻坚，全方位打好创建全国文明城市收官战。图为归流河生态景观公园鸟瞰图（旗住建局提供）

图为科右前旗主城区（旗住建局提供）

图为归流河大桥夜景（旗融媒体中心提供）

图为华灯初上的归流河南路（来源：多彩前旗）

图为科右前旗城区新貌（来源：多彩前旗）

图为科右前旗碧桂园社区鸟瞰图（来源：多彩前旗）

文明城市创建

科右前旗归流河生态公园一景
（来源：《兴安日报》）

高楼林立的科右前旗
（来源：《兴安日报》）

文明可以让一个城市更加美好、更有温度，随着科右前旗文明城市创建工作的逐步推进，文明之风浸润市民心中，成为这座魅力小城前行的力量（来源：多彩前旗）

科尔沁右翼前旗年鉴（2023）KE ER QIN YOU YI QIAN QI NIAN JIAN

2022年4月25日至5月1日是第20个《职业病防治法》宣传周。旗卫健委组织疾控中心和卫生健康执法大队，开展以一切为了劳动者健康为主题的《职业病防治法》宣传活动（旗卫健委提供）

2022年5月20日，科右前旗疾控中心深入科右前旗第一小学开展学生营养日宣教活动，共有500多名师生聆听讲座（旗教育局提供）

2022年10月26日，由科右前旗总工会举办的"致敬环卫工 点赞劳动美"集中慰问环卫工人活动启动仪式在科右前旗城市管理综合行政执法局开展（旗综合执法局提供）

社会民生

科右前旗以便民利民为核心，大力推进"一站式"服务模式，实现审批事项由"多家跑、多头跑、多窗跑"向"一门、一窗、一网"的转变，让服务有温度、办事有速度，不断提高人民群众的幸福感、获得感（来源：多彩前旗）

科右前旗兴科社区创新基层治理模式，搭建民情茶馆平台。图为听取群众意见建议（来源：多彩前旗）

科右前旗医疗保险服务中心从参保群众最关心的医保结算热点问题着手，简化城乡医保患者结算流程，彻底告别了曾经"先掏钱、后报账"的老旧式结算方式，患者"少跑腿""一站式"医保结算服务在科右前旗深入人心（来源：多彩前旗）

2022年1月10日，科右前旗冰雪嘉年华之察尔森水库冬捕（旗文化旅游体育局提供）

2022年1月25日，2022年科右前旗"札萨克图的祝福"网络春节晚会在旗文体中心多功能厅演出（旗文化旅游体育局提供）

文化　旅游　体育

2022年5月22日，科右前旗第三届插秧节暨兴安论"稻"产业发展论坛在察尔森镇开幕（旗文化旅游体育局提供）

2022年6月1日，科右前旗"共绘民族团结同心圆 共融守望相助邻里情"第二届社区睦邻文化节在兴科社区开幕（旗文化旅游体育局提供）

2022年6月25日,以"喜迎二十大 振兴正当时"为主题的科右前旗首届红色文旅嘉年华活动在巴日嘎斯台乡举行(旗文化旅游体育局提供)

2022年8月4日,第九届内蒙古自治区乌兰牧骑艺术节期间文艺工作者深入敬老院演出(旗文化旅游体育局提供)

文化　旅游　体育

2022年8月15日，科右前旗乌兰牧骑专场演出（旗文化旅游体育局提供）

2022年8月20日，以"喜迎二十大 红心永向党"为主题的科右前旗第五届西瓜文化旅游节在居力很镇启动（旗文化旅游体育局提供）

科尔沁右翼前旗年鉴(2023) KE ER QIN YOU YI QIAN QI NIAN JIAN

2022年5月16日，科右前旗"体彩杯"老年门球总决赛（旗文化旅游体育局提供）

2022年6月12日，科右前旗"体彩杯"职工网球团体赛（旗文化旅游体育局提供）

2022年6月17日，科右前旗文化和自然遗产日"查干伊德"文化节暨全民健身系列活动启动（旗文化旅游体育局提供）

骑自行车 　　　　　　　拔河 　　　　　　　赛龙舟 　　　　　　　两人三足

文化　旅游　体育

2022年9月21日，科右前旗"体彩杯"农牧民职工排球赛在科尔沁文化中心广场开赛（旗文化旅游体育局提供）

2022年11月16日，科右前旗"体彩杯"农牧民、职工篮球赛在旗体育馆开赛（旗文化旅游体育局提供）

科右前旗深入践行"绿水青山就是金山银山"的理念,不断加强生态建设,提高生态管理水平,为建设我国北方重要生态安全屏障做出积极贡献。图为青山国家级自然保护区层林尽染的景色(白海顺 摄)

图为乌兰毛都大草原清晨景色(乌兰毛都苏木提供)

生 态 建 设

图为归流河生态园建设（旗融媒体中心提供）

图为早春的索伦河谷红毛柳（旗融媒体中心提供）

科尔沁右翼前旗年鉴(2023) KE ER QIN YOU YI QIAN QI NIAN JIAN　　非遗项目

非物质文化遗产手工刺绣 　　　　　　　　　　　马鞍

民族服饰展示

四胡表演 　　　　　　　　　　　巴音居日合乌拉祭

（以上图片均由旗文化旅游体育局提供）

特色美食

奶豆腐

黄油和黄油渣

奶皮

酸马奶

牛肉干

手把肉

锅茶

葡萄干奶皮

科尔沁右翼前旗年鉴(2023) KE ER QIN YOU YI QIAN QI NIAN JIAN

巴日嘎斯台乡兴安农村第一党支部

察尔森镇兴安家禾产业融合发展示范项目基地

阿力得尔苏木百年古榆树迎客来

绿水种畜繁育中心绿水露营地

网红打卡地德伯斯镇黑羊山

满族屯满族乡图布台湿地公园

网红打卡地洮儿河榆树河滩

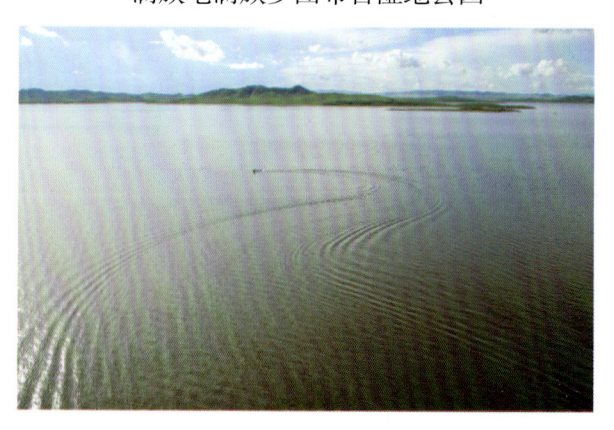

察尔森水库

乡村振兴

科右前旗首家以番茄为主题的农旅融合产业示范基地，科尔沁镇平安村农旅融合产业示范项目（旗乡村振兴局提供）

科右前旗阿力得尔苏木混都冷嘎查农民群众巧手编织幸福生活（胡日查 摄）

近年来，科右前旗将美丽乡村建设较好融入到乡村振兴当中，让美丽乡村建设为乡村振兴赋能提质添彩。图为科尔沁镇远新村乡村建设图景（马建荃 摄）

生态兴则文明兴，生态兴则促进产业兴。图为绿水种畜繁育中心乡村建设鸟瞰图（吴喜良 摄）

科右前旗开工建设的光伏扶贫电站项目。图为居力很镇红忠村的光伏扶贫电站项目（胡日查 高敏娜 摄）

疫情防控

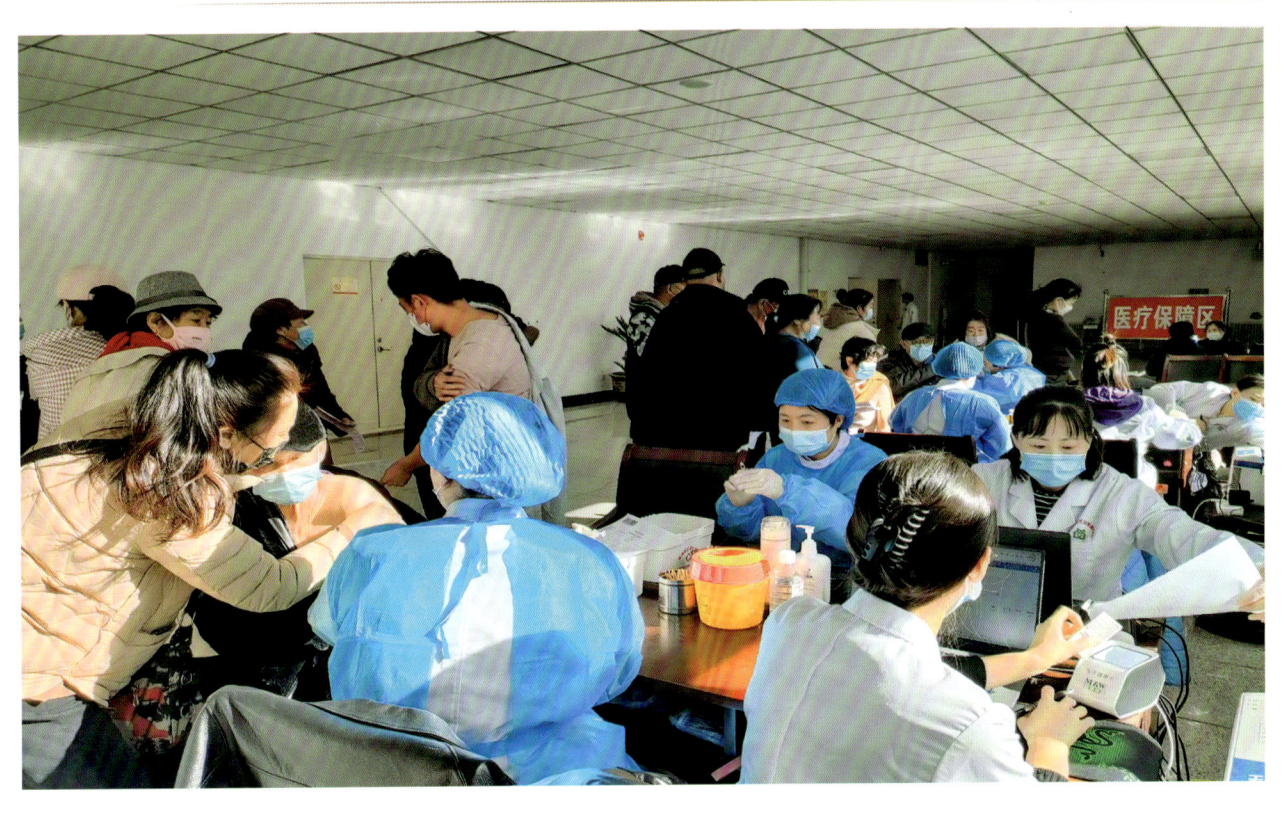

2022年3月10日开始，科右前旗全面启动新冠病毒疫苗序贯加强免疫接种（旗卫健委提供）

2022年3月14日，为积极响应盟、旗新冠疫情防控指挥部的要求，科右前旗人民医院连夜安排部署，迅速集结派出13名医务人员支援吉林省开展疫情防控工作（旗卫健委提供）

2022年5月10日，在科右前旗西高速出口疫情防控检查点，工作人员正在对进入科右前旗的车辆及司乘人员的健康码、行程码等进行查验、登记（来源：科右前旗政府网）

2022年9月，由盟旗两级共同出资购置的移动方舱实验室在科右前旗人民医院正式投入使用（旗卫健委提供）

2022年11月22日，包联单位青山保护区管理局在科尔沁社区义乌时代公馆开展核酸检测工作（内蒙古青山保护区管理局提供）

目　录

特　载

002　守正创新　踔厉奋发　勇毅前行
　　不断谱写科右前旗高质量发展新篇章
　　旗委（扩大）会议暨全旗经济工作
　　会议召开
004　政府工作报告——在科右前旗第十八届
　　人民代表大会第二次会议上（2023年
　　1月1日）

专　记

020　创建国家园林县城
022　"前·海"双向奔赴交出亮眼成绩单

大事记

025　1月
027　2月
028　3月
031　4月
033　5月
035　6月
036　7月
038　8月
041　9月
043　10月
044　11月
046　12月

旗情概要

049　**基本地情**
049　历史沿革
049　地形地貌
049　地理位置
049　行政区划
050　气候
050　**人口　民族**
050　人口
050　民族
050　**山脉水系**
050　山脉概况
050　水系概况
051　**自然资源**
051　野生动植物资源
051　森林资源
051　草原资源
051　矿产资源
051　**旅　游**
051　乌兰毛都草原
052　察尔森水库
052　黑羊山旅游度假区
052　**特色饮食**
052　俄体粉条
053　科右前旗草地羊
053　科右前旗奶豆腐、黄油
053　科右前旗沙果、沙果干
053　**遗址遗迹**
053　概况

— 001 —

053	兴安第一党支部	088	干部监督工作
053	"中村事件"发生地	089	干部档案工作
054	**科右前旗非物质文化遗产**	089	干部综合日常管理
054	概况	089	干部教育培训
054	巴音居日合乌拉祭	089	实绩考核工作
054	那达慕	089	农村牧区基层组织建设
054	札萨克图刺绣	091	城镇基层党建工作
056	**2022年科右前旗组织机构及负责人名录**	091	两新党建
		092	党员管理工作
		092	党员电教工作

中共科尔沁右翼前旗委员会

		092	乡村振兴队伍建设
079	**概　　述**	093	人才工作
079	概　况	093	组工信息和调研工作
079	内生动能持续释放	093	老干部工作
079	农牧产业成果丰硕	**094**	**直属机关工委**
080	工业经济势头良好	094	概况
080	服务产业加速回暖	094	党员管理
080	生态环境不断改善	094	党风廉政建设
081	乡村振兴有效衔接	095	法治素养和依法履职工作
081	人民幸福指数日益攀升	095	疫情防控
081	党的建设全面加强	095	最强党支部
082	**重要会议**	095	"七一"系列活动
085	**旗委办公室**	095	第九届内蒙古自治区乌兰牧骑艺术节暨
085	概况		2022·兴安盟那达慕开幕式
085	办文办会	**096**	**宣传工作**
086	办事	096	概况
086	其他	096	意识形态
087	**国家安全工作**	096	理论武装
087	概况	096	新闻舆论
087	国家安全信息中心工作	097	社会宣传教育
087	**组织工作**	097	精神文明创建
087	概况	097	新时代文明实践
087	领导班子和干部队伍建设	098	文化文艺
088	公务员管理	098	网信工作

098	"扫黄打非"工作	104	档案信息化建设
098	广播电影电视	104	档案利用
099	**统战工作（宗教事务）**	105	基层档案管理体制建设
099	概况	105	红色档案
099	完善大统战工作格局	105	地方综合年鉴编纂
099	履职能力建设	105	志书蒙古文翻译工作
099	民族工作	105	年鉴供稿工作
099	宗教工作	105	党史编研
100	民营经济	105	资料审读
100	党外代表人士队伍建设	105	史志开发利用
100	侨务工作	**105**	**党群服务中心**
100	统一战线工作	105	概况
101	**机构编制**	106	社会服务
101	概况	106	城市基层治理
101	加强党对机构编制的全面领导	107	疫情防控
101	机构改革	107	平安建设
101	各领域改革		
102	机构编制资源使用		
102	编外人员专项调查统计		

科尔沁右翼前旗人民代表大会

102	事业单位登记管理	**109**	**概　　述**
102	乡村振兴	109	概况
102	疫情防控	**109**	**重要会议**
102	**党校教育**	109	人民代表大会会议
102	概况	109	常务委员会会议
103	培训办班	**110**	**主要工作**
103	教研成果	110	审议决定重大事项
103	师资建设	110	监督工作
103	管理服务	111	代表工作
104	疫情防控	111	参与立法工作
104	**档案史志**	111	人事任免
104	概况	111	自身建设
104	档案指导移交	**112**	**旗人大常委会办公室**
104	档案业务监督检查	112	概况
104	档案业务指导	112	办文办会

112	自身建设	125	完善服务
		125	互联网＋政务服务平台
		125	信息公开

科尔沁右翼前旗人民政府

		125	民族团结与精神文明建设
114	**概　述**	126	疫情防控
114	概况	126	乡村振兴
114	深入贯彻党中央重大决策部署	**126**	**信访工作**
114	推动项目建设提质提效	126	概况
114	夯实固农兴牧发展格局	126	群众信访事项
115	工业经济快速发展	126	网上信访
116	第三产业不断壮大	126	信访案件化解
116	城乡面貌明显改善	127	矛盾纠纷排查化解
117	保障民生福祉持续增进	127	敏感节点信访安保维稳工作
117	迈出改革开放重要一步	127	推行信访代办制
118	**重要会议**	**127**	**科右前旗产业园**
118	旗政府党组会议	127	概况
120	旗政府常务会议	127	经济运行
121	**重要文件**	127	基础设施建设
122	**旗政府办公室**	128	体制机制创新
122	概况	128	疫情防控
122	以文辅政	**128**	**现代农牧业园区管委会**
122	以智辅政	128	概况
123	以技辅政	128	驻园企业
123	办文办会	129	园区重点项目建设
123	督查督办	129	基础设施建设
123	乡村振兴	129	安全生产
123	档案管理	129	疫情防控
123	后勤保障	130	中央生态环境保护督察问题整改
124	**政务服务（行政审批）**	130	乡村振兴
124	概况	**130**	**民　政**
124	全年办件量	130	概况
124	政务服务建设	130	社会救助
124	政务服务效能建设	131	社会福利
125	规范服务行为	131	社会事务

131	基层政权和社区建设	137	人事人才
131	民政项目建设	137	信访和劳动保障
132	**应急管理（安全生产监督）**	138	优化营商环境
132	概况	138	**医疗保障事务**
132	应急预案演练	138	概况
132	应急救援队伍建设	138	医疗保障参保工作
132	安全生产	138	医疗保障服务
132	森林草原防火	139	医保基金
132	防汛抗旱	139	医保改革
133	灾害救助	139	疫情防控
133	**科尔沁右翼前旗消防救援大队**	140	医疗保障行风政风建设
133	概况	140	**民族事务**
133	岗位执勤	140	概况
133	政治思想	140	民族工作
133	后勤保障	141	蒙古语文工作
133	消防监督	141	少数民族发展资金项目
134	宣传工作	141	特色亮点
134	**乡村振兴**	142	**机关事务服务**
134	概况	142	概况
134	驻村帮扶	142	公务接待
134	防返贫工作	142	公共机构节能
134	易地搬迁后续帮扶	142	公务用车
135	乡村建设及治理	142	办公用房
135	产业工作	142	国有资产
135	资金项目管理	143	服务保障
135	京蒙协作	143	疫情防控
136	**扶贫开发投资**	143	乡村振兴
136	概况		
136	收益分配		
136	资产管理	**政协科尔沁右翼前旗委员会**	
136	**人力资源和社会保障**		
136	概况	145	**概　述**
136	就业创业	145	概况
137	社会保障体系建设	145	**主要工作**
		145	视察调研

145	基层协商		
145	提案办理		**群众团体**
146	参政议政		
146	中心工作	157	**工商业联合会**
146	书香政协	157	概况
146	委员活动	157	第十二届会员代表大会
147	完善制度	157	企业兴乡
147	对外交流	157	招商引资
147	铸牢中华民族共同体意识	157	**工　　会**
147	**重要会议**	157	概况
147	政协科右前旗第十五届委员会第一次会议	158	困难帮扶工作
		158	工会组织"揭榜领题"工作
148	政协常委会会议	158	产业工人队伍建设
149	**旗政协办公室**	159	先进典型选树
149	概况	159	市域社会治理
149	办文办会	159	劳动领域政治安全
150	接待服务	159	优化营商环境
150	协调督办	159	乡村振兴
150	重点工作	159	疫情防控
		159	**共　青　团**
	中共科尔沁右翼前旗纪律检查委员会	159	概况
	科尔沁右翼前旗监察委员会	159	青少年思想政治引领工作
		160	服务青年
152	概况	160	基层基础建设
152	政治监督	161	青年组织工作
152	审查调查	161	**妇　　联**
153	巡察覆盖	161	概况
153	深化改革	161	思想引领
153	队伍建设	161	乡村振兴
153	**巡察工作**	161	妇女就业创业
153	概况	162	权益工作
153	巡察工作	162	志愿服务
154	队伍建设	163	人居环境整治
154	疫情防控	163	**科　　协**

163	概况	171	平安科右前旗建设
163	全国科普示范旗创建工作	171	法治营商环境
163	科技工作者	172	市域社会治理现代化试点工作
163	全民科学素质建设	172	疫情防控
164	乡村振兴	173	**公　安**
164	**残　联**	173	概况
164	概况	173	政治稳定和国家安全
164	康复服务	173	打击各类违法犯罪
164	残疾人证办理及动态更新	173	专项整治
164	残疾人教育就业创业	174	公共安全管理
164	残疾人维权及无障碍改造工作	174	公安改革
165	残疾人就业培训工作以及残保金征收	174	公安队伍建设
165	残疾人宣传文化体育工作	174	公安基层基础
165	疫情防控	174	公安宣传
165	其他重点工作	175	疫情防控
165	**红十字会**	175	**科尔沁右翼前旗边境管理大队**
165	概况	175	概况
165	宣传筹资	175	边境管控
166	"三救"工作	175	新闻宣传
166	"三献"工作	176	疫情防控
166	基层组织	176	群防群治
166	疫情防控	176	**检　察**
166	**文　联**	176	概况
166	概况	176	平安前旗建设
166	组织建设	176	刑事检察
167	文艺品牌	176	民事检察
167	文艺创作	176	行政检察
168	文艺志愿	177	公益诉讼检察
		177	未成年人司法保护
		177	司法救助
	法　治	177	诉源治理
		177	检察监督
170	**政法委与综治**	177	**法　院**
170	概况	177	概况
170	维稳安保工作		

177	社会安全稳定	184	概况
178	法治化营商环境	184	服务保障体系建设
178	乡村振兴	184	思想政治和权益维护
178	司法保障网	185	移交安置与就业创业
178	家庭文明建设	185	拥军优抚与褒扬纪念
178	多元解纷服务	185	双拥创建工作
178	速裁团队建设		
179	执行体制改革		
179	智慧法院建设		

农牧林水

179	人民监督	187	**农牧和科学技术**
179	**司　　法**	187	概况
179	概况	187	种植业生产
179	法治建设	187	养殖业生产
179	行政复议案件	188	奶业振兴行动
180	社会治理	188	肉牛再造行动
180	法律服务	188	高标准农田建设
		189	种业振兴行动
		189	农业机械化

军　　事

		189	病虫灾害监测防控
182	**人 武 部**	190	动物疫病防控
182	概况	190	乡村产业发展
182	练兵备战工作	190	国家农畜产品质量安全县创建
182	国防动员和后备力量建设	191	农牧业综合执法
182	部队建设	192	人居环境改善
183	综合保障能力	192	农村牧区经营服务
183	人民防空	192	科技培训与推广
183	**科尔沁右翼前旗武警中队**	193	畜牧技术推广
183	概况	193	蒙古羊
183	军事工作	194	札萨克图羊
184	政治工作	194	湖羊
184	后勤工作	194	兴安细毛羊
184	装备管理	195	**林业草原**
184	支援地方建设	195	概况
184	**退役军人事务**	195	林草生产

195	林草资源管护	201	概况
195	专项整治整改	201	企业管理
195	以案促改	202	经济效益
196	基本草原划定	202	**内蒙古宏达压铸有限责任公司**
196	林草病虫害防治监测	202	概况
196	林草长制度	202	生产技术
196	优化营商环境	202	经济效益
196	**水　利**	202	技术改造
196	概况	202	荣誉
196	水利工程建设	202	**内蒙古蒙佳粮油工业集团有限公司**
197	河湖长制工作	202	概况
197	水资源管理及节约用水	203	质量管理
197	水土流失综合治理	203	市场营销
197	防汛抗旱	203	集团发展
197	营商环境持续优化	203	其他项目
198	"五大起底"完成整改	204	**兴安盟艾郎风电科技发展有限公司**
		204	概况
	工　业	204	技术改造
		204	市场开拓
200	**工业经济管理**	204	企业管理
200	概况	204	**兴安埃玛矿业有限公司**
200	工业经济运行	204	概况
200	工业重点项目	204	企业文化
200	"五大起底"工作	205	安全环保建设
200	惠企项目	205	生产经营
200	盐务工作	205	**内蒙古阿尔一一九八酒业有限公司**
200	**企　业**	205	概况
200	**国网内蒙古东部电力有限公司**	205	企业管理
200	概况	205	技术改造
201	主要工作	206	产品开发
201	**兴安盟乌兰泰安能源化工有限责任公司**	206	市场开拓
201	概况	206	经济效益
201	经济效益	206	**内蒙古科尔沁王酒业有限责任公司**
201	**科尔沁右翼前旗德康饲料有限公司**	206	概况

206	企业管理		212	创新业务
206	技术改造		212	服务水平
206	产品开发		212	乡村振兴
206	市场开拓		213	电信公司
206	经济效益		213	概况
			213	助力中小微企业

交通运输

208	概况		213	数字生活惠及家庭
208	重点工程建设		213	助力企业上云
208	农村公路养护		213	服务能力
208	执法与安全		213	疫情防控
208	安全生产		213	安全生产
208	疫情防控			

经济综合管理与监督

208	城乡交通投资		215	发展与改革（粮食工作）
208	概况		215	概况
209	主要工作		215	计划执行
			215	固定资产投资

邮政　通信

			215	重大项目
			215	向上争取资金
211	邮政管理		215	粮食安全保障
211	概况		215	优化营商环境
211	乡村振兴		216	疫情防控
211	疫情防控		216	信用体系
211	经营工作		216	亮点工作
211	通信运营机构		216	统　计
211	移动公司		216	概况
211	概况		216	基本单位统计
211	工作要点		217	农牧业
211	联通公司		217	统计咨询服务
211	概况		217	人口变动抽样调查
212	提升网络能力		217	工业
212	通信重保工作		217	商业贸易
212	疫情防控		217	固定资产投资

217	服务业		222	宣传辅导培训
217	执法检查		222	纳税服务品牌
218	**农村调查**		223	推行代开发票"一表通"
218	概况		223	疫情防控
218	主要工作		223	**市场监管**
218	**审　计**		223	概况
218	概况		223	机构改革
218	审计业务		223	营商环境
218	预算执行审计		224	食品安全监管
218	重大政策落实情况审计		225	药品、医疗器械、化妆品安全监管
219	经济责任审计		225	计量监管
219	自然资源资产离任审计		225	标准化管理
219	审计整改		226	特种设备安全监察
219	旗委审计委员会第四次会		226	价格监督与不正当竞争
219	沉淀资金大起底审计		226	信用与网络安全监管
219	财政财务收支审计		226	产品质量安全监管
219	亮点工作		226	广告监管
220	**财　政**		226	加强知识产权发展和保护
220	概况		226	认证认可和检验检测监管
220	收支管理		227	整顿规范市场秩序
220	兜牢"三保"底线		227	处理投诉举报工作
220	债务风险			
220	财政体制改革			**金　融　业**
220	沉淀资金大起底专项行动			
221	财政各项工作		229	**银　行**
221	**国有资产投资**		229	银行业概述
221	概况		229	**中国银行**
221	沙果精深加工园区基础设施项目		229	概况
221	中寰·盛世豪庭一期项目		229	存款
221	草产业加工物流交易园区		229	贷款
222	**税　收**		229	乡村振兴
222	概况		229	防风险，保安全
222	税收工作		229	**建设银行**
222	推进精确执法		229	概况

229	存款业务	233	蒙商村镇银行
229	贷款业务	233	概况
230	**农业银行**	234	依法合规经营
230	概况	234	贷款模式
230	各项存款	234	金融服务
230	各项贷款	234	优化服务
230	利润	234	风险管控
230	支持地方经济	235	**内蒙古银行**
230	**工商银行**	235	概况
230	概况	235	各项存款
230	存贷款指标	235	各项贷款
230	**农业发展银行**	235	支持地方经济建设
230	概况	235	产品宣传
230	各项存款	235	**保　险**
230	各项贷款	235	农业保险
231	基金业务	235	概况
231	财务计划	236	险种
231	服务三农	236	业务发展
231	支持地方经济	236	内部管控
231	重点支持	236	客户服务
231	**信用联社**	236	人保财险
231	概况	236	概况
231	资产总额	236	险种
231	负债总额	236	业务发展
232	财务收支	236	客户服务
232	所有者权益	237	企业文化
232	乡村振兴		
232	风险管控		
233	金融服务		**城乡建设和城乡投资**
233	回报社会		
233	**邮政储蓄银行**	239	**城乡建设**
233	概况	239	概况
233	存款业务	239	园林绿化
233	贷款业务	239	市政工程
		239	基础设施建设

239	建筑市场监督与管理	246	优化营商环境
239	房地产市场监管	**247**	**青山国家级自然保护区**
240	住房保障体系	247	概况
240	村镇建设与管理	247	森林防火
240	安全生产	247	生态环境保护
240	乡村振兴	247	林草有害生物防治
240	疫情防控	247	保护区基础设施建设
240	**城市投资建设**	247	疫情防控
240	概况	248	乡村振兴
241	建设国有新能源企业	248	宣传工作
241	建设国有农牧业管理企业	**248**	**自然资源管理**
241	建设国有城市环境管理企业	248	概况
241	建设国有进出口贸易企业	248	土地节约集约利用
241	控股资质优秀的建设公司	248	自然资源规划体系建设
242	**城市管理**	248	生态保护
242	概况	249	耕地保护制度
242	行政处罚	249	经济社会发展能力
242	信访举报	249	资源合理开发利用
242	安全隐患专项整治	249	优化营商环境
242	违法建设	249	自然资源资产管理体制
242	油烟污染专项治理	249	自然资源督察执法
242	流动摊贩管理		
243	遏制违法建设		
243	垃圾处理厂提标改造工程		**商务　服务**
243	环卫管理		
		251	**外事办（商务）**
	生态环保　自然资源	251	概况
		251	电商项目
245	**生态环境（环境保护）**	251	外资外贸
245	概况	251	消费促进
245	污染防治攻坚	251	与阿里集团合作工作
246	中央生态环境保护督察整改	251	重点领域行业监管
246	生态环境执法	252	乡村振兴
246	生态环境监测	252	疫情防控
		252	特色亮点工作

供　销

- 252　概况
- 252　基层社组织建设
- 253　供销社综合改革
- 253　乡村振兴

烟草专卖

- 253　概况
- 253　卷烟营销
- 254　专卖管理

科　技

科技事业

- 256　概况
- 256　科技投入
- 256　科技合作
- 256　科技成果
- 256　科技人才

气　象

- 256　主要气象要素
- 257　基础业务
- 257　气象服务
- 257　人工影响天气
- 257　气象科普宣传
- 257　优化营商环境
- 257　疫情防控、创城工作

教　育

- 258　概况
- 258　机构设立
- 258　幼儿教育
- 258　基础教育
- 258　高考中考
- 258　职业教育
- 259　体卫艺劳
- 259　校外培训
- 259　思政教育
- 259　安全管理
- 260　教育督导
- 260　工会工作
- 260　团队工作
- 260　审计工作
- 260　基建工作
- 260　教育装备
- 260　京蒙帮扶
- 261　乡村振兴
- 261　语言文字
- 261　教育科研
- 261　学生资助
- 261　教育考试
- 262　后勤保障
- 262　教育基金会

文化　旅游　体育

- 264　概况
- 264　群众文化
- 264　全域旅游
- 265　艺术创作
- 265　文艺演出
- 265　基础设施
- 265　文物保护
- 266　文化市场
- 266　图书管理
- 266　非物质文化保护
- 266　群众体育

全域文化旅游

- 267　概况
- 267　2022年度项目

267	**融媒体中心**	276	基层工作
267	概况	**276**	**阿力得尔苏木**
267	电视新闻方面	276	概况
268	新媒体方面	276	农牧业
268	蒙古语宣传	277	项目建设
268	疫情防控	277	生态保护建设
268	宣传党的二十大精神方面	277	乡村振兴
		278	民生改善
		278	文化旅游
	卫生健康	278	平安建设
		278	人口
270	概况	278	教育
270	健康前旗建设	278	卫生
270	疾病预防和公共卫生服务	279	疫情防控
270	医疗服务	**279**	**桃合木苏木**
271	中医药（蒙医药）振兴行动	279	概况
271	卫生行业综合监管	279	畜牧业
271	"一老一小"服务	279	项目建设
271	职业病防治	279	草原生态
271	营商环境	279	民生工作
272	疫情防控	280	教育卫生
272	乡村振兴	280	疫情防控
		280	人居环境
	苏木乡镇　中心	280	平安建设
		280	**巴日嘎斯台乡**
274	**乌兰毛都苏木**	280	概况
274	概况	280	农业
274	招商引资	280	牧业
274	产业发展	280	旅游业
274	乡村振兴	280	乡村振兴
274	特色小镇	281	疫情防控
275	生态环境	281	科右前旗黑豆
275	基础设施	**281**	**满族屯满族乡**
275	医疗卫生	281	概况
276	社会保障		

— 015 —

281	畜牧业	286	农牧业
281	奶产业	286	社保民生
282	乡村振兴	287	乡村振兴
282	疫情防控	287	退役军人服务
282	四项亮点工作	**287**	**额尔格图镇**
282	乌兰毛都草原自然度假区项目	287	概况
282	警示教育基地	288	农业
282	满蒙民俗乡村旅游项目	288	畜牧业
283	图布台国家草原自然公园	288	特色产业
283	**科尔沁镇**	288	人居环境
283	概况	288	城镇建设
283	农业	289	乡村振兴
283	畜牧业	289	疫情防控
283	林业	**289**	**察尔森镇**
283	水利	289	概况
283	应急管理	289	农牧业
284	乡村振兴	290	旅游业
284	民生工程	290	项目建设
284	人居环境整治	290	便民服务
284	疫情防控	290	基层治理
284	**俄 体 镇**	290	民生保障
284	概况	290	察尔森白鲢、鳙鱼
284	农业	**291**	**归流河镇**
285	畜牧业	291	概况
285	乡村振兴	291	经济
285	粉业经济	291	农业
285	林果经济	291	畜牧业
285	生态建设	292	林业
285	社会保障	292	旅游业
285	疫情防控	**292**	**大石寨镇**
285	教育医疗	292	概况
285	村容村貌整治	292	农业生产
285	**居力很镇**	293	特色产业
285	概况	293	项目建设

293	民生	299	民生工程
293	生态治理	299	社会事业
293	社会治理	299	新农村建设
294	疫情防控	299	疫情防控
294	乡村振兴	299	三大攻坚战
294	人居环境	299	京蒙扶贫
294	科右前旗马铃薯、粉条		

驻旗国营农牧场

295	**德伯斯镇**	301	**阿力得尔牧场**
295	概况	301	概况
295	重大项目	301	农业
295	传统产业	301	林业
295	乡村旅游	301	畜牧业
295	疫情防控	301	社会事业
295	社会保障	302	信访工作
296	社会治理	302	综治司法
296	生态保护	302	劳资工作
296	人居环境	302	行政办工作
296	环保问题整改	302	疫情防控
296	**索 伦 镇**	302	**公主陵牧场**
296	概况	302	概况
296	农牧业	302	农业
297	产业发展	302	畜牧业
297	乡村振兴	302	林业
297	生态治理	302	农田水利
297	人居环境整治	302	农业机械化
297	民生改善	302	卫生
297	教育	303	企业自身建设
297	综治	303	**索伦牧场**
297	政府建设	303	概况
297	**绿水种畜繁育中心**	303	主要经济
297	概况	303	农业
298	农业生产	303	畜牧业
298	牧业生产		
298	旅游业		

303	产业经营	305	人口
303	生态保护		
303	"五率一降"落实情况		**人物　荣誉**
304	各项补贴及向上争取资金		
304	民生保障	307	**个人荣誉**
304	平安综治	307	2022年科右前旗获全国荣誉个人名录
304	文化建设	308	2022年科右前旗获自治区荣誉个人名录
304	干部素质	312	2022年科右前旗获盟级荣誉名录
304	防火防汛	319	2022年科右前旗获旗级荣誉名录
304	个体私营经济	329	**集体荣誉**
304	教育	329	2022年科右前旗获全国荣誉集体名录
304	卫生	329	2022年科右前旗获自治区荣誉集体名录
304	人口	331	2022年科右前旗获盟级荣誉集体名录
304	社会事业	333	2022年科右前旗获旗级荣誉集体名录
305	社会保障		
305	**跃进马场**		**附　录**
305	概况		
305	农业	336	科右前旗2022年国民经济和社会发展统计公报
305	畜牧业		
305	林业	344	内蒙古自治区人民政府令
305	农业机械		
305	个体私营经济		**索　引**
305	教育		
305	卫生	349	索　引

特 载

展现兴安担当　贡献兴安力量　绽放兴安风采
奋力谱写兴安盟高质量发展新篇章

旗委（扩大）会议暨全旗经济工作会议召开

政府工作报告
——在科右前旗第十八届人民代表大会第二次会议上
（2023年1月1日）

特　　载

守正创新　踔厉奋发　勇毅前行
不断谱写科右前旗高质量发展新篇章

旗委（扩大）会议暨全旗经济工作会议召开

12月30日，科右前旗十五届三次全委（扩大）会议暨全旗经济工作会议召开。科右前旗委书记孙书涛代表旗委常委会向全会作报告。旗委副书记、旗长王立东主持会议并就贯彻落实好此次会议精神提出了具体要求。旗人大常委会主任王家博，旗政协主席岳嵩山及其他处级领导同志出席会议。

会议指出，全旗上下要以习近平新时代中国特色社会主义思想为指导，深入贯彻党的二十大和中央经济工作会议精神，全面落实自治区党委十一届五次全会暨全区经济工作会议、盟委（扩大）会议暨全盟经济工作会议决策部署，全面准确学习领会党的二十大精神，深刻领悟"两个确立"的决定性意义，深化落实习近平总书记对内蒙古的重要指示精神，提振全旗干事创业精气神，凝聚起奋进新时代的强大动力。

会议强调，2023年工作要全面贯彻新发展理念，积极服务和融入新发展格局，更好统筹疫情防控和经济社会发展，更好统筹发展和安全，聚焦习近平总书记交给内蒙古的五大任务,在稳中求进的基础上稳中求快、稳中优进,着力抓好生态、民生、安全"三稳"和项目投资、产业发展、乡村振兴、改革创新、区域合作"五进"工作,谋划好"水、草、风、美"四篇文章,推动经济实现质的有效提升和量的合理增长。

会议提出,2023年主要预期目标是:地区生产总值同比增长6%左右,固定资产投资同比增长12%以上,规上工业增加值同比增长20%左右,一般公共预算收入同比增长5%左右,社会消费品零售总额同比增长10%左右,城乡常住居民人均可支配收入同比分别增长6%和8%左右。

会议强调,建设"两个屏障""两个基地""一个桥头堡"是习近平总书记从内蒙古实际出发、着眼全国大局交给我们的五大任务,全旗各地要加强生态环境保护,注重生态治理,转化生态优势,加快清洁能源产业发展,以兴边富民为目标,巩固发展民族团结大局,不断提高人民生活品质,全力维护社会安全稳定。要做强现代农牧业,夯实粮食安全根基,打造优质奶源基地,实现肉牛扩群倍增,健全肉羊繁育体系,壮大生猪产业规模。大力发展泛口岸经济,扩大对内对外开放,打造一流营商环境,全力推动五大任务见行见效。

会议强调,要深化旗情认识,找准发力重点,坚持发展第一要务不松劲,坚定不移走以生态优先、绿色发展为导向的高质量发展新路子,扩大有效投资,增强经济发展拉动力,稳定工业经济,保障产业链供应链畅通。大力发展生态旅游,加快旅游项目开发,筹划经典旅游活动,升级服务产业,完善三级物流体系,推动商贸消费复苏,强化金融保障支撑,提高经济运行质量和效益。要扎实推进乡村振兴,拓宽群众增收渠道,提高乡村建设水平,提升基层治理能力,促进农牧业农村牧区优先发展。要加强建设管理,完善城市空间规划,补齐城市建设短板,加强城市精细管理,持续提升城市品质。着力强化资金保障,向上抢抓机遇,对内深度挖潜,赴外积极招商,增进高质量发展成色。持续深化改革创新,推进体制机制改革,提高自主创新能力,防范和化解重大风险,打造良好安全发展环境。

旗委委员、候补委员,旗委各部委办、人民团体,旗直各部门、金融机构、垂直管理单位主要负责同志,以及各苏木乡镇党政主要负责同志,退休老干部代表、基层党代表、人大代表、政协委员代表、企业家代表参加会议。

(来源:魅力科右前旗)

政府工作报告

——在科右前旗第十八届人民代表大会第二次会议上

（2023年1月1日）

王立东

一、2022年工作回顾

过去一年，我们坚持以习近平新时代中国特色社会主义思想为指导，全面贯彻落实党的十九大和党的二十大精神，弘扬伟大建党精神，坚持稳中求进工作总基调，完整、准确、全面贯彻新发展理念，加快构建新发展格局，不断深化改革开放，推动高质量发展，坚持以供给侧结构性改革为主线，统筹疫情防控和经济社会发展，统筹发展和安全，持续改善民生，着力稳定宏观经济大盘，全旗经济社会呈现趋势向好、结构更优、动能转强、效益提升的高质量发展态势。预计，全旗地区生产总值完成123亿元，同比增长6%；固定资产投资完成68亿元，同比增长6.3%；规模以上工业总产值完成25亿元，同比增长42%；社会消费品零售总额完成21亿元，同比增长5%；一般公共预算收入完成4.8亿元，同比增长1%；一般公共预算支出完成50亿元，同比增长11%；城乡常住居民人均可支配收入分别达34336元和15417元，同比分别增长6.1%和7.7%。

过去的一年，我们真抓实干，推动项目建设提质增效

坚持以重大项目为主抓手，紧紧围绕产业转型升级、基础设施建设、民生事业保障，千方百计扩大有效投资，筑牢了经济发展"压舱石"。全年实施重大项目40个，总投资253.8亿元，年内完成投资63.8亿元。中广核风电项目实现并网发电，成为国内首个单体百万千瓦级陆上风电投产项目。伊利5G液态奶智能制造项目试车生产，中央储备粮仓储项目破土动工，华能20万千瓦风电项目进展顺利，天瑞华府、观湖兴景等一批房地产项目竣工投用，重大项目点燃了旗域经济高质量发展的"强引擎"。储备入库索伦抽水蓄能、中核绿色供电、黑羊山通用机场等重大项目46个，总投资319.3亿元，实现了项目梯次接续、滚动发展。招商引资成效显著，积极对接巴音孟克、华莱士、澎派农业等企业，签约项目39个、协议总投资125亿元，到位资金50亿元，完成全年任务的129%，增速位列全盟第一。

过去的一年，我们固本强基，夯实固农兴牧发展格局

始终坚持把解决好新发展阶段"三农三牧"问题作为重中之重，着力调整产业结构，扎实推动乡村振兴，打造了全员出击、共同致富的精彩篇章。一是脱贫成果持续巩固。围绕"两不愁三保障""一高于一安全"，深入落实防返贫动态监测和帮扶机制，全年开展动态管理4次，及时跟进帮扶措施，消除了1094人返贫致贫风险。投入资金837万元，实施易地搬迁后续扶持项目，群众生活幸福感、满意度不断提升。扶贫资产清产核资工作有序推进，分级分类完善"三本台账"，20.7亿元扶贫资产持续保值增值。二是乡村振兴稳步向前。我旗成功晋升为自治区乡村振兴先行示范旗，全年争取各级各类资金3.7亿元，141个兴产业、补短板、惠民生项目全面建成投用。深入实施人居环境整治行动，在全区率先启动垃圾源头减量、卫生厕所改造、生活污水治理一体化等项目，"田水路林村"风貌显著提升。持续完善联农带农机制，带动群众户均增收3600元以上，让小庭院成为增收"聚宝盆"。京蒙协作、中央单位定点帮扶、厅局帮扶、社会帮扶成绩斐然，"万企兴万村"行动卓有成效，农畜产品年度进京销售额达7588万元。三是产业结构调整优化。全旗粮食产量突破15亿公斤，实现"十三连丰"。实施东北黑土地保护性耕作5.4万公顷、深松作业4.27万公顷、高标准农田1.07万公顷，打造绿色高效增粮示范基地约3533公顷。流转土地约5.3万公顷，农作物综合机械化率达88.2%。成功争取自治区级"大豆制种大县"项目，种植带状复合4000公顷，新品种示范推广4000公顷。围绕"小沙果、大产业"，新建高标准果园约133公顷，全旗林果总面积约1.5万公顷。认证绿色食品标准化生产基地约17.1万公顷，23个农产品入选全国"名特优新"产品名录。我旗被评为"全国农作物病虫害防控推广基地"，旗农技推广中心被评为"全国五星基层农技推广机构"。四是发展动能持续增强。总投资32亿元的4座万头牧场竣工投运，总投资6亿元的修刚云端牧场项目进展顺利，传统乳制品文化产业发展中心建设完成，全旗奶牛存栏5.8万头，年产奶量突破33万吨。"肉牛产业再造行动"成效明显，发放贷款2.1亿元。新增肉牛规模化养殖场5处，肉牛存栏32万头。新建肉羊规模化养殖场2处，新增家庭农牧场10家，规模化养殖比重达65%，全旗肉羊存栏达380万只。总投资29亿元的德康百万头生猪产业一体化项目平稳运行，12个厂区主体建设全面完成，新建千头家庭猪场2个，全旗生猪年出栏突破50万头。牧业年度牲畜存栏445万头（只、口），现代畜牧业"前旗样板"见效成势。五是草牧产业快速起步。秸秆综合利用项目有序推进，全年消纳秸秆125万吨，转化利用率达90%以上。中草药种植突破4000公顷，成功承办"中国中药材产业高质量发展大会"，向蒙东地区北药集散地迈出了坚实一步。申请首批国有草场试点约2.75万公顷，实施草原生态修复800公顷、退化草原改良约6666公顷、毒害草治理2000公顷。种植中科羊草约533公顷，年产优质牧草5.1万吨。成功承办"中国内蒙古第四届牧草产业大会"，阿力得尔草产业园区一期投入运营，引进蒙草、蒙树、草都等7家国内草业龙头企业，"立草为业、草牧并举、草畜一体化"的发展格局初步形成。

过去的一年，我们扩容增量，实现工业经济快速发展

牢固树立"大抓工业、大抓产业"的鲜明导向，以园区为节点、以企业为支点、以项目为重点，全面提升产业链、创新链、供应链协同发展水平。一是工业重点项目高效推进。实施千万元以上工业项目17个，完成投资24.2亿元，新增规上企业4家，总数达25家。中药科技产业园、东瀚无人机等6个项目主体完工。水发沙果精深加工、鑫特康物流等12个项目开工建设。玄武岩纤维拉丝、智慧农业示范等17个项目快速推进，工业经济高质量发展再添"新动能"。二是企业发展活力持续释放。乌兰泰安大化肥项目顺利升规，艾郎风电完成技改升级，希倍优制氢装备制造试车生产，创新发展成为企业加速前进的第一动力。天星园马铃薯产业园建成投用，宏达压铸实现满产满销，荷丰农业全年稳定生产，德康饲料、科尔沁王酒业等骨干企业稳中有进，全旗工业经济的大好来势正在加速形成。三是园区承载能力不断提升。大石寨街、好仁街等配套道路建成通车，水电气暖等基础设施互联互通。工业污水处理厂改扩建项目主体完工，固废综合处理项目建成投用。工业园区累计入驻企业达113家，完成投资81.6亿元，年均增长8.4%，形成了特色引领、园区带动、产业集群的经济发展新格局。

过去的一年，我们多措并举，促进第三产业不断壮大

探索旅游产业创新融合新途径，抢抓商贸物流联动共赢新机遇，展现金融服务多措并举新气象，现代服务业成为拉动经济增长的新动能。一是全域旅游高位推动。"前·海"驿站、野奢帐篷客等项目进展顺利。草原宿集、百年古榆民俗度假村等项目建成投运。察尔森水库、金马鞍景区成功晋升为国家3A级景区，察尔森嘎查荣获"自治区乡村旅游重点村""中国美丽休闲乡村"称号。承办第九届全区乌兰牧骑艺术节暨2022·兴安盟那达慕，活动期间圈粉破亿。《欢乐城市派》《乡村振兴中国行》《瞭望中国》等栏目高频聚焦，掀起全旗品牌旅游推介新热潮。全年接待游客300万人（次），实现旅游收入11亿元，同比增长20%。二是商贸物流焕发新机。举办汽车文化节、伊德根文化节等展洽活动9场（次），承办全盟"消费扶贫月展销活动"，拉动消费2亿元。全旗电子商务交易额突破4亿元，同比增长14.5%。梦幻塔拉游乐园投入运营，"前·海"不夜街等夜间消费震撼来袭，持续释放新"夜"态潜力。三是金融服务质效并举。争取地方政府债券7.3亿元，化解政府债务5.2亿元，连续4年超额完成化解任务。金融机构存贷款余额达108亿元和115.7亿元，同比增长18.2%和16.1%，存贷比达107.1%。国有参股动产质押监管公司组建完成，进一步拓宽了农牧民融资渠道。通过中小企业融资服务平台投放贷款18.7亿元，受益企业162家，金融服务实体经济能力大幅增强。

过去的一年，我们统筹协调，推进城乡面貌明显改善

坚持城乡融合、绿色发展、建管并重，以精致理念引领城市前行，改善生态环境生命线，由表及里改变了城乡外在形象和内在品质。一是城市功能不断完善。完成索伦街、学府街等6条市政道路，新增里程5.2公里。新建和改造给排水管网22公里、供热管网13.4公里。实施科尔沁湖、柳树川河生态治理等6项绿化工程，新增绿地面积15.5万平方米，人均公园绿地面积达49.9平方米，国家园林城市复检顺利通过初审。全年房地产开发面积47.9万平方米，改造危房179户，700余人实现安居梦。开展"城市精细化管理"专项整治，打造了干净整洁、美观有序、舒适宜居的生活环境。二是基础设施成效显著。乌兰毛都至金马鞍、乌兰河至乌兰敖都等旅游公路建成通车，国道331等5个道路项目强势推进，全旗公路总里程达3420公里。全面推进节约集约用地，完成增减挂钩项目82.87公顷，预计收益3.6亿元。耕补库挖潜74公顷，实现收益3740万元。治理河湖岸线61公里、河道55.2公里，完成水土保持综合治理140平方公里。实施红旗66千伏输变电、宝格达山10千伏线路等39个电网改造工程。三是生态底色更加亮丽。坚持山水林田湖草一体化保护和系统治理，完成造林绿化约533公顷、草原建设任务1万公顷。加大秸秆禁烧管控力度，空气质量优良天数比例保持在97%以上。全面做好水源地保护、入河排污口管理工作，国控断面水质均达Ⅲ类标准。合理划定"三区三线"，编制完成120个村庄发展规划，土壤污染分类管控不断深化，工业固废综合利用率达100%。河湖长制、林草长制实现双向发力，坚决守护生态底色，不负美丽前旗。

过去的一年，我们凝心聚力，保障民生福祉持续增进

始终践行以人民为中心的发展思想，知民之深、爱民之切、敬民之重，持续加大民生投入，破解民生难题，用亲民之情，谋利民之事。一是民生保障稳步推进。人大代表票决的10个民生实事项目全部竣工投用，为人民群众带来了实实在在的获得感、幸福感、安全感。圆满完成年度"三保"工作，高质量解决历史陈欠账款，基本民生资金实现应保尽保。城镇新增就业1300人，登记失业率控制在2.9%以内。4个创新创业孵化基地入驻企业208家，带动就业2993人。在全盟率先打造5个线下零工"小市场"，激活了创新就业"大民生"。支出各类救助、补助资金2.3亿元，城乡低保标准分别提高4%和10%。建成碧桂园和兴科社区养老服务站，城镇养老服务设施覆盖率达95%以上。切实发挥"12345服务热线"连心桥作用，以政府暖心服务换来群众真心满意。二是教育事业蓬勃发展。深入实施"教育强旗"战略，学前教育、特殊教育普惠发展，义务教育优质均衡发展，高中教育多样化发展。深入推进职业教育产教融合、校企合作，职普融通更趋实效。完成教育基础设施投资5820万元，兴安海淀学校拔地而起，永兴小学独立办学，第三小学载梦起航。招聘各类教师281人，98名支教教师到岗授课。旗教育局被评为"全国关心下一代工作先进集体"，察尔森少年军校被评为全国"八一爱民学校"。三是卫生健康卓然进步。"健康前旗"建设成效显著，分级诊疗服务体系持续完善，急诊急救中心通过全区初审。基层医疗机构中蒙医药服务率达100%，全旗城乡居民参保率稳定在95%以上。疾病防治、妇幼保健服务能力稳步提升，"一老一小"保障体系不断健全。完成3栋840间集中隔离用房标准化改造，配套建设100间防疫人员箱式房屋，应急处置能力全面增强。四是文化体育交融共进。在全区率先实行"文化村长"，齐峰、乌兰图雅等23名文艺工作者助力乡村文化振兴。杨澜、任贤齐等近500位名人聚力点赞，前旗美誉度、知名度全面提升。旗图书馆正式开馆，"公共文化云"平台成功启动，云端文物鉴赏录制有序推进。"三美家园·书香前旗"品读会成为全区唯一国家级文学重点扶持项目。乌兰牧骑开展文艺演出百余场次，在第九届全区乌兰牧骑艺术节中荣获团体金奖。体育事业多点开花，斩获全区青少年田径锦标赛四金两银。旗足球协会正式成立，更大范围普及和推广了足球运动。五是社会大局和谐稳定。扎实推进法治政府建设，深化司法体制综合配套改革，察尔森嘎查被评为"全国民主法治示范村"。纵深推进"百日行动""双清双打"，全年刑事案件同比下降12.6%，平安前旗建设不断深化，市域社会治理现代化再上新台阶。铸牢中华民族共同体意识，推动新时代党的民族工作高质量发展。坚持和完善新时代"枫桥经验",加强矛盾纠纷排查化解,解决了一批历史遗留信访问题。兴科社区被评为"全国先进基层组织"。食品药品安全监管不断强化,安全生产形势持续稳定。

过去的一年,我们开拓创新,迈出改革开放重要一步

以改革增动力、以开放添活力、以环境强引力、以廉洁聚合力,激发了推动经济社会高质量发展的磅礴力量。一是深化改革再创新成绩。扎实推进"放管服"改革,助企纾困服务稳进提质。深入推进科技工作改革创新,在全盟率先成立科技事业发展中心。农村产权交易中心土地经营权抵押融资11439笔、贷款金额5.4亿元。全年退税减税降费10.8亿元,惠及1.7万户(次)纳税人。国企改革稳步推进,国投公司、城投公司等5家国有企业完成优化重组。持续深化供销系统综合改革,新建村级综合服务合作社22个,"832"平台销售额达2140万元。二是对外开放迈出新步伐。深入推进"前·海"科技创新创业谷建设,成功研发全盟首款沙果微生物功能性饲料。建立教授工作站2个、牛业胚胎移植实验室2个,旗内国家级高新技术企业达6家。开设"草地羊"北京旗舰店,百余种特色商品进入"首都商圈"。巴音同圆顺利实现对外贸易出口,井泉药业出口道地药材110吨。我旗被评为"县域外经贸破零增量示范县",全旗外贸进出口总额达18.5亿元。三是营商环境开启新篇章。全面落实"企业开办3.0""证照分离"政策,1069个事项进驻服务大厅,同比增长51%。全年办理事项41万件,"一窗受理"率达86%以上。深入开展"四办"工作,全程网办率达80%。全面深化政务服务体系建设,实现旗乡村三级政务服务事项集中办理,打通便民服务"最后一米"。清偿民营企业、中小企业账款近亿元。发放中小微企业贷款1500万元,全旗市场主体发展到2.7万户,全面构建了亲而有度、清而有为的政商关系。四是"五大起底"取得新突破。圆满完成沉淀资金大起底工作任务,清理盘活上缴资金6114万元、撤销账户26个。待批项目办结率达97.2%,补办项目办结率达100%。盘活了一批"半拉子"工程,以"存量盘活"实现"增量发展"。超额完成批而未供大起底工作,消化处置土地150.5公顷,有效促进了资源节约集约利用。成功盘活云天化农业公司,唤醒"沉睡资源",让"包袱"变成财富。五是政府效能实现新提升。坚持以党的政治建设为统领,捍卫"两个确立"、增强"四个意识"、坚定"四个自信"、做到"两个维护",严格落实意识形态工作责任制。自觉接受人大工作监督和法律监督、政协民主监督和社会监督,主动接受监察监督、媒体监督。全年办理人大代表建议99件、政协委员提案150件,办复率均为100%。严格执行中央八项规定及其实施细则精神,坚持过"紧日子"思想,持续创建节约型机关。深入推进廉政建设和反腐败斗争,政府自身建设和治理能力不断提升。

与此同时,审计、气象、融媒体、大数据、史志档案、机关事务、消防救援等工作取得新成绩,残联、科协、工会、妇联、工商联、共青团、红十字会、关工委、老科协、老年体协等群团组织发挥了桥梁纽带作用,驻旗军警部队为经济社会发展做出了积极贡献。

没有等出来的精彩,只有干出来的辉煌。面对2022年来势凶猛的新冠疫情,在盟委、行署和旗委的坚强领导下,我们始终坚持人民至上、生命至上,立即启动应急响应机制,迅速调整疫情防控策略,全城动员、全民参与、联防联控、群防群治,筑起了全民抗疫的铜墙铁壁,斩断了病毒入侵的传播链条。始终坚定不移落实"外防输入、内防反弹"总策略,坚守住了三年本地无"疫"底线,取得了这场疫情防控遭遇战、阻击战、攻坚战的重大胜利。在这场战"疫"中,全旗各族人民众志成城、团结一心;广大医护人员白衣擐甲、逆行出征;社区工作者无私奉献、昼夜值守;公安干警闻令而动、忠诚履职;退役军人和民兵不褪本色、坚守一线;各级党员干部冲锋在前、勇挑重担,一同汇聚起了战胜疫情的磅礴力量。寒冬将过,春日可期。那些刻骨铭心的日日夜夜,那些紧张急促的分分秒秒,充分诠释了前旗精神、前旗力量、前旗担当,更加坚定和鼓舞了全旗人民奋进新征程的勇毅与自信。

凡是过往,皆成序章;凡是未来,皆可期盼。各位代表!回顾过去一年,我们守正创新、步履坚实,迎来了许多喜事、干成了许多实事、解决了许多难事。一是坚定执着,践行嘱托。用行动诠释初心使命、用实干推动经济发展、用奋斗书写责任担当,全力以赴闯新路、开新局、抢新机,经受住了一系列大战大考,办成了一系列大事要事,用拼搏和汗水书写了新时代科右前旗崭新篇章。二是凝聚共识,勇创一流。扎实推进工业园区以案促改、"五大起底"、人防系统专项整治等工作任务,促进经济高质量发展成为全旗上下的思想共识和行动自觉。三是担当为民,攻坚克难。紧紧围绕乡村振兴,高标准接受中央和自治区"1号文件"专项督查,承办全区人居环境整治现场会,因地制宜发展特色产业,促进了农村牧区一二三产业融合发展。四是久久为功,善作善成。牢固树立"绿水青山就是金山银山"发展理念,高质量完成中办督查、中央生态环境保护督察、国家森林督查、破坏草原林地专项整治、违法用地百日攻坚等整改任务,生态环境质量显著改善。五是奋发图强,迎难而上。有效应对风险防控和经济下行双重压力,在破解城乡发展不平衡、政府债务化解、安全生产等多重约束中,推动了各方面工作齐头并进、协调发展。

功崇惟志、业广惟勤。成绩来之不易,这是旗委总揽全局、科学决策的结果,是旗人大、旗政协同心同向、鼎力支持的结果,更是全旗广大干部群众团结奋斗、顽强拼搏的结果。一年来,我们机制顺畅、导向鲜明,激发了斗志,促进了发展。旗委制定了一系列正向激励机制,为担当者担当,为实干者搭台,全旗上下人心思进、政通人和的政治环境更加巩固。我们作风扎实、团结协作,形成了合力,保障了发展。四大班子精诚团结、勠力同心,各级领导带头实干、亲力亲为,广大干部爱岗敬业、履职尽责,工作作风明显转变、服务效能全面提升、发展环境持续优化。我们思想解放、敢于担当,提高了站位,推动了发展。全旗上下同心向力,与好的比、向好的学,开阔了视野,转变了观念,激发了迎难而上、敢为人先的干事热情。我们执政为民、凝聚人心,汇聚了力量,支撑了发展。始终坚持以人民为中心的发展思想,全旗人民以强烈的主人翁意识为前旗发展建言献策,用辛勤的汗水为前旗发展增砖添瓦。人民群众对我们的认可和肯定,是我们砥砺奋进、干事创业的不竭动力。

在此,我代表旗人民政府,向广大干部群众,向人大代表和政协委员,向离退休老同志,向奋战在疫情防控各条战线上的同志们,向关心支持科右前旗发展的社会各界人士，表示衷心的感谢，并致以崇高的敬意！

追逐梦想，我们勇毅笃行；叩问初心，我们任重道远。在总结成绩的同时，我们更加清醒地认识到，全旗经济社会发展还存在不少困难和问题。一是经济持续增长新动能不足，制约经济高质量发展的瓶颈亟待破解；二是财税增收缓慢，地方政府性债务负担较重，财政收支矛盾突出，加大财源培育刻不容缓；三是城乡基础设施和公共服务体系相对薄弱，与人民群众对美好生活的需求还有差距；四是政府职能转变仍需深化，行政服务效能尚有短板，个别单位存在"部门主义"观念，缺乏团结协作、合力克难的大局意识。对此，我们一定直面问题和挑战，敢于担"责"、勇于担"难"、善于担"险"，全力以赴加以解决，决不辜负全旗人民期待！

二、2023年工作安排

今年是全面贯彻落实党的二十大精神开局之年，也是我旗转变发展方式、推动高质量发展、建设"美丽前旗"的重要一年。我们要坚持对标对表走在前、聚心聚力争一流，以"进"的姿态守牢"稳"的底线，在"稳"的基础上优进快进、争先进位，统筹好做大总量和提高质量。今年政府工作的总体要求是：以习近平新时代中国特色社会主义思想为指导，全面贯彻落实党的二十大和中央、区、盟经济工作会议以及旗委（扩大）会议暨全旗经济工作会议精神，完整、准确、全面贯彻新发展理念，积极服务和融入新发展格局，更好统筹疫情防控和经济社会发展，更好统筹发展和安全，聚焦习近平总书记交给内蒙古的五大任务，在稳中求进的基础上稳中求快、稳中优进，着力抓好生态、民生、安全"三稳"和项目投资、产业发展、乡村振兴、改革创新、区域合作"五进"工作，谋划好"水、草、风、美"四篇文章，推动经济实现质的有效提升和量的合理增长。

今年全旗经济社会发展主要预期目标是：地区生产总值同比增长6%，固定资产投资同比增长12%，规模以上工业总产值同比增长100%，社会消费品零售总额同比增长10%，一般公共预算收入同比增长5%，城乡常住居民人均可支配收入同比分别增长6%和8%。时势日新，唯有创新。面对新阶段、新目标、新任务，我们必须坚持问题导向，增强创新意识，抓紧每一天，干好每件事，聚焦聚力旗委提出的目标任务，找准切入点、结合点、着力点，不折不扣把旗委的决策部署落实到政府工作的各方面和全过程。重点抓好以下几方面工作：

（一）稳中求进加快项目建设，抢抓机遇攻坚投资扩产

着力推动资源紧跟项目走、要素围绕项目转、干部聚焦项目干，多点发力确保项目满弦开工，促进形成百亿领航、十亿带动、千万集聚的项目矩阵，为全旗高质量发展蓄势赋能。

一是建设质效提速升级。实施亿元以上重大项目46个，年内计划完成投资58.6亿元，同比增长8%。竭尽全力推进朗毅锂电池负极材料生产、岩兴科技玄武岩加工、森辉印务外包装制造等工业项目落地开工。同心协力推进索伦抽水蓄能、中核绿色供电、华能风电等新能源项目并网运行。凝心聚力推进通用机场、县道414、铁路"平改立"等交通项目竣工投用。不遗余力推进伊利5G液态奶智能制造、井泉药业兽药制剂生产、水发沙果精深加工等产业项目投产达效。群策群力推进河畔华庭、兴安壹品宅、碧桂园公园上城等房地

产项目量质齐升。

二是深度谋划项目储备。紧盯国家、自治区政策导向，围绕五大任务和国家组织实施的重大工程，抢抓"十四五"规划中期评估调整机遇，聚焦乡村振兴、"两新一重"、交通水利、清洁能源等领域，完善项目储备和滚动接续机制，做优做精三级三类项目库，确保同比增长15%以上。重点谋划储备乌兰毛都抽水蓄能、中核风储制氢制氨、湖南创明绿色供电、中广核清洁能源小镇等13个项目，总投资345.5亿元，年内计划完成投资46.3亿元。同步推动存量项目加快建设、增量项目谋划生成，实现"存、增"并举，同频共振。

三是要素保障前行在先。全面落实"全年抓、抓全年，全员抓、抓全员"工作要求，坚持精准招商引资，抓好产业链集群招商、龙头企业链式招商、新能源+产业招商，全年完成招商引资56亿元。加大"跑部进厅"工作力度，让更多项目进入国家和自治区规划"盘子"。积极争取上级预算内投资项目、财政资金补贴项目和债券项目，争取地方政府债券8亿元。全面推进土地节约集约利用，科学储备增减挂钩项目约666公顷，力争实现收益30亿元以上；耕地占补平衡交易20公顷、创收1亿元。积极盘活闲置低效用地，腾出高能高效发展空间，让"寸土"生"寸金"。

（二）切实补齐三农三牧短板，保障乡村振兴行稳致远

以供给侧结构性改革为主线，巩固拓展脱贫攻坚成果同乡村振兴有效衔接，促进农牧业全面升级、农村牧区全面进步、农牧民全面发展，建设宜居宜业和美乡村。

一是唱响乡村振兴主旋律。坚持"四个不摘"原则，聚焦"守底线、抓发展、促振兴"，健全防返贫动态监测机制。巩固提升"两不愁三保障"成果，持续抓好低收入人口常态化帮扶，坚决守住不发生规模性返贫底线。坚持"集中资金办大事"，将60%以上衔接资金用于产业发展，切实发挥好规模效益。强化扶贫项目资产管理，加强跟踪监测和风险预警，确保扶贫资产长治长效。

二是奋进共同富裕新征程。一要持续助力群众增收。投入资金1.85亿元，实施果树经济林改造、牲畜品种改良等6个项目，通过股份合作、生产托管等利益联结模式，确保实现"两个高于"目标。选派优秀企业家担任"产业村长"，助推嘎查村产业优质发展。二要扎实推进乡村建设。改造提升1500套水冲式厕所，因地制宜推进"厕所革命"。投入资金7041万元，实施给排水一体化、产业设施配套、村屯路桥等23个项目，补齐乡村基础设施建设短板。三要加强改进乡村治理。开展"双清零"嘎查村创建工作，全面化解信访、债务问题。投入资金2455万元，建设乡村治理数字化平台，为乡村发展添"智"提"效"。

三是开启融合发展新篇章。一要发展高效种植业。立足建设国家重要农畜产品生产基地，全面树立大食物观，实施保护性耕作约8.6万公顷，稳定粮食播种26万公顷、产量15亿公斤以上。争创全国制种大县，高标准完成玉米、大豆新品种示范推广1.47万公顷。持续推动千亩设施园区建设，新建智慧农业示范区2处，培育特色果蔬基地40公顷以上。大力推广"企业+基地、庭院+药材"模式，鼓励林药间作，力争中草药种植面积突破约6666公顷。栽植果树经济林约167公顷，建设榛子、文冠果等油料作物示范基地约567公顷，确保林果总面积突破约1.67万公顷。二要

发展规模养殖业。以建设国家级现代畜牧业试验区为抓手，围绕肉牛倍增"百千万"计划，实施"秸秆变肉"工程。启动高端肉牛全产业链精深加工项目，推广"牧光互补"模式，打造1座肉牛智慧"零碳牧场"，力争全旗肉牛存栏突破36万头。深入推进奶业振兴，大力推动"从一棵草到一杯奶"全产业链发展，实施奶业生产能力提升整县推进项目，打造优质奶源基地，建设国家奶源大县，争创"国家现代农牧业产业园"。推动修刚云端牧场建成投用，实现全旗奶牛存栏12万头，产奶量突破40万吨。发展肉羊标准化养殖，实现肉羊舍饲养殖存栏210万只。持续推进百万头生猪产业一体化项目，建成产能调控基地1处、育肥场2个，培育家庭猪场10个，实现生猪养殖产能85万头、存栏33万头。三要发展优质草产业。以打造"中国羊草故乡"为目标，积极发展人工种草、草种培育、草产品加工等现代产业。创新实施高标准草牧场，建设羊草种子繁育基地约2666.67公顷，实施草原生态修复治理2000公顷，完成人工羊草种植6000公顷。坚持立草为业、饲草先行，种植青贮玉米2万公顷、燕麦约5333公顷，稳步推进国家首批国有草场试点约2.75万公顷。启动草业园区二期和牲畜交易平台建设，完善草业园区一期服务功能，打造饲草料"中央厨房"，壮大草产业市场前景。四要发展品牌农牧业。抓好传统乳制品小作坊提档升级，扶持蒙为食品增加传统乳制品生产线，推动乳制品发展中心入驻企业通过SC认证。实施农畜产品提升工程，培育区级龙头企业1家，推动农牧业产业化联合体达5个以上。持续壮大新型农牧业经营主体，新增旗级以上示范社10家、家庭农场11家，紧密型利益联结机制比例达72%。积极申报国家级农业产业强镇，努力形成乡镇有主导产业、村屯有富民产业、农户有特色产业的发展格局。

（三）多点发力壮大工业经济，兼容并蓄培育智慧园区

坚持以园区为载体、项目为本体、企业为主体，围绕"工业再造前旗"，强化要素保障和配套服务，全力扩大总量、做优存量、提升质量。

一是推动工业做强做优。坚持强攻产业、决战工业，确保全年规上工业增加值达12.5亿元，同比增长20%，规模以上工业企业达30家，着力培育工业经济发展新势能。加快办理德康生猪屠宰、艾郎风电二期等19个新建项目前期手续，尽快实现落地开工。扎实推进水发沙果精深加工、京蒙糖业等5个续建项目全面复工，早日实现建成投产。紧盯乌兰泰安、埃玛矿业等骨干企业稳定运行，持续释放有效产能。促进高新技术产业发展，推动东瀚无人机达产达效，打造北方无人机实验示范基地。支持现有工业企业高质量发展，推动伊利5G液态奶、井泉药业等企业入统升规，进一步构建现代产业体系，夯实工业强旗根基。

二是强化产业转型升级。通过争取专项资金、国企混改、财政资金引导等措施，推动制造业绿色化、智能化、高端化改造提升。全力盘活千百味、稼禾农业等停产、半停产企业，实现"腾笼换鸟""二次创业"。推进蒙佳粮油、骏马矿业技改升级，不断增强工业企业核心竞争力。围绕建设重要能源和战略资源基地，实施"新能源+产业"战略，启动建设9个新能源项目，全旗总装机容量达300万千瓦，年发电量达50亿千瓦时。持续抓好绿电招商储备工作，依托风电、光伏、氢能等上下游产业

链，加强与葛洲坝、比亚迪等企业合作，培育形成"风光氢储车"产业集聚，实现新能源产业"追风逐日""驭风前行"。

三是搭载园区集聚平台。新建、盘活标准化厂房1.2万平方米，建设给排水管网6.4公里、道路1.6公里，着力提升园区平台承载能力。全力推动中药健康谷建设，打造"三产融合"的大健康产业园。加强与巴音孟克、岩威科技、希倍优等企业的深度合作，落实好园区建设百亿元"项目包"，年内完成投资6.3亿元。加快智慧园区项目建设，打造更加高效便捷的"数字化"服务平台。建立"标准地"出让制度体系，确保入园企业"拿地即开工"。抓好"飞地经济"政策落实，实现园区错位发展。

（四）全力以赴促进消费升级，推动第三产业健康发展

探索经济发展"新路径"，激发经济增长"新动能"，把握旅游新趋势、引导消费新业态、构建金融新格局，充分释放第三产业高质量发展新潜力。

一是高标准推进旅游产业全面复苏。坚持全域全季、差异化高端化发展定位，重点实施巴音居日合景区、黑羊山草原欢乐谷、雪村滑雪场温泉乐园等项目。打造大青山"旅游+生态"研学基地，开发边境草原旅游，规划G302、S203自驾线路，助力"兴安一号旅游公路"贯通全域。建设旅游道路标识20个、旅游驿站9座，进一步完善旅游基础设施。培育城中草原水上乐园、无动力乐园等沉浸式多元业态。探索番茄公社、海力森等"微度假"模式，打造一批体验式精品"牧家乐"。推进察尔森水库、金马鞍景区晋升国家4A级景区，全力创建"自治区级全域旅游示范旗"。继续开展那达慕、西瓜节、沙果节等经典活动，助推节庆商业向高端攀升。举办冰雪嘉年华，启动城中草原欢乐冰雪季，办好察尔森渔猎文化节等精品活动。全年实现接待游客350万人（次），旅游收入12亿元，同比增长15%以上。

二是新理念引领商贸物流全面发展。发挥投资对优化供给结构的关键作用和消费对经济发展的基础作用，开展冰雪年货节、伊德根文化节等活动，推动接触型消费加快恢复。培育壮大"互联网+"消费新模式，鼓励企业利用新技术构建智慧零售新场景，推广网订店送、无接触配送等服务。筹备第七届中国中药材物流大会，建设标准化加工、仓储、物流中心，全力打造蒙东地区北药集散地。启动邮政集团物流体系建设项目，着力解决农畜产品运输"最初一公里"。"点燃"城中草原、楼中草原夜间消费示范区，打造"夜宴""夜游""夜赏"等多业态经济综合体。

三是多渠道保障金融服务全面提升。持续缩减开支、减少债务"分子"，全力增加收入、做大财力"分母"，全年化解债务4.8亿元，实现拖欠民营企业、中小企业无分歧账款一律清偿到位。持续强化金融机构服务能力，拓宽农村产权交易中心业务范围，优化金融信贷产品抵押、登记、授信流程。开展政银企对接活动，推动金融产品库与企业项目库紧密衔接，建立企业"抱团取暖"模式，提高企业抵御市场风险能力。坚定不移做大、做强、做优国有企业，用实际成效展现"国企担当"。

（五）统筹推进城乡融合发展，坚持不懈践行生态文明

加快推进以人为核心的新型城镇化，丰富城市内涵，塑造乡村特色，实现低碳发展，逐步形成区域协同、城乡统筹、特色鲜明的城镇发展新格局。

一是提升城市能级品质。坚持民生城建理念，继续抓好城市更新行动，开展"三供、两治、一业"工作，实施6大类48个城市补短板项目，彻底解决摸黑路、裸露地等问题，有效治理"僵尸车辆"、占道经营等城市顽疾。打造城中草原中草药景观带，适时启动红歌博物馆等项目，持续健全游客服务中心功能。加快推进兴安壹号院、中药康养城等住宅小区项目，完成512户棚改回迁安置，让更多群众圆梦安居。全面完成人防系统突出问题专项整治，确保整改治理工作落地见效。投入资金6000万元，启动实施环卫一体化项目，逐步形成"精细化、全覆盖、无缝隙"管理格局。

二是系统配套基础设施。高水准编制国土空间总体规划、实用性村庄规划，讲好城市发展故事，加快城乡融合步伐。推进乌布林水库开工建设，实施饮水安全提升工程15处，新建中小河流护岸10公里，治理侵蚀沟79条，完成水土保持综合治理20平方公里。建设边境4G信号基站3座，改善边境地区通信网络质量。实施强边固防"四项工程"，打造32公里最美精品边防线，积极争取"兴边富民行动中心城镇"项目。投资3.3亿元，启动实施满族屯至特布格日乐、北部边境地区桥涵等6个新建项目，加快推进边防防火路、县道412等3个续建项目。深化公路管养体制改革，完成铁路道口"平改立"工程，实现"区域交通综合化、城乡交通一体化"新发展格局。

三是筑牢生态安全屏障。积极稳妥推进碳达峰、碳中和，加快推动形成绿色低碳的生产生活方式，促进经济社会发展全面绿色转型。一要坚决抓好污染防治。突出抓好秸秆禁烧管控、燃煤锅炉综合整治。强化工业园区污水处理监管，持续推进污染源治理，实现固废、危废、医废等安全有效处置和资源化利用。二要扎实推进生态建设。提高生态系统碳汇能力，积极探索碳汇指标交易。深入落实林草长制，统筹山水林田湖草综合治理，科学开展大规模国土绿化行动，继续实施天然林保护、重点区域绿化等生态工程，新增造林绿化约333公顷，完成草原建设任务约1.07万公顷。三要持续加强环境保护。强化河湖长制，执行最严格水资源管理制度。依法打击超标排污、破坏林地草原、非法采矿等违法行为，让蓝天白云常驻、碧水净土长存。

（六）砥砺初心坚持人民至上，全心全意服务民生保障

民生在勤，勤则不匮。我们要着眼"弱有众扶、幼有善育、学有优教、病有良医、老有颐养、住有宜居"，健全多层次社会保障体系，真正让群众看到变化、见到成效、得到实惠。

一是扎实做好民生保障。高质量办好民生实事人大代表票决项目，让人民群众过上更加富裕、更有保障、更高品质的美好生活。全面落实各项强农惠农政策，强化技能培训，实施好以工代赈项目，增加农牧民工资性收入。认真落实"四大行动""六个举措"，全年举办各类招聘会30场，发放创业担保贷款1600万元，城镇新增就业1100人以上，登记失业率控制在5%以内。健全医保基金监管长效机制，完善医保待遇清单制度。优化三级退役军人服务保障体系，做好自治区双拥模范城创建工作。实施边境地区医养中心项目，探索健康养老新模式。

二是坚持教育优先发展。深耕教育质量提升，确保学前教育毛入园率、义务教育巩固率、高中阶段毛入学率达95%以上，残疾儿童接受义务教育

比例达100%。继续推动旗一中、一小改扩建工程，实现兴安海淀学校交付使用。统筹抓好食品饮水安全、消防工程验收、预防校园暴力、学生心理疏导等工作，确保校园安全稳定。实施"名师、名校、名校长"培养工程，以教师引进、校长选拔等方式，推进交流轮岗。强化校长竞争意识，推行量化考核、实行末位淘汰，强力推进作风建设，打造高素质教师管理团队。依托海淀区、北京林业大学、中国传媒大学等人才优势，开展教师交流培训60次，助力教师走上专业成长"快车道"。

三是不断推进卫健事业。持续开展"健康前旗"行动，强化医共体建设，实现旗内病人就诊率90%以上。提升基层卫生服务能力，确保家庭医生签约服务覆盖率达58%、重点人群达83%。推广中医（蒙医）适宜技术，促进中医药传承创新发展。健全公共卫生体系，推进旗医院4号病房楼提标扩建，强化医疗物资与人才储备支撑，加强重大疫情防控救治体系和应急能力建设，有效遏制重大传染性疾病传播。深入开展爱国卫生运动，倡导文明健康生活方式。

四是挖掘特色文体品牌。做好"三馆一站"数字化建设，全力推进文化工作实现新突破。加快乌兰牧骑事业发展，办好2023年前旗春晚，全年举办大型惠民文化活动30场，让人民享有更加充实的精神文化生活。加强德伯斯飞机堡遗址保护和利用，做好文物工程建设和区域评估勘探工作。开展国家级非遗活动，打造传统乳制品、刺绣等非遗产业集群。开展全民健身系列活动，举办全国草原马拉松邀请赛，推进全民健身与全民健康深度融合。

五是维护社会和谐稳定。扎实推进"八五"普法宣传教育，一体推进科学立法、规范执法、公正司法。以铸牢中华民族共同体意识为主线，加强和改进党的民族工作，争创全国民族团结进步示范旗。深入推进扫黑除恶常态化，依法严惩群众反映强烈的各类违法犯罪活动，提高命案防范水平，防止发生"黑天鹅""灰犀牛"事件。进一步健全共建、共治、共享的社会治理制度，推动法治前旗、平安前旗建设迈向更高水平。深入开展"重复访"和信访积案攻坚化解，切实解决群众合理诉求。全面加强食品药品监管，压紧压实安全生产责任，坚决遏制重特大安全生产事故发生。

（七）靶向施策强化改革创新，巩固对外开放良好势头

坚持把改革开放作为推动经济发展的"关键一招"，以改革促开放、以开放促发展，激活内部要素、吸引外部资源，为高质量发展注入强大动力。

一是深化重点领域改革。推进机关事务信息化建设，提高公务用车使用效率，促进政府运行方式更趋数字化、智能化。持续深化工程建设项目审批制度改革，实现项目审批系统"应进必进"，做到"放"得彻底，"管"得规范。全面深化医保付费改革，实现定点医疗机构全覆盖。依托海淀区科技资源，建设"前·海"科技科创中心，开展企业、技术、人才多维孵化，打造科技发展集聚区。推动各级各类政策、资金直达到企到民，确保减税降费政策红利落地落实。扎实开展"大起底"行动，实现短期见成果、长期建机制。加快组建旗国投集团，提升国有资本运营管理实力。

二是拓展对外空间开放。围绕建设向北开放重要桥头堡，依托兴边富民等政策，加快融入国内、国际大循环。主动与京津冀、东三省、环渤海、长三角等发达地区交流合作，

更好承接高端产业、引进领军企业、吸纳先进要素。实施外经贸破零增量示范项目，推动井泉药业原药出口、蒙佳粮油大豆进口，力争交易额突破3亿元，实现全旗外贸额持续增长。加速提升巴音同圆、依之瑾等企业进出口能力，培育壮大日、韩、俄、蒙货物运输集散基地，促进"过路经济"向"落地经济"转型。

三是持续优化营商环境。开展"优化职能职责、优化工作流程"专项行动，推动营商环境考核评估提级进位。推进市场主体登记全程电子化，扩大"双随机、一公开"监督方式覆盖面。努力实现"一网通办"，确保便民惠企事项网办率达95%以上。实行限期、容缺审批，服务事项办理时限压缩70%，把服务从"窗口"送到"心口"。加快推进政务服务大厅搬迁改造，让群众"只进一扇门、最多跑一次"。加强接诉、交办、盯办、智能督办能力建设，持续优化"12345服务热线"接诉即办工作。构建高品位亲清政商关系，将科右前旗打造成为宜居宜商的"活力之城"。

（八）转变职能加强自身建设，担当作为激发政府效能

立足新起点、肩负新使命、迈向新征程。我们必须忠诚履职、锐意进取，以政府的"担当指数"提升富民强旗的"发展指数"，以干部的"奋斗指数"换取人民群众的"幸福指数"。

一是提高站位，铸就忠诚坚定之魂。以党的政治建设为统领，牢牢把握中国式现代化的正确方向，深刻领悟"两个确立"的决定性意义，进一步增强"四个意识"、坚定"四个自信"、做到"两个维护"，始终忠诚核心、信赖核心、紧跟核心、维护核心，坚定不移沿着习近平新时代中国特色社会主义思想指引的方向奋勇前进。把"不忘初心、牢记使命"作为终身考题、永恒课题，转化成担当作为、狠抓落实的自觉行动和持久动力，事不避难、精准攻坚，全力推动政府各项工作干在实处、走在前列。

二是尊崇法治，夯实依法行政之基。坚持法无授权不可为、法定职责必须为，决不允许行政权力"任性""妄为"。推进诚信政府建设，践行契约精神，坚决维护制度权威，运用法治思维和法治方式开展工作、破解难题。自觉接受人大及其常委会法律监督、工作监督和政协民主监督，高质量办好人大代表建议和政协委员提案。主动接受检察监督、社会监督和媒体监督，积极回应社会关切和群众诉求。完善政府部门权力和责任清单，用法治给行政权力树高线、明底线、亮红线。

三是履职尽责，弘扬务实高效之风。对标"好正实优"要求，增强"八项本领"，提升"七种能力"，争做干事创业"领头羊"、改革创新"开山斧"、为民解难"孺子牛"。坚持实事求是，追求实实在在的投入、实实在在的增长、实实在在的税收。持之以恒纠治"四风"，坚决整顿不作为、乱作为，不搞一刀切，不层层加码，为基层松绑减负。坚持一切工作"走在前、干在先、落在实"，以高标准、快节奏、严作风推动"事争一流、勇当前列"。完善激励约束、容错纠错机制，给干事者舞台、让平庸者让位，使担当作为、真抓实干在全社会蔚然成风。

四是干净自律，绷紧清正廉洁之弦。坚决扛起全面从严治党主体责任和"一岗双责"，纵深推进政府系统党风廉政建设，让清正廉洁成为每一名党员干部的行动自觉。严格落实中央八项规定及其实施细则精神，力戒形式主义、官僚主义。始终保持反腐败斗争高压态

势,坚决整治群众身边的不正之风。发挥审计监督作用,加强公共资源交易、公共财政支出、工程建设、国企国资等领域监管。坚持过"紧日子",严控"三公"经费,把更多资金用于为发展增添后劲、为民生雪中送炭。

名词、缩略语解释

四办:一网办、掌上办、一次办、帮您办。

双清零:嘎查村的信访问题和村级债务双清零。

灰犀牛:太过于常见的,以至于人们都习以为常的风险。

黑天鹅:极其罕见的、出乎人们意料的风险。

平改立:铁路与公路在平地上的交叉改为上跨桥式或下穿涵洞式的交叉工程。

832平台:脱贫地区农副产品网络销售平台。

耕补库:为严格监督耕地保护,确保占补平衡,由县(旗)级人民政府设立"耕补库",在建设过程中占用多少耕地,当地人民政府就应补充划入多少数量和质量相当的耕地的行为。

六个举措:强化市场主体带动、鼓励引导农牧民发展高质量庭院经济、参与以工代赈项目建设、发展代耕代种社会化服务、开展牲畜品种改良、务工就业。

四大行动:城镇零就业家庭充分就业增收、有就业意愿大中专毕业生全面就业增收、有学习意愿居民免费培训提高技能增收、纳入监测范围城镇事实困难群体政府兜底补助(保障)增收。

零碳牧场:基于规模化牧场之上,以数字智能技术与清洁能源为核心的,有效抵减碳足迹,减少碳排放的专业化牧场。

零工市场:由打零工从业者、中介服务机构与雇工方进行前期就业供求信息沟通对接的线上虚拟或线下实体场所。

双清双打:"双清"指的是清除涉稳隐患、清剿安全隐患,"双打"指的是严打严重暴力犯罪和严打多发性侵财犯罪。

三本台账:扶贫项目资产形成的公益类、经营类、到户类三类资产台账。

"五大起底":待批项目大起底,开发区闲置资源要素大起底,沉淀资金大起底,"半拉子"工程大起底,批而未供、闲置土地大起底。

七种能力:政治能力、调查研究能力、科学决策能力、改革攻坚能力、应急处突能力、群众工作能力、抓落实能力。

八项本领:学习本领、政治领导本领、改革创新本领、科学发展本领、依法执政本领、群众工作本领、狠抓落实本领、驾驭风险本领。

职普融通:由中等职业教育与普通高中教育合作,双方共同设计课程、互派师资,实行学分互认、学籍互转的一种崭新的人才培养模式。

大食物观:大食物观的基础是粮食,是"向耕地草原森林海洋、向植物动物微生物要热量、要蛋白,全方位多途径开发食物资源"的一种观念。

飞地经济:两个相互独立、经济发展存在落差的行政地区,打破区划限制,以各类开发区为主要载体,在平等协商、自愿合作的基础上,以生产要素的互补和高效利用为直接目的,在特定区域合作建设开发各种产业园区,通过规划、建设、管理和利益分配等合作和协调机制,实现互利共赢的区域经济发展模式。

增减挂钩:城镇建设用地增加与农村建设用地减少相挂钩,最终实现增加耕地有效面积,提高耕地质量,节约集约利用建设用地,城乡用地布局更合理的目标。

万企兴万村:立足我国农业农村发展实际,着眼民营企业特色优势，广泛动员社会力量参与乡村振兴开展的具体工作行动。

饲草料中央厨房： 一种置业于牲畜饲草集聚的空间，该空间全部饲草采取统一采购和配送。

三供、两治、一业： 供热、供水、供气，污水治理、垃圾治理，物业管理。

"水、草、风、美"四篇文章： 立足自然资源禀赋，以"水、草、风、美"为抓手，大力培育新产业、新动能、新增长极。"水"，即建设抽水蓄能项目，建水库、建灌区，打造水利风景区；"草"，即发展羊草产业和中草药产业，打造"中国羊草故乡"；"风"，即充分开发利用风能资源，大力发展清洁能源产业；"美"，即打造32公里最美精品边防线。

专　　记

创建国家园林县城
"前·海"双向奔赴交出亮眼成绩单

专 记

创建国家园林县城

科尔沁右翼前旗坐落在内蒙古东部,地处大兴安岭南麓,为中国四大草原之一"科尔沁草原"的腹地。近年来,旗委、政府深入贯彻习近平生态文明思想,牢固树立"两山"理念,在狠抓经济社会建设发展的同时,坚定不移地将"国家园林县城"这个金字招牌作为塑造城市形象,提升城市综合竞争力,加快以人为核心的新型城镇化建设的重要举措,持续打造"生态靓城、魅力新城、品质名城"。先后于2012年荣获人居环境范例奖、2016年荣获全国民族团结进步示范旗、2016年荣获生态宜居县城、2017年荣获国家园林城市、2020年荣获国家卫生城市、2020荣获双拥模范旗等荣誉称号。

科右前旗始终坚持"城市建设,规划先行"的指导思想,结合城市地域特色、科学定位发展格局,按照现代中心城市和国家级园林县城发展定位,在增绿、建园上实现新突破,城区绿地绿量大幅增加,绿化品位明显提升,园林绿化各项指标显著提高,"一路观景、两河亲水、青柳绕城"的公园城市应运而生。

实施公园绿化"精品工程"。高标准实施了科尔沁塔拉城中草原、柳树川河生态治理、归流河生态公园、城北路带状公园、碧桂园中心公园共5座公园和札萨克图西街北侧游园工程、札萨克图西街花海工程、盟教育学院周围绿化工程等6处游园和街头绿地,特别是碧桂园中心公园改造工程荣获自治区风景园林学会园林绿化优质工程奖金奖,极大地提升了山水园林城市建设品位,赢得了社会的广泛赞誉。

实施道路绿化"林荫工程"。坚持"绿随路建、有路皆绿、绿美结合""一街一景""一街一品"的原则,突出抓好城市道路绿化工作。加快实施园林景观路建设。采用大绿量、宽绿带的造绿手法,高标准建成了梅园路、宣化路、哈萨尔街、天骄南路等多条园林绿化景观大道,形成了"人在林中走、车在绿中行"的林荫路系统。按照"增加绿荫绿量、美化生态环境"的原则,对城北路等7条城区原有道路绿化进行高标准改造提升,增加了道路绿量,提升了绿化档次,丰富了绿化景观。

实施庭院绿化"普及工程"。科右前旗始终坚持"楼房建到哪里,绿化配套到哪里"的做法,以开展创建"园林式单位""园林式小区"活动为契机,调动各部门、各单位的绿化积极性,对城市主次干道实施综合整治,沿街单位一律拆墙透绿,确保道路绿地与单位绿地融为一体,实现了绿化资源的全方位共享。

完善配套制度"强化建管

并重"。因地制宜修订了《科尔沁右翼前旗园林绿化养护管理细则》,配套制订了《绿化养护实施细则》《绿化"四无一好"养护标准》,使城市园林绿化管理工作不断走向规范化。全面推进日常巡查、管护和应急处置工作的落实,严格要求新址所有建设项目必须保证绿化面积,凡绿化面积达不到要求的,一律不予批办,同时将"绿色图章"制度纳入了建设的审批程序,保证了城市建设项目的绿化用地。严肃查处各类违法侵占绿地、破坏绿化行为,对于城区内所有绿化路段和公园绿地进行分片区管理,建立奖惩机制,明确责任分工。高标准进行养护管理,保证绿化苗木的正常生长,确保绿化成果。

科尔沁右翼前旗人民政府公报（2022第五期）

"前·海"双向奔赴交出亮眼成绩单

一批批援助项目开工建设、一项项帮扶政策落地生根，在科右前旗，随处可见来自首都的帮扶印记。北京市海淀区和科右前旗，因京蒙协作而越走越近，越处越亲。

2018年，北京市海淀区结对帮扶科右前旗，两地结下了深厚的情谊。先后有17名优秀干部到科右前旗挂职工作，112家单位、企业、社会组织与旗直部门、苏木乡镇、嘎查村结对帮扶，123名教师、医生等专业技术人员深入科右前旗进行帮扶，共同描绘了草原儿女与首都人民携手共进、同心筑梦的时代画卷。

吃着中药材喝着甘泉水长大的草地羊，正逐渐成为科右前旗农畜产品的一张闪亮名片。说起草地羊进京销售，跟第六批东西部协作北京挂职干部云峰所做的努力分不开。他借助京蒙协作330万元专项资金，帮助科右前旗建设了草地羊冷链物流中心建设项目。科右前旗生产加工的羊肉制品，通过冷链物流运送到北京冷藏存储，再配送到门店销售。

在北京市海淀区永旺家园的社区商街，科右前旗草地羊旗舰店为北京市民送来了大草原的问候。走入店内，分割好的羊肉、羊腿、羊杂等陈列在冰柜内，方便顾客挑选购买。店里还设置了堂食区，顾客现场就可以烹饪、品尝铁锅炖羊肉。与此同时，草地羊还依托中国传媒大学食堂窗口，在五湖四海的学生群体中颇受欢迎。"草地羊肉味道纯正，滋味鲜美，青山绿水才能产出这样高品质的羊肉。"北京市民李莉说。

如今，在北京市海淀区，草地羊越来越受市民欢迎，不管是高校食堂，还是旗舰小店，都以火爆的销售展示京蒙协作成果。科右前旗草地羊合作社联合社负责人王国祥欣喜地说："以前说起哪儿的羊肉好吃，外地人只知道锡林郭勒羊、呼伦贝尔羊。如今，草地羊在京销售，让越来越多的人知道了科右前旗羊肉有多好！"据了解，今年科右前旗农畜产品在京销售额达到666.46万元。

汽车行驶到G111国道科右前旗收费站处，科右前旗"前·海"旅游驿站暨全域旅游集散中心吸引了不少游客的目光。走进驿站，包装精美的牛羊肉，味道香醇的奶制品，口感酸甜的沙果干……货架上琳琅满目的农特产品尽显科右前旗特色。

2022年，科右前旗聚焦产业链条式发展、基础设施精细化补强，在教育、人才、医疗方面深化两地协作，挖掘两地优势资源，打造了独具协作特色的"前·海"品牌，为科右前旗发展注入海淀活力。

仲夏的"前·海"不夜街人潮不息，作为科右前旗和北京市海淀区倾力打造的生态旅游项目，已成为满足"夜购、夜游、夜娱"等多元化夜间消费需求的新晋打卡地。

建设"前·海"创新创业谷，并与中国农科院、中国农业大学等高校和科研院所建立了合作关系，成立教授工作站2个、自治区级创新联合体1个、研发中心1个，已落地科技合作项目4个。

投入2516万元对科右前旗57所嘎查村级幼儿园进行维修改造，与51所中小学校、幼儿园结对，开展线上、线下交流350余次，互派跟岗、支教教师，培育优秀教师266名，派出的27名支教教师，为教育事业注入了"新鲜的血液"。

持续输入医疗人才，帮扶医生诊疗患者1620人次，疑难病例分析184例、手术示教50例、科室专题业务培训39次、远程会诊2例。

如今，在"前·海"品牌的引领下，北京市海淀区和科右前旗实现了产业协作接续攀高、人才培养接续精进、教育医疗接续组网、社会帮扶接续发力、消费帮扶接续拓展，不断凝聚乡村振兴的奋进力量。

产业振兴是乡村振兴的重中之重。农牧业则是科右前旗的优势产业、当家产业，为了进一步扩大数量、提高质量、增加产量，海淀区把产业发展放在扶持的重中之重，充分利用科石前旗的资源禀赋，新建、扩建、改建了一大批产业，推动科右前旗高质量发展。实施水稻产业园区智慧农业建设项目、实施肉羊改良实训基地建设项目、实施京蒙协作共建农业科技产业园先导区工程项目、打造爱养牧农牧业专业合作社项目……随着一批项目的稳步推进，其品牌效益、规模效益得到了充分展现。

"合作社成立之初，缺少资金可把我难坏了，多亏京蒙协作项目资金，没有海淀区温泉镇的帮扶，就没有我们合作社现在的发展。"2018年科右前旗爱养牧农牧业专业合作社刚刚成立，因为资金有限，项目难以形成规模，让合作社负责人邱锦卉犯了难。

海淀区温泉镇结对帮扶科右前旗居力很镇，经过调研考察，投入京蒙协作资金450万元，通过"京蒙协作+合作社"的产业发展模式，制订10年回购方案，收取租金由居力很镇统筹管理，5个村分配集体经济收益24万元。2021年，海淀区温泉镇东埠头村再次投入村集体经济3600万元，助推合作社发展，壮大了奶牛产业的新生力量。目前，项目一期已投入运营，现有奶牛存栏1100头，可日产鲜奶27吨，年净利润达到1500万元。

感情越走越深，合作越走越多，道路越走越宽。科右前旗与北京市海淀区在日益紧密的交往中，将继续心手相牵、并肩同行，书写乡村振兴崭新篇章。

《兴安日报》记者　武跟兄

大事记

1月	7月
2月	8月
3月	9月
4月	10月
5月	11月
6月	12月

大事记

1月

5日 科右前旗与内蒙古津润开发建设有限公司、松辽水利委员会察尔森水库管理局,就察尔森旅游开发项目举行战略合作框架协议签约仪式。

7日 兴业银行呼和浩特分行党委书记、行长颜勇一行深入帮扶点科右前旗大石寨镇前锋村调研厅局帮扶工作开展情况。

是日 科右前旗委书记孙书涛深入科右前旗雪村滑雪场、内蒙古远东中药物流有限公司、居力很牧森养殖场进行调研。

10日 致力消费帮扶、振兴乡村经济、商企助力妇女发展——"年货大集"农特产品认购活动开幕。盟妇联主席徐荣华,科右前旗委书记孙书涛,旗委副书记、旗长王立东,旗政协主席岳嵩山,旗委副书记、政法委书记刘刚,旗政协副主席孙继辉及旗妇联、乡村振兴局、融媒体中心负责人和兴安盟女企业家商会、科右前旗企业家代表、妇女致富带头人共同出席活动。

是日 科右前旗首届冰雪年货节开幕。兴安盟行署副盟长刘敏,盟商务口岸局局长刘海涛,旗委书记孙书涛,旗委副书记、政府旗长王立东,旗人大常委会主任王家博,旗政协主席岳嵩山,旗委副书记、政法委书记刘刚出席开幕式。

12日 科右前旗委书记孙书涛主持召开中共科右前旗第十五届委员会第19次常务委员会议暨全旗深化整治破坏草原林地违规违法行为专项行动以案促改工作专题会议。

13日 科右前旗举办2021年度嘎查村党组织书记乡村振兴"擂台比武"活动暨"担当作为好支书"评选活动,旗委常委、组织部部长李放,旗委宣传部、统战部,旗乡村振兴局等部门相关负责人出席活动,各苏木乡镇级"担当作为好支书"选手代表参加活动。

14—15日 科右前旗委书记孙书涛带队赴成都招商。旗委常委、旗委办公室主任张旭东,旗人大常委会副主任陈海青,旗政府副旗长王志彪、李海波,旗工业园区、行政事务服务中心、现代农牧业园区负责人一同招商。

14日 科右前旗与中广核新能源公司举行索伦抽水蓄能项目签约仪式。兴安盟委副书记、盟长苏和,中广核新能源市场开发部总监梁亮,科右前旗委副书记、政府旗长王立东,旗委常委、政府常务副旗长刘海涛,旗委常委、政府副旗长、科尔沁镇党委书记杨磊,挂职旗委常委、政府副旗长云峰出席签约仪式。

15—16日 中国农业大学农牧业专家郭正、潘灿平、王雅晶一行来到科右前旗,就拟建"科技小院""教授工作站"事宜进行深入对接。

17日 科右前旗召开旗委班子党史学习教育专题民主生活会。兴安盟委委员、纪委书记、监委主任张立华出席会议并讲话。盟委党史学习教育第四巡回指导组组长、盟发改委二级巡视员陈全平到会指导。

18日 科右前旗举行绿色旅游开发项目战略合作框架协议签约仪式。旗委书记孙书涛，旗委副书记、政府旗长王立东，旗人大常委会副主任陈海青，政府副旗长杨乌兰、李海波出席签约仪式。

是日 科右前旗召开群众身边腐败和不正之风信访问题线索化解专题推进会。旗委书记孙书涛及旗级包案领导出席会议。各苏木乡镇(中心)、旗信访工作联席会议成员单位主要负责人参加会议。

是日 科右前旗召开深化破坏草原林地违规违法行为专项整治行动以案促改工作领导小组2022年第1次会议。

19日 科右前旗政协、旗委统战部、旗妇联、团旗委联合开展"迎新春 送春联"活动。旗政协主席岳嵩山出席活动，盟、旗书法家协会成员及各相关单位负责人、书法爱好者参加活动。

20日 以兴安盟卫健委副主任孙博为组长的督查组深入科右前旗，召开督查科右前旗新冠疫情防控工作反馈会。

22日 中共科右前旗十五届二次全委(扩大)会议暨全旗经济工作会议召开。旗委书记孙书涛作题为《坚定不移走以生态优先绿色发展为导向的高质量发展新路子 在全面建设社会主义现代化国家新征程上书写科右前旗发展新篇章》的报告。

23日 科右前旗工商业联合会(总商会)召开第十二届会员代表大会。盟委统战部副部长、工商联党组书记陈忠凯，科右前旗委书记孙书涛，旗政协主席岳嵩山，旗委常委、组织部部长李放，旗人大常委会副主任陈海青等出席会议。

24日 科右前旗委书记、边防委主任孙书涛深入三岔边境检查站，亲切看望慰问坚守在一线工作岗位的边境民警。

25日 以"助力冬奥会 一起向未来"为主题的科右前旗2022冰雪嘉年华在科右前旗居力很镇雪村滑雪场开幕。兴安盟政协副主席王喜林，科右前旗委书记孙书涛，盟文化旅游体育局局长斯钦都楞，盟工会二级调研员王洪伟，旗人大常委会主任王家博，旗政协主席岳嵩山，旗委副书记、政法委书记刘刚，旗委常委、纪委书记、监委主任赵玉亮，旗委常委、政府常务副旗长刘海涛等盟旗相关领导，各苏木乡镇(中心)、旗直部门主要负责人、干部职工代表，重点企业负责人以及来自全盟的冰雪运动爱好者参加开幕式。

是日 科右前旗举行"助力乌兰毛都草原旅游"战略合作框架协议签约仪式。旗委书记孙书涛，旗委副书记、政府旗长王立东，旗委常委、宣传部部长王印，著名歌唱家齐峰，北京万旗国际音乐文化传媒有限公司代表武庆祯出席签约仪式。

是日 2022年科右前旗"札萨克图的祝福"网络春节晚会精彩上演，为全旗人民奉献一道喜庆祥和、精彩纷呈的文化演出。旗委书记孙书涛，旗委副书记、政府旗长王立东，旗人大常委会主任王家博，旗政协主席岳嵩山等全旗副处级以上领导出席晚会。晚会还邀请兴安日报社党委书记、社长刘向阳及盟直相关单位领导到晚会现场共庆新春。

26日 由政协科右前旗委员会主办，中共科右前旗委统战部协办的"携手新征程 建功新时代"科右前旗统一战线迎新春联谊会精彩上演。兴安盟委统战部副部长、宗教局局长曹善淑，旗政协主席岳嵩山，旗委常委、组织部部长李放出席活动。

28日 科右前旗委书记

孙书涛深入兴安军分区、旗公安局等地开展节前慰问活动。兴安军分区大校司令员李发迎代表分区接受慰问。

29日 科右前旗委副书记、政府旗长王立东先后深入旗城市管理综合行政执法局、都瑞热电有限责任公司等地，看望慰问一线工作人员。

2月

5日 科右前旗委书记孙书涛深入旗人民医院和城市管理综合行政执法局，看望慰问春节期间值守岗位的医护人员和环卫工人。

是日 科右前旗召开草原畜牧业转型升级试点工作推进会。旗委书记孙书涛出席会议，旗发改委、自然资源局、农牧和科技局及林草局相关负责人参加会议。

10日 科右前旗委书记孙书涛主持召开中共科右前旗第十五届委员会第22次常务委员会。

11日 科右前旗委副书记、政府旗长王立东主持召开推动产业高质量发展争取国家"十四五"规划纲要重大工程项目推进会。

是日 中共科右前旗第十五届纪律检查委员会第二次全体会议召开。会议深入学习贯彻党的十九大和十九届历次全会精神，全面贯彻十九届中央纪委六次全会、自治区十一届纪委二次全会和盟纪委（扩大）会议精神，总结2021年全旗纪检监察工作，安排部署2022年工作任务。科右前旗委书记孙书涛出席会议并讲话。

是日 科右前旗委书记孙书涛主持召开科右前旗中办督查调研指出问题和建议整改工作领导小组会议。

14日 兴安盟委副书记、政法委书记李洪才深入科右前旗调研农村牧区重点工作。

18日 科右前旗召开党史学习教育总结会议，深入学习贯彻党的十九届六中全会和中央政治局专题民主生活会精神，贯彻中央、自治区党委和盟委党史学习教育总结会议精神，盘点全旗党史学习教育工作成绩，巩固拓展党史学习教育成果。

是日 科右前旗召开旗委农村牧区暨乡村振兴工作会议，深入学习贯彻习近平总书记关于"三农"工作重要论述和对内蒙古重要讲话重要指示批示精神，全面贯彻落实中央经济工作会议、中央农村工作会议和区盟相关会议精神，研究分析全旗农村牧区和乡村振兴工作面临的形势，安排部署2022年重点工作任务。

19日 科右前旗委副书记、政府旗长王立东主持召开新冠疫情防控工作调度会。旗政府副旗长杨乌兰及旗直相关部门、各苏木乡镇主要负责人等参加会议。

是日 科右前旗与水发集团召开沙果产业投资洽谈会。会上，科右前旗委书记孙书涛，旗委副书记、政府旗长王立东，旗委常委、政府常务副旗长刘海涛与水发集团总经理、内蒙古区域总裁甘玉峰，围绕沙果产业发展进行深入对接座谈，旗政府副旗长王志彪及旗发改、工业园区、自然资源、生态环境等部门负责人参加洽谈会。

20日 青企助力乡村振兴、引才汇智"晓景计划"座谈会召开，团盟委书记、盟青联主席康红波，科右前旗委副书记、政府旗长王立东，旗政府相关领导出席会议。

是日 科右前旗委书记孙书涛率队赴北京林业大学交流调研。北京林业大学党委书记王洪元，党委副书记孙信丽，党委常委、副校长李雄及北京林业大学相关领导参加调研

21日 科右前旗委书记孙书涛赴中国农业大学围绕校地合作展开调研交流。兴安盟行署副秘书长杨军昌，旗政协主席岳嵩山，旗委常委、政府副旗长云峰，旗委常委、旗委办公室主任张旭东，旗委常委、统战部部长马宁随同调研。

是日 科右前旗委书记孙书涛赴北京市川谷汇集团、利奥生态科技集团招商考察。

22日 科右前旗委书记孙书涛赴北京中关村科学城调研座谈。中关村科学城党工委委员、管委会专职副主任何建吾，中关村科学城管委会规划发展处处长王春生，科右前旗政协主席岳嵩山，旗委常委、政府副旗长云峰，旗委常委、旗委办公室主任张旭东，旗委常委、统战部部长马宁以及中关村科学城企业、凯文学校董事长王慰卿，中关村创业大街运营总经理聂丽霞参加座谈。

是日 科右前旗委书记孙书涛赴北京市海淀区对接京蒙协作工作并参加两地高层会见座谈会。海淀区区委书记于军，区委常委、政法委书记、区委办主任吴计亮，区委常委、副区长林剑华，中关村科学城管委会规划发展处处长王春生，区发改委副主任张荣举以及科右前旗政协主席岳嵩山，旗委常委、政府副旗长云峰，旗委常委、旗委办公室主任张旭东，旗委常委、统战部部长马宁参加会议。

23日 科右前旗委书记孙书涛深入前旗北部牧区，调研督导破坏草原林地违规违法行为专项整治工作，深入推动"深化破坏草原林地违规违法行为专项整治行动以案促改"工作各项安排部署落到实处、取得实效。

25日 科右前旗人大常委会主任王家博深入科右前旗北部牧区，调研督导破坏草原林地违规违法行为专项整治行动以案促改工作，并现场听取工作进展情况汇报，安排部署下一步工作。

27日 科右前旗财税金融工作会议召开。旗委副书记、政府旗长王立东，旗委常委、政府常务副旗长刘海涛，旗委常委、政府副旗长、科尔沁镇党委书记杨磊及旗领导刘京晶、方玉存、杨乌兰、陈国庆、王志彪、陈来荣出席会议。

28日 科右前旗与湖北百特威生物科技有限公司召开招商洽谈座谈会。科右前旗委书记孙书涛，兴安盟工商联副主席刘慧轩，百特威生物科技有限公司董事长吴光恒及旗政府相关领导出席会议。

3 月

3日 科右前旗委政法工作会议暨政法队伍教育整顿总结会议召开。会议深入贯彻习近平法治思想，全面落实中央、自治区党委和盟委政法工作会议精神，认真总结2021年工作成效，研究部署2022年政法工作。旗委副书记、政法委书记刘刚出席会议并讲话。

2—3日 由长春公正集团、北药集团董事长、全国工商联医药业商会副会长公晓颖率队的考察团来到科右前旗，通过实地踏查、召开座谈会的方式，考察中医药产业发展，寻求政企合作契机。旗委书记孙书涛，旗人大常委会主任王家博，旗委副书记、政法委书记刘刚，盟区域经济合作局副局长海柱，旗委常委、政府常务副旗长刘海涛及旗政府副旗长王志彪、李海波，旗直相关部门负责人等一同参加了考察活动。

4日 为庆祝第112个三八国际妇女节，科右前旗妇联、总工会、文化旅游体育局、教育局联合举办"强国复兴有

我 点赞巾帼榜样"最美女性故事分享汇报演出。兴安盟妇联主席徐荣华,旗委书记孙书涛、旗人大常委会主任王家博,旗政协主席岳嵩山,旗委副书记、政法委书记刘刚,旗委常委、组织部部长李放出席活动。

是日 兴安盟委副书记、政法委书记李洪才,盟委副秘书长刘泉一行来到科右前旗,以座谈和实地踏查的方式对科右前旗生态环保工作展开调研。旗委领导及相关部门负责人一同调研。

7日 科右前旗召开政法机关"迎接党的二十大、优化法治化营商环境、服务保障高质量发展"大讨论活动阶段性工作会议,科右前旗委副书记、政法委书记刘刚,公安局、检察院、法院、司法局主要负责人参加会议。

是日 科右前旗召开政法机关"迎接党的二十大、优化法治化营商环境、服务保障高质量发展"大讨论活动宣讲团成立大会,科右前旗委副书记、政法委书记刘刚,旗公安局、检察院、法院、司法局主要负责人及部分企业代表参加会议。

7—8日 由北京绿能嘉业新能源有限公司和北京中农富通园艺有限公司科研团队组成的考察团受邀来到科右前旗,以实地踏查和召开座谈的方式,就"前·海"科技创新创业谷科尔沁现代农业园区升级改造进行实地考察,探寻政企合作契机。

10日 科右前旗召开2022年森林草原防灭火会议,科右前旗委常委、政府常务副旗长刘海涛,旗委常委、政府副旗长、科尔沁镇党委书记杨磊出席会议。各苏木乡镇(中心)、旗直有关部门负责人参加会议。

是日 科右前旗召开生态环境保护委员会暨环保督察整改工作推进会。旗委领导、旗政府党组成员、各苏木乡镇(中心)、旗直有关部门负责人参加会议。

是日 科右前旗召开2022年度上半年征兵工作定兵会议。旗委常委、政府常务副旗长、旗征兵工作领导小组组长刘海涛,旗委常委、人武部部长焦社军出席会议。

12日 科右前旗召开命案防控工作推进会,科右前旗委副书记、政法委书记刘刚主持会议并讲话。旗直相关部门主要负责人、旗委政法委各副书记、法学会常务副会长、各苏木乡镇(中心)政法委员参加会议。

是日 在全国、全区、全盟相继召开新冠疫情防控工作电视电话会议后,科右前旗立即召开全旗新冠疫情防控工作会议,迅速贯彻落实各级会议精神,安排部署当前新冠疫情防控工作任务。旗委书记孙书涛、旗政府副旗长杨乌兰出席会议。

是日 科右前旗与水发农业集团召开项目座谈会。盟行署党组成员张冰宇出席会议。水发农业集团有限公司副总经理甘玉峰,科右前旗委书记孙书涛,旗委常委、政府常务副旗长刘海涛与旗政府副旗长王志彪、李海波出席会议。

是日 中国传媒大学文化产业管理学院党支部书记郇璨率队来到科右前旗,以召开座谈的方式,进行定点帮扶工作对接。科右前旗委书记孙书涛,旗委常委、政府常务副旗长刘海涛,政府党组副书记刘京晶及旗教育局、文化旅游体育局、乡村振兴局等相关部门负责人参加座谈会。

14日 在国际消费者权益日到来之际,科右前旗人民政府召开2022年第一场新闻发布会。发布会以"维护消费者合法权益"为主题,旗政府副旗长杨乌兰及旗直部门相关负责人出席发布会。

是日 科右前旗委书记孙书涛深入部分苏木乡镇调研生态环保工作。旗委副书记、政法委书记刘刚，旗委常委、旗委办公室主任张旭东，旗政府副旗长陈国庆及旗直相关部门负责人一同调研。

15日 科右前旗召开中办督查反馈问题整改暨2022年第一季度防返贫动态管理及帮扶工作安排部署会议。旗委常委、政府常务副旗长刘海涛出席会议并对做好相关工作进行强调部署。

16日 科右前旗召开盟新冠疫情防控"回头看"专项督查反馈会议暨全旗新冠疫情防控工作领导小组会议。旗委书记孙书涛，盟卫健委二级调研员张志鸿，盟纪委监委驻盟人大工委机关纪检监察组组长张会军，科右前旗委常委、纪委书记、监委主任赵玉亮，旗委常委、组织部部长李放，政府副旗长杨乌兰出席会议。

18日 科右前旗与北方中郡运营管理（北京）有限公司就阿力得尔苏木草产业项目召开线上对接会。科右前旗委书记孙书涛，旗委副书记、政府旗长王立东，北方中郡运营管理（北京）有限公司总经理钱瑞霞及旗政府相关领导、企业负责人出席会议。

19日 科右前旗委书记孙书涛深入俄体镇、额尔格图镇、察尔森镇，对当前重点工作进行调研。

21日 科右前旗召开旅游重点项目推进会。旗委书记孙书涛，旗委常委、政府副旗长、科尔沁镇党委书记杨磊，旗政府副旗长杨乌兰出席会议，部分苏木乡镇、旗直部门及旅游重点项目实施企业主要负责人等参加会议。

是日 兴安盟委副书记、政法委书记李洪才，盟委副秘书长刘泉一行来到科右前旗，以座谈听取汇报的方式对环保督察整改工作进行督导。

22日 科右前旗委书记孙书涛主持召开科右前旗第十五届委员会第26次常务委员（扩大）会议暨旗新冠疫情防控工作领导小组会议。

23日 科右前旗与水发农业集团召开对接洽谈会。兴安盟委一级巡视员高长胜到会指导。旗委书记孙书涛，水发农业集团成员单位山东泰山文化和旅游规划设计院院长常德军，旗委常委、政府常务副旗长刘海涛，旗委常委、宣传部部长王印，旗委常委、政府副旗长云峰及旗政府副旗长陈来荣、王志彪、李海波出席会议。

是日 科右前旗与景域驴妈妈集团召开旅游重点项目规划设计对接会。兴安盟委一级巡视员高长胜到会指导。科右前旗委书记孙书涛，景域驴妈妈集团奇创旅游集团合伙人、集团副总经理刘宇楠与旗政府副旗长杨乌兰出席会议。

26日 以"弘扬中医药文化，促进中医药产业发展"为主题的兴安盟首届中药材科技大集在科右前旗举行。兴安盟委委员、秘书长许宝全，盟政协副主席陈东，盟科协主席刘剑夔，盟工商联主席关冶，科右前旗委书记孙书涛，旗领导王立东、岳嵩山、刘刚、焦社军、张旭东等出席活动。

27日 科右前旗召开燃气安全排查整治调度会。旗委副书记、政府旗长王立东，旗委常委、政府常务副旗长刘海涛及旗领导方玉存、陈国庆、王志彪、李海波出席会议。各苏木乡镇、绿水种畜繁育中心及旗直相关部门负责人参加会议。

是日 科右前旗委副书记、政府旗长王立东深入内蒙古能源发电兴安热电有限公司，就科右前旗都瑞热电有限责任公司收购及新能源发电事宜进行磋商洽谈。旗政府副旗长陈国庆，旗发改、住建等部门相关负责人参加洽谈。

是日 科右前旗召开林果栽植技术现场培训会，旗政协主席岳嵩山，旗委常委、政府副旗长云峰出席培训会。

29日 科右前旗召开破坏草原林地违规违法行为专项整治工作领导小组第四次会议，旗委副书记、政法委书记刘刚出席并主持会议，旗委常委、政府副旗长、科尔沁镇党委书记杨磊，旗政府相关领导及专项整治工作领导小组成员单位负责人等参加会议。

是日 科右前旗委副书记、政法委书记刘刚主持召开落实兴安盟委书记张晓兵调研察尔森镇指示精神推进会。

是日 科右前旗与草都集团进行招商引资对接洽谈。科右前旗委副书记、政府旗长王立东，草都集团董事长李国才，旗政府副旗长陈来荣，旗直相关部门、部分苏木乡镇负责人参加洽谈会。

30日 科右前旗召开文明委扩大会暨深化拓展新时代文明实践中心建设工作推进会。旗委常委、宣传部部长王印，旗直相关部门、各苏木乡镇主要负责人、新时代文明实践服务中心全体人员参加会议。

是日 兴安盟行署副盟长刘敏一行到科右前旗，调研阿里集团云创中心和产地仓项目选址情况。

是日 兴安盟盟委委员、组织部部长董欣悦来到科右前旗察尔森镇调研乡村振兴工作。科右前旗委副书记、政法委书记刘刚，旗委常委、政府常务副旗长刘海涛，旗委常委、组织部部长李放与盟直相关部门负责人一同调研。

31日 科右前旗举行2022年重大项目集中开复工仪式。兴安盟委副书记、盟长苏和，盟委委员、副盟长姜天虎，盟人大工委副主任佟布林，盟政协副主席赵田喜，科右前旗委书记孙书涛，旗人大常委会主任王家博，旗政协主席岳嵩山及盟旗相关领导出席仪式现场。旗委副书记、政法委书记刘刚主持开复工仪式。

4 月

1日 科右前旗与景域驴妈妈集团召开旅游重点项目视频对接会议。旗委书记孙书涛，旗委副书记、政府旗长王立东，旗政府副旗长杨乌兰与景域驴妈妈集团奇创旅游集团合伙人、集团副总经理刘宇楠等企业相关人员在科右前旗会场出席会议。

2日 科右前旗与中广核集团进行对接洽谈。旗委书记孙书涛，旗委常委、政府常务副旗长刘海涛，中广核内蒙古分公司党委书记、总经理张志宇出席洽谈会。

4日 兴安盟委副书记、盟长苏和深入科右前旗阿力得尔苏木海力森林场，检查森林草原防火工作。兴安盟行署秘书长王春友，科右前旗委书记孙书涛，旗政府副旗长李海波，盟旗相关部门负责人一同检查防火工作。

5日 科右前旗召开草业发展座谈会。科右前旗委书记孙书涛、中郡集团董事长钱瑞霞、草都集团董事长李国才出席座谈会。旗直相关部门、部分苏木乡镇负责人参加座谈会。座谈会上，草都集团负责人就科右前旗建设天然草原核心区，打造"一带一路"国际草牧业园区的建设思路进行详细介绍，与会人员就项目规划建设以及存在的问题进行深入沟通交流。

7日 科右前旗委书记孙书涛深入科尔沁镇平安村，调研番茄公社建设工作。

是日 中共科右前旗第十五届委员会召开第27次常务委员会暨中央生态环境保护督察科右前旗协调保障工作

领导小组会议，旗委书记孙书涛，旗委副书记、政府旗长王立东及旗委常委会组成人员出席会议。

8日 阿尔山市政协主席张志军带领考察团到科右前旗考察学习政协工作开展情况。

是日 自治区"迎接党的二十大 优化法治化营商环境 服务保障高质量发展"大讨论活动第六督导组成员来到科右前旗，就优化法治化营商环境大讨论活动开展情况进行督导。

9日 科右前旗基层社会治理现场会在居力很镇红峰村召开。科右前旗委副书记、政法委书记刘刚，旗委常委、组织部部长李放出席会议。

10日 科右前旗委书记孙书涛深入科右前旗部分苏木乡镇，调研生态保护及环保督察交办群众举报信访案件整改工作。

11日 科右前旗与新奥宏茂牧业有限公司通过召开座谈的方式进行对接洽谈，寻求政企合作契机。旗委副书记、政府旗长王立东，新奥宏茂牧业有限公司董事长刘小奎及科右前旗政府副旗长李海波出席会议。

12日 科右前旗委副书记、政府旗长王立东深入工业园区，调研兴安盟中药科技产业园用地规划进展情况。

13日 科右前旗召开新冠疫情防控工作调度会，科右前旗委副书记、政府旗长王立东，旗委副书记、政法委书记刘刚，旗委常委、政府常务副旗长刘海涛，旗政府相关负责人及各旗直部门、苏木乡镇相关负责人参加会议。

14日 内蒙古自治区文化和旅游厅党组成员、内蒙古艺术剧院党委书记、院长李莉深入科右前旗，就第九届乌兰牧骑艺术节筹备情况进行调研。内蒙古自治区文化和旅游厅艺术处处长斯钦达来，旗委副书记、政府旗长王立东，旗政府副旗长杨乌兰及自治区、旗直相关部门负责人一同调研。

15日 由兴安盟委政法委常务副书记赵国荣率队的盟市域社会治理现代化试点建设专项督查组到科右前旗，以召开座谈的方式督查指导工作。

16日 科右前旗委副书记、政府旗长王立东深入城区部分社区，督导疫情防控工作，旗委常委、组织部部长李放，旗人大常委会副主任陈百顺，政府副旗长杨乌兰及卫健委、党群服务中心负责人一同督导。

是日 科右前旗对世纪王朝酒店集中隔离点工作人员开展工作流程及技能操作培训。旗委副书记、政法委书记刘刚及旗政府副旗长杨乌兰出席培训会。

21日 科右前旗开展2022年全民义务植树活动。科右前旗委书记孙书涛，旗委副书记、政府旗长王立东，旗人大常委会主任王家博，旗政协主席岳嵩山等旗四大班子领导与旗直各部门，驻旗垂直管理部门、军警部队及广大干部群众共同参加义务植树活动。

22日 兴安盟"森林草原湿地保护"法治宣传月启动仪式在科右前旗满族屯满族乡举行。兴安盟人大工委副主任、盟司法局党组书记、局长刘忠，科右前旗委副书记、政法委书记刘刚，科右前旗委常委、组织部部长李放及盟旗相关部门负责人参加启动仪式。

是日 科右前旗委书记孙书涛主持召开察尔森镇察尔森嘎查示范村建设工作推进会。

26日 科右前旗委副书记、旗长王立东深入科右前旗气象局，调研指导气象服务工作。

是日 科右前旗委副书记、旗长王立东主持召开科右前旗旅游重点项目调度会。

27日 科右前旗与蒙草

生态环境(集团)股份有限公司举行战略合作签约仪式。科右前旗委副书记、旗长王立东，蒙草生态环境(集团)股份有限公司党委书记朱长虹，副旗长陈国庆出席签约仪式。

是日 科右前旗召开人防系统腐败问题专项治理整改汇报会，盟人防办党组书记包彩虹，科右前旗委副书记、旗长王立东，副旗长陈国庆出席会议。

是日 由盟政协党组书记、主席刘树成率队，盟政协党组副书记、副主席及其他旗县市政协主席、副主席等领导组成的观摩团来到科右前旗，就政协系统加快"四个一"平台建设、推进政协协商与基层民主协商有效衔接工作进行观摩调研。科右前旗政协主席岳嵩山一同参加活动。

28日 科右前旗委副书记、旗长王立东调研疫情防控集中隔离点改造工作进展情况，旗直相关部门负责人一同调研。王立东深入科右前旗海魔方水上乐园酒店、尚客优酒店，实地查看隔离房间改造进展，详细了解改造物资配备、可用房间、工作人员房间、区域划分、规范建设及配套设施等情况，并对隔离点改造工作提出可行性意见和建议。

是日 科右前旗委书记孙书涛主持召开中共科右前旗第十五届委员会第30次常务委员会(扩大)会议暨全旗农村牧区人居环境整治工作推进会，专题研究部署人居环境整治工作。旗委副书记、旗长王立东及常务会组成人员出席会议。

是日 科右前旗委书记孙书涛深入察尔森镇、德伯斯镇、索伦镇等地，调研当前重点工作。

是日 兴安盟政协副主席王英杰深入科右前旗，就肉羊产业链发展情况进行调研。

29日 兴安盟行署副盟长何伟利深入科右前旗，调研"五一"节前食品安全及疫情防控工作。

是日 科右前旗委副书记、政法委书记刘刚赴额尔格图镇召开平安建设月例会，旗委政法委、教育局、司法局等旗直有关部门及各苏木乡镇相关人员参加会议。会上，额尔格图镇相关负责人就开展平安建设工作经验、做法向参会人员进行介绍，各苏木乡镇及相关单位就"五个专项行动"和"四个任务"工作开展情况和存在问题进行汇报。

5月

1日 科右前旗大豆根瘤菌剂使用发放暨大豆玉米带状复合播种现场会在居力很镇红心村召开。农业农村部科技发展中心副主任叶纪明，农业农村部科教司科技条件处处长何艺兵受邀出席现场会。

3日 兴安盟委副书记、盟长、盟疫情防控指挥部总指挥苏和利用"五一"假期休息时间，来到柳树缘文化旅游产业园，实地调研检查方舱医院和集中隔离点改造建设情况。盟委委员、副盟长姜天虎，盟行署党组成员、二级巡视员孙德敏，旗委书记孙书涛，旗委副书记、旗长王立东，盟旗相关部门负责同志参加调研。

5日 科右前旗委书记孙书涛深入巴日嘎斯台乡、大石寨镇、阿力得尔苏木，实地调研农牧业生产工作。

6日 科右前旗与水发农业集团召开对接洽谈会。兴安盟行署党组成员张冰宇，科右前旗委书记孙书涛，副旗长王志彪及水发农业集团党委副书记、总经理刘道营出席会议。

是日 兴安盟档案史志馆工作人员来到科右前旗科尔沁镇柳树川村，开展"档案史志图书进乡村"活动。盟档案史志馆主任张戌龙，共青团兴安盟委员会书记康红波，旗委常委、副旗长、科尔沁镇党委书记杨磊出席活动。

8日 科右前旗与水发农业集团举行"小沙果大产业"全产业链深加工建设项目签约仪式。兴安盟委委员、统战部部长李国宏，盟委委员、宣传部部长秦化真，盟行署党组成员张冰宇，旗委书记孙书涛，副旗长王志彪、李海波与水发农业集团党委副书记、总经理刘道营出席签约仪式。

9日 科右前旗委书记孙书涛主持召开奶制品产业发展专题座谈会。

12日 科右前旗召开林草专项整治工作推进会。旗委书记孙书涛，旗委副书记、旗长王立东，旗委副书记、政法委书记刘刚，旗委常委、常务副旗长刘海涛及副旗长、旗公安局局长方玉存，副旗长李海波出席会议。

13日 兴安盟盟委一级巡视员高长胜深入科右前旗，就旅游业和草产业发展进行调研。旗委副书记、旗长王立东，副旗长陈国庆及相关部门负责人参加调研。

是日 兴安盟政协党组成员、副主席白云海一行深入科右前旗，就乌兰毛都苏木马产业链发展、精品提案培育、民生保障类提案及文化产业发展情况进行调研。

14日 科右前旗与北方中郡召开政企对接会，旗委副书记、旗长王立东，北方中郡运营管理（北京）有限公司董事长总经理钱瑞霞出席会议，并围绕科右前旗现代草产业开发策划展开进一步对接座谈。

15日 科右前旗与鄂尔多斯市巴音孟克投资集团有限公司召开投资洽谈会。旗委书记孙书涛，旗委副书记、旗长王立东与巴音孟克投资集团有限公司董事长李山就农业、矿业、有机食品、教育等领域投资合作展开交流探讨。

18日 科右前旗与景域驴妈妈集团召开旅游重点项目对接座谈会议。旗委书记孙书涛，旗委常委、常务副旗长刘海涛，景域驴妈妈集团高级副总裁、奇创旅游集团总裁马磊出席会议。

是日 兴安盟"石榴籽同心筑梦"系列主题——农村牧区"听党话、感党恩、跟党走"活动在科右前旗察尔森镇察尔森嘎查启动。盟委委员、统战部部长李国宏，盟委统战部副部长、民委主任吴长青，盟委统战部副部长、宗教局局长曹善淑，旗委副书记、政法委书记刘刚，旗委常委、组织部部长李放，旗委常委、副旗长云峰，旗委常委、统战部部长马宁，旗人大常委会副主任陈海青出席启动仪式。

19日 兴安盟政协副主席邱枫带领农牧界别活动小组委员及盟直相关部门负责人深入科右前旗满族屯满族乡、乌兰毛都苏木，就加强草原保护与畜牧业转型升级进行调研并召开基层民主协商会议。

20日 2022年科右前旗边防委员会第1次会议召开。旗委书记孙书涛，旗委副书记、旗长王立东，旗领导焦社军、王印、张旭东、马宁、魏荣晟、陈凤华出席会议。

21日 科右前旗与兴安职业技术学院召开战略合作项目座谈会。兴安职业技术学院党委书记刘文山，科右前旗委副书记、旗长王立东，旗委常委、副旗长杨磊，校党委委员及旗政府相关领导参加座谈会。

22日 科右前旗第三届插秧节暨兴安论"稻"产业发展论坛在察尔森镇拉开帷幕。兴安盟委委员、宣传部部长秦化真，盟文联党组书记刘贵森、主席王凤华，旗委常委、宣传部部长王印，旗文联负责人及旗内外作家、艺术家代表、文艺工作者共同出席活动现场。

24日 科右前旗举行"零工市场"启动仪式。兴安盟人社局党组书记、局长丁晓东，旗委常委、副旗长、科尔沁镇党委书记杨磊，旗委常委、组织部部长李放，盟人力资源和就业服务中心主任范志勇出席启动仪式。

是日 以兴安盟人大工委副主任郭堂为组长的调研组到科右前旗调研指导政府债务审查监督、专项债券使用和财政资金保障基层"三保"情况。

25日 科右前旗召开"三区三线"划定工作推进会。旗委副书记、旗长王立东，旗委常委、常务副旗长刘海涛，旗委常委、副旗长、科尔沁镇党委书记杨磊，副旗长陈国庆，旗直相关部门负责人参加会议。

26日 科右前旗人大常委会召开实施乌兰毛都立法联系点"123"计划推进会，旗人大常委会主任王家博，盟人大工委监察和司法工作处处长李柏利出席会议。

是日 科右前旗与内蒙古亿阳集团召开投资座谈会，旗委副书记、旗长王立东，旗委常委、副旗长、科尔沁镇党委书记杨磊，内蒙古亿阳集团董事长王子龙出席座谈会。

30日 科右前旗委副书记、旗长王立东到蒙佳粮油加工循环经济现代产业园项目建设现场进行调研。

6 月

1日 科右前旗"共绘民族团结同心圆 共融守望相助邻里情"第二届社区睦邻文化节在兴科社区开幕，科右前旗委书记孙书涛出席开幕式并宣布开幕。

是日 科右前旗城中草原"前·海"不夜街开街仪式暨首届房车露营文化节开幕。

2日 科右前旗举行2022·乌兰毛都草原牧民那达慕开幕式暨金马鞍风景区开园仪式。旗委书记孙书涛出席活动并宣布活动开幕。

6日 科右前旗委书记孙书涛先后深入居力很镇、科尔沁镇，调研科右前旗迎接全区人居环境整治现场会筹备情况。

是日 科右前旗召开乡村振兴工作领导小组会议。旗委书记孙书涛主持会议。

6—7日 自治区统计局主要负责人到科右前旗调研统计基层基础建设、统计工作开展和当前经济运行情况。

8日 科右前旗召开旅游重点项目调度会，旗委书记孙书涛主持会议。

是日 科右前旗召开传统乳制品产业发展调度会。旗委书记孙书涛主持会议。

11日 科右前旗委副书记、旗长王立东深入部分企业和在建项目现场进行调研。

14日 科右前旗与岩威科技股份公司召开玄武岩连续纤维生产项目洽商座谈会。旗领导孙书涛、王立东、岳嵩山、杨磊出席座谈会。

是日 科右前旗召开农业补贴事宜调度会。旗领导孙书涛、王立东、刘刚、刘海涛、李放、方玉存、李海波出席会议。

是日 科右前旗召开国企改革三年行动落实情况座谈会。兴安盟行署副秘书长孙百川，盟财政局党组书记、局长李妍，旗领导孙书涛、王立东、刘海涛、李放出席会议。

13—15日 鄂尔多斯巴音孟克投资集团董事长李山一行到科右前旗考察。旗委书记孙书涛，旗人大常委会主任王家博，旗委常委、旗委办公室主任张旭东陪同考察。

15日 科右前旗委副书记、旗长王立东主持召开土地增减挂钩和耕补库项目建设推进会，安排部署专项工作。

是日 2022年年度兴安盟防汛救灾应急综合演练在科右前旗察尔森水库举办，兴安盟防汛抗旱指挥部常务副总指挥、盟行署副盟长屈振年，兴安盟防汛抗旱指挥部副总指挥、盟应急管理局党委书记、局长董文清出席活动，旗领导刘海涛出席活动。

16日 2022年全区"遵守安全生产法 当好第一责任人"主题安全生产月咨询日活动在科右前旗开展。自治区应急管理厅二级巡视员史文煜，盟委委员、副盟长姜天虎，旗委副书记、旗长王立东出席活动。

17日 科右前旗举行以"喜迎二十大 奋进新征程"为主题的2022年文化和自然遗产日"查干伊德"文化节暨"体彩杯"全民健身系列活动。

18日 科右前旗委副书记、旗长王立东主持召开上半年经济指标预计完成情况暨债务化解和专项债使用情况汇报会。

20日 科右前旗召开全旗农村牧区人居环境集中整治行动现场观摩会。旗领导孙书涛、王家博、岳嵩山、刘刚、刘海涛、李放、张旭东、杨乌兰、陈国庆出席现场观摩会。

22日 科右前旗召开2022年能人返乡对接现场会。盟委副书记、政法委书记李洪才出席对接会并讲话。

25日 科右前旗委书记孙书涛主持召开2022年全旗创建第七届全国县级文明城市工作推进会。

是日 以"喜迎二十大 振兴正当时"为主题的科右前旗首届红色文旅嘉年华活动在巴日嘎斯台乡举行。旗委书记孙书涛，旗人大常委会主任王家博，旗政协主席岳嵩山及全旗副处级以上领导出席活动。

29日 科右前旗举办档案工作会议暨档案业务培训会，旗委常委、旗委办公室主任张旭东出席培训会。

30日 科右前旗委副书记、旗长王立东分别深入科右前旗第二中学、第二小学，看望慰问北京林业大学研究生支教团。

7月

1日 科右前旗与北京修刚畜牧科技公司举行1.2万头奶牛牧场项目签约仪式。旗委书记孙书涛，旗委副书记、旗长王立东，副旗长李海波及北京修刚畜牧科技有限公司负责人张修刚等参加签约仪式。

是日 科右前旗举办"喜迎二十大 奋进新征程"庆祝建党101周年音乐党课活动。旗领导孙书涛、王家博、刘刚、王印、马宁、赵洪斌及旗四大班子在家领导出席活动。科右前旗见义勇为全国道德模范、自治区道德模范及各条战线道德模范代表参加活动。

3日 科右前旗与内蒙古亿阳集团就科右前旗土地增减挂钩项目、废弃工矿用地整理及耕地补充库建设达成合作并进行签约。旗委副书记、旗长王立东，旗委常委、副旗长杨磊，副旗长王志彪，内蒙古亿阳集团董事长王子龙出席签约仪式。

是日 科右前旗委书记孙书涛深入察尔森镇、居力很镇、科尔沁镇等地，实地调研全区农村牧区人居环境整治提升暨京蒙协作工作推进会议观摩点筹备情况。

是日 以盟委政法委二级巡视员刘忠民为组长的盟委全面依法治盟委员会法治建设第二督察组到科右前旗，以座谈方式督察指导法治建设工作。旗委副书记、政法委书记刘刚出席会议。

是日 全区农村牧区人居

环境整治提升暨京蒙协作工作推进会观摩团到科右前旗观摩。自治区乡村振兴局局长贾跃峰，盟委副书记、盟长苏和，盟委副书记、政法委书记李洪才及自治区、各盟市乡村振兴局相关负责人参加观摩。

8日 科右前旗召开妇女儿童工作委员会全体会议。旗政府相关领导出席会议，旗妇女儿童工作委员会成员单位相关人员参加会议。

是日 山西美锦集团有限公司董事、山西美锦能源股份有限公司总经理姚俊卿一行到科右前旗，深入部分企业及在建项目实地参观考察，盟行署副盟长梁彦君、科右前旗委书记孙书涛参加考察。

9日 "仲夏露营 浪漫夏天"2022兴安盟仲夏夜露营烧烤节在科右前旗察尔森镇兴安蒙古包景区精彩开幕。

10日 由自治区司法厅二级巡视员闵刚带队的自治区党的二十大维稳安保专项督察第七组到科右前旗，就人民调解、社区矫正、安置帮教、法律援助、基层法律服务、行政执法等九项工作进行专项督导检查。

12日 全盟基层市场监管所标准化建设现场会在科右前旗召开。自治区药监局药品安全总监孙捍卫，兴安盟市场监督管理局局长宋兴鹤，旗政府副旗长杨乌兰出席现场会，全盟各旗县市市场监督管理局负责人参加现场会。

12—13日 兴安盟委、行署召开巩固拓展脱贫攻坚成果同乡村振兴有效衔接工作述职会暨现场拉练会。在现场观摩环节，盟委副书记、政法委书记李洪才，盟委委员、乌兰浩特市委书记、盟经济技术开发区党工委书记、管委会主任杨冀鹏，盟行署副盟长屈振年与观摩团成员到科右前旗部分乡镇观摩。

13日 科右前旗委副书记、旗长王立东主持召开科右前旗紧急防汛视频会。旗领导杨磊、陈国庆及部分旗直部门相关负责人参加会议，各苏木乡镇以视频方式收听收看会议。

14日 科右前旗委副书记、旗长王立东主持召开科右前旗林草专项整治工作推进会。

是日 科右前旗委副书记、旗长王立东主持召开第九届内蒙古自治区乌兰牧骑艺术节暨2022·兴安盟那达慕协调会。

15日 科右前旗召开创建"全国科普示范旗"工作第三次推进会，动员全旗上下积极参与创建工作，完成各项任务。旗委副书记、政法委书记刘刚主持会议。

16日 科右前旗与阳光七星投资集团、内蒙古仕奇集团举行投资洽谈会暨签约仪式。盟区域经济合作局局长牛源，旗委书记孙书涛，旗人大常委会主任王家博，旗委常委、宣传部部长王印，阳光七星投资集团主席兼CEO吴征，阳光七星投资集团共同主席兼阳光媒体集团董事长杨澜，内蒙古仕奇集团有限责任公司董事长、内蒙古草原文化保护发展基金会理事长葛健及旗领导王志彪出席签约仪式。

是日 由兴安盟、科右前旗两级乡村振兴局、农牧和科技局实施的"遇见水库·生态度假园"在科右前旗巴日嘎斯台乡水库村正式开园。

17日 科右前旗召开2022年旗委农村牧区暨乡村振兴工作领导小组会议。

18日 科右前旗召开第九届内蒙古自治区乌兰牧骑艺术节暨2022·兴安盟那达慕工作推进会。

是日 科右前旗召开玄武岩纤维新材料产业发展座谈会。中国科学院院士刘嘉麒团队一行与旗领导孙书涛、王立东、岳嵩山、杨磊出席会议。兴安职业技术学院、旗工业园区、科技事业发展中心等相关部门负责人参加会议。

是日 科右前旗举行玄武岩项目签约仪式。以内蒙古东达蒙古王集团有限公司董事长赵永亮、四川航天拓鑫玄武岩实业有限公司总经理杨骥、蒙能集团新能源公司总经理董文林为代表的15家旗内外企业负责人及科右前旗委书记孙书涛，旗委副书记、旗长王立东，旗人大常委会主任王家博，旗政协主席岳嵩山，旗委常委、常务副旗长刘海涛，副旗长李海波及旗工信局、林草局、发改委、大石寨镇等相关负责人参加签约仪式。

20日 北京市海淀区考察组到科右前旗，就部分京蒙帮扶项目建设及运营情况进行实地考察。

22日 科右前旗召开新冠疫苗接种工作推进会。旗委书记孙书涛，旗委副书记、旗长王立东及旗领导杨乌兰出席会议。

23日 科右前旗优质奶牛生态循环养殖示范园修刚云端牧场在额尔格图镇新艾里嘎查奠基。

是日 "央媒转文风 大美兴安行"行进式主题采访团走进科右前旗进行采风采访活动。兴安盟委宣传部常务副部长、外宣办主任费立新，科右前旗委常委、宣传部部长王印与盟旗宣传部门相关负责人一同参加活动。

25日 科右前旗召开迎接全盟重大项目现场观摩会调度会。旗委书记孙书涛，旗委副书记、旗长王立东，旗委常委、常务副旗长刘海涛与旗政府相关领导出席会议。

26日 原盟政协主席乌其拉图率盟级离退休老干部考察团深入科右前旗，开展"我看中国特色社会主义新时代、畅谈兴安发展新变化"参观考察活动。盟委组织部副部长、老干部局局长郝青，旗委书记孙书涛及旗领导王家博、岳嵩山、刘刚、李放一同考察。

27日 科右前旗人武部举办"喜迎二十大、永远跟党走、奋斗强军路——科右前旗2022年'八一'军事日"主题活动。

28日 科右前旗召开电解水制氢设备和风光氢氨尿素项目座谈会。旗委书记孙书涛，旗委副书记、旗长王立东，旗政府、政协相关领导，内蒙古东达蒙古王集团有限公司董事长赵永亮及相关企业代表出席会议。

27—29日 科右前旗委书记孙书涛，旗委副书记、旗长王立东，旗人大常委会主任王家博，旗政协主席岳嵩山开展"八一"节前慰问活动。旗委常委、人武部部长焦社军参加活动。

8月

1日 第九届内蒙古自治区乌兰牧骑艺术节暨2022·兴安盟那达慕现场调度会在科右前旗乌兰毛都苏木传统体育综合训练基地召开。科右前旗委书记孙书涛，兴安盟文化旅游体育局副局长乌兰格日乐及旗政府副旗长杨乌兰出席调度会。

是日 自治区商务厅召开县域商业体系建设工作推进会。会议以视频形式召开，自治区商务厅副厅长侯燕会，自治区财政厅经贸处副处长詹志强在主会场出席会议。旗委书记孙书涛、旗政府副旗长王志彪在分会场参加会议，并作汇报发言。

1—2日 科右前旗委副书记、旗长王立东先后赴自治区水利厅、民航机场集团和环投集团对接相关工作。在自治区水利厅，王立东向水利厅建设管理处处长贺文华、水利规划设计院副院长赵厚德详细介绍勿布林水库、五龙石水库、小城子灌区、哈拉黑灌区项目进展情况。

3日 科右前旗召开2022年上半年经济形势分析会暨重点工作述职评议会。旗委书记孙书涛,旗委副书记、旗长王立东,旗人大常委会主任王家博,旗政协主席岳嵩山参加会议,旗委副书记、政法委书记刘刚主持会议。

是日 科右前旗召开创业青年座谈会。旗委副书记、旗长王立东出席会议。团旗委、部分国有银行及相关企业负责人参加座谈会。

4日 科右前旗召开创建全国县级文明城市环境卫生专项整治推进会。会议强调,各相关部门要立即组织人员到包联小区开展环境卫生专项整治行动,切实让包联小区环境有改善、有变化。

4—5日 北京市海淀区委常委、统战部部长牟晓春,带领海淀区民宗办、街道、工商联等部门相关人员及企业家代表,到科右前旗开展"喜迎二十大 奋进新征程""前·海"统战人士助力乡村振兴暨社区结对共建互助活动。

7日 科右前旗与中国传媒大学召开定点帮扶工作座谈会。中国传媒大学党委常委、副校长张树庭,旗委副书记、旗长王立东,旗委常委、政府常务副旗长刘海涛参加会议,旗委常委、政府副旗长赵洪斌主持会议。

是日 在第九届内蒙古自治区乌兰牧骑艺术节暨2022·兴安盟那达慕召开前夕,内蒙古自治区直属乌兰牧骑"同心向党 携手未来"专题演出在兴安盟乌兰牧骑宫开演。

8日 第九届内蒙古自治区乌兰牧骑艺术节暨2022·兴安盟那达慕在兴安盟科右前旗开幕。文化和旅游部党组书记、部长胡和平出席并宣布开幕。自治区党委副书记、自治区主席王莉霞出席并致辞。自治区副主席包献华主持开幕式。兴安盟委书记张晓兵致欢迎词。旗委书记孙书涛及盟旗相关领导参加开幕式。

是日 兴安盟首届赛畜会在2022·兴安盟那达慕主会场——科右前旗乌兰毛都苏木举办。自治区农牧厅种业管理处副处长王刚,自治区农业技术推广中心种业发展处处长康凤祥,盟农牧局党组书记、局长李振林,旗政府副旗长李海波,旗直部门主要负责人,各旗县市种业管理股、畜禽种业技术推广工作人员、育种企业负责人及牧民代表参加赛畜会。

9日 中国传媒大学 科右前旗劳动教学教育实践基地挂牌仪式在科右前旗察尔森镇察尔森嘎查举行。旗委书记孙书涛,旗委常委、政府常务副旗长刘海涛,旗委常委、副旗长赵洪斌,中国传媒大学党委常委、副校长张树庭,部分旗直部门主要负责人及中国传媒大学相关领导参加挂牌仪式。

是日 以第九届内蒙古自治区乌兰牧骑艺术节为契机,内蒙古自治区乌兰牧骑改革与发展研讨会在兴安盟文化中心综合报告厅召开。

10日 科右前旗召开能人返乡考察投资座谈会。静港(上海)开发建设有限公司副总裁岳宇一行七人组成的浙江考察投资组与旗委书记孙书涛,旗委副书记、政法委书记刘刚及旗发改委、区域经济合作服务中心等相关单位负责人参加座谈会。

是日 科右前旗与岩威科技有限公司召开玄武岩连续纤维生产项目推进会。旗委书记孙书涛,旗政协主席岳嵩山,旗委常委、政府副旗长杨磊,岩威科技有限公司董事长张峻旺及旗政协相关领导出席会议。相关旗直部门负责人参加会议。

12日 科右前旗委书记孙书涛主持召开中共科右前旗第十五届委员会第37次常务委员会议。

15日 科右前旗召开市域社会治理现代化试点创建暨12345热线工作推进会议。

是日 科右前旗召开满族屯满族乡地区违规违法开垦草原问题警示教育大会，旗委书记孙书涛，旗人大常委会主任王家博，旗政协主席岳嵩山及全旗副处级以上在家领导，兴安盟纪委委员李小秋出席会议。盟纪委第二监督检查室主任王建到会指导。

是日 自治区商务厅对外贸易处处长丁晓龙到科右前旗就县域外经贸破零增量示范工作进行座谈。兴安盟商务口岸局局长刘海涛、旗委书记孙书涛参加座谈会。

是日 为期8天的第九届内蒙古自治区乌兰牧骑艺术节在兴安盟文化中心剧院闭幕。艺术节期间，19场比赛演出浓缩近年来各地乌兰牧骑艺术创作的最新成果。20支乌兰牧骑队伍、700余名乌兰牧骑队员深入兴安盟各旗县苏木嘎查（村）、社区、田间地头、景区、景点、工矿企业等开展基层文艺会演80余场，行程近5000公里。

18日 科右前旗召开2022年苏木乡镇重点工作现场观摩会。旗委书记孙书涛，旗人大常委会主任王家博，旗领导刘刚、王印、杨磊、李放及各苏木乡镇、旗直各部门相关负责人参加观摩会。

是日 第九届内蒙古自治区乌兰牧骑艺术节暨2022·兴安盟那达慕总结大会，在科右前旗文化旅游体育局多功能大厅召开。兴安盟行署副盟长何伟利，旗委书记孙书涛，旗人大常委会主任王家博及全旗副处级领导出席总结大会。旗委副书记、政法委书记刘刚主持大会。

19日 全盟乡村振兴示范项目科右前旗科尔沁镇番茄公社正式开园迎客。盟旗领导康红波、王家博、杨磊、王印及盟旗相关部门、部分苏木乡镇负责人参加开园活动启动仪式。

是日 兴安盟科技成果展示与现场观摩团到科右前旗进行现场观摩。盟行署副盟长何伟利，旗领导王家博、岳嵩山、王印、云峰，盟旗相关部门负责人，企业代表参加观摩。

是日 在第5个"中国医师节"到来之际，科右前旗举办"喜迎二十大 忠诚护健康"暨第五个中国医师节庆祝大会。兴安盟卫健委党组书记、主任、盟人民医院党委书记周涛，旗人大常委会主任王家博，旗委常委、政府副旗长杨磊及人大、政协相关负责人出席大会。

20日 以"喜迎二十大 红心永向党"为主题的科右前旗第五届西瓜文化旅游节在居力很镇红心村启动。自治区乡村振兴局副局长薛勇，盟旗领导李振林、孙书涛、王立东、王家博、岳嵩山及盟旗相关领导出席活动。

是日 中国地震学会强震动观测技术与应用专业委员会2022年度学术研讨会在科右前旗召开。北京工业大学副校长、中国工程院院士杜修力及来自全国各地地震应急系统、科研院校、企业相关部门的70余名专家学者参加研讨会。兴安盟行署副盟长何伟利，旗委副书记、旗长王立东及旗相关领导参加研讨会。

21日 科右前旗委副书记、旗长王立东主持召开草产业博览会筹备工作调度会议，北方中郡运营管理（北京）有限公司董事长兼总经理钱瑞霞，内蒙古蒙汇鲜农业科技有限公

大事记

司总经理刘小永，科右前旗部分旗直部门、苏木乡镇负责人参加会议。

22日 科右前旗委副书记、旗长王立东主持召开啤酒加工项目进驻园区座谈会。

20—22日 科右前旗委书记孙书涛与兴安盟商务口岸局相关负责人带领盟旗相关部门负责人，共赴上海霸硕服饰有限公司、上海揽聘人力资源公司开展合作洽谈。

23日 科右前旗委副书记、旗长王立东主持召开全旗户厕摸排整改回头看会议，会议采用"主会场+分会场"形式召开。

是日 电影《沙果的味道》在科右前旗签约。旗委副书记、旗长王立东，旗委常委、宣传部部长王印，内蒙古糖小豆影视文化传播有限公司总经理张凌霜及科右前旗委宣传部、文旅公司，沙果产业推进办公室等部门相关人员出席签约仪式。

25日 由内蒙古牧草产业发展协会主办的中国内蒙古第四届牧草产业大会在兴安盟科右前旗开幕。

是日 全盟"晓景计划"观摩调度会成员到科右前旗观摩。自治区党委组织部组织二处处长杨存贵，兴安盟委委员、组织部部长董欣悦，旗委常委、政府常务副旗长刘海涛，旗委常委、组织部部长李放与盟旗相关部门负责人、"晓景计划"培养人代表参加观摩活动。

是日 中国内蒙古第四届牧草产业大会与会领导及中国科学院、中国农业大学、内蒙古农业大学等科研院所、国内知名草业企业、畜牧业企业代表等深入科右前旗部分苏木乡镇，开展为期两天的现场观摩活动，旗政府相关领导一同观摩。

26日 由自治区党委老干部局副局长吕清禄率队的考核组深入科右前旗，就2022年度离退休干部工作进行考核。盟委组织部副部长、老干部局局长郝青，旗委常委、组织部部长李放参加考核。

29日 科右前旗举办传统乳制品加工技能培训班，旗政府相关领导出席开班仪式。来自乌兰毛都苏木的32名牧民参加培训。

30日 科右前旗沙果产业发展推进会暨科右前旗沙果协会第一次理事会在大石寨镇召开，旗政协主席岳嵩山、旗委常委、副旗长云峰出席会议。

是日 科右前旗召开当前重点工作汇报会。旗委副书记、旗长王立东出席会议。旗政府相关领导、部分苏木乡镇及盟、旗相关部门负责人参加会议。

9月

1日 科右前旗政府副旗长杨乌兰主持召开新冠疫情防控演练桌面推演会议，强化应对疫情应急处理能力，旗直相关单位负责人出席会议。

是日 科右前旗举行"砥砺奋发新征程，迎接党的二十大"2022年民族团结进步活动月启动仪式暨铸牢中华民族共同体意识开学第一课主题教育活动。

2日 科右前旗举办科技特派员工作站授牌仪式暨工作培训会，旗政协主席岳嵩山出席培训会。

4日 兴安盟、科右前旗两级共同出资500万元购置的移动方舱实验室在科右前旗正式启用。

5日 科右前旗召开"组团式"帮扶工作座谈会。旗委书记孙书涛，旗委常委、政府副旗长杨磊，旗委常委、组织部部长李放出席会议。旗卫健、教育部门负责人及卫生、教育领域帮扶专家参加会议。

8日 由中共兴安盟委员会、兴安盟行政公署主办，中共科右前旗委员会、科右前旗人民政府承办的兴安盟沙果节暨兴安岭上兴安盟"小沙果大产业"产销大会在科右前旗俄体镇齐心村举办。兴安盟委委员、统战部部长、盟林果产业链链长李国宏，盟政协副主席邱枫，旗委书记孙书涛出席活动。

是日 2022年全盟供销合作社助力乡村振兴现场会在科右前旗召开。会议以现场观摩和全体会议的形式召开。自治区供销社理事会副主任金朝霞，盟行署副盟长何伟利，盟供销社主任刘志强，旗委书记孙书涛参加现场会。

9日 科右前旗委副书记、政法委书记刘刚走访慰问全旗部分优秀教师，代表旗委、旗政府向全旗广大教师和教育工作者致以节日问候。

13日 科右前旗委书记孙书涛深入城区部分街道、小区，调研文明城市创建工作。

是日 科右前旗委书记孙书涛主持召开全旗农村牧区户厕排查整改工作推进会。旗领导王立东、刘刚、李放、方玉存及兴安盟纪委委员李小秋出席会议。

是日 科右前旗召开信访维稳工作推进会。旗委书记孙书涛，旗委副书记、旗长王立东，旗委副书记、政法委书记刘刚出席会议，兴安盟纪委委员李小秋到会指导。

是日 科右前旗召开乡村振兴工作领导小组会议。旗委书记孙书涛，旗委副书记、旗长王立东，旗委副书记、政法委书记刘刚出席会议，兴安盟纪委委员李小秋到会指导。

是日 科右前旗召开高标准农田建设排查整改工作会议。旗委书记孙书涛，旗委副书记、旗长王立东，旗委副书记、政法委书记刘刚出席会议，兴安盟纪委委员李小秋到会指导。

是日 科右前旗召开2022年生产者补贴统计发放推进会。旗委书记孙书涛，旗委副书记、旗长王立东，旗委副书记、政法委书记刘刚出席会议，兴安盟纪委委员李小秋到会指导。

14日 科右前旗召开工业经济运行座谈会。旗委副书记、旗长王立东出席会议。

15日 2022年全国大众创业万众创新活动周内蒙古兴安盟分会场活动在科右前旗正式启动。盟行署副盟长刘敏，旗委副书记、政法委书记刘刚及盟旗部分单位主要负责人，部分"双创"工作代表和产业园工作人员参加启动仪式。

是日 内蒙古文联党组成员、副主席包银山一行深入科右前旗科尔沁镇柳树川村，观摩文化文艺志愿服务活动成果展示。兴安盟委委员、宣传部部长秦化真，兴安盟委宣传部副部长张丽红，兴安盟文联主席王凤华，旗委书记孙书涛，旗委常委、宣传部部长王印及兄弟旗县市相关部门负责人一同观摩。

20日 以"喜迎二十大 科普向未来"为主题的2022年兴安盟"全国科普日"启动仪式在科右前旗举行。兴安盟人大工委副主任李晓光，盟行署副盟长何伟利，盟政协副主席汪晶，旗委书记孙书涛，旗政协主席岳嵩山，旗委副书记、政法委书记刘刚以及盟、旗相关部门负责人出席启动仪式。

是日 中国农业银行内蒙古分行党委书记、行长刘聪盛一行深入对口帮扶点科右前旗额尔格图镇白音浩特嘎查，对帮扶工作开展情况进行调研。旗委副书记、旗长王立东一同调研。

是日 科右前旗委副书记、旗长王立东调研创城工作，旗委常委、宣传部部长王印一同调研。

21日 内蒙古荷丰农业正式开启2022年甜菜榨季生产。兴安盟政协副主席汪晶，盟农牧局局长李振林，旗委副书记、旗长王立东出席开工仪式。

是日 兴安盟"砺剑兴安—2022"森林草原灭火实战演练在科右前旗察尔森镇野外灭火战术训练场举行，盟委委员、副盟长姜天虎，盟直主要部门负责人，乌兰浩特市、科右前旗政府相关领导及盟森林草原防灭火指挥部成员单位相关领导参加活动。

23日 伴随着秋分节气的来临，2022年兴安盟农牧业高质量发展现场会"庆丰收、迎盛会"中国农民丰收节活动暨科右前旗农民丰收节开幕。全盟116家农牧业龙头企业700余种"名优特"农畜产品齐聚现场，共庆丰收。

26日 科右前旗委副书记、旗长王立东主持召开旗委理论学习中心组集体学习会议，旗委理论学习中心组成员出席会议。

是日 科右前旗公安局举行党的二十大安保攻坚决战誓师大会暨"民警上一线、忠诚保平安"下沉基层出征仪式。

是日 罗普特科技集团总裁江文涛一行到科右前旗调研。盟区域合作局局长牛源，旗委副书记、旗长王立东一同调研。

28日 科右前旗开展"踔厉奋发新征程 迎接党的二十大"我和国旗合个影主题活动暨"我和我的祖国"广场舞大赛。

是日 科右前旗残疾人联合会召开第八次代表大会，盟残联二级调研员铁运生，旗委副书记、政法委书记刘刚出席大会。

30日 科右前旗深入推进农村牧区户厕问题整改工作现场观摩会在俄体镇双胜村召开，旗委副书记、政法委书记刘刚出席观摩会。

10月

1日 科右前旗举行梦幻塔拉游乐园开园典礼。旗委书记孙书涛，旗委副书记、旗长王立东，旗人大常委会主任王家博，旗政协主席岳嵩山及全旗在家副处级领导出席开园典礼。

6日 科右前旗召开疫情防控紧急会议。旗委书记孙书涛，旗委副书记、旗长王立东，旗委常委、组织部部长李放，旗委常委、旗委办公室主任张旭东及旗政府相关领导出席会议。各疫情防控组成员单位负责人参加会议。

7日 科右前旗召开疫情防控工作会议。旗委副书记、旗长王立东出席并主持会议，旗委常委、旗委办公室主任张旭东、旗政府相关领导及旗疫情防控工作组各成员单位主要负责人参加会议。

8日 科右前旗委书记孙书涛深入城区，调研新冠疫情防控工作。孙书涛先后来到乌兰浩特西收费站、旗公安局大数据专班、旗流行病学调查溯源专班、金鸿牛超市、碧桂园喜居小区、居力很镇红旗村党群服务中心、旗防疫物资储备库、临时指挥部等地，实地查看全员核酸检测、人流车辆管控、消毒消杀等疫情防控措施落实及防疫物资保供等情况。

是日 科右前旗委书记孙书涛主持召开中共科右前旗第十五届委员会第43次常务委员(扩大)会暨疫情防控专题会议。旗委副书记、旗长王立东，旗人大常委会主任王家博，旗政协主席岳嵩山及全旗在家副处级领导出席会议。各苏木乡镇、旗直相关部门负责人参加会议。

是日 科右前旗委书记孙书涛主持召开旗委书记专题会议。会议重点听取了"五大起底"工作进展情况汇报。

10日 科右前旗委副书记、旗长王立东深入科右前旗公安局，实地检查近期疫情防控工作推进情况。

12日 科右前旗委书记孙书涛来到乌兰浩特西收费站、旗医院方舱实验室、疫情防控集中隔离点，看望慰问疫情防控一线工作人员，并送去慰问品。

13日 科右前旗委书记孙书涛调研重点项目进展情况和"五大起底"工作开展情况。旗委常委、旗委办公室主任张旭东，旗政府相关领导及有关部门、苏木乡镇负责人参加调研。

是日 科右前旗委书记孙书涛赴科右前旗封控区域督导调研疫情防控工作。旗委常委、组织部部长李放，旗委常委、旗委办公室主任张旭东及旗政府相关领导、相关部门、部分乡镇负责人参加调研。

16日 科右前旗召开乡村振兴领导小组会议。旗委书记孙书涛，旗委副书记、旗长王立东，旗政协主席岳嵩山，旗委副书记、政法委书记刘刚出席会议。

是日 中国共产党第二十次全国代表大会在北京开幕。科右前旗广大党员干部群众积极收听、收看大会开幕盛况。

19日 兴安盟委副书记、盟长苏和深入科右前旗调研户厕整改、农牧业产业发展、高标准农田建设和秋粮收获工作。

21日 科右前旗召开议事协调机构领导小组会议，旗委书记孙书涛主持会议并讲话。

24日 科右前旗召开玄武岩项目推进会。旗委书记孙书涛，旗委副书记、旗长王立东，旗委常委、政府副旗长杨磊出席会议。旗政协相关领导及旗直单位相关部门负责人参加会议。

25日 由科右前旗委宣传部、文明办和新时代文明实践中心共同主办的2022年科右前旗精神文明创建暨新时代文明实践工作现场观摩会在归流河镇举办，各苏木乡镇有关负责人参加观摩会。

26日 科右前旗召开交通和水利重点项目征拆推进会。旗委副书记、旗长王立东主持会议。

是日 国家秸秆产业发展联盟携秸秆控股集团、澎派农业集团到科右前旗考察，就秸秆综合利用与肉牛产业发展进行座谈。国家秸秆产业发展联盟理事长、秸秆控股集团有限公司董事长彭飞，吉林省澎湃农业发展有限公司董事长赵向前及旗委书记孙书涛，旗委副书记、旗长王立东，旗人大常委会主任王家博，旗政协主席岳嵩山及旗政府相关领导出席会议。

是日 科右前旗委书记孙书涛主持召开疫情防控调度会，就当前疫情防控各项工作进行再安排再部署。

31日 科右前旗委理论学习中心组集体学习会召开。旗委书记孙书涛主持会议，旗委副书记、旗长王立东，旗人大常委会主任王家博，旗政协主席岳嵩山等旗委理论学习中心组成员出席会议。

11月

1日 科右前旗委副书记、旗长王立东主持召开高标准农田建设和招商引资工作调度会。

是日 科右前旗与澎湃集团召开草产业相关事宜推进会，北方中郡运营董事长钱瑞霞，云牧草业董事长、总经理刘小永，旗委副书记、旗长王立东及旗政府相关领导参加会议。

是日 科右前旗与兴安盟水务投资集团召开项目对接座谈会。政企双方围绕深化合作、支持地方经济社会发展等内容进行座谈交流。兴安盟水务投资集团董事长王春雨，旗委副书记、旗长王立东出席会议。

2日 科右前旗召开青年工作联席会议第三次全体会议。旗委副书记、政法委书记刘刚主持会议，旗政府相关领导出席会议。

3日 科右前旗委副书记、旗长王立东主持召开草产业发展座谈会。北方中郡运营管理有限公司董事长钱瑞霞出席会议。旗林草局等相关单位负责人参加会议。

是日 在全盟巩固拓展脱贫攻坚成果同乡村振兴有效衔接工作述职视频会召开后，科右前旗第一时间召开乡村振兴领导小组第八次会议。

是日 科右前旗与罗普特科技集团举行市域社会治理现代化产业示范基地签约仪式。罗普特科技集团区域执行总裁宋玉，旗委书记孙书涛，旗委副书记、旗长王立东，旗政协主席岳嵩山，旗委常委、副旗长云峰及旗直相关部门负责人参加签约仪式。

是日 由兴安盟工会主办、科右前旗总工会承办的"新就业形态劳动者温暖服务季"活动启动仪式在科右前旗举行。盟政协副主席、盟工会主席汪晶，盟工会党组书记、副主席张仲春出席活动，旗人大、政府、政协相关领导参加活动。

4日 科右前旗开展第一届"我帮你"新时代文明实践志愿服务项目大赛。旗委常委、组织部部长李放参加活动并致辞。

6日 科右前旗召开与澎湃集团·秸秆集团项目对接座谈会，国家秸秆产业发展联盟理事长、秸秆控股集团有限公司董事长彭飞，吉林省澎湃农业发展有限公司董事长赵向前及科右前旗委书记孙书涛，旗委副书记、旗长王立东，旗政府相关领导及旗直部门主要负责人参加会议，座谈会以远程视频形式进行。

7日 科右前旗召开秸秆集团及澎派集团项目落地事宜推进会。旗委副书记、旗长王立东出席会议，旗直相关部门负责人参加会议。

11日 科右前旗与中核汇能对接座谈会召开，科右前旗委书记孙书涛、中核汇能有限公司董事长肖亚飞出席座谈会。会上，政企双方围绕推动中核科右前旗工业园区绿色供电项目落地展开深入交流探讨。

14日 学习宣传贯彻党的二十大精神中央宣讲团报告会在呼和浩特举行。报告会以视频会议的形式全面系统解读和阐释党的二十大精神，科右前旗委书记孙书涛，旗委副书记、旗长王立东，旗人大常委会主任王家博，旗政协主席岳嵩山及全旗副处级以上领导、各苏木乡镇、旗直部门负责人收听收看报告会。

16日 科右前旗召开重点项目调度会。旗委书记孙书涛，旗委副书记、旗长王立东，旗委常委、常务副旗长刘海涛出席会议，旗政府相关领导及相关企业、职能部门、苏木乡镇负责人参加会议。

19日 科右前旗召开乡村振兴项目建设与资金拨付推进会，兴安盟乡村振兴局党组书记、局长周文，旗委副书记、旗长王立东出席会议。各苏木乡镇、相关旗直单位负责人参加会议。

是日 科右前旗工业园区大石寨街和好仁街市政道路工程交付使用，举行通车仪式。盟政协党组书记、主席刘树成，科右前旗委书记孙书涛，旗人大常委会主任王家博，旗政协主席岳嵩山，旗政府相关领导及兴安伊利乳业有限公司负责人等共同出席通车仪式。

是日 兴安盟政协主席刘树成到科右前旗调研，科右前旗委书记孙书涛，旗人大常委会主任王家博，旗政协主席岳嵩山，旗委常委、旗委办公室主任张旭东等陪同调研。

21日 科右前旗举办京蒙协作产业科技人才专题培训班，旗委常委、副旗长云峰出席开班仪式。

23日 旗委书记孙书涛主持召开疫情防控调度会，旗领导王立东、刘刚、杨磊、张旭东及旗政府相关领导出席会议。

26日 旗委书记孙书涛主持召开全旗疫情防控工作调度会，分析研判当前疫情防控形势，研究部署加强疫情防控措施。旗领导王立东、黄满良、刘海涛、杨磊、张旭东及旗政府相关领导出席会议。

是日 科右前旗委书记孙书涛主持召开科右前旗委农村牧区工作领导小组会议。

12月

5日 中共科右前旗第十五届委员会召开第四轮巡察工作动员部署会议，旗委常委、纪委书记、监委代主任、巡察工作领导小组组长黄满良，旗委常委、组织部部长、巡察工作领导小组副组长李放出席会议。

8日 科右前旗召开东西部协作对接推进会。旗委副书记、旗长王立东，旗委常委、常务副旗长刘海涛，旗委常委、副旗长云峰出席会议，旗直相关部门负责人参加会议。

是日 科右前旗与中核汇能集团项目推进会召开。旗委书记孙书涛，旗委副书记、旗长王立东，中核汇能（山东）能源有限公司开发部经理李洪亮，比亚迪弗迪电池综合能源战区副总裁孙玉宝出席会议。

9日 海淀区·科右前旗东西部协作工作高层互访联席会暨捐赠仪式在科右前旗举行。海淀区委副书记、区长李俊杰，旗委书记孙书涛，旗委副书记、旗长王立东，盟行署副秘书长杨军昌，旗领导刘刚、刘海涛、云峰及海淀区相关部门负责人出席会议。

10日 科右前旗委副书记、政法委书记刘刚主持召开全旗科学储粮工作调度会。

是日 科右前旗召开2022年第二次土地联席会。旗委副书记、旗长王立东，旗委常委、副旗长杨磊参加会议。

是日 科右前旗与中国葛洲坝集团召开对接座谈会，旗委书记孙书涛，旗委副书记、旗长王立东与中国葛洲坝集团北方分公司内蒙古市场部总经理章丹林出席座谈会。

11日 科右前旗委书记孙书涛主持召开全旗京蒙协作调度会。旗委副书记、政法委书记刘刚，挂职旗委常委、副旗长云峰出席会议。

是日 科右前旗诗与遥旅游项目规划交流座谈会召开。旗委书记孙书涛，旗委常委、旗委办公室主任张旭东，诗与遥文旅咨询机构总经理张庆，禾作（上海）文化创意有限公司执行总经理张孟蛟出席会议。

12日 科右前旗委书记、人武部党委第一书记孙书涛主持召开旗委议军、苏木乡镇党委书记述职报告会暨全旗国防动员工作会议。旗委常委、人武部部长焦社军，旗委常委、旗委办公室主任张旭东出席会议。

13日 科右前旗召开"晓景计划"工作调度会。旗委书记孙书涛，旗委常委、组织部部长李放出席会议。

14日 科右前旗委书记孙书涛主持召开学习贯彻党的二十大精神专题读书班暨旗委理论学习中心组集体学习研讨会。盟委宣传部巡听旁听指

大 事 记

导组,旗委理论学习中心组成员,旗直部门主要负责人参加研讨会,各苏木乡镇(中心)负责人以视频会议的形式参加研讨会。

15日 中共科右前旗十五届委员会召开第三轮巡察集中反馈会议,旗委常委、纪委书记、监委代主任、巡察工作领导小组组长黄满良出席会议并讲话。会议通报了旗委第三轮巡察发现的共性问题,传达旗委书记专题会议精神。

16日 科右前旗委召开第四十七至四十九次常委会,传达学习区盟相关会议和文件精神,听取全旗多项工作汇报,并安排部署下一步工作。

是日 科右前旗举办2022年统战干部能力提升暨党外干部培训班,旗委常委、统战部部长马宁作开班讲话。

是日 科右前旗反邪教协会召开第二届会员代表大会,旗委副书记、政法委书记刘刚出席会议。来自全旗政法、科技、宗教、法律、教育界和有关人民团体及反邪教协会基层组织等界别的70多名会员代表参加会议。

是日 科右前旗政法委员会召开第四季度全体会议,总结今年政法工作开展情况,分析研判存在问题及面临形势。

20日 科右前旗人武部联合旗边防委员会成员单位、旗边防民兵,组织开展以"学习宣传贯彻党的二十大 奋勇前行固我边防大北疆"为主题的党政军警民联编联勤"六个一"活动。旗委常委、人武部部长焦社军,旗委常委、旗委办公室主任张旭东出席活动。

22日 科右前旗委副书记、旗长王立东深入额尔格图镇兴牧嘎查希倍优1000标方水电解制氢系统测试中心项目现场,就项目进展情况进行实地调研。

27日 科右前旗图书馆举行开馆仪式。旗领导孙书涛、王立东、王家博、岳嵩山及全旗在家副处级以上领导,旗直各部门负责人参加开馆仪式。

28日 兴安盟科技局与科右前旗举行科技工作合作共建签约仪式。盟科技局局长赵青松,旗委书记孙书涛,旗委副书记、旗长王立东,挂职旗委常委、副旗长云峰及盟旗相关部门负责人见证签约。旗政协主席岳嵩山主持签约仪式。

是日 科右前旗委副书记、旗长王立东主持召开科右前旗信访维稳暨网上投诉春节"暖心"行动调度会。旗委副书记、政法委书记刘刚出席会议。

是日 位于科右前旗的内蒙古兴安伊利乳业"5G+工业互联网平台"液态奶智能工厂举行无菌试验开工仪式。盟委副书记、盟长苏和,盟政协党组书记、主席刘树成,旗委书记孙书涛,旗委副书记、旗长王立东,旗人大常委会主任王家博,旗委常委、旗委办公室主任张旭东及盟旗相关部门负责人参加无菌试验开工仪式。

30日 中共科右前旗十五届三次全委(扩大)会议暨全旗经济工作会议召开。旗委书记孙书涛代表旗委常委会向全会作报告。旗委副书记、旗长王立东主持会议,并就贯彻落实好会议精神提出具体要求。旗人大常委会主任王家博,旗政协主席岳嵩山及其他处级领导同志出席会议。

是日 科右前旗领导干部警示教育大会暨集体廉政谈话会议召开。旗委书记孙书涛出席会议并讲话。旗领导王立东、王家博、岳嵩山、刘刚等出席会议,旗委常委、纪委书记、监委代主任黄满良主持会议。盟纪委监委第二监督检查室主任王健到会指导。会议组织收看廉政警示教育片《为了这片碧草蓝天》。

旗情概要

基本地情

人口　民族

山脉水系

自然资源

旅　游

特色饮食

遗址遗迹

科右前旗非物质文化遗产

2022年科右前旗组织机构
　及负责人名录

旗情概要

基本地情

【历史沿革】 科尔沁右翼前旗历史悠久，地域辽阔。现行政区域系由原科尔沁右翼前旗、科尔沁右翼后旗、喜扎嘎尔旗合并而成。新石器时期，旗境就有原始人类栖息活动。春秋、战国、秦、汉、晋时期，科尔沁右翼前旗隶属辽东郡。

唐总章元年（668年）九月，隶属室韦大都督府。辽神册四年（919年），为上京道泰州金山县。天庆六年（1116年），升为静州。金承安三年（1198年），为军镇，名武兴。元至元八年（1271年），隶属辽阳行中书省泰宁路。元贞元年（1295年），隶属肇州屯万户府。明洪武元年（1368年），属泰宁卫。洪武二十年（1387年），隶属大宁都司。永乐七年（1409年），隶属奴儿干都司木塔里山卫指挥使。清崇德元年（1636年），定称科尔沁右翼前旗、科尔沁右翼后旗，亦称札萨克图郡王旗、镇国公旗。1917年3月15日，设置索伦山设治局（后改称索伦县），隶属黑龙江省龙江道。1932年7月，科尔沁右翼前旗、科尔沁右翼后旗分别改称西科前旗、西科后旗。

1946年2月15日，西科前旗、西科后旗、喜扎嘎尔旗隶属兴安省。1948年2月6日，西科前旗复称科尔沁右翼前旗。同年11月22日，并喜扎嘎尔旗于科右前旗。1949年3月26日，西科后旗复称科尔沁右翼后旗。

1952年8月12日并于科右前旗。1958年8月20日，并乌兰浩特市于科右前旗。1969年8月1日，科右前旗划归吉林省白城地区。

1979年9月，划归呼伦贝尔盟。1980年7月26日，恢复兴安盟、乌兰浩特市建制。科尔沁右翼前旗隶属兴安盟。旗府驻乌兰浩特市。

2005年11月，科右前旗人民政府迁至大坝沟（现科尔沁镇）。

【地形地貌】 科尔沁右翼前旗位于大兴安岭中段东坡，是内蒙古高原与松辽平原的分界，全旗地势西北高，东南低，呈浅山丘陵起伏的地貌特征。

【地理位置】 科尔沁右翼前旗位于内蒙古自治区东北部，大兴安岭南麓，兴安盟中西部。地理坐标为北纬45°41′51″～47°01′36″，东经119°49′39″～122°49′16″。东与内蒙古自治区兴安盟扎赉特旗相连；南与吉林省洮南市、兴安盟乌兰浩特市、突泉县、科尔沁右翼中旗相接；西与蒙古国、锡林郭勒盟东乌珠穆沁旗毗邻；北与兴安盟阿尔山市、扎赉特旗接壤。南北长133.3公里，东西宽227公里，总面积16985.3平方公里。中蒙边界线长32.496公里。

【行政区划】 科右前旗辖乌兰毛都、阿力得尔、桃合木3个苏木，满族屯满族乡和巴日嘎斯台2个乡，科尔沁、额尔格图、察尔森、归流河、大石寨、德伯斯、索伦、居力很、俄体9个镇，以及绿水种畜繁育中心。

【气候】 科右前旗大陆性季风气候特点显著,属于温带大陆性季风气候。2022年,年平均气温为3.4℃;降水量为507.1毫米;大风日数为18天;日照时数为2802.6小时;年极端最高气温为33.5℃;年极端最低气温为-28.5℃。

人口 民族

【人口】 2022年年末全旗户籍人口330969人,126107户。其中,城镇人口48244人,占总人口的14.58%;乡村人口282725人,占总人口的85.42%。男性人口169551人,女性人口161418人,男女性别比是105.04。全年出生1928人,死亡2721人。户籍人口出生率为5.83‰,死亡率为8.22‰;人口自然增长率为-2.40‰(用户籍人口数据计算)。年末科右前旗常住人口28.17万人。

【民族】 科尔沁右翼前旗是多民族聚居的边境旗。2022年总人口中少数民族总人口176045人,其中蒙古族人口158330人,少数民族人口占总人口53.19%。

山脉水系

【山脉概况】 大兴安岭主脉,自旗境西北端向南沿其西部边缘排列,组成大兴安岭山脉主脊线,山脊表现为北高南低。北部山峰海拔高度为1500米以上,南部山峰海拔高度为1100—1500米。

二蹬天山——大那金山支脉。西起旗境西北部的二蹬天山,东至扎赉特旗的大那金山,长约150公里。与大兴安岭主脉大体垂直,为洮儿河与绰尔河的分水岭。山脊线海拔高度为900—1100米。

宝格达山——猛鹫山支脉。西起旗境西部的宝格达山,东至旗境中部的猛鹫山,全长约110公里,为洮儿河与归流河的分水岭。山脊海拔高度在1000米左右。

西老头山——老头山支脉。西起西老头山,东至科右前旗与突泉县交界处的老头山,长约110公里,它是阿力得尔河与霍林河的分水岭。山脊线海拔高度在1000米左右。

【水系概况】 科右前旗境内河流属嫩江水系。有大小河流140多条,流域面积在200平方公里以上的河流有19条。主要河流有2条:洮儿河、归流河。

洮儿河发源于大兴安岭东麓高岳山下的森林地带,海拔1592米,属嫩江水系。从白狼北部流出至五岔沟途中,先后汇集牛汾台河、班家沟河、查岗河、双马河等9条溪流;从五岔沟流出后转弯向东,至索伦镇又汇集额木斯台河、胡斯台河、托果伦台河、托莫公河、满族河、哈海河等河流;从索伦流出后转弯向东南,至乌兰浩特市南又汇集哈拉日根台河、乌兰毛都河、聂仁加拉嘎河、乌拉斯台河、兴牧河等10多条河流。在乌兰浩特市南与归流河汇合时,河床宽从50米(索伦段)扩大到150米,水深从0.6—1米加深到1.5米。与归流河汇合后继续向东南,流入吉林省境内。洮儿河全长595公里,旗境流程长198.7公里,科右前旗与洮南市交界处以上流域面积18476平方公里(包括归流河流域面积,旗境内流域面积15994平方公里)。洮儿河的主要支流有2条:归流河、蛟流河。

归流河发源于大兴安岭西麓宝格达山南部,海拔1430米。上游由乌兰河、海勒斯台河组成,两河在旗境西部汇合后,向东北流经16公里后转弯向东,经大石寨镇、归流河镇、大坝沟镇湖南村，途中汇集阿力得尔河等20多条河流。从湖南村流出后转弯向东南，在乌兰浩特市南靠山屯流入洮儿河。全长277.3公里，流域面积9522平方公里。多年平均径流量3.64亿立方米。主要支流有阿力得尔河、巴拉格歹河。阿力得尔河发源于索金达板山，在阿力得尔苏木海力森汇入归流河，全长102.5公里，流域面积2170平方公里，多年平均径流量0.817亿立方米；巴拉格歹河发源于大青山，在巴拉格歹乡赵家沟东北汇入归流河，全长72.3公里，流域面积716平方公里，多年平均径流量0.23亿立方米。

自然资源

【野生动植物资源】 科右前旗境内共有鸟类19目、57科、311种，兽类6目、15科、35种。其中，国家一级保护野生动物黄嘴白鹭、东方白鹳、大鸨、中华秋沙鸭等26种；国家二级保护野生动物白琵鹭、鸿雁、白额雁、大天鹅等63种；自治区重点保护陆生野生动物斑头雁、角百灵、罗纹鸭、彩鹬等13种。全旗境内常见植物有82科、296属、562种，可作为饲用植物的有482种，药用植物有73种，建群植物为羊草、贝加尔针茅、线叶菊、百里香、胡枝子等。

【森林资源】 科右前旗森林面积约42.38万公顷，占兴安盟总面积的近1/4，森林覆盖率25.97%。其中，经济林面积约1.5万公顷，全盟经济林面积2.35万公顷，在全盟排名第一，占全盟总面积的2/3。

【草原资源】 科右前旗草原是欧亚大陆草原的重要组成部分，天然草原面积74.9万公顷，草原面积占全盟草原总面积的42%，占全旗土地面积的54%，草原综合植被盖度75.3%。全旗草原产草量地带性差异较大，各类草场平均单产每公顷4500千克，载畜能力每个羊单位0.6公顷。全旗境内常见植物有82科、296属、562种，禾本科121种，豆科89种，可作为饲用植物的有482种，旗舰物种有国家二级保护植物野大豆。主要建群种有贝加尔针茅、羊草、线叶菊、百里香、胡枝子、无芒隐子草；关键种有羊草、大针茅、糙隐子草、冰草、贝加尔针茅、冷蒿、胡枝子；入侵物种有黄花刺茄、曼陀罗、草木樨、白花草木樨、婆婆纳、野西瓜苗。草原药用植物有73种，包含防风、桔梗、黄芩、苍术等家喻户晓的药用植物。

【矿产资源】 科右前旗有大型矿床2处、中型矿床1处、小型矿床35处。科右前旗已发现矿产资源20种，包括金属矿产铁、铜、铅、锌、金、银、镓，非金属矿产硅灰石、叶蜡石、萤石、水泥用灰岩、高岭土、砖瓦用页岩、玄武岩、饰面用辉绿岩、建筑用安山岩、花岗岩、饰面用花岗岩、化肥用蛇纹岩、建筑用凝灰岩、水气矿产矿泉水。截至2020年年底，全旗列入《内蒙古自治区矿产资源储量表》的矿产资源10种，包括铁、铅、钼、铜、锌、金、银、镓、萤石等。上表矿区9处。其中，铁矿4处，铅矿1处，银矿1处，萤石矿2处，钼矿1处。

旅游

【乌兰毛都草原】 乌兰毛都草原风景区位于科右前旗北部乌兰毛都苏木，为国家AAA级旅游景区，总占地面积约6533公顷。乌兰毛都译为"红色的树木"，因这片草原上生长着许多艳丽动人的红柳而得名。乌兰毛都草原位于内蒙古自治区东北部，大兴安岭南麓，科尔沁草原腹地,是世界上少有的无污染、无沙化、无鼠害原生态草原,也是典型的"五花草塘"和"疏林草原"。乌兰毛都草原属丘陵山地草原,这里山川纵横,河湖密布,奶茶飘香,牧歌悠扬,是一个自然风光壮美的心灵牧场,因此被誉为"杭盖草原,心灵牧场"。它不同于其他草原那样平缓和一望无际,而是与连绵的群山相连,是具有边境风格的新兴草原。

乌兰毛都草原风景区依托风光旖旎的乌兰毛都杭盖草原和九曲乌兰河建设而成,景区以"草原奇遇记"故事为主线,打造了穿越24公里的边境草原壹号公路和沉浸式草原场景,是集边境草原文化、游牧主题商业与特色游乐于一体的综合文化景区。

【察尔森水库】 察尔森水库坐落于内蒙古科尔沁右翼前旗境内,是嫩江支流洮儿河干流上唯一控制性水利枢纽,距离乌兰浩特市32公里,是水利部松辽水利委员会直属的以防洪、灌溉为主,结合发电、养鱼、旅游等综合利用的大(1)型水库。察尔森水库于1973年开始建设,1990年投入试运行,2005年8月被评为国家水利风景区,2022年成功评选为国家AAA级旅游景区。水库总库容12.53亿立方米,库区水面面积80平方千米,湖岸线长达52千米,控制流域面积7780平方千米,多年平均径流量8.3亿立方米,是东北大型水库之一。大坝工程按500年一遇洪水标准设计,万年一遇洪水标准校核。察尔森水库自投入运行以来在防洪减灾、灌溉供水及水生态保护方面发挥重大作用。

察尔森水库有鲢、鳙、鲤、鲫、草、鲶、鲴、鲂等20多种优质鱼,以鱼的肉质细嫩、营养丰富、绿色、有机而享有盛誉,获得国家无公害农产品、AA级绿色食品、有机食品的认证,察尔森水库被评定为内蒙古自治区首批无公害水产品生产基地。

察尔森水库山清水秀,风景怡人,素有"草原明珠"之称。水库东接松辽平原,西临蒙古高原,南通哲理木粮仓,北临呼伦贝尔草原,是重要的战略要地。

【黑羊山旅游度假区】 黑羊山坐落在兴安盟科右前旗德伯斯镇西北边界上,地理位置在东经121°17′18″,北纬46°30′13″,主峰海拔高达1319米。黑羊山旅游度假区内集草原、沟谷、森林于一体,有着自然奇特的美丽风景,植被覆盖率高,野生动物资源丰富,是乌兰毛都国家级旅游度假区的重要组成部分。黑羊山是原札萨克图郡王旗16座重要祭祀山之一,是极具民族特色文化的地区,具有深远的文化研究意义。黑羊山旅游景区全线长达15公里,由八大山沟组成。按照景区功能划分,分为游客服务中心、雅玛洞、"牧野山涧"度假野奢酒店、"牧民部落联盟"、恩夫亲子家庭牧场、登山体验。

特色饮食

【俄体粉条】 俄体粉条已经有300多年历史,俄体粉条的制作工艺要经过8道工序,一般耗时3天,才能做出色泽纯正、洁白耐炖、口感顺滑的美食,因独有的水土气候等因素,本地马铃薯淀粉含量较高,因此使用本地马铃薯制粉,土豆要磨成粉浆,颗粒大小与磨豆浆相仿,加清水边搅拌边过滤,沉淀12小时,将上层的浆水倒出,再加清水重复搅拌、过滤、沉淀后去除清水,用布袋取出湿淀粉晾干,将干粉用热水调成糊状,再用沸水边冲边搅拌,呈透明均匀状,在粉芡内适量加入干淀粉，搅拌揉搓1小时，将面团放入粉瓢中，拍打面团，用冷水两次冷却，粉丝自然干燥后即成粉条。

【科右前旗草地羊】 科右前旗位于大兴安岭南麓，属大陆性季风气候，四季分明。原生态的草原上生长有1000多种饲用植物，饲用价值高、适口性强的有100多种，尤其是羊草、羊茅、冰草、披碱草、野燕麦等禾本和豆科牧草非常适于饲养牲畜。草原上的河水，基本都以泉水和雨水组成。周边无重工业，所以几乎没有任何污染，造就了高品质草地羊的放养环境。科右前旗草地羊的新鲜羊肉，其肌肉呈鲜红色，有光泽，脂肪呈乳白色；肌纤维致密，有弹性，指压后凹陷立即恢复；外表及切面湿润，不粘手；具有羊肉固有气味，无异味；煮沸后，肉汤透明澄清。

【科右前旗奶豆腐、黄油】 科右前旗境内牧场宽阔，牧草种类丰富，周边无重工业，空气洁净，水源充足，有利于奶牛的生长，牛奶中的蛋白质含量较高，做出的奶豆腐营养价值高、口感好。

科右前旗奶豆腐呈乳黄色，具有清香的乳香味和淡淡的酸味，无异味；其质地均匀，组织细腻，味道爽口。科右前旗黄油是一种牛奶黄油，其色泽金黄，常温下呈蜡状固体，带有光泽；该黄油可塑性好，带有黄油特有的香味。

奶豆腐、黄油作为科右前旗蒙古族传统奶制品，深受当地人民群众的喜爱。

【科右前旗沙果、沙果干】 科右前旗沙果，果肉较硬，肉质细腻、脆甜，清香味浓，糖分含量较高，可达11%—13.5%，其果皮光滑、油亮，底色淡黄，有鲜红条纹，外观艳丽，果实为扁圆形，单果重32—37克，最大果重45克，直径在4—5厘米，果肉黄白色，汁较多，果肉里的糖心若隐若现，每100克含水分≥83克，可溶性固形物含量≥15克，有机酸≤0.41克，维生素C≥58毫克。

科右前旗沙果干精选科右前旗沙果加工而成，具有独特的科右前旗沙果干品质特征。外表颜色为金黄色，果干直径约2.5—3厘米；其表面无糖霜析出，味道香甜可口，肉质柔韧，甜而微酸。沙果干作为科右前旗的特色产品，以生产过程中不添加食品添加剂为优势，深受广大消费者的青睐。

遗址遗迹

【概况】 科右前旗有革命遗址遗迹5处，其中旗重点文物保护单位3个，兴安盟级爱国主义教育基地1个。

【兴安第一党支部】 兴安盟西科前旗巴拉格歹（今科右前旗巴日嘎斯台乡）努图克兴安镇，中华人民共和国成立前称巴拉格歹努图克，是内蒙古东部地区农村建党建政较早的革命老区。1946年9月，这里诞生了内蒙古兴安盟第一个农村党支部——巴拉格歹努图克兴安镇党支部。兴安镇党支部是兴安盟第一个党的基层组织，习惯称为兴安红色第一村党支部，1958年改称兴安大队党支部，1984年改称兴安村党支部。兴安农村第一党支部旧址为免费开放博物馆，已被评为国家2A级景区、青少年爱国主义教育基地、兴安盟党员干部教育基地、科右前旗党员干部教育基地等不同层级和类别的教育培训实践基地。

【"中村事件"发生地】 侵华日军"中村事件"发生地遗址，位于内蒙古兴安盟科尔沁右翼前旗察尔森镇察尔森嘎查东北

1500米处东山西坡一小山顶上。"中村事件"成为日本关东军发动"九一八"事变的直接导火索之一。1995年8月，科右前旗人民政府在原址建墙，简要介绍"中村事件"发生过程，并列为旗级爱国主义教育基地。2006年，察尔森中学为开展爱国主义教学活动，在小山下平坦处建侵华日军"中村事件"发生地纪念墙。2010年5月，侵华日军"中村事件"发生地被科右前旗人民政府公布为旗重点文物保护单位。

科右前旗非物质文化遗产

【概况】 至2022年，科右前旗非遗保护中心有国家级非遗项目1项，自治区级非遗项目13项，自治区级传承人13名；盟级项目52项、盟级传承人163名；旗级项目91项、旗级传承人356名。建立"乌兰伊德传承基地""四胡艺术传承基地""科尔沁哈日靶传承基地""蒙古族服饰传承基地""传统手工艺传承基地""马头琴音乐传承基地"等6个非遗传承基地。

【巴音居日合乌拉祭】 巴音居日合乌拉祭意为富庶的心脏之山，位于兴安盟科右前旗境内，每年农历四月二十七日为巴音居日合乌拉祭祀日。巴音居日合乌拉祭的祭祀对象为"旺楚克扎拉布"，意为尊贵而富庶的高山，其祭祀平台坐落在山顶上的49座敖包。祭祀吟唱"巴音居日合乌拉赞"，诵祭文。巴音居日合乌拉祭作为民俗文化的重要体现，其中渗透着树立尊重自然、顺应自然、保护自然的生态文明理念，对当地生态环境的保护、传统文化的传承具有重要意义。2021年，巴音居日合乌拉祭被列入第五批国家级非物质文化遗产代表性项目名录。

【那达慕】 2009年，"那达慕"被列入自治区级第一批非物质文化遗产项目名录。"那达慕"是蒙古民族特有的传统体育活动。主要集中在乌兰毛都草原。每年农历七八月间，在牧草繁茂、牲畜肥壮的季节里举行盛大的那达慕大会，在这一区域有着深厚历史文化积淀及广泛群众基础。

乌兰毛都草原那达慕的基本内容主要以蒙古族"男儿三艺"，即摔跤、赛马、射箭为主，增添套马、摔马、掷"布鲁""沙特拉"等传统文化娱乐活动。近几年，引进射击、球类、女子摔跤比赛和赛马的场地跑圈比赛及接力赛等，使比赛更具观赏性和竞争性，那达慕附属的物资交流活动发展为经贸洽谈、经济技术合作、商品展销、饮食服务、观光旅游等多项内容，并辅以资源、成就、科技展览以及表彰奖励等活动。

通过那达慕这种为牧民群众喜闻乐见的传统文化形式，更可以寓教于乐，进行爱国主义、集体主义和民族团结教育，移风易俗，建设团结、文明、平安、富裕的社会主义新牧区。"那达慕"的举行对活跃牧民群众文化生活、愉悦身心、增强体魄、普及科学文化知识、弘扬民族精神、提高思想道德和文化水准，都具有不可替代作用。

近几年，每年那达慕有10万余人参与其中，当代那达慕已成为科右前旗对外开放的窗口。

【札萨克图刺绣】 2011年"札萨克图刺绣"入选内蒙古自治区级第三批非遗保护项目名录。札萨克图刺绣工艺，历经数百年的传承与发展，形成自身独有的特征，不仅丰富游牧民族刺绣工艺的内涵，同时也为中华民族刺绣艺术长廊增添一道亮丽的风景。

札萨克图刺绣内容丰富、形象生动,从抽象的云纹、回纹、吉祥纹、万寿纹,到具体的自然景观、花草树木、飞禽走兽,都一一体现着蒙古族人民高尚的审美情趣和巧妙的艺术构思。缝制技法包括盘花(敖绕呼)、绣花(哈塔哈呼)、贴花(纳阿呼)、回针(图其呼)、拱针(沙格拉呼)、纳线(西日呼)混合美等几十个基本内容。

札萨克图刺绣工艺植根于民族文化的沃土,如实地描绘了蒙古族游牧生活的方方面面。保护、挖掘、弘扬、传承这一民族民间传统美术技能,对于展示内蒙古历史文化、风土人情,打造民族文化艺术品牌,实施文化产业工程,开发旅游资源,促进民族文化事业发展、繁荣,都具有十分重大而深远的意义。

2022年科右前旗组织机构及负责人名录

中共科尔沁右翼前旗委员会

书　　记　　孙书涛（蒙古族）
副 书 记　　王立东
　　　　　　刘　刚
常　　委　　赵玉亮（蒙古族，9月离任）
　　　　　　黄满良（满族，9月任职）
　　　　　　刘海涛
　　　　　　焦社军
　　　　　　王　印（9月离任）
　　　　　　杨　磊（蒙古族）
　　　　　　李　放（女）
　　　　　　张旭东（蒙古族）
　　　　　　马　宁（女，蒙古族）

旗委办公室

主　　任　　张旭东（蒙古族）
副 主 任　　程书亭（6月任职）
　　　　　　陈秋祥（蒙古族，3月任职）
　　　　　　艾晓娜（女）
　　　　　　吴　铎（满族，6月任职）
　　　　　　周岩萍（女，蒙古族，6月任职）

国家安全工作

主　　任　　陈欣宇（2021年12月离任）
　　　　　　吴志明（蒙古族，6月任职）
副 主 任　　赵　莹（7月离任）
　　　　　　李长江（蒙古族，7月任职）

组织工作

（非公党工委、公务员局、老干部局、党员教育中心）

部　　长　　李　放（女）
常务副部长　　常文娟（女，蒙古族）
副 部 长　　方　磊
　　　　　　刘宇光
非公党工委
书　　记　　李英爽（9月离任）
公务员局
局　　长　　常文娟（女，蒙古族）
老干部局
局　　长　　方　磊
党员教育中心
主　　任　　刘　洋（女，2月任职）
直属机关工委
书　　记　　布仁特古斯（蒙古族，2月离任）
　　　　　　蔡　明（女，蒙古族，2月任职）
副 书 记　　阎丽辉（蒙古族）
直属武装部
部　　长　　阎丽辉（蒙古族）（兼）

宣传工作

部　　长　　王　印（10月离任）
常务副部长　　崔建平（女，蒙古族）
副 部 长　　郎永贵（蒙古族）
　　　　　　张宇航（2月离任）
　　　　　　姜玉珠（女）
　　　　　　苏雅拉其其格（女，蒙古族，2月任职）

统战工作（宗教事务）

部　　长　　马　宁
常务副部长　　艾玉环（女）
副 部 长　　布仁特古斯（蒙古族，2月任职）
　　　　　　王宝全（蒙古族）（兼）
　　　　　　崔瑞龙（6月任职）
　　　　　　哈斯巴根（蒙古族，2月离任）
　　　　　　王立军（2月任职）
宗教局局长　　哈斯巴根（蒙古族，2月离任）

王立军（2月任职）

旗机构编制委员会办公室

主　　任　张曙艳（女）

副 主 任　常　宝（蒙古族）

　　　　　惠　婧（女）

旗政务和公益机构域名注册中心

主　　任　黄异腾（蒙古族）

旗委巡察工作领导小组

组　　长　赵玉亮（蒙古族，9月离任）

　　　　　黄满良（满族，9月任职）

副 组 长　李　放（女）

组　　员　常文娟（女）

　　　　　李军香（女，满族，5月离任）

　　　　　陈永民（蒙古族）

　　　　　李英爽（9月任职）

旗委巡察办

主　　任　陈永民（蒙古族，9月离任）

　　　　　李英爽（9月任职）

副 主 任　王春华（女，蒙古族，6月离任）

　　　　　郝良懿（女，蒙古族）

旗委巡察组

第一巡察组

组　　长　高雪明（蒙古族，6月离任）

　　　　　根　喜（蒙古族，6月任职）

副 组 长　尹旭东（女，蒙古族）

第二巡察组

组　　长　唐海平（蒙古族，2月离任）

　　　　　张　勇（2月任职）

副 组 长　张海志

第三巡察组

组　　长　姜文广

副 组 长　徐嘉其（女）

巡察工作数据服务中心

主　　任　陈　亮

旗委党校

校　　长　李　放（女）

常务副校长　孙德志（2月离任）

　　　　　张子成（6月任职）

副 校 长　孟祥文

　　　　　包凌云（女，蒙古族，2月任职）

　　　　　刘　巍（女）

　　　　　杨秀玲（女，2月任职）

旗档案史志馆

馆　　长　吴志明（蒙古族，2月离任）

主　　任　张志国（6月任职）

副 主 任　齐永琳（女，蒙古族）

　　　　　张贺鑫（女，蒙古族）

　　　　　杨　畑（女，7月任职）

旗党群服务中心

党委书记　田志伟（女，9月离任）

　　　　　包天骄（女，蒙古族，9月任职）

副 书 记　刘　俐（女）

主　　任　田志伟（女，9月离任）

　　　　　包天骄（女，蒙古族，9月任职）

副 主 任　刘　俐（女）

　　　　　杜　鹃（女）

　　　　　李　扬

　　　　　张　辉（女）

　　　　　彭明武

　　　　　纪相国（蒙古族，2月离任）

　　　　　齐晓军（蒙古族，2月任职）

科尔沁右翼前旗人大常委会

党组书记　陈　然（女，1月离任）

　　　　　王家博（1月任职）

副 书 记　王家博（1月离任）

　　　　　陈海青（蒙古族）

党组成员　陈百顺（蒙古族）

　　　　　　　王学杰（满族）　　　　　　　　　　杨　磊（蒙古族）
　　　　　　　张洪智（蒙古族）　　　　　　　　　方玉存
主　　　任　陈　然（女，1月离任）　　　　　　杨乌兰（女，蒙古族）
　　　　　　　王家博（1月任职）　　　　　　　　陈国庆（蒙古族，10月离任）
副 主 任　陈百顺（蒙古族）　　　　　　　　　王志彪
　　　　　　　白铁壮（蒙古族，1月离任）　　　　李海波
　　　　　　　陈海青（蒙古族，1月任职）　　　　白文杰（蒙古族，10月任职）
　　　　　　　王学杰（满族，1月任职）
　　　　　　　魏荣晟（1月任职）　　　　　　**旗人民政府办公室**
办公室主任　张洪智（蒙古族）　　　　　　主　　　任　刘立军
副 主 任　齐格棋（蒙古族，3月离任）　　副 主 任　张子成（6月离任）
监察和司法工作委员会　　　　　　　　　　　　李永生（6月离任）
主　　　任　霍青林（蒙古族，3月离任）　　　　窦伟奇
　　　　　　　乌云苏都（蒙古族，7月任职）　　　黄文地（3月任职）
副 主 任　包玉国（蒙古族，3月离任）　　　　崔国松（6月任职）
　　　　　　　关怀国（7月任职）　　　　　　　　张锁成（蒙古族，6月任职）
财经工作委员会　　　　　　　　　　　　　　　高广宇
主　　　任　张曙丽（女）　　　　　　　　**旗信访局**
副 主 任　杨冬生（蒙古族）　　　　　　局　　　长　高广宇
教科文卫工作委员会　　　　　　　　　　**科右前旗产业园**
主　　　任　李任重　　　　　　　　　　　党工委书记　李恒权（满族）
副 主 任　孔繁华（女）　　　　　　　　副 主 任　方伟田
人事代表选举工作委员会　　　　　　　　党政办公室
主　　　任　布仁色音（满族，10月离任）　　副 主 任　康跃民
　　　　　　　色音都冷（蒙古族，10月任职）　机关后勤服务中心
副 主 任　刘春晓（女，蒙古族）　　　　副 主 任　杨志勇
农牧业工作委员会　　　　　　　　　　　　　　　钟树森
主　　　任　杨金锐（蒙古族，7月任职）　　安全生产监督管理科
副 主 任　杨金锐（蒙古族，7月离任）　　副 科 长　郑伟军
　　　　　　　张玉红（女，7月任职）　　　　环保建设规划科
　　　　　　　　　　　　　　　　　　　　　　副 科 长　孙剑恒
科尔沁右翼前旗人民政府
　　　　　　　　　　　　　　　　　　　　　　信息中心
旗　　　长　王立东　　　　　　　　　　　副 主 任　宝爱红（女，蒙古族）
副 旗 长　刘海涛　　　　　　　　　　**旗现代农牧业园区管委会**
　　　　　　　　　　　　　　　　　　　　　　党组书记　吴志刚（蒙古族，7月任职）

党组成员　　吴志刚（蒙古族，3月任职，7月离任）

　　　　　　田国军（3月任职）

　　　　　　徐清池（3月任职）

主　　任　　王健

副 主 任　　田国军

　　　　　　郑旭东

旗民政局

局　　长　　张敬海

副 局 长　　谢宏元

　　　　　　白秀丽（女，蒙古族）

旗退役军人事务局

局　　长　　冯国涛（7月离任）

　　　　　　邹作为（7月任职）

副 局 长　　刘建军（满族）

　　　　　　李英伟

退役军人服务中心

主　　任　　温长伟（锡伯族）

旗应急管理局

局　　长　　高广伟（满族）

副 局 长　　刘学文

　　　　　　李强

　　　　　　王保桩

旗乡村振兴局

党组书记　　孟凡祺

党组成员　　刘岑岑

　　　　　　关鹏飞（满族，7月任职）

　　　　　　张丽光（女，7月任职）

　　　　　　腊梅（女，蒙古族，7月任职）

　　　　　　张梦洁（女，7月离任）

局　　长　　孟凡祺

副 局 长　　张梦洁（女，7月离任）

　　　　　　韩军（蒙古族）

　　　　　　张丽光（女，7月任职）

　　　　　　腊梅（女，蒙古族，7月任职）

旗众诚扶贫开发投资有限公司

董 事 长
总 经 理　　关鹏飞（满族，6月任职）

副董事长
副总经理　　王磊（蒙古族，6月任职）

旗人力资源和社会保障局

党组书记　　佟占军（蒙古族）

党组成员　　王明芳（女）

　　　　　　王勇（7月离任）

　　　　　　田宏

　　　　　　黄刚（6月任职）

　　　　　　王晓峰

　　　　　　王海生

局　　长　　佟占军（蒙古族，3月任职）

副 局 长　　王明芳（女）

　　　　　　王勇（7月离任）

就业中心

主　　任　　郑亚鹏（6月离任）

　　　　　　黄刚（6月任职）

社保中心

主　　任　　王晓峰

档案中心

主　　任　　王海生

旗医疗保障事务局

党组书记　　良泰（蒙古族）

党组成员　　刘振平

　　　　　　来永强

局　　长　　良泰（蒙古族）

副 局 长　　刘振平

　　　　　　来永强

旗民族事务委员会

主　　任　　布仁特古斯（蒙古族，2月任职）

副 主 任　　谢晓峰（蒙古族）

　　　　　　周景文

旗政务服务局

局　　　长　王佳骥（2月离任）

　　　　　　孙德志（2月任职）

副 局 长　刘　莹（女）

旗机关事务服务中心

主　　　任　陈锐龙

副 主 任　达胡巴雅尔（蒙古族）

　　　　　　李明菊（蒙古族，2月离任）

　　　　　　张继光（6月任职）

政协科尔沁右翼前旗委员会

党组书记　修儒峰（1月离任）

　　　　　　岳嵩山（1月任职）

副 书 记　岳嵩山（1月离任）

　　　　　　刘志山（蒙古族，1月离任）

　　　　　　马　宁（兼）

　　　　　　陈凤华（女，蒙古族）

党组成员　陈海青（蒙古族，1月离任）

　　　　　　侯海山（蒙古族）

　　　　　　高玉荣（女，蒙古族）

　　　　　　陈宝龙（2月任职）

主　　　席　修儒峰（1月离任）

　　　　　　岳嵩山（1月任职）

副 主 席　刘志山（蒙古族，1月离任）

　　　　　　陈凤华（女，蒙古族）

　　　　　　孙继辉（女）

　　　　　　陈海青（蒙古族，1月离任）

　　　　　　张国军（蒙古族，1月任职）

　　　　　　侯海山（蒙古族，1月任职）

秘 书 长　陈宝龙（2月提名）

办公室

主　　　任　陈宝龙（2月任职）

副 主 任　孙　强

经济委员会

主　　　任　郎永荣（女，蒙古族）

副 主 任　乌英俊（女，蒙古族）

提案委员会

主　　　任　苏格吉玛（女，蒙古族，2月离任）

　　　　　　牟光岩（7月任职）

副 主 任　张智慧（女）

科教文卫体人口环境法制群团委员会

主　　　任　陈宝龙（2月离任）

　　　　　　赵学宏（2月任职）

副 主 任　单守彬

民族宗教祖国统一文史资料委员会

主　　　任　包阿尔宾（蒙古族，2月离任）

　　　　　　杨淑清（女，2月任职）

副 主 任　杨淑清（女，2月离任）

　　　　　　白　昀（2月任职）

中共科尔沁右翼前旗纪律检查委员会 科尔沁右翼前旗监察委员会

旗纪律检查委员会

书　　　记　赵玉亮（蒙古族，9月离任）

　　　　　　黄满良（满族，9月任职）

副 书 记　李军香（女，满族，8月离任）

　　　　　　管海艳（女，3月离任）

　　　　　　陈永民（8月任职）

　　　　　　连冬明（3月任职）

常　　　委　陈永民（6月离任）

　　　　　　李英爽（9月任职）

　　　　　　孟金兰（女，蒙古族，9月离任）

　　　　　　李建成

　　　　　　付　松（满族）

　　　　　　包迈力思（女，蒙古族，6月任职）

旗监察委员会

主　　　任　赵玉亮（蒙古族，10月离任）

　　　　　　黄满良（满族，10月任职）

副 主 任　李军香（女，满族，9月离任）
　　　　　管海艳（女，3月离任）
　　　　　陈永民（9月任职）
　　　　　连冬明（5月任职）
委 　 员　连冬明（5月离任）
　　　　　张　勇（5月离任）
　　　　　孟金兰（女，蒙古族，9月离任）
　　　　　李建成
　　　　　付　松（满族，10月任职）
　　　　　王春华（女，蒙古族，7月任职）

各派驻纪检监察组

派驻旗委政法委纪检监察组
　组　　长　王凤芝（女，蒙古族）
派驻旗委组织部纪检监察组
　组　　长　赵德红（女）
派驻旗委宣传部纪检监察组
　组　　长　韩艳颖（女，蒙古族）
派驻旗委统战部纪检监察组
　组　　长　张　华（女，2月离任）
　　　　　　齐格棋（蒙古族，2月任职）
派驻产业园管理办公室纪检监察组
　组　　长　徐清池
派驻水利局纪检监察组
　组　　长　李桂花（女，蒙古族）
派驻住建局纪检监察组
　组　　长　李　宁（6月离任）
　　　　　　沈思瑶（女，6月任职）
派驻教育局纪检监察组
　组　　长　王金霞（女，蒙古族）
派驻卫健委纪检监察组
　组　　长　王明亮（女，蒙古族，6月离任）
　　　　　　孙　晖（女，6月任职）
派驻市场监督管理局纪检监察组
　组　　长　李春生

派驻民政局纪检监察组
　组　　长　姜大明（6月离任）
　　　　　　宝多乐（女，蒙古族，6月任职）
派驻财政局纪检监察组
　组　　长　李秋实（女，蒙古族）
派驻发改委纪检监察组
　组　　长　贾玲艳（女，2月离任）
　　　　　　王丽兄（女，2月任职）
派驻林草局纪检监察组
　组　　长　郑万春
派驻农牧和科技局纪检监察组
　组　　长　祝　杰（6月离任）
　　　　　　吴　迪（6月任职）
派驻公安局纪检监察组
　组　　长　张海铖
派驻检察院纪检监察组
　组　　长　刘艳慧（女，满族）
派驻法院纪检监察组
　组　　长　王剑峰

人民团体

旗工商业联合会

党组书记　王宝全（蒙古族）
党组成员　王双岭（蒙古族）
　　　　　包萨如拉（女，蒙古族，6月离任）
　　　　　田国江（蒙古族，6月任职）
主　　席　孙继辉（女，1月任职）
副 主 席　王双岭（蒙古族）

旗区域经济合作服务中心

主　　任　田国江（蒙古族，2月任职）
副 主 任　蒲艳磊（2021年11月任职）

旗总工会

常务副主席　色音都冷（蒙古族，9月离任）
　　　　　　李占清（9月任职）

副　主　席　崔友江（7月离任）

　　　　　　　迟玉春（7月任职）

团旗委

　书　　　记　包天骄（女，蒙古族，9月离任）

　副　书　记　张森棋（蒙古族，6月任职）

旗妇联

　主　　　席　徐东华（女）

　副　主　席　敖永珍（女，蒙古族）

　　　　　　　韩翠梅（女，蒙古族，10月离任）

旗科协

　主　　　席　代文宝（蒙古族，7月离任）

　　　　　　　由红军（7月任职）

　副　主　席　陈建辉（女）

群众团体

旗残联

　理　事　长　唐大鹏

　副理事长　周凤君

旗红十字会

　常务副会长　照日格图（蒙古族，2月离任）

　　　　　　　陈齐顺（蒙古族，9月任职）

　副　会　长　杨　婷（女，蒙古族）

旗文联

　主　　　席　朱连升（蒙古族，7月离任）

　党支部书记　朱连升（蒙古族）（四级调研员）

　副　主　席　苑欣欣（女）

法治

旗委政法委

　书　　　记　刘　刚

　常务副书记　张　利（2月离任）

　　　　　　　陈海飞（满族，2月任职）

　副　书　记　于　强（蒙古族）

　　　　　　　赵玉洲（6月离任）

　　　　　　　孟金兰（女，蒙古族，9月任职）

旗法学会

　常务副会长　周文达（8月离任）

　副　会　长　迟玉春（7月离任）

　　　　　　　刘　玮（女，7月任职）

社会治理中心

　主　　　任　温秀华（女，蒙古族）

　副　主　任　刘红英（女）

旗公安局

　党委书记　方玉存

　副　书　记　赵树海

　党委委员　施建春（蒙古族）

　　　　　　张海铖

　　　　　　王松林

　　　　　　司丰林（蒙古族）

　　　　　　尚尔宇

　局　　　长　方玉存

　政　　　委　赵树海

　副　局　长　施建春（蒙古族）

　　　　　　　王松林

　　　　　　　司丰林（蒙古族）

　　　　　　　那顺宝音（蒙古族）

　　　　　　　卞福成

　政治工作办公室

　主　　　任　尚尔宇

　派驻纪检监察组

　组　　　长　张海铖

　生态环境食品犯罪侦查大队

　大　队　长　郝晓峰

　产业园分局

　局　　　长　张　明

　综合保障中心

　主　　　任　杨军武

旗人民检察院
  党组书记 刘海涌
  副 书 记 包丽媛（女，蒙古族，6月任职）
  党组成员 韩英春
      刘 琢（女）
      刘艳慧（女，蒙古族，2021年4月任职）
      岳 红（女，蒙古族，6月任职）
      春 华（女，蒙古族）
  代检察长 刘海涌（3月离任）
  检 察 长 刘海涌（3月任职）
  副检察长 包丽媛（女，蒙古族，7月任职）
      韩英春
      刘 琢（女）
  纪检组长 刘艳慧（女，蒙古族）

旗人民法院
  党组书记 陈 昶
  副 书 记 边 迪（女，蒙古族，2021年10月任职）
  党组成员 刘春博（女）
      温鸿志
      王剑峰
      宝红胜（蒙古族，4月任职）
  院 长 陈 昶
  副 院 长 边 迪（女，蒙古族）
      刘春博（女）
      温鸿志
  纪检组长 王剑峰
  政治部
  主 任 宝红胜（蒙古族，4月任职）
  审判委员会
  专职委员 刘丽春（女，2021年10月任职）

旗司法局
  党组书记 吴志刚（蒙古族，2月离任）
      管海艳（女，2月任职）
  党组成员 吴天胜（蒙古族，2月离任）
      迟雅彤（女）
      李 宁（6月任职）
  局 长 吴志刚（蒙古族，2月离任）
      管海艳（女，2月任职）
  副 局 长 吴天胜（蒙古族，2月离任）
      迟雅彤（女）
      李 宁（6月任职）

科尔沁右翼前旗消防救援大队
  大 队 长 芒来夫（蒙古族，2月离任）
      刘博浩（12月任职）
  教 导 员 王红军（12月离任）
      苑丽娜（女，12月任职）

科尔沁右翼前旗边境管理大队
  大 队 长 王双全
  政治教导员 陈振华

农牧林水

旗农牧业和科学技术局
  党组书记 李占清（9月离任）
      丁祥彬（9月任职）
  党组成员 佟 恺
      孙军贵（2021年12月离任）
      刘凤强（9月离任）
      隋玉波（蒙古族，3月任职）
      韩永林（蒙古族）
  负 责 人 李占清（9月离任）
      丁祥彬（10月任职）
  副 局 长 佟 恺
      刘凤强（9月离任）
      孙军贵（2021年12月离任）
      隋玉波（蒙古族，3月任职）
      韩永林（蒙古族）

旗林业和草原局

党组书记	刘恒年（2月任职）
党组成员	郑万春（2019年9月任职）
	赵长城
	马洪涛（9月任职）
	何建坤（9月任职）
	曲迎力（2月离任）
	卢晓刚（蒙古族，9月离任）
	刘永胜（9月离任）
	张 军（10月离任）
局 长	刘恒年（2月任职）
副局长	卢晓刚（蒙古族）
	刘永胜
	曲迎力（2月离任）
	张 军（10月离任）

旗水利局

党组书记	李 财
党组成员	李 岩
	王天生（蒙古族）
	柳百刚（2月离任）
	李桂花（女，蒙古族）
	张 超（蒙古族，7月任职）
	张 伟（1月任职）
	李 冰（蒙古族，1月任职）
局 长	李 财
副局长	李 岩
	王天生（蒙古族）
	张 超（蒙古族，7月任职）
	柳百刚（2月离任）

工业

旗工业和信息化局

党组书记	李 光
局 长	李 光
副局长	包丽艳（女，蒙古族）
	刘海鹏（7月任职）
	程 巍（6月离任）

企业

国网内蒙古东部电力有限公司

党委书记	鲁 英
副书记	韩庆昕（蒙古族，12月离任）
	李云革（12月任职）
党委委员	肖爱光（蒙古族）
	张洪斌（12月离任）
	周明伟
	李 军（蒙古族）
总经理	韩庆昕（蒙古族，12月离任）
	李云革（12月任职）
副总经理	鲁 英
	肖爱光（蒙古族）
	张洪斌（12月离任）
	李 军（蒙古族）
纪检书记	周明伟
工会主席	周明伟

旗交通运输局

党组书记	陈齐顺（蒙古族，9月离任）
	乔广坤（9月任职）
党组成员	陈海飞（满族，2月离任）
	赵景龙（满族）
	包立夫（蒙古族，2月任职）
	杨景华（女，2021年4月任职）
局 长	陈齐顺（蒙古族，9月离任）
	乔广坤（9月任职）
副局长	包立夫（蒙古族，2月任职）
	杨景华（女）
	赵景龙（满族）
	陈海飞（满族，2月离任）

旗情概要

交通运输综合行政执法大队
队　　长　于明涛（6月离任）
副 队 长　王斌（2020年9月任职）
交通运输事业发展中心
主　　任　李鹏飞

旗城乡交通投资有限责任公司
董 事 长　于明涛（6月任职）
副董事长　卢美秋（女，满族，6月任职）
一般董事　包淑萍（女，蒙古族，12月任职）
　　　　　高蕾（女，12月任职）

邮政 通信

邮政科右前旗分公司
总 经 理　王殿有

通信运营机构
移动科右前旗分公司
总 经 理　都业国（7月离任）
　　　　　赵旭（7月任职）
副总经理　王永超（4月离任）
　　　　　仇瑾（满族）
　　　　　肖爱颖（女，蒙古族，4月任职）

科右前旗联通分公司
总 经 理　刘恒
副总经理　额木格特（蒙古族）
　　　　　陈亚茹（女）
　　　　　于凤菊（女，蒙古族，4月任职）

中国电信股份有限公司科右前旗分公司
总 经 理　李莹（女）
副总经理　王庆（蒙古族，1月离任）
　　　　　何金平（1月任职）

经济综合管理与监督

旗发展与改革委员会
党组书记　张志民（蒙古族，7月离任）
　　　　　程巍（7月任职）
副 书 记　巴特尔（蒙古族，9月离任）
党组成员　纪景祥（蒙古族）
　　　　　石迎华（女，蒙古族）
　　　　　刘峰（9月任职）
　　　　　孙牧羊
　　　　　贾艳玲（女，2月离任）
　　　　　王丽兄（女，2月任职）
主要负责人　张志民（蒙古族，7月离任）
主　　任　程巍（7月任职）
副 主 任　石迎华（女，蒙古族，9月离任）
　　　　　孙牧羊
　　　　　巴特尔（蒙古族，9月离任）
　　　　　刘峰（9月任职）

旗统计局
党组书记　邬慧璟（蒙古族）
党组成员　许继承
　　　　　刘艳（女）
局　　长　东海
副 局 长　许继承

国家统计局科右前调查队
队　　长　周杰（女，达斡尔族）
副 队 长　哈斯（蒙古族，1月离任）
　　　　　于伟（女，蒙古族，1月任职）
纪检监察员　候永杰（女，1月任职）

旗审计局
局　　长　王奎
副 局 长　吴祖春（满族）
　　　　　刘志财

旗财政局
党组书记　张玉文（7月任职）
党组成员　宁伟
　　　　　韩彩莲（女，蒙古族）
　　　　　赵萌（蒙古族）

　　　　　　　韩　冰（满族）
　　　　　　　李秋实（女）
　　　　　　　王振涛
　局　　　长　张玉文（7月任职）
　副 局 长　韩彩莲（女，蒙古族）
　　　　　　　赵　萌（蒙古族）
　　　　　　　韩　冰（满族）
　政府采购中心
　主　　　任　孙丽伟（女）
　基层财政事务服务中心
　主　　　任　王振涛

旗国有资产投资运营有限公司

　董 事 长　白慧明（蒙古族，2019年3月任职）
　总 经 理　张　瑶（女，2018年6月任职）
　副总经理　赵乌云毕力格（蒙古族，2020年3月任职）
　　　　　　　冯莹莹（女，2021年4月任职）

国家税务总局科尔沁右翼前旗税务局

　党委书记　陈长友（蒙古族）
　党委委员　陆　峰（7月离任）
　　　　　　　刘丽娜（女，蒙古族，7月任职）
　　　　　　　刘知春
　　　　　　　郝　伟
　　　　　　　岳武强
　　　　　　　郭　玥（女，蒙古族）
　局　　　长　陈长友（蒙古族）
　副 局 长　陆　峰（7月离任）
　　　　　　　刘丽娜（女，蒙古族，7月任职）
　　　　　　　刘知春
　　　　　　　郝　伟
　　　　　　　岳武强
　纪检组长　郭　玥（女，蒙古族）
　第一税务分局
　局　　　长　黄　珊

　第二税务分局
　局　　　长　朱长玲（8月离任）
　　　　　　　包勇建（12月任职）
　大石寨税务分局
　局　　　长　李　坤（7月离任）
　　　　　　　周洪刚（7月任职，12月离任）
　　　　　　　康逸群（12月任职）
　察尔森税务分局
　局　　　长　周洪刚（7月离任）
　　　　　　　李　坤（7月任职）

旗市场监督管理局

　党组书记　李　让（9月离任）
　　　　　　　田志伟（女，9月任职）
　党组成员　李凤新
　　　　　　　孔德荣（女）
　　　　　　　王　楠
　　　　　　　赵学宏（3月离任）
　　　　　　　王　艳（女，蒙古族，3月离任）
　　　　　　　李春生
　局　　　长　李　让（9月离任）
　　　　　　　田志伟（9月任职）
　副 局 长　李凤新
　　　　　　　王　楠
　　　　　　　孔德荣（女）
　　　　　　　赵学宏（3月离任）
　　　　　　　王　艳（女，蒙古族，3月离任）
　纪检组长　李春生

市场监管综合行政执法大队

　大 队 长　孔德荣（女）

银行保险

中国银行科右前旗支行

　支 行 长　吕　英（女，1月离任）
　　　　　　　姜　畔（女，1月任职）

副 行 长　李翔宇
　　　　　马作为（1月任职）
　　　　　包文志（蒙古族）

建设银行科右前旗支行
行　　长　马玉红（女，4月离任）
　　　　　张　爽（女，4月任职）
副 行 长　于　杰（女，蒙古族）
网点营运
主　　管　邰　莹（女，蒙古族）

农业银行科右前旗支行
党委书记　王立国
副 书 记　李润博
行　　长　王立国
副 行 长　李润博
　　　　　包圆圆（女，蒙古族）
纪委书记　石艳丽（女）

中国工商银行科右前旗支行
行　　长　巴晶（女，满族）
副 行 长　默昊

科右前旗农业发展银行
书　　记　吴焕（蒙古族，11月离任）
　　　　　于楠（11月任职）
行　　长　吴焕（蒙古族，11月离任）
　　　　　于楠（11月任职）
副 行 长　毛国志
　　　　　曲志敏（女，蒙古族）

科右前旗信用联社
党委书记　冯明辉（6月离任）
副 书 记　贾朝格（蒙古族，6月任职）
　　　　　蒋天鹤（8月任职）
理 事 长　冯明辉（6月离任）
　　　　　贾朝格（蒙古族，6月任职）
监 事 长　林喜生
主　　任　蒋天鹤（8月任职）

副 主 任　巴特尔（蒙古族）
　　　　　李长伟（蒙古族）
　　　　　杨国军
　　　　　汪　博（满族）
工会主席　金秀玲（女，蒙古族）
纪委书记　林喜生（兼）

科右前旗邮政储蓄银行
行　　长　代胡河（女，满族）
网点营运
主　　管　靳亮（女，11月离任）
　　　　　毕力很巴雅尔（蒙古族，7月离任）
　　　　　张岩（女，11月任职）
　　　　　计爱平（蒙古族，7月任职）

蒙商村镇银行
董 事 长　张向阳（8月离任）
　　　　　于秀峰（蒙古族，8月任职）
行　　长　徐涛（蒙古族）
副 行 长　汤天波
支行行长　谭桂霞（女，蒙古族）

内蒙古银行科右前旗支行
行　　长　孙佳春（女，蒙古族）
副 行 长　张纪阳（11月任职）
行长助理　柳盼盼（女，11月任职）
营业部主任　张黎黎（女，满族，7月离任）
　　　　　胡楠（女，满族，9月任职）

安华农业保险科右前旗支公司
支公司经理　高淏（3月离任）
　　　　　徐宝库（3月任职）

中国人保财险科右前旗支公司
支公司经理　宣成慧

城乡建设和城乡投资

旗住房与建设局
党组书记　白银胜（蒙古族，3月离任）

	冯国涛（6月任职）		杨金辉（6月任职）

生态环保自然资源

兴安盟生态环境局科右前旗分局

党组成员	徐国兴
	张梦洁（女，6月任职）
	沈思瑶（女，蒙古族，6月任职）
	杨仲庭（满族）
	李　宁（6月离任）
	袁立刚（蒙古族）
	郭海明（1月任职）
局　　长	白银胜（蒙古族，3月离任）
	陈大春（蒙古族，7月任职）（3-7月主持工作）
副局长	徐国兴
	张梦洁（女，6月任职）
	杨仲庭（满族）
	陈大春（蒙古族，6月任职）
纪检组长	李　宁（6月离任）
	沈思瑶（女，蒙古族，6月任职）

质量安全保障中心

主　　任　郭海明（2021年11月任职）

建设事业发展中心

主　　任　袁立刚（蒙古族，2月离任）
　　　　　李志国（2月任职）

机关党委

副书记　齐　烽（蒙古族，7月任职）

旗城市投资建设管理有限公司

董事长　白银胜（蒙古族，11月任职）
副总经理　王　译（6月任职）

旗城市管理综合行政执法局

党组书记　杨军武（6月离任）
主持工作　杨军武
副局长　杨军武（6月离任）
　　　　　杨凤国
　　　　　刘　峰（9月离任）
　　　　　于　勇（女，9月任职）

负责人	李光宇（2021年12月离任）
局　　长	李光宇（2021年12月任职）
副局长	佐秋红（女，满族）
	金凤升（蒙古族，11月离任）
	霍花拉（女，蒙古族，11月离任）
	杨　飞（11月任职）

旗生态环境综合行政执法大队

队　　长　陈世权

青山国家级自然保护区管理局

党组书记	包福财（蒙古族）
党组成员	包塔娜（女，蒙古族，2月任职）
局　　长	包福财（蒙古族）
副局长	包塔娜（女，蒙古族）

社区事务科

科　　长　何建坤（3月离任）

规划建设科

科　　长　赵晓菲（女，6月离任）

旗自然资源局

局　　长	张亚东
副局长	卢筱明（女）
	许久儒
	王　雷（女）
	包伟力（蒙古族，5月任职）

商务服务

旗政府外事办公室

党组书记	周金光
党组成员	李叔凌
	武云娥（女）
	杨　悦（女）

主　　　任　周金光
副　主　任　李叔凌
　　　　　　武云娥（女）

旗供销合作社
党 组 书 记　宁　伟
党 组 成 员　王义军
　　　　　　王荣兰（女，蒙古族）
　　　　　　苏日嘎拉图（蒙古族，4月离任）
主　　　任　宁　伟
副　主　任　王义军
　　　　　　王荣兰（女，蒙古族）
　　　　　　苏日嘎拉图（蒙古族，4月离任）

旗烟草专卖局
局　　　长　白　华（女，蒙古族）
副　局　长　张宇航（5月离任）
　　　　　　苏德新（5月任职）
经　　　理　白　华（女，蒙古族）
副　经　理　苏德新（5月离任）
　　　　　　张宇航（5月任职）

科技

旗科技事业发展中心
主　　　任　孙军贵（2月任职）
副　主　任　纪相国（2月任职）
　　　　　　包萨如拉（女，蒙古族，6月任职）

旗气象局
局　　　长　张春玲（女）
副　局　长　苏　巍（女，蒙古族）
纪检监察书记　顾　轩（满族，3月离任）
　　　　　　刘　敏（女，3月任职）
气象台台长　郑云汉（蒙古族，8月离任）
　　　　　　李雪雪（女，蒙古族，8月任职）

旗教育局
党 组 书 记　吕双勇

党 组 成 员　王金霞（女）
　　　　　　杨振宇（7月离任）
　　　　　　张敬媛（女）
　　　　　　海鹏志（蒙古族）
　　　　　　朱　勇（2021年4月任职）
　　　　　　王天龙（7月任职）
　　　　　　满都拉（蒙古族）
局　　　长　吕双勇
总　督　学　满都拉（蒙古族）
副　局　长　杨振宇（7月离任）
　　　　　　张敬媛（女）
　　　　　　海鹏志（蒙古族）
　　　　　　朱　勇
　　　　　　王天龙（7月任职）

旗文化体育旅游局
党 组 书 记　陈　玲（女，蒙古族）
党 组 成 员　蔡晓艳（女）
　　　　　　葛春生
　　　　　　王淑瑷（女，6月离任）
局　　　长　陈　玲（女，蒙古族）
副　局　长　蔡晓艳（女）
　　　　　　葛春生
　　　　　　王淑瑷（女，6月离任）

文化市场综合行政执法局
局　　　长　韩立明（蒙古族）
副　局　长　于晓勇

旗全域文化旅游开发有限责任公司
总　经　理　王淑瑷（女，2021年5月任职）
董　事　长　
总　经　理　王淑瑷（女，2022年6月任职）
副 总 经 理　宫迪迪（女，2021年5月任职）

旗融媒体中心
主　　　任　高　冰（女，6月离任）
　　　　　　殷海燕（女，6月任职）

总 编 辑　白海顺（蒙古族）

副 主 任　白　昀（蒙古族，3月离任）

　　　　　赵宏伟（蒙古族）

　　　　　时秀霞（女）

　　　　　徐桥宫

旗卫生健康委员会

党组书记　张雅琨（女）

党组成员　牟光岩（6月离任）

　　　　　时顺玉（7月任职）

　　　　　杨忠斌（蒙古族）

　　　　　鲁　飞（女）

　　　　　王明亮（女，蒙古族，6月离任）

　　　　　孙　晖（女，6月任职）

主 　 　任　张雅琨（女）

副 主 任　牟光岩（6月离任）

　　　　　时顺玉（7月任职）

　　　　　杨忠斌（蒙古族）

　　　　　鲁　飞（女）

纪检组长　王明亮（女，蒙古族，6月离任）

　　　　　孙　晖（女，6月任职）

苏木乡镇中心

乌兰毛都苏木

党委书记　倪达胡巴雅尔（蒙古族，3月任职）

副 书 记　倪达胡巴雅尔（蒙古族，3月离任）

　　　　　阿力德日图（蒙古族，3月任职）

　　　　　潮洛蒙（蒙古族，9月离任）

党委委员　乌力吉德力格尔（蒙古族）

　　　　　德　宝（蒙古族，3月离任）

　　　　　袁立平（蒙古族）

　　　　　色汗其其格（女，蒙古族）

　　　　　谢　宾

　　　　　特日格乐（女，蒙古族）

　　　　　常　立（蒙古族，3月任职）

　　　　　邬　龙（蒙古族，7月离任）

人大主席　乌力吉德力格尔（蒙古族）

苏 木 达　倪达胡巴雅尔（蒙古族，3月离任）

　　　　　阿力德日图（蒙古族，3月任职）

副苏木达　常　立（蒙古族，3月任职）

　　　　　白文将（蒙古族）

　　　　　德　宝（蒙古族，3月离任）

武装部长　袁立平（蒙古族）

党群服务中心

副 主 任　白太平（女，蒙古族，2020年5月任职）

综合行政执法局

局 　 　长　白连胜（蒙古族，2020年5月任职）

综合保障和技术推广中心

主 　 　任　朝勒门（蒙古族，2020年5月任职）

阿力得尔苏木

党委书记　刘恒年（2月离任）

　　　　　范洪成（2月任职）

副 书 记　范洪成（2月任职）

　　　　　柳百刚（2月任职）

　　　　　裘美娟（女）

党委委员　关怀国（满族，2021年4月离任）

　　　　　吴胜利（蒙古族，7月离任）

　　　　　李　楠（6月任职）

　　　　　吉日嘎拉（蒙古族）

　　　　　包　泉（蒙古族）

　　　　　张洪祥

　　　　　李　楠（女）

　　　　　苏雅拉其其格（女，蒙古族，2月离任）

纪检书记　吉日嘎拉（蒙古族，6月离任）

　　　　　李　楠（6月任职）

人大主席　高　鹏

苏 木 达　范洪成（2月离任）

		柳百刚（2月任职）		李海艳（女）
副 苏 木 达		吴胜利（蒙古族，7月离任）	党 委 委 员	王 彪（2021年4月离任）
		娜仁高娃（女，蒙古族，6月离任）		周志浩（9月离任）
		崔立鑫（蒙古族，6月离任）		赵福莲（女，蒙古族）
		吉日嘎拉（蒙古族，6月任职）		吴 铎（满族，6月离任）
		计芃宇（6月任职）		赵永生（蒙古族，6月离任）
武 装 部 长		张洪祥		姜大明（6月任职）
综合行政执法局				陆 博
局 长		王 宏（满族，2021年10月任职）		吕颖杰（女）
综合保障和技术推广中心				乔立丹（女）
主 任		闫 红（女，蒙古族，7月任职）	纪 委 书 记	赵福莲（女，蒙古族，6月离任）

桃合木苏木

				赵永生（蒙古族，6月离任）
党 委 书 记		额尔敦（蒙古族）	人 大 主 席	梁立国
副 书 记		李英奎（蒙古族）	乡 长	尹东方（蒙古族）
		特木勒图（蒙古族）	副 乡 长	周志浩（9月离任）
党 委 委 员		李金成（蒙古族）		李安洲（2021年10月离任）
		陈巴根（蒙古族）		赵永生（蒙古族，6月离任）
		杜永全（蒙古族）		赵福莲（女，蒙古族，6月离任）
		陈冠群（蒙古族）		李清旭
		何玲春（女蒙古族）		王艳艳（女，2021年10月任职）
		张锁成（蒙古族，6月离任）	武 装 部 长	姜大明（6月任职）
		包桂琴（女，蒙古族，6月任职）	党群服务中心	
纪 委 书 记		杜永全（蒙古族）	副 主 任	裴作红（女，2020年6月任职）
人 大 主 席		乌力吉那仁（蒙古族）	综合行政执法局	
苏 木 达		李英奎（蒙古族）	局 长	吉 乐（蒙古族，6月任职）
副 苏 木 达		谢建华（女，蒙古族）	综合保障和技术推广中心	
		李金成（蒙古族）	主 任	杜晓明（女，2021年4月任职）
武 装 部 长		陈巴根（蒙古族）		

满族屯满族乡

综合行政执法局		
局 长	布仁赛音（蒙古族，2020年6月任职）	
		党 委 书 记 白文杰（蒙古族）
		副 书 记 吴长海（蒙古族）

巴日嘎斯台乡

				白连生（蒙古族，6月离任）
				包艳芳（6月任职）
党 委 书 记		王爱武	党 委 委 员	安雄雨（3月离任）
副 书 记		尹东方（蒙古族）		常 立（蒙古族，3月离任）

	包艳芳（女，蒙古族，6月离任）		刘志峰（满族）
	全黎明（蒙古族，3月任职）		教传治（满族，6月任职）
	苏日嘎拉图（蒙古族，3月任职）	纪委书记	斯 琴（女，蒙古族，6月离任）
	萨仁其木格（女，蒙古族）		何胡春（蒙古族，6月任职）
	赖珊珊（女，蒙古族）	人大主席	包立夫（2月离任）
	白贺喜格桃特格（蒙古族）		柳运吉（6月任职）
纪委书记	安雄雨（蒙古族，3月离任）	镇　　长	王永健（蒙古族，6月离任）
	全黎明（蒙古族，3月任职）		杨金平（6月任职）
人大主席	根 喜（蒙古族，6月离任）	副 镇 长	王立军（2月离任）
	白连生（蒙古族，6月任职）		何胡春（蒙古族，6月离任）
乡　　长	吴长海（蒙古族）		刘志峰（满族，6月任职）
副 乡 长	包艳芳（女，蒙古族，6月离任）		斯 琴（女，蒙古族，6月任职）
	苏日古嘎（女，蒙古族，6月离任）		杨 柳（2月任职）
	敖喜明（蒙古族，6月任职）	武装部长	白慧娜（女，蒙古族）
武装部长	常 立（蒙古族，3月离任）	党群服务中心	
	苏日嘎拉图（蒙古族，3月任职）	副 主 任	教传治（满族，6月离任）
党群服务中心		综合行政执法局	
副 主 任	色音其木格（女，蒙古族）	局　　长	高中文（6月离任）
综合执法局			赵竞一（6月任职）
局　　长	王宗新	综合保障和技术推广中心	
综合保障技术中心		主　　任	金丽华（女，2020年6月任职）
主　　任	双福（蒙古族）		

科尔沁镇

党委书记	杨磊（6月离任）
	高 冰（女，6月任职）
副 书 记	王永健（蒙古族，6月离任）
	杨金平（6月任职）
	柳运吉（6月离任）
	王 舒（女，达斡尔族，6月任职）
党委委员	斯 琴（女，蒙古族，6月离任）
	何胡春（蒙古族，6月任职）
	齐 琳（女）
	庞巍巍（女，蒙古族）
	白慧娜（女，蒙古族）

俄体镇

党委书记	蔡 明（女，蒙古族，2月离任）
	王佳骥（2月任职）
副 书 记	张志国（6月离任）
	王天辉（6月任职）
	李相亮（6月任职）
	崔福岩（满族，6月任职）
党委委员	时顺玉（7月离任）
	马明传（2月任职）
	刘恒明
	崔福岩（满族，6月离任）
	李 娜（女）
	王 舒（女，达斡尔族，6月离任）

　　　　　　刘中华（女）
纪委书记　时顺玉（7月离任）
　　　　　　马明传（2月任职）
人大主席　邢宝玉
镇　　长　张志国（6月离任）
　　　　　　李相亮（6月任职）
副 镇 长　刘恒明
　　　　　　赵　可（女）
　　　　　　曲宾德（蒙古族）
武装部长　崔福岩（满族，6月离任）
党群服务中心
副 主 任　于海翔
综合行政执法局
局　　长　雷中军（6月离任）
　　　　　　赵富青（6月任职）

居力很镇

党委书记　丁祥彬（蒙古族，6月离任）
　　　　　　李国林（9月任职）
副 书 记　李国林（9月离任）
　　　　　　李相亮（6月离任）
　　　　　　孟祥卫（6月任职）
党委委员　陈　旭（2021年5月离任）
　　　　　　刘中华（女，2021年5月离任）
组织委员　李　楠（蒙古族，6月离任）
　　　　　　赵丽丽（女，6月任职）
宣传委员　拱金玲（女，蒙古族）
统战委员　田　旺
纪委书记　孟祥卫（6月离任）
　　　　　　石　华（女，6月任职）
人大主席　崔瑞龙（6月离任）
　　　　　　王天辉（6月任职）
镇　　长　李国林（9月离任）
副 镇 长　王越鹏
　　　　　　刘　泽（蒙古族）

　　　　　　卢美秋（女，满族，6月离任）
　　　　　　王　强（蒙古族，6月任职）
武装部长　刘治猛（满族）
党群服务中心
副 主 任　徐洪海
综合行政执法局
局　　长　杨军武（2021年4月离任）
　　　　　　裴　广（2月任职）
综合保障和技术推广中心
主　　任　张玉红（女，6月离任）
　　　　　　赵晓菲（女，6月任职）

额尔格图镇

党委书记　乔广坤（9月离任）
　　　　　　宗大伟（9月任职）
副 书 记　宗大伟（9月离任）
　　　　　　李红艳（女，蒙古族）
党委委员　连　超（蒙古族）
　　　　　　郭吉木斯（女，蒙古族）
　　　　　　侯瑞芳（女）
　　　　　　王洪涛
　　　　　　邬　龙（蒙古族，6月任职）
　　　　　　刘　玮（女，满族，6月离任）
纪委书记　连　超（蒙古族，2019年5月任职）
人大主席　郭吉木斯（女，蒙古族）
镇　　长　宗大伟（9月离任）
　　　　　　李红艳（女，蒙古族，9月任职）
副 镇 长　马　建
　　　　　　孟繁奇（蒙古族）
　　　　　　包福全（蒙古族）
武装部长　明　明（蒙古族）
党群服务中心
副 主 任　张国栋（2021年11月任职）
综合行政执法局
局　　长　付帮柱（2020年8月任职）

综合保障和技术推广中心
主　　任　　陈　伟（2021年11月任职）

察尔森镇
党委书记　　邹作为（6月离任）
　　　　　　王银宝（蒙古族，6月任职）
副 书 记　　王银宝（蒙古族，6月离任）
　　　　　　刘静波
　　　　　　张　峰（蒙古族，6月任职）
党委委员　　李彦彬（蒙古族，6月离任）
　　　　　　周义斌（蒙古族）
　　　　　　苏日古嘎（女，蒙古族，6月任职）
　　　　　　张丽晶（女，蒙古族）
　　　　　　张翠芳（女，蒙古族，2021年10月任职）
　　　　　　鄂仪苋（达斡尔族）
　　　　　　程海敏（女，蒙古族）
纪委书记　　李彦彬（蒙古族，6月离任）
　　　　　　苏日古嘎（女，蒙古族，6月任职）
人大主席　　殷海燕（女，蒙古族，6月离任）
　　　　　　李彦彬（蒙古族，6月任职）
镇　　长　　王银宝（蒙古族，6月离任）
　　　　　　刘静波（6月任职）
副 镇 长　　周义斌（蒙古族）
　　　　　　白双虎（蒙古族）
　　　　　　吴长河（蒙古族）
武装部长　　张翠芳（女，蒙古族）
党群服务中心
副 主 任　　陈乌云格日勒（女，蒙古族，6月任职）
综合行政执法局
局　　长　　张晓峰（6月任职）
综合保障和技术推广中心
主　　任　　包阿荣（女，蒙古族，2020年6月任职）

归流河镇
党委书记　　高　波
副 书 记　　高宏策（蒙古族）
　　　　　　陈亚会（蒙古族）
党委委员　　刘国成
　　　　　　隋玉波（蒙古族，6月离任）
　　　　　　韩　冰（女）
　　　　　　郭金凤（女，6月任职）
　　　　　　丁晓鹏（蒙古族）
　　　　　　杨　畑（女，3月离任）
　　　　　　张国财（2021年4月任职）
纪委书记　　刘国成
人大主席　　王国军
镇　　长　　高宏策（蒙古族）
副 镇 长　　董春喜（蒙古族）
　　　　　　隋玉波（蒙古族，6月离任）
　　　　　　郭金凤（女）
　　　　　　苗世勋（6月任职）
武装部长　　张国财（蒙古族）
党群服务中心
副 主 任　　苗世勋（5月离任）
综合执法局
局　　长　　吕艳中（2020年6月任职）
综合保障和技术推广中心
主　　任　　韩留宝（蒙古族，2021年10月任职）

大石寨镇
党委书记　　穆进伟（蒙古族，2月任职）
副 书 记　　穆进伟（蒙古族，2月离任）
　　　　　　吴　迪（满族，6月离任）
　　　　　　郝轩楠（女，2月任职）
　　　　　　韩纯玉（7月任职）
党委委员　　闫利伟（蒙古族）
　　　　　　黄文地（2月离任）

	王海波（女）		高明珠（满族，2021年4月任职）
	张艳哲（女，蒙古族）	纪委书记	马峥元（蒙古族，2021年1月任职）
	林柏强（2021年4月任职）	人大主席	杨金平（蒙古族，6月离任）
纪委书记	韩纯玉（6月离任）		刘 俊（蒙古族，6月任职）
	田晓宇（6月任职）	镇 长	王红喜（蒙古族，9月离任）
人大主席	郝轩楠（女，2月离任）		周志浩（蒙古族，9月任职）
	吴 迪（满族，6月任职）	副镇长	建 峰（蒙古族）
镇 长	穆进伟（蒙古族，2月离任）		白文英（女，蒙古族）
	郝轩楠（女，2月任职）		哈斯额尔敦（蒙古族，7月任职）
副镇长	闫利伟（蒙古族）	武装部长	白小凤（女，蒙古族）
	宋 杨	党群服务中心	
	王晓庆（蒙古族）	副主任	石 梅（女，蒙古族）
	王子蒙（蒙古族，6月离任）	综合行政执法局	
	陈贵林（蒙古族，6月任职）	局 长	李仲华（蒙古族）
武装部长	林柏强	综合保障技术推广中心	
党群服务中心		主 任	红 云（女，蒙古族）
副主任	王庆波（女）	**索伦镇**	
	苗世勋（5月离任）	党委书记	包国财（蒙古族，3月任职）
综合行政执法局		副书记	包国财（蒙古族，3月离任）
局 长	谢宏胜		张宇航（3月任职）
综合保障和技术推广中心			董志强
主 任	赵丽丽（女，6月离任）	党委委员	张宇航（3月任职）
德伯斯镇			包玉国（蒙古族，3月任职）
党委书记	由红军（7月离任）		周鹏飞（女）
	王红喜（蒙古族，9月任职）		牟 彬
副书记	王红喜（蒙古族，9月离任）		冯 成（女，蒙古族）
	周志浩（蒙古族，9月任职）		薛东辉（蒙古族）
	刘 俊（蒙古族，6月离任）		郭 玲（女）
	吴胜利（蒙古族，7月任职）	纪委书记	包玉国（蒙古族，3月任职）
党委委员	阿力德日图（蒙古族，2月离任）	人大主席	李 磊（蒙古族，9月离任）
	哈斯额尔敦（蒙古族）		潮落蒙（蒙古族，10月任职）
	白小凤（女，蒙古族）	镇 长	包国财（蒙古族，3月离任）
	陈秋祥（蒙古族，2月离任）		张宇航（3月任职）
	扎拉根白乙拉（蒙古族，2月任职）	副镇长	周鹏飞（女）

　　　　　　计芃宇（蒙古族，6月离任）　　　　　　　李建军
　　　　　　娜仁高娃（女，蒙古族，6月任职）　　　刘建伟
　　　　　　陈贵林（蒙古族，6月离任）　　武 装 部 长　康明凯（兼）
　　　　　　马　帅（6月任职）　　　　　　总 农 艺 师　包永顺（蒙古族）
武 装 部 长　牟　彬　　　　　　　　　　　总 会 计 师　张世东（5月任职）
党群服务中心　　　　　　　　　　　　　公主陵牧场
副 主 任　许　凤（女）　　　　　　　　　党 委 书 记　徐国强（5月任职）
综合行政执法局　　　　　　　　　　　　副 书 记　徐国强（5月离任）
局　　长　王佳佳（女）　　　　　　　　　　　　　　刘志慧（5月任职）
综合保障和技术推广中心　　　　　　　　党 委 委 员　刘红卫
主　　任　包和平（蒙古族）　　　　　　　　　　　　刘志慧（5月离任）
绿水种畜繁育中心　　　　　　　　　　　　　　　　　于兴海（5月任职）
党 委 书 记　苏日嘎拉图（蒙古族）　　　　　　　　　李永全（5月任职）
组 织 委 员　庞宝迪（蒙古族）　　　　　　　　　　　林立志（5月任职）
宣 传 委 员　白额日木（蒙古族）　　　　　　　　　　安　全（5月离任）
统 战 委 员　包树林（蒙古族）　　　　　纪 检 书 记　刘志慧（5月任职）（兼）
主　　任　苏日嘎拉图（蒙古族）　　　　场　　长　徐国强
副 主 任　白音努尔（蒙古族）　　　　　副 场 长　刘志慧（5月离任）
办公室　　　　　　　　　　　　　　　　　　　　　刘红卫
主　　任　邰塔拉（蒙古族）　　　　　　　　　　　　李永全（5月任职）
党 委 秘 书　高　军（蒙古族，7月任职）　　　　　　于兴海（5月任职）
　　　　　　　　　　　　　　　　　　　总 农 艺 师　安　全（5月离任）
驻旗国营农牧场　　　　　　　　　　　　　　　　林立志（5月任职）
　　　　　　　　　　　　　　　　　　　工 会 主 席　刘志慧（5月任职）（兼）
阿力得尔牧场　　　　　　　　　　　　　索伦牧场
党 委 书 记　宋立宇（5月离任）　　　　　党 委 书 记　罗洪强
　　　　　　白　珉（5月任职）　　　　　副 书 记　潘振桐
副 书 记　康明凯　　　　　　　　　　　　　　　　　庞勇力
党 委 委 员　李建军　　　　　　　　　　党 委 委 员　何春光
　　　　　　张志胜　　　　　　　　　　　　　　　　杨华辉（女，蒙古族）
　　　　　　刘建伟　　　　　　　　　　　　　　　　丛　林
纪 委 书 记　康明凯　　　　　　　　　　　　　　　　刘　申（5月任职）
场　　长　宋立宇（5月离任）　　　　　　纪 委 书 记　杨华辉（女，蒙古族）
　　　　　　白　珉（5月任职）　　　　　场　　长　潘振桐
副 场 长　张志胜

副 场 长	何春光		王铁刚（5月任职）
	丛 林		周 晖（6月任职）
	刘 申（5月任职）	纪委书记	韩常锁（蒙古族，5月任职）
工会主席	杨华辉（女，蒙古族）（兼）	场 长	邢千里
社会管理委员会		副 厂 长	唐满都拉
主 任	何春光（兼）		韩常锁（蒙古族，5月离任）
总会计师	卢正国（5月任职）		周 晖
总农艺师	叶立国（5月任职）		王铁刚（5月任职）

跃进马场

			宋志强（2020年6月离任）
党委书记	韩长江（蒙古族）	工会主席	韩常锁（兼）
副 书 记	邢千里	社区管理委员会	
	宋志强	主 任	韩常锁（蒙古族，5月离任）
党委委员	唐满都拉（蒙古族）		王铁刚（5月任职）
	韩常锁（蒙古族）		

中共科尔沁右翼前旗委员会

概　　述
重要会议
旗委办公室
国家安全工作
组织工作（非公党工委、公务员局、老干部局、党员教育中心）
直属机关工委
宣传工作
统战工作（宗教事务）
机构编制
党校教育
档案史志
党群服务中心

中共科尔沁右翼前旗委员会

概述

【概况】 2022年，科右前旗委紧紧围绕十五次党代会和十五届二次全委（扩大）会议确定的目标任务，积极应对经济下行压力和疫情冲击影响，承压负重，难中求成，各项事业取得了新进展。全旗地区生产总值首次突破120亿元，同比增长6%；固定资产投资近70亿元，总量位居全盟前列；规上工业总产值完成25亿元，同比增长42%；一般公共预算收入近5亿元，向上争取资金超过40亿元；一般公共预算支出冲破50亿元；社会消费品零售总额攻破20亿元大关，同比增长5%；城乡常住居民人均可支配收入达到34336元和15417元，同比分别增长6%和8%，增速、绝对值均在全盟前列。

【内生动能持续释放】 实施500万元以上固定资产投资项目83个，总投资314亿元，年内完成投资68亿元，项目对经济发展的支撑作用更加明显。我国首个单体百万千瓦级陆上风电基地——中广核革命老区风电产业帮扶项目一期于6月份并网发电，上网电量已达19亿千瓦时；总投资13亿元的华能20万千瓦风电和总投资1.2亿元的华盛2万千瓦分散式风电项目正式投产，全旗清洁能源装机总量突破200万千瓦。总投资11亿元的兴安伊利乳业"5G+工业互联网平台"液态奶智能工厂示范项目提前实现试生产，达产后可日产液态奶1500吨，年产值15亿元，年纳税2000万元，解决就业500人，成为全盟最大的液态奶生产加工基地；总投资6亿元的输变电、固废污水处理以及管网道路等伊利乳业配套项目有序推进。总投资29亿元的德康100万头生猪养殖一体化项目实现产值2.4亿元，养殖能力达50万头，年出栏31万头，同比增长140%；引进鑫特康物流公司，购置专用物流车60辆，产业链条进一步完善。总投资2.2亿元的井泉药业中药科技产业园项目建成投产，年可加工药材2000吨，实现产值5亿元。全旗招商引资到位资金50亿元，完成目标任务的129%，居全盟第一位。

【农牧产业成果丰硕】 新建高标准农田1.07万公顷，大豆玉米带状复合种植4000公顷，粮食总产量突破15亿公斤，实现"十三连丰"。科右前旗获评"全国农作物病虫害绿色防控技术示范推广基地"，旗农技推广中心被评为"全国五星基层农技推广机构"。完成大豆、玉米生物育种4000公顷，承担全国总任务量的78%，被认定为"自治区级制种大县"。林果种植约1.5万公顷，中草药种植4000公顷，产业收益均超过2亿元，承办中国中药材产业高质量发展大会。年产优质牧草5万吨，绿水种畜繁育中心入选首批国有草场试点、建设任务约2.75万公顷，举办中国内蒙古第四届牧草产业大会。当好"奶业振兴"排头兵，奶牛数量和牛奶产量居全盟第一位；

总投资32亿元的中博农、中利、优然、白音4座万头牧场建成投产，总投资6亿元的修刚云端牧场年内完成投资1.5亿元，优质奶牛存栏4万头，为伊利乳业日供原奶500吨，实现产值8亿元，带动就业1000人、流转土地约3333公顷、收购青贮15万吨，帮助2000余农牧户年均增收3000元以上。传统乳制品文化产业中心入驻企业4家，辐射带动18家，年消纳鲜奶3000吨，实现产值3600万元。与中国农业大学合作设立全区首个牛教授工作站；发放肉牛贴息贷款2.1亿元，肉牛养殖户达到1.6万户，全旗牧业年度牲畜存栏445万头（只、口），位居全区前列，成功创建"全国农畜产品质量安全县"。

【工业经济势头良好】 实施工业重点项目17个，完成投资24亿元；中广核、冠辉钢构、泰亿商砼、通兴硅业实现升规，规上企业达到25家。全盟首个总投资过百亿的乌兰大化肥全面复产，年产合成氨6万吨、尿素14万吨，产值5亿元；荷丰农业满负荷生产，年加工甜菜44万吨，产值3.5亿元；艾郎风电93米长叶片生产线技改顺利完成，产值2亿元；德康饲料产量8万吨，产值3亿元；天星园马铃薯生产的淀粉首次达到国家优级标准，年加工能力达到1万吨；宏达压铸生产合金压铸件3200吨，产值过亿；推动阿力得尔现代草产业物流交易园区实现产业链产值1亿元，提供就业岗位100个以上。新增高新技术和科技型企业18家，同比增长180%。

【服务产业加速回暖】 总投资3.8亿元的草原宿集项目全面推进，南岸、大乐之野、西坡、飞鸢集等高端民宿具备运营条件，火山、河谷酒店进入室内装修阶段。梦幻塔拉游乐园成为亲子娱乐新地标，开心大米野奢帐篷酒店化身网红打卡新去处，海力森百年古榆民俗度假村解锁乡村旅游新玩法，番茄公社迷你田园综合体引领农产品电商新潮流。高规格、高品质承办第九届自治区乌兰牧骑艺术节暨2022·兴安盟那达慕，活动期间旅游人数达55万人次，旅游收入1.8亿元，412家国内外媒体多平台立体式报道，直播观看人数破百万、"点赞""圈粉"过亿，"中国新兴草原旅游目的地"知名度进一步提升。旗乌兰牧骑在全区艺术节比赛中荣获团体金奖，乌兰毛都金马鞍和察尔森水库风景区晋升3A景区，察尔森嘎查获评"2022年中国美丽休闲乡村"和"自治区第二批乡村旅游重点村"，全旗累计接待游客300万人次，旅游收入11亿元，同比增长20%。全盟首个街景车集市——城中草原"前·海"不夜街成为拉动"夜经济"重要引擎。井泉药业本地道地药材出口韩国、日本，出口额破千万。全旗进京农畜产品销售7588万元，实现翻番。电商交易额4亿元，同比增长15%，获批"全国县域商业体系建设示范县"。

【生态环境不断改善】 如期完成满族屯乱开滥垦草原问题整改和以案促改工作，依法收回土地2066.67公顷，涉事地块植被全部恢复。第二轮中央生态环境保护督察信访案件全部办结，国家林草局挂牌督办事项按期"摘牌"，处置"百日攻坚"违法违规用地约93公顷，一大批历史遗留的生态环境问题得到彻底解决。成立旗自然资源和林草水利综合行政执法大队，在全盟率先建成自然资源空天一体监管平台。发放草原生态保护奖补资金8300万元，禁牧32万公顷、轮牧休牧约45万公顷，草原生态修复、退化草原改良、毒害草治理1万公顷。投资5000万元实施山洪沟治理、牲畜粪污无害化处理等10项工程，投资3200万元推进大兴安岭南麓过渡带约5333公顷已垦草原治理试点项目，成功堵截"4·19"蒙古国草原大火。利用废弃矿坑实施增减挂钩跨省调剂项目4处、约49公顷，可创造收益2亿元。

【乡村振兴有效衔接】 落实防返贫动态监测和针对性帮扶措施，消除监测对象致贫风险1094人，实现"两个高于"目标。投入衔接资金、京蒙协作资金近4亿元，141个项目全部完工，打造平安、海力森等盟级乡村振兴示范村9个。利用北京海淀区、中国传媒大学、北京林业大学帮扶资源以及中组部"组团式"帮扶契机，加大教育、卫生、科技领域服务群众力度。深入推进"四乡工程"，落实创业优惠政策30条，在全盟率先建立能人返乡"四个一"工作机制，开展市民下乡活动拉动消费1500万元以上，组织干部到乡解决基层困难1300个，引领85家企业为228个嘎查村累计捐资捐物1100万元。以"公开承诺、履职践诺、社会评诺"形式，创新开展苏木乡镇"四项亮点工作"。高标准培育"晓景计划"367人，带动1.2万农牧户年均增收4400元，在自治区抓党建促乡村振兴现场会上作典型发言。农村给排水一体化、环卫一体化等做法成为全区典范，承办全区人居环境整治现场会，争取到"自治区乡村振兴先行示范县"项目。

【人民幸福指数日益攀升】 城镇新增就业1300人，绿色通道引进人才100人，城镇登记失业率控制在2.9%以内；军创产业园作用凸显，带动500名退役军人创业就业。持续关注"一老一小"，改造提升养老院4家，城镇养老服务设施覆盖率达到95%以上；无证校外培训机构动态清零，为22所乡村学校实施"煤改电"、惠及师生1.4万人，旗教育局荣获"全国教育系统关心下一代工作先进集体"称号。建设市政道路5.2公里，新建和改造给排水管网22公里、供热管网13.4公里，新增绿地15.5万平方米，顺利通过国家园林城市复检初审。在全区率先推出疫情防控电子通行证，完成840间集中隔离用房标准化改造，公共卫生应急处置能力大幅提升；旗医院在全区危重救治考核评估中，成为唯一全优的医疗机构。开通"12345"便民热线，解决群众急难愁盼问题3600个。旗图书馆正式开馆。开展"五大重点人群"科学素质提升行动，被认定为"第二批全国科普示范县"。启动机关事务标准化建设，办公用房"权属统一"工作进展顺利。市域社会治理现代化加快推进，安全生产和食品药品监管不断加强，一批信访积案有效化解，社会大局和谐稳定，旗人武部、公安局、检察院、法院均得到上级表彰奖励。

【党的建设全面加强】 把党的政治建设放在首位，常态长效推动党史学习教育，广大党员干部增强"四个意识"、坚定"四个自信"、做到"两个维护"，更加坚定自觉。全面落实激励干部担当作为12条措施，提拔重用优秀干部200人，提升职级待遇300人，形成了能者上、优者奖的鲜明导向。以"五化协同、大抓基层"为指引，组织"嘎查村书记擂台比武"15场(次)，评选旗级"担当作为好支书"28人，"最强党支部"比例超过40%，获评盟级示范点6个、示范基地1个，基层党组织战斗堡垒作用更加突出。加强和改进宣传工作，有效维护网络意识形态安全。弘扬社会主义核心价值观，扎实开展文明城市创建。举办"石榴籽同心筑梦"系列主题活动，坚决铸牢中华民族共同体意识。认真落实党风廉政建设责任制,充分发挥巡察利剑作用,深化以案促改警示教育,坚决落实中央八项规定精神,持之以恒纠治"四风"问题,党风政风更加清朗清新。

重要会议

1月5日,旗委召开十五届委员会第16次常务委员会议。审议政协科右前旗第十五届常委会组成人员建议名单,研究审议政协科右前旗第十五届委员会第一次会议有关事项。

1月12日,旗委召开十五届委员会第19次常务委员会议暨全旗深化整治破坏草原林地违规违法行为专项行动以案促改工作专题会议,传达学习了全盟深化整治破坏草原林地违规违法行为专项行动以案促改工作动员视频会议精神。

1月12日,旗委召开第十五届委员会第20次常务委员会议,传达学习习近平签署中央军委2022年1号命令,向全军发布开训动员令和盟委(扩大)会议暨全盟经济工作会议精神,传达学习《关于加强党委国家安全干部队伍建设的意见》主要精神,研究科右前旗国有企业退休人员社会化管理交接整体协议有关事宜,审议科右前旗工商联(总商会)领导班子建议人选名单。

1月21日,旗委召开第十五届委员会第21次常务委员会议,传达学习盟委书记、军分区党委第一书记张晓兵同志在中国共产党内蒙古兴安军分区第四次代表大会上的讲话精神和盟委委员、军分区政委吴益同志在中国共产党内蒙古兴安军分区第四次代表大会上的报告精神,听取全旗网格化管理工作、全旗命案防控工作汇报,审议《科右前旗积分银行村民自治活动实施方案(讨论稿)》、旗级"担当作为好支书"名单、党的二十大代表候选人初步推荐人选、《科右前旗"晓景计划"工作方案(讨论稿)》《科右前旗"晓景计划"领导小组(讨论稿)》《科右前旗抓党建促乡村振兴方案(讨论稿)》《在中国共产党科右前旗第十五届委员会第二次全体(扩大)会议暨全旗经济工作会议上的报告(讨论稿)》,研究2021年年度乡科级领导班子和领导干部实绩考核、科右前旗排查整顿农村牧区发展党员违规违纪问题"回头看"工作等事宜。

2月18日,旗委召开第十五届委员会第23次常务委员会议,研究中办督查整改相关事宜。

3月18日,旗委召开十五届委员会第25次常务委员会议,传达学习全国两会精神和习近平总书记在参加十三届全国人大五次会议内蒙古代表团审议时的重要讲话精神、《中共中央 国务院关于做好二〇二二年全面推进乡村振兴重点工作的意见》文件精神、盟委书记张晓兵同志在科右前旗调研时的重要讲话精神、全盟深化破坏草原林地违规违法行为专项整治行动以案促改工作领导小组会议精神、中央八项规定和《中共中央政治局贯彻落实中央八项规定的实施细则》文件精神、自治区优化营商环境大会精神、盟委委员会议暨盟优化营商环境领导小组会议精神、全盟优化营商环境大会精神、盟新冠疫情防控工作领导小组会议精神、盟委员会议暨中央和自治区环境保护督察反馈意见整改落实工作领导小组会议精神,听取全旗深化破坏草原林地违规违法行为专项整治行动以案促改工作情况汇报、全旗命案防控相关工作汇报、全旗粮食购销领域腐败问题专项整治开展情况汇报、全旗一季度经济情况汇报、全旗秸秆禁烧工作情况汇报,研究2022年中央财政衔接推进乡村振兴补助资金及自治区财政衔接推进乡村振兴补助资金计划事宜、乌兰毛都勿布林嘎查草原民俗文化旅游项目有关事宜。

3月22日,旗委召开第十五届委员会第26次常务委员会(扩大)会议暨全旗疫情防控工作领导小组会议,审议《关于进一步加强旗级领导网格化包联疫情防控工作的通知(讨论稿)》,安排部署疫情防控工作。

4月7日,旗委召开第十五届委员会第27次常务委员会议,专题研究中央生态环境保护督察反馈意见办理情况,传达学习了中央、自治区关于中央生态环境保护督察相关指示批示精神、自治区副主席包献华关于环保督察交办信访案件调度会议精神,听取了中央生态环境保护督察组受理的信访举报件办理情况。

4月22日,旗委召开第十五届委员会第28次常务委员(扩大)会议,专题研究关于集中治理全旗党内政治生活庸俗化交易化问题工作。传达学习了《关于集中治理全盟党内政治生活庸俗化交易化问题的工作方案》文件精神,听取了《关于集中治理全旗党内政治生活庸俗化交易化问题的工作方案(讨论稿)》的汇报。

4月28日,旗委召开第十五届委员会第29次常务委员(扩大)会议,传达学习盟委委员会议暨中央和自治区环境保护督察反馈意见整改落实工作领导小组会议精神、习近平总书记关于全国安全生产工作重要指示批示及有关会议精神,研究科右前旗以案促改问题排查核查集中整治处置措施相关工作,审议《科右前旗委宣传部、司法局关于开展法治宣传教育的第八个五年规划(2021—2025年 讨论稿)》《科右前旗2022年统筹整合使用涉农涉牧资金实施方案(讨论稿)》《以铸牢中华民族共同体意识为主线推进新时代党的民族工作高质量发展的分工方案(讨论稿)》《旗属国有企业优化重组改革方案(讨论稿)》。

4月28日,旗委召开第十五届委员会第30次常务委员(扩大)会议暨全旗农村牧区人居环境整治工作推进会议,专题研究部署人居环境整治工作。

5月17日,旗委召开第十五届委员会第32次常务委员会议,传达学习孙绍骋同志在我盟调研时的讲话精神、中央政治局会议精神(分析研究当前经济形势)、中央财经委员会第十一次会议精神、习近平总书记对湖南长沙居民自建房倒塌事故作出的重要指示精神、全国自建房安全专项整治会议精神,传达学习孙绍骋书记批示及区、盟党的二十大维稳安保工作部署会议精神和研究部署贯彻落实意见,传达学习内蒙古自治区党委督查室《批示落实情况报告》文件精神和研究部署有关工作、《信访工作条例》文件精神、《内蒙古自治区信访工作"三函一约谈"实施办法》文件精神、传达学习《总体国家安全观学习纲要》、全区宗教工作会议精神、全区统战部长会议和全盟统战部长会议精神、中共中央政治局常务委员会会议精神(分析当前新冠疫情防控形势)和听取全旗疫情防控工作汇报、中共中央办公厅印发《关于加强巡视整改和成果运用的意义》文件精神,听取1—4月全旗经济运行情况汇报、"四大攻坚"专项行动交办信访案件办理情况汇报、1—4月全旗信访情况汇报、中央生态环境保护督察信访交办案件整改进展情况汇报、十四届旗委巡察整改整体情况汇报,审议《关于切实加强招商引资和区域协调工作的通知(讨论稿)》《关于成立科右前旗招商引资工作领导小组及驻外招商组的通知(讨论稿)》、2021年度公务员拟记三等功人员名单、《科右前旗委党的建设工作领导小组2022年工作要点(讨论稿)》，研究关于"最强党支部"提质升级工作评选示范点、示范基地相关事宜。

5月20日，旗委召第十五届委员会第33次常务委员会议，研究乌兰毛都野奢帐篷营地项目事宜、与水发集团签订"小沙果大产业"全产业链深加工项目合作协议事宜。

6月26日，旗委召开第十五届委员会第35次常务委员会议，传达盟委委员会议暨中央和自治区环保督察反馈意见整改落实工作领导小组会议精神，传达学习全盟高考综合改革动员部署会议精神和研究部署贯彻落实意见，研究第九届内蒙古自治区乌兰牧骑艺术节暨2022·兴安盟那达慕相关事宜。

8月12日，旗委召开第十五届委员会第37次常务委员会议，传达学习《国家林业和草原局关于挂牌督办科尔沁右翼前旗破坏森林资源问题的函》精神并安排相关事宜，传达学习中央统战工作会议精神，研究中组部选派教育领域和医疗卫生领域"组团式"帮扶挂职干部职务任命相关事宜，听取上半年党风廉政建设工作开展情况汇报、归流河镇永安嘎查炭疽杆菌相关情况汇报，审议《科右前旗第十五届党委巡察工作规划(2022—2026年 讨论稿)》《旗委常态化学习贯彻、听取研究巡察工作制度(讨论稿)》《关于进一步调整完善科右前旗委巡察工作协作机制的通知(讨论稿)》《旗委巡察工作约谈制度(讨论稿)》。

9月19日，旗委召开第十五届委员会第39次常务委员会议，观看保密形势教育片《数据"密"影》，传达学习8月24日和9月7日国务院常务会议精神、国务院专题会议精神，传达学习兴安盟贯彻落实"短、实、新"新闻报道要求、提升新闻报道能力会议精神，研究新建新艾里1.2万头奶牛牧场项目投资协议事宜，审议《兴安盟科右前旗巴日嘎斯台乡红色美丽乡村建设综合示范项目实施方案(讨论稿)》，听取全旗党的二十大信访安全保障工作汇报、全旗旅游重点项目建设进展情况汇报、科右前旗生物育种产业化应用试点工作开展情况汇报。

9月22日，旗委召开第十五届委员会第40次常务委员(扩大)会议，听取"五大起底"工作进展情况汇报，听取破坏草原林地违规违法行为专项整治行动以案促改工作进展情况汇报，听取破坏草原林地违规违法行为专项整治行动以案促改工作排查核查和处置情况汇报，听取加快2022年森林督查案件中涉嫌违法图斑案件查处工作进展情况汇报。

9月23日，旗委召开第十五届委员会第41次常务委员会议，传达学习自治区党委书记孙绍骋同志近期讲话精神并安排相关事宜。

10月8日，旗委召开第十五届委员会第43次常务委员会(扩大)会议暨疫情防控专题会议，专题研究疫情防控有关工作。

10月21日，旗委召开第十五届委员会第45次常务委员会议，传达学习《反有组织犯罪法》《自治区党委关于激励干部担当作为的十二条措施》有关精神、自治区党委统战工作会议暨全区民族团结进步表彰大会会议精神、《内蒙古自治区党委 自治区人民政府印发关于进一步支持民营经济高质量发展的若干措施》文件精神、《兴安盟"石榴籽同心筑梦"系列主题活动方案》文件精神，研究招聘城市社区工作者事宜，审议《科右前旗新时代文明实践志愿者礼遇办法（讨论稿）》。

12月16日，旗委召开第十五届委员会第47次常务委员会会议，传达学习盟委委员会议关于林草长制工作精神、听取全旗林草长工作情况汇报，审议《2022年度林草长制考核方案》，听取深化破坏草原林地违规违法行为专项整治以案促改、命案防控工作汇报，审议《科右前旗贯彻落实〈关于进一步加强法学会建设的意见〉的工作方案》《无命案苏木乡镇创建工作实施方案》，研究举办科右前旗2023年冰雪嘉年华、林业行政执法权限委托至苏木乡镇综合行政执法局有关事宜。

12月16日，旗委召开第十五届委员会第48次常务委员会会议，传达学习自治区党委网络安全和信息化委员会第五次会议、盟委网络安全和信息化委员会2022年第一次会议精神，通报全旗2022年意识形态领域形势、网络舆情处置情况。

12月16日，旗委召开第十五届委员会第49次常务委员会会议，听取全旗2022年度党风廉政建设和反腐败工作开展情况专题汇报。

12月28日，旗委召开第十五届委员会第50次常务委员会会议，审议《中共科右前旗十五届三次全委(扩大)会议暨全旗经济工作会议上的报告(讨论稿)》、全旗两会有关事宜，听取12345政务服务热线"三率"情况汇报、重大项目前期手续集中审批情况汇报等事宜。

旗委办公室

【概况】 科右前旗委办公室是旗委工作部门。内设秘书组、会务组、综合一组、综合二组、督查室、信息组、法规组、行政组、档案管理组、改革事务协调组、国安事务协调组等11个组室。

【办文办会】 充分发挥旗委办以文辅政的作用，注重加强对重点热点问题的调查研究，想方设法为旗委科学决策提供参考。深化政策研究，参与制定全旗乡村振兴、全域旅游、林果产业发展等一系列事关经济社会长远发展的政策文件。深化专题调研，协助领导形成乡村振兴、产业发展等一系列调研成果。全面提升文稿的政治高度、理论高度，紧紧围绕旗委工作思路，高站位、高标准起草文稿，全年共起草撰写文稿200余篇，约120万字，切实将旗委的决策部署落到实处。严格按照旗委关于精简会议及文件数量的各项要求，带头精简发文及办会数量。加强对办文办会办事全流程管理，全力提高办文办会办事的效率和质量。健全完善办文办会机制，引入OA线上办公系统，通过微信群办公、整合发文等形式，大幅精简文件会议数量，截至2022年年末，共印发公文1.6万件，传阅办理各级各类文件632件，线上转办各类文件328件，筹办各类会议253场（次）。聚焦旗委中心工作，服务改革、发展、稳定大局，创造性地开展信息调研工作，准确、及时地反映各项工作新成果、新情况、新问题。截至2022年年末，共编发上报信息944条、刊发各类刊物19期，其中被自治区党委办公厅、盟委办公室采用200条，采用率达到21%。信息排名自治区各旗县市第33位、全盟第1位，2022年1名同志赴自治区党委办公厅信息处进行调训。开展以训代培工作，累计调训各地各部门信息员14人次。严格落实上级关于改革工作的各项决策部署，完成140项改革任务，出台各类文件、制度成果105件。全年共向盟委改革办上报改革简报22篇、调研报告1篇。开展规范性文件备案审查工作和清理规范性文件工作，向盟委报备规范性文件8件。对旗委各部门和各乡镇党委制发的规范性文件进行备案审查，共收到上报旗委备案的规范性文件10件，纠正、提醒件4件，清理规范性文件354件，其中废止1件。

【办事】 发挥党委督查工作职能，及时对历次会议议定事项进行分解立项，列成督办要点，明确责任单位和责任人。截至2022年年末，共上报接受上级督查检查统计台账11期，开展各类督查14次，完成人民网留言办理109件。充分发挥督查指挥棒作用，立足旗委交办的秸秆禁烧、疫情防控检查、农村人居环境整治、林草以案促改等重点任务，与相关部门组建联合督查组深入基层开展督查工作。制定印发《科右前旗档案局、科右前旗档案馆局馆协同工作暂行办法》《科右前旗档案事业"十四五"规划》《2022年科右前旗档案工作要点》等一系列文件，建立定期档案工作联席会议机制，召开全旗档案工作会议暨档案业务培训会议，归档脱贫攻坚、疫情防控等领域档案共计2100余卷，归档入库各类文件890余件，新增行政执法检查人员1人，行政监督人员1人。紧紧围绕旗委中心工作，服务改革、发展、稳定大局，创造性地开展信息调研工作，准确、及时地反映各项工作新成果、新情况、新问题。深入贯彻落实中央八项规定及其实施细则精神，进一步完善后勤管理制度。强化公务车辆管理，公务用车更加有序规范；严格按照"节俭、周到、规范"的原则，认真细致做好公务接待工作，做到严控经费、细致周到；全面规范财务管理，严格各项经费保障制度；认真贯彻全旗机关节能减排各项工作，严格落实节水、节电、节约纸张各项工作要求。做好办公室值班、卫生保洁等各项工作，营造安全舒适、干净整洁的工作环境。

【其他】 自疫情发生以来，旗委办公室党员干部始终冲在一线，牵头直属机关工委、供销社包联森发科尔沁广场小区，全方位做好疫情防控工作。截至2022年12月，已累计进行核酸检测23轮，累计检测29900余人，每天为750余位行动不便和隔离管控人员提供上门采样服务。制作宣传条幅3条、标识牌46个，24小时不间断执勤，全力维护小区群众健康安全。组织全体党员干部先后10余次深入包联小区志愿服务活动，以协助小区管理、入户宣传、环境整治、治理文明劝导行为等方式，不断提高群众对创城的知晓率、参与率和支持率，弘扬正能量，营造人人参与、全民创城的浓厚氛围。开展"文明出行百日攻坚行动"，在城区内主要交通路口，开展10次文明交通劝导志愿服务活动。聘请专业施工队对兴科三期辖区内破损花坛、车棚、健身器材等基础设施进行全面维修整治，并协调旗信用联社为小区购入分类垃圾桶23个。贯彻落实旗委关于乡村振兴的各项决策部署，扎实做好所包连的德伯斯镇阿拉坦浩特嘎查的帮扶任务，选派三名优秀干部，深入所包嘎查村组成驻村工作队。综合运用"积分银行"、建立志愿服务队、设置流动红旗、评比"最美清洁户"等方式，动员广大嘎查村民积极主动参与人居环境整治工作。注重嘎查村基础设施建设，协调资金2万元用于人居环境整治，全力改善村容村貌。

国家安全工作

【概况】 科尔沁右翼前旗委国家安全信息中心隶属于中共科右前旗委员会，负责处理国安办日常事务和边防事务。

【国家安全信息中心工作】 处理旗委国安办日常事务，调整旗委国家安全委员会组成人员，形成职责边界清晰、层层分工负责的工作机制。组织召开2022年科右前旗委国家安全委员会第一次会议，传达学习中央国家安全委员会有关会议精神，并对下一步国家安全工作作出部署。落实防范化解重大风险工作，协助召开党的二十大安保维稳风险隐患研判化解推进会，以有力有效的举措，扎实做好安保维稳工作，营造安全稳定的政治社会环境。制定印发《2022年度重点工作任务分解方案的通知》文件，明确各项任务牵头单位和责任单位，并按照要求上报工作开展情况报告完善国家安全工作考评体系，将国家安全工作情况列入年度考核绩效内容，制定印发《关于苏木乡镇和旗直相关部门国家安全工作开展考核的通知》，确保国安工作得到有效落实。及时更新《科右前旗防范化解重大风险工作方案》、制定印发《关于完善全旗防范化解重大风险工作运行机制的方案》，开展2023年科右前旗风险评估工作，经过筛查，共梳理出5条风险点，对每条风险点提出对策建议，形成科右前旗2023年防范化解重大风险评估报告，上报至盟委国安办。严格规范情报信息报送制度，按照盟委关于情报规范格式工作的要求报送相关内容，确保重要情报第一时间报送，相关工作动态按时报送。严格落实盟委国安委关于危机管控的相关规定，制定印发《加强旗委国安办危机管控工作具体落实措施及任务分工》，将对加强维护政治安全工作、做好网络空间维护政治安全工作、防范其他领域风险向政治安全领域传导等作出安排部署。加强国家安全宣传教育，全面贯彻落实总体国家安全观，推动科右前旗国家安全宣传教育工作深入开展，广泛开展国家安全宣传教育活动。

（王 丹）

组织工作
（非公党工委、公务员局、老干部局、党员教育中心）

【概况】 中国共产党科尔沁右翼前旗委员会组织部（以下简称旗委组织部）是旗委主管组织工作的职能部门。统一管理旗委机构编制委员会办公室，加挂科尔沁右翼前旗委非公有制经济组织和社会组织工作委员会、科尔沁右翼前旗公务员局、科尔沁右翼前旗委老干部局牌子。所属党员教育中心、干部人事档案中心2个副科级事业机构和老干部活动中心1个股级参照公务员法管理的事业单位。2022年，旗委组织部坚持以习近平新时代中国特色社会主义思想为指导，认真贯彻落实新时代党的建设总要求和新时代党的组织路线，落实自治区"揭榜领题"和兴安盟委组织部"三本清单"工作要求，以骨干队伍"大培训大提升大转变"、干部选任"四优双提升"、强基固本"六抓三促双提升"、人才引育"四项工程"为重点，全面加强干部队伍、基层组织和人才队伍建设，为科右前旗高质量发展提供坚强组织保证。

【领导班子和干部队伍建设】 持续优化领导班子年龄结构、知识结构、能力结构、专业结构，分类分级建立干部储备库。坚持党管干部，完善选任机制，严格工作程序，严肃工作纪律，严把选任关口，扩大选任民主，有力推进领导班子和干部队伍建设。全年调整干部7批次，其中新提拔、进一步使用112人。建立"选育管用"全链条工作机制。全力畅通"进"的渠道，结合全旗编制情况，上报招录需求，2022年招录集中选调生7人、公务员18人、事业编制人员307人，"绿色通道"引进11人；进一步加强源头管理，对优秀年轻干部进行重点管理、跟踪培养、科学考评、择优选拔。

【公务员管理】 严格按照《中华人民共和国公务员法》及配套法规政策要求开展公务员管理各项工作。不断加强公务员队伍建设，充分运用公务员调任、转任等方式，促进公务员合理交流，2022年度共招录公务员18人，调任16人、转任3人。对调任、转任及试用期满且考核合格的新录用公务员和选调生共103人进行公务员登记。按照《关于做好2021年度公务员、参照公务员和事业单位工作人员年度考核工作的通知》要求，共审批备案公务员（参公人员）、党群管理的事业人员和驻村干部3020人，年度考核优秀349人。依据《公务员奖励规定》，对年度考核优秀的349人予以奖励，其中嘉奖310人，三等功39人。持续提高职级配备率，充分释放政策激励效应，2022年度开展职级晋升8批次，累计晋升237人次，其中晋升三、四级调研员17人次，一至四级主任科员220人次。不断提高基层公务员依法行政能力，开展全旗公务员（参公人员）网络在线学习，参学人员全部完成学习且成绩合格。充分发挥公务员管理信息系统的功能作用，对公务员（参公人员）的职务职级、学历信息、离退休等情况进行动态维护，及时掌握了解科右前旗公务员队伍的数量、分布变化情况，为干部队伍建设提供数据保障。为加强事业单位改革试点后参公人员队伍的管理，按照《参照公务员法管理单位审批实施办法》、自治区及盟委组织部的工作要求，对老干部活动中心、供销社、政府采购中心等21家单位的职能、编制及人员情况进行梳理上报，经自治区审批，此21家单位均已被认定为参照公务员法管理单位。

【干部监督工作】 强化日常监督手段，完成领导干部"吃空饷"、违规企业兼职问题季度自查4次；审批病事假10人次；建立公职人员本人、配偶、子女及其配偶经商办企业事项日常管理监督制度，完成2022年集中报告及季报工作；形成《内蒙古自治区煤炭资源领域干部管理监督暂行办法》定期报告制度并如期完成报告工作；专项开展"一人多证"排查清理，完成全旗9265人身份证件、出入国（境）证件自查工作。扎实完成"12380"信访受理化解和涉组涉干舆情处置工作，年度受理举报线索12件，分别对6位领导干部进行提醒或函询。紧抓重点环节，完成全旗31位处级领导干部个人有关事项报告填报、全旗63位四级调研员及以上职级公务员"裸官"排查零报告上报。配合各级巡视巡察，对接完成十届自治区党委巡视反馈选人用人问题整改"回头看"督导并开展巡视反馈"回头看"自查自纠；完成2021年盟委组织部选人用人专项检查反馈问题整改；年度参与盟级巡察1轮、旗级巡察3轮。推动"揭榜领题"能上能下课题开展，成立课题工作组，推进领导干部能"下"方面免职11人。开展科右前旗组织系统以案促改工作，制定本级方案、组建工作专班，邀请派驻纪检监察组监督指导，以案促改期间开展动员部署暨警示教育大会1次，选取典型案例2

个,参观警示教育基地1次,观看纪录片1部,开展交流研讨1次,撰写心得体会52篇,开展支部书记讲党课1次,形成制度汇编1册;各组室中心排查岗位风险点19个,制定防范措施21条;部领导班子党员干部和其他党员干部逐项查摆问题并逐条制定整改措施,整改工作如期完成。

【干部档案工作】 坚持干部人事档案"凡提必审""凡进必审""凡转必审"要求,全面规范档案的"建、管、用",严把干部人事档案"质量关""准确关""认定关",2022年共审核新进人员、职级晋升人员、提拔人员、旗内外调动人员档案657卷,为干部选拔任用工作和广大干部提供更加精准的服务,进一步强化干部人事档案的服务职能。

【干部综合日常管理】 完成2022年度事业单位公开招考的网上初审、资格复审、考察工作;进一步加强退休人员审批工作,共审批办理退休干部75人;进一步规范机关事业单位调动程序,共办理147人调动手续。其中,旗外调入35人,旗内调动59人,调出53人。严格按照相关标准进行工资正常晋升及其他工资审批工作,办理正常晋升、工作调动、职务(职级)变动等日常业务审批2533人次;进一步做好因私出国(境)审批管理工作,新增备案50人,审批退休处级领导干部探亲出国1次;进一步加强股级干部队伍管理,共严格按照股级干部配备基本条件和资格条件任免环节干部64人次。

【干部教育培训】 将习近平新时代中国特色社会主义思想和党的二十大精神、铸牢中华民族共同体意识教育等课程纳入党校主体班次,作为党员干部培训的必修课,切实提高党员干部政治理论水平和履职能力。2022年3月,举办全旗科级领导干部培训班2期,培训290人;5月17—20日、5月24—27日、6月14—17日、6月21—24日、8月23—26日、8月30—9月2日分别举办全旗公务员第1—6期培训班,共培训1300余人;5月16—20日举办全旗年轻干部政治能力提升暨十九届六中全会精神专题培训班,培训旗直部门年轻干部40人;组织全旗驻村第一书记和工作队员、苏木乡镇书记、镇长、分管副书记、副镇长、嘎查村书记等参加兴安盟乡村振兴大讲堂1—20期培训班;7月17—27日,分3期赴外开展科右前旗乡村振兴干部能力提升培训班,培训苏木乡镇和旗直行业部门干部、嘎查村(社区)干部、驻村干部共计150余人;11月15—12月12日,选调48名优秀青年干部参加科右前旗第十八期青年干部培训班。

【实绩考核工作】 紧扣旗委、政府全力推进的中心任务、重点工作和重大项目,精准设置全旗2022年度乡科级领导班子和领导干部实绩考核目标和权重,突出重点,优化调整考核指标权重,加大对铸牢中华民族共同体意识、疫情防控、旅游工作、食品药品安全、安全生产等重点工作的考核权重,实行分类考核,引导领导班子和领导干部抓重点破难题、补短板、锻长板。扎实做好2022年度盟委、行署考核科右前旗相关工作,及时分解盟委、行署绩效考核指标给相关单位,综合考核指标及专项考核指标分别按照季度和月度汇总、跟进、上报兴安盟绩效考核系统。

【农村牧区基层组织建设】 研究制定《科右前旗"最强党支部"建设提质升级工作内容标准(嘎查村党支部)》,以乡村振兴五大振兴为建设目标,明确建设方向，经盟旗两级验收评比，最终评选出旗级"最强党支部"示范点7个，示范基地2个，盟级获称号示范点3个。编制下发《全旗苏木乡镇嘎查村概况》《农村牧区基层党建规范化管理参考书》《农村牧区基层党建工作参考文件汇编》三本基层党建指导参考用书，全面规范基层党建各项工作任务时间节点、方式流程。印发《科右前旗"四抓四提四实现"牧区基层党建规范化提升工程实施方案》，抓实抓细边疆民族地区党建工作，深化抓党建促民族团结进步。严格落实基层党组织生活全程纪实制度，收取全旗嘎查村、乡土人才孵化中心主题党日活动纪实档案1936份。创新开展农村牧区基层党建规范运行抽检、互检、自检"244"机制，通过抽检、互检、自检的方式找准问题病灶、比对横向差距、提升工作质量。围绕五个振兴目标，嘎查村编制乡村振兴任务清单，在嘎查村"三务公开栏"进行公示。强化"担当作为好支书"培养，联合纪委监委、党校、宣传、政法、统战、民政、乡村振兴局多部门开展培养计划。稳步推进嘎查村党组织书记全员轮训工作，2022年9月19日起分两批召开科右前旗"乡村振兴大讲堂"暨嘎查村党组织书记全员轮训，开设"担当好支书，分享微课堂"，全面提升党支部书记述职能力。由14名处级包乡领导带队开展换届后嘎查村"两委"干部队伍调研分析，以苏木乡镇为单位收取嘎查村"两委"履职情况报告并全面统计掌握届中调整人员信息，动态更新嘎查村"两委"成员旗乡两级备案管理，对届中调整的嘎查村"两委"成员参照"17条"负面清单联审93人。开展"永葆选调初心，助力乡村振兴"党建工作示范创建工程，增强选调生在抓党建促乡村振兴中的推进作用。印发《关于选调生在嘎查村任职期间工作管理的提醒函》，压实苏木乡镇党委对选调生管理的主体责任。全面开展危旧狭小党群服务中心情况摸底，逐苏木乡镇收取重点嘎查村改造计划，确定嘎查村党群服务中心改造升级项目14个，党员中心户打造项目3个。全面启动乡土人才"联镇培养"模式，优化人才培育方式、提升培育教学质量，由获得盟级荣誉的苏木乡镇牵头，组建4条联建培养纽带。2022年4月末开始，各联建单位通过示范带动、资源共享、轮流主办等联建模式开展活动14次。开展全旗乡土人才孵化中心埠外培训，累计培训学员97人。严格执行"四议两公开"工作法全程纪实制度，发挥苏木乡镇监督责任，要求乡镇包村领导依法依规参加工作法实施全过程，切实起到监督作用。建立"镇村联合"发展模式，巴日嘎斯台乡水库村以党建引领支部先行、支部引领经济先行的方式，形成"二乡联合、十村联建"集体经济模式；察尔森镇察尔森嘎查联合满族屯满族乡，以庭院经济为载体，签订5000千克辣椒订单，通过联镇建设，实现"党组织建在产业链上、党员聚在产业链上、群众富在产业链上"的发展新局面。严格落实基层党组织运转经费、活动场所、嘎查村干部报酬待遇、乡土人才孵化中心工作经费等保障政策，实行农村牧区基层运转经费季调度通报制度。2022年10月起，逐月下发嘎查村"两委"基本报酬及办公经费。印发《关于科右前旗基层保障经费拨付的提醒函》《关于规范科右前旗嘎查村保障性经费统计和发放的通知》，全面提高苏木乡镇党委对嘎查村"两委"成员基本报酬统计工作的重视程度，确保基层保障经费落实及时准确。坚持抓党建促基层治理实效，压实各苏木乡镇党委基层治理政治责任和主体责任。联合旗政法委印发《关于深化抓党建促基层治理在全旗推行村级网格化管理及村规民约的通知》和《科右前旗嘎查村网格化管理实施意见(试行)》,明确打造以"网格化"为主载体,以"网格管理"和"村规民约"为主抓手的基层治理模式。举办抓党建促基层治理"以法为纲、以德为魂"主题情景剧、短视频评选活动。统筹推进镇村党建工作,创新基层党组织设置和活动方式,以察尔森镇察尔森嘎查为试点,以"网格化"为抓手,探索建立"村居联建"党建模式,推动形成"二元共建、三治融合"的基层治理工作机制。按照"选立一点、点亮一处、示范一片"原则,造就一批立得起、站得住、能示范的创建"领头雁"。乌兰毛都苏木把文化元素融入旅游资源开发、草原文化节、那达慕等活动,打造新兴草原生态旅游品牌;察尔森镇察尔森嘎查以文化建设为引领,开展端午节、插秧节等民俗特色活动,吸引各族群众广泛参与,加强各民族群众睦邻友好关系;桃合木苏木落实"四抓四提四实现",开展"勒勒车上讲党课",将党性教育与牧民生活紧密结合。2022年,全旗共6家单位被命名为第五批"全盟民族团结进步示范区示范单位",为全面深入开展民族团结进步创建工作培树示范典型。

【城镇基层党建工作】 抓实基层党建"三强三优"推进"最强党支部"建设,通过念好"新、亮、带、活"四字诀,在城镇各领域进行"最强党支部"示范点、示范基地的系列创建评选验收活动,共评选出城镇各领域示范点18个、示范基地5个。完成旗级"最强党支部"授旗仪式,兴科社区、碧桂园社区、融媒体中心获评盟级最强党支部示范点荣誉。分领域挖掘典型案例向盟委组织部推送,被"兴安党旗红"公众号采纳刊登5篇。印制《科右前旗"最强党支部"示范点、示范基地典型案例汇编》。深化党建引领基层治理,推行"327"工作法,全力压紧压实基层治理责任。"3"即推动完善旗、乡、嘎查村(社区)干部"三级联动"架构,"2"即通过定期调度、工作捆绑"双管齐下"推动工作落实,"7"即党建包联"七个一"行动(包括开展一次实地调研、进行一次分析研判、解决一个实际问题、提出一个有效建议、参加一次组织生活、参加一次志愿活动、讲一堂党课)。全旗500余名党员领导干部深入党建联系点调研2000余次,开展民族政策宣讲800余次,参加支部组织生活800余次,听取基层党员群众意见建议100余条,推动解决各联系点问题困难300余件。全旗通过不断完善"三级联动"架构,将组织优势转化为治理优势,实现基层治理提质增效。28个社区均形成"15分钟服务圈"。启动"全域互联共建"工作,提出需求清单77类185条,认领资源清单25类41条,203个党组织实现结对共建,全部完成互联共建协议签约。推动在职党员进社区,全年在职党员到社区报到5904名,常态化参与基层治理、服务群众。

【两新党建】 制定《科右前旗非公有制经济组织和社会组织"八亮三新"党建工作方案》,对非公和社会组织及新业态、新就业群体党建工作提出具体要求。提升"两个覆盖"质量,按照"五步法"开展"百日攻坚"摸排,经摸底,全旗有新业态企业7家、新就业群体232人,其中有正式党员4人,形成有党员、无党员两类台账,通过积极推进,有3家成立工会。推动落实"两个到位",将发展党员名额向新就业群体倾斜,为新业态、新就业群体选派优秀驻企联络员4名，在5个城市社区建设"红蜂聚能站"，落实"五个一"行动，为新就业群体提供精细化服务，做到保障到位。在科右前旗义乌国际建立商贸城楼宇商圈党群服务中心，打造党员活动、形象展示、互动交流等功能为一体的综合性商圈服务中心。

【党员管理工作】 按照"严把进口关，改善党员队伍结构，提高党员队伍的整体素质"的要求，全年共发展党员260名，其中少数民族147名，农牧民党员136名，35岁及以下140名。积极开展形式多样的慰问活动，共投入慰问金近34.6万元，共慰问生活困难党员老党员、老干部695人次；2022年继续推进党费预算工作，对全旗党费进行年初预算，严格按照《内蒙古自治区党委组织部关于印发〈内蒙古自治区党费收缴、使用和管理工作办法〉的通知》核算党费收缴标准，保证党员及时足额上缴党费；按照"收支平衡、略有结余"的原则对全旗党费进行管理。按照《2019—2023年全国党员教育培训工作规划》的要求，采取季度验收的推进方式，分类分批全领域加强对党员的教育培训，全年共培训党员5.2万余人次，覆盖率达80%。为传承红色基因，打破红色教育模式单一性，立足巴日嘎斯台乡兴安村革命事迹，全景展现兴安盟第一个农村党支部由秘密成立到公开建设的风雨历程，围绕蒋弼仁同志"勇于牺牲固政权"的英勇事迹，首创革命历史故事题材话剧《半扇门板》，全年演出60余场次，观看人数达7000余人次，全盟120多个党组织在此开展主题党日活动，并获《人民日报》、内蒙古蒙古语广播、《兴安日报》等多媒体报道推荐。完成年度党内统计工作，截至2022年年末共有党组织732个，其中党（工）委45个，党总支部24个，党支部663个；党员16579人，其中女党员5124人，少数民族党员8316人，35周岁以下党员3663人，大专以上学历党员8835人，农牧民党员7161人，为进一步加强党的建设提供依据。

【党员电教工作】 筹备并拍摄完成10名党员的创业带富先进事迹10部，共计时长50分钟。1部"晓景计划"党员领富带富整体电视片6分钟。筹拍历时近3个月，在科右前旗视频号、抖音App、"多彩前旗"App、办公楼等多处媒体设备上进行展播，其中有3部电视片《90后返乡羊倌——李永强》《草原小厨娘——白春亮》《致富有药方——姬长明》被盟委组织部报送到自治区组织部得到高度好评。推广使用党群连心桥系统，全旗14个苏木乡镇党群服务中心和228个嘎查村、社区党群服务中心上线运营，实时公布活动信息和便民服务事项，全年共推送信息4563条。通过小鱼易连视频会议系统，在全旗228个嘎查村进行视频会议实时对接，提高工作效率，节约交通成本。同时，保障嘎查村主题党日全程纪实，为进一步提高基层组织生活水平和质量提供技术支持。

【乡村振兴队伍建设】 进一步明确驻村第一书记主要职责，村"两委"不能将与乡村振兴无关的其他日常事务强加于驻村干部，对派驻帮扶单位工作严格实行全脱产，明确摆正第一书记在乡村振兴工作中的位置，让第一书记在不同帮扶主体中起好承上启下的桥梁和纽带作用。工作考核注重在工作实绩方面，减少各种重复表格填报和资料收集，让第一书记有更多时间深入基层。采取集中与分类培训学习相结合的方式，加强对第一书记和驻村队员的培训力度，重点就国家乡村振兴政策、支农政策、先进典型案例等内容进行集中综合培训，对缺乏基层工作经验、缺乏集体经济发展意识、缺乏基层党建管理经验或新选派的第一书记分类开展提升基层工作与联系群众工作的能力培训。加强驻村工作队管理，印发《关于对旗直驻嘎查村干部进行考勤的通知》，对第一书记和工作队员进行"钉钉"软件打卡，出勤天数与各项补助挂钩。在"钉钉"软件上建立科右前旗驻村干部管理平台，安排专人每日通过视频方式抽查驻村干部在岗情况，要求各苏木乡镇每月上报驻村干部打卡情况和苏木乡镇"月调度""双周例会"情况。

【人才工作】加强对人才工作的指导和协调，努力营造人才工作的良好氛围。完善管理体制。坚持党管人才原则，不断完善旗委统一领导、组织部门牵头抓总、成员单位各司其职、相关部门密切配合的人才工作机制。明确工作责任，成立旗级人才工作领导小组，加强协调配合，推进计划落实。加快人才信息库建设。建立科右前旗实用技术人才库、京蒙帮扶人才库、乡土人才库，共1500余人。加强人才工作宣传力度，申报"草原英才""兴安英才"等项目，申报"草原英才"个人4人，申报"兴安英才"团队3人、个人8人。加大"绿色通道"引进高层次和急需紧缺人才力度，全年共开展3批次"绿色通道"引才工作，共引进高层次和急需紧缺人才11人。充分发挥统筹协调作用，做好"组团式"帮扶人才的监督管理和后勤保障工作。为加强人才支持，扩大人才交流，按照东西扶贫协作和京蒙帮扶指导意见，中央定点帮扶单位和北京海淀区选派6名挂职干部来科右前旗挂职，为全旗巩固拓展脱贫攻坚成果同乡村振兴有效衔接提供人才支持。旗委选派1名处级领导干部、2名科级领导干部赴北京市海淀区挂职交流。加强与中国传媒大学、北京林业大学等高等院校的沟通协作，海淀区教委选派4人、北京林业大学选派38人、中国传媒大学选派2人到科右前旗支教，通过干部挂职交流等形式，柔性引进高端人才到科右前旗服务，助推全旗各项事业发展。

【组工信息和调研工作】全旗撰写组工信息2913篇，其中苏木乡镇1685篇、旗直（机关）党（工）委587篇、机关工委所属总支、支部641篇。专题报送中办督查整改信息25篇。微信公众号共发布信息353篇，其中被《中国组织人事报》微信公众号采用1篇、北疆先锋公众号采用2篇，兴安党旗红公众号采用51篇。"多彩前旗"App共发布信息133篇，其中《前旗组工》专栏82篇、《严肃党内政治生活》专栏11篇，《晓景计划》专栏43篇。持续加大网宣工作力度，全旗开展网络专题舆论引导37次，撰写网评文章912篇，其中在中廉在线网刊稿8篇。制定《2022年党的建设制度改革工作台账》，确定全年23项改革任务。动员部机关各组室（中心）结合自身业务选题，形成党建课题调研报告9篇。

【老干部工作】旗委中心组学习《关于加强新时代离退休干部党的建设工作的意见》（中办发〔2022〕31号）1次，旗委书记听取老干部工作汇报2次，老干部工作领导小组协调解决老干部急难愁盼问题3件。全面落实老干部阅文、参会、情况通报、征求意见、走访慰问、参观考察、送学上门等制度。发放学习材料180份，开展集中学习4次，专题辅导1次，邀请老干部参加旗内重要会议12人次，经济社会发展情况通报2次，送学上门4次。组织召开"建言二十大""我看中国特色社会主义新时代"座谈会，收集意见建议18条。离休干部医药费实报实销，共计报销医药费及住院补助58.96万元。定期慰问各支部生活困难离退休党员，发放困难党员慰问金0.49万元，发放特困帮扶资金2.4万元。春节期间，走访看望慰问离退休老干部共10.5万元。充分利用老年消费教育基地，开展维护老年人消费权益活动，提高维权能力，保护老年人的合法权益。

(李尚宸)

直属机关工委

【概况】 中共科尔沁右翼前旗直属机关工作委员会是旗委的派出机构，统一领导科右前旗直属机关党的工作，为正科级，列旗委工作机关序列。有党的关系隶属机关工委的部门和单位62个，其中机关党委17个、党总支9个、党支部36个，截至2022年年底党员统计年报共统计中共党员5892名。

【党员管理】 不断摸索，推动党员教育管理人性化、科学化水平。一是严格管理党员，认真做好党员发展和管理工作。对所属党组织142名积极分子进行业务培训，对72名发展对象进行谈话考核并批准成为预备党员。及时做好党员接转工作。2022年整建制转入党组织37个，转入党员1250名，转出党员626名。认真开展党内统计工作，半年年报共统计党员5785名，2022年年末共统计党员5892名。按时完成党费收缴工作。2022年共收缴党费264.9万余元。按照《科右前旗排查整顿农村牧区违规违纪发展党员工作实施方案》要求，重新排查违规违纪发展党员7人，审核批准13名违规违纪发展党员转正。

【党风廉政建设】 紧扣全面从严治党，强化党建业务相融合。建立落实旁听督导制度，现场督导"组织生活会""主题党日""干部到乡"理论学习等情况，2022年2月对旗直部分机关党组织的"组织生活会"进行现场督导，对其他基层党组织进行书面督导；5月实地观摩旗直机关最强党支部建设和打造情况，对未参评的剩余旗直党支部建设完成情况进行走访摸排；7月对所属61个基层党组织开展半年党建督查。开展"集中治理党内政治生活庸俗化交易化"工作，组织所属党组织80余名党务干部参观"科右前旗廉政教育中心"、在旗科技馆组织开展"喜迎二十大 全面争优先""七一"系列活动暨党员教育培训基地揭牌仪式，为旗直党员教育培训提供阵地保障。开展党风廉政建设和反腐败工作，严格履行党风廉政建设"第一责任人"职

党员参观廉政教育中心

责,认真落实领导干部"一岗双责"责任,严格执行"三重一大"和领导干部个人重大事项请示报告制度,不定期开展廉政谈话,全年共召开党风廉政建设专题会议和纪律作风专题会议共7次,组织观看警示教育片3次。开展严重违纪违法案以案促改工作,研究制定工作方案并召开动员部署会对具体工作进行安排部署,严格按照时间和阶段要求认真开展各项工作,确保做到以案促改,闻警自省。

【法治素养和依法履职工作】坚持政治引领,把习近平法治思想、宪法及党内法规列入党员干部政治学习内容,不断增强法治意识。强化责任落实,履行法治建设"第一责任人"职责,成立普法工作领导小组,重大问题亲自过问、重点环节亲自协调、重大任务亲自督导。严格落实《2022科右前旗普法依法治理工作要点》,制定普法责任清单和计划,明确普法任务目标,细化普法工作要求,做到与党建业务同部署、同落实。开展普法宣传教育活动,深入兴科社区和包联居力很镇红旗村开展反邪教宣传活动,通过发放宣传资料、讲解案例、悬挂条幅等方式进行普法宣传,营造全民学法守法用法的良好氛围。

【疫情防控】 开展常态化疫情防控和静默状态全员核酸检测工作。始终坚持"线下""网上"双核查原则,及时开展"敲门行动",了解包联社区群众身体、年龄、出行返回后隔离医学观察状态以及核实核酸检测情况,确保人口底数清,人员去向明,核酸检测覆盖全,真正做到"不落一户,不差一人"。在静默管理期间,为减少传播风险,保障人民群众安全,开展包联小区门口值班工作,仔细核对人员信息,严格做好出入管理。面对疫情防控工作形势严峻、集中隔离点管控人数增多,克服在职干部人数少的困难,配合开展疫情防控工作,全年共抽调4名同志参加4轮疫情防控隔离点工作,共计6人次,累计工作时间60天。

【最强党支部】 积极打造最强党支部,不断推动基层党组织提质升级。2022年所属党组织中,被评为盟级"最强党支部"示范点1个,旗级"最强党支部"示范点5个,示范基地2个。

【"七一"系列活动】 2022年6月27日上午,科右前旗直属机关"喜迎二十大 全面争优先""七一"系列活动暨党员教育培训基地揭牌仪式在科右前旗科学技术馆隆重举行,旗委有关领导出席会议,旗直机关各党组织书记、2022年新发展的预备党员代表以及光荣在党50年的老党员代表共计80余人参加活动,活动由前旗直属机关工委主办,前旗科学技术协会承办,前旗直属机关工委书记主持。为庆祝旗直机关党员教育培训基地成立,不断发挥党建引领作用,旗委领导为"科右前旗直属机关党员教育培训基地"进行揭牌。活动现场,书记宣读《中共科尔沁右翼前旗直属机关工作委员会关于对2021年科右前旗旗直机关党建工作督查情况的通报》,2022年新发展的预备党员代表进行入党宣誓,并为老党员代表颁发"光荣在党50年纪念章"。最后,活动在全体齐唱《没有共产党就没有新中国》和《歌唱祖国》。

【第九届内蒙古自治区乌兰牧骑艺术节暨2022·兴安盟那达慕开幕式】 科右前旗直属机关工委承担"迎宾表演"和"强国有我"两个方阵的演出任务,"迎宾表演"从机关工委所属62家党组织中选拔150名党员、预备党员和入党积极分子,"强国有我"方阵从科右前旗各苏木乡镇和旗直各党组织中选拔100名青年党员。"迎宾表演"方阵共开展七轮集中排练,"强国有我"方阵共开展六轮集中排练。科右前旗直属机关工委的两个方阵不仅完成表演任务,展现"请党放心,强国有我"的使命担当和积极进取、蓬勃向上的精神风貌,更充分体现科右前旗干部职工敬业奉献、勇于担当的队伍形象以及团结协作、共创佳绩的大局意识。

（胡　爽）

宣传工作

【概况】 科右前旗委宣传部是旗委主管意识形态和宣传思想方面工作的职能部门,主要开展意识形态、理论武装、新闻舆论、社会宣传教育、精神文明创建、文化文艺、网络信息管理、广播电影电视等工作。

【意识形态】 压紧压实意识形态工作责任制,将意识形态工作责任制落实纳入乡科级领导班子和领导干部考核当中。召开意识形态专题常委会,带头分析研判重点领域舆情风险点,带头部署落实防范化解措施。全年进行意识形态工作联席会议和舆情会商8次,查找28类舆情风险点,全年分析研判日排查表7830份,未出现重大负面舆情事件。制定《科右前旗意识形态领域风险防范化解工作预案》,实行两个月一报告、特殊情况随时报告的工作机制,全年监督、审查报告132份。

【理论武装】 围绕重大主题深入开展学习研讨,旗委理论学习中心组共集中学习12次,专题研讨7次,开展理论专题测试7期;组织旗乡两级党委(党组)理论学习中心组集中学习605场次、联合学习22场次、专题研讨187场次。旗委书记带头撰写调研理论文章,在《实践》杂志等权威平台共刊登文章4篇,旗委理论学习中心组成员形成调研报告33篇。依托"两中心一平台""学习讲堂"等载体,深入全旗各地各单位,开展各类重大主题宣讲2100余场次,受众4.2万余人。1.3万名党员带动2.76万名群众参与"学习强国"学习,覆盖率84.53%。开展"学习强国"挑战赛1200余场,周标兵诵读经典活动参与人数1800余人次,承办全区"学习强国"工作现场会,承接区内各地观摩调研9次。

【新闻舆论】 建立新闻发布制度,规范新闻发布流程,组织召开旗政府例行新闻发布会23场次。举办"传媒赋能乡村振兴——公益讲坛"等培训共12次。统筹整合电视新闻、"魅力科右前旗"微信公众号、"多彩前旗"App客户端、抖音及快手等12个自主平台,全旗96个苏木乡镇、科局在"多彩前旗"App开设端口,受众覆盖达43万人次,总粉丝数增加20%,融媒指数位居全盟第一、"草原云"旗县级客户端融媒指数周排行榜多次排在全区首位。开展"奋进新征程 建功新时代""日日有采访人人出精品"等主题采访活动20余次。全年在电视新闻、新媒体平台开设《五湖四海前旗人》《千位名人赞前旗》等特色品牌栏目76个,累计489位名人为前旗点赞,全网发布新媒体稿件7850篇,电视新闻1825条。组建外媒记者采访服务管理工作专班及工作联席会议机制,归纳汇总代表性采访点,推进外媒记者采访线工程建设,做好外媒记者采访服务管理工作。全旗全年对外宣传刊发稿件总计5630篇(条),其中学习强国平台刊发稿件169篇(条),自治区级以上刊发稿件3365篇(条),自治区级刊发稿件2265篇(条)。全网推送第九届自治区乌兰牧骑艺术节暨2022·兴安盟那达慕相关信息7457条,发稿797篇,浏览量1.4亿余次。协助中央广播电视总台《知味兴安盟》《欢乐城市派》《乡村振兴中国行》《中国诗词大会》拍摄,协助拍摄专题片《在中国寻找答案》,内蒙古广播电视台《大美边疆》前旗部分拍摄,均已播发。运营海外账号17个,粉丝量2.9万余人。

【社会宣传教育】 2022年持续开展中宣部宣教局、自治区党委宣传部下发的各类社会主义核心价值观主题微电影、短视频的展播工作。社会主义核心价值观标语口号LED显示屏宣传累计5.5万小时,在"魅力科右前旗"公众号加挂电子宣传标语2696期,累计浏览量41.9万人次。围绕提升全旗氛围营造工作制作铸牢中华民族共同体意识、"绿水青山就是金山银山"主题铁艺造景2处,围绕全盟新时代文明实践、文明创建互评工作参观点打造道德模范进广场、中华文化大家学以及学习强国推广应用主题灯箱10个。在察尔森镇察尔森嘎查设立新时代文明实践广播站并建立相关制度上墙。以"村村响"大喇叭为载体,全旗各地开展"学习强国广场舞金曲展播""文明实践综合广播""中华文化大家学"等内容的宣教调度工作。利用"村村响"播放"两个打造"宣教内容累计15.5万次,近1.5万小时。深入推进兴安盟域牌形象建设工程,在碧桂园周边、旗教育园区等11个主要街路制作兴安盟域牌道旗942面。

【精神文明创建】 2022年全旗创城投入总计500余万元,完成8轮次的实地点位督查指导、6次通报,旗党政主要领导专题调研15次,组织开展网报员培训4次,实地点位工作培训5次。开展"创城五个一"等系列主题宣传活动38场次。针对创城短板弱项持续开展6大专项整治行动。"兴科社区民情茶馆"入选全区第二期"文明城'事'"系列活动优秀案例。文明城市天气预报连续制作150期,被自治区文明办采纳在全区范围内推广。在全旗评选出"诚信村"13个、"诚信户"19户,评选"十星级文明户"17户,并挂牌到户。强化典型选树,评选出各类"前旗好人"22名、"兴安好人"10名;兴安盟道德模范1名、盟级道德模范提名奖获得者2名;旗级道德模范17名、旗级道德模范提名奖获得者14名。村规民约实现全覆盖,文明团结超市建成24个。对往届区级"文明单位""文明村镇""文明家庭"进行复查验收。新增自治区文明村镇1个、盟级文明村镇4个、旗级文明村镇23个。新增自治区文明单位4家、旗级文明单位7家。新增自治区文明社区(小区)4个、盟级文明社区(小区)4个、旗级文明社区(小区)14个。新增自治区文明家庭1户、旗级文明家庭20户。2022年文明校园实现全覆盖,新创建第四届兴安盟文明校园3所、第二届自治区文明校园1所。申报2022年度自治区专项彩票公益金支持乡村少年宫新建项目学校1所(索伦牧场五连小学)。

【新时代文明实践】 1个文明实践中心、15个文明实践所、256个文明实践站,已达到全覆盖。建立理论宣讲、文化文艺服务、助学支教、医疗健身、科学普及、法律服务、卫生环保、扶危帮困等8类常备队伍,2022年累计开展各类文明实践志愿服务活动6800余场(次),参与人数9.6万余人(次)。"七彩假期"志愿服务项目和返乡大学生都获得国家级表彰;"三美家园·书香前旗"荣获2022年国家文学志愿服务示范性重点扶持项目。举办科右前旗第一届"我帮你"新时代文明实践志愿服务项目大赛,评选优秀项目17个。

【文化文艺】 开展"逐梦乡村·我们的舞台""石榴籽同心共筑""我们的中国梦"文化进万家等各类主题活动980余场次。大力推进"我们的美好生活"文化文艺志愿服务活动暨"文化村长"助力乡村文化振兴行动,聘请两名知名歌手为乌兰毛都苏木和察尔森嘎查的"文化村长",全力打造科尔沁镇柳树川村为"全区文化振兴示范村",推动文艺志愿服务12个子品牌活动全部落地见效。紧紧围绕"喜迎二十大 讴歌新时代"、铸牢中华民族共同体意识、抗疫等重大主题,创作文化文艺作品200余个,其中《后山》已入选自治区重大主题文艺精品创作选题。组织创作科右前旗首部革命历史题材情景剧《半扇门板》,成功举办7期音乐党课。成立"锡伯图文艺创作基地"和"锡伯图农耕诗社"。文化体制改革专项小组承接改革任务共计15项,其中承接自治区级9项,盟级3项,自主改革3项,出台改革成果文件8件。

【网信工作】 提请旗委中心组专题学习3次,组织召开网信委会议1次、全旗舆情会商工作会议7次;上报处置网上各类有害信息10余次;认真落实各项网评指令180余次,累计转发量71万余条,撰写网评文章5次;开展网络意识形态培训1次;报送创网评产品70余篇,网评指令落实率达到100%。累计组织参加网评演练、培训3次;开展2022年网络中国节系列活动,累计参加3000余人,发布作品近2000余条;推荐并入选网红打卡点6处、乡村短视频"头雁"培养计划人选49人、"北疆好网民"2人;参加盟委网信办舆情月例会7次;按要求及时完成网络安全漏洞整改任务2次;开展国家网络安全宣传周进社区宣传2次、全旗网络安全检查、意识形态自查各1次;巡查发现表述不规范稿件20余篇并及时改正处置。组织参加全盟数字化相关培训3次。累积监测到涉旗舆情200余条,均已转办处置妥当。

【"扫黄打非"工作】 旗"扫黄打非"工作领导小组办公室获评2022年度全盟"扫黄打非"先进集体,旗"扫黄打非"办公室2名成员荣获2022年度全盟"扫黄打非"先进个人。全年组织开展"扫黄打非"宣教活动300余场,提高群众对"扫黄打非"政策、法律的知晓率和参与度。深入推进"扫黄打非"各专项行动,执法部门查办"扫黄打非"相关案件4起,查没非法出版物、印刷品1000余本(册),发现处置网络有害信息近900条,维护全旗政治安全、意识形态安全和文化安全。

【广播电影电视】 协助上级推进智慧广电固边工程,启动满族屯满族乡至阿尔山主干线路建设94公里。围绕迎接服务保障党的二十大和北京冬奥会、冬残奥会、全国全区两会等重要安全播出任务时段,提前落实基层转播台巡检维护工作,全年各基层转播台广播电视发射系统均实现"三满"播出。开展700兆赫频率迁移实地勘察、设备安装、调试工作,完成700兆赫频率迁移工程建设,所有频率迁移转播台均投入正常运转。与11支基层电影放映队签订《农村牧区公益电影放映合同书》,完成农村牧区公益电影放映一村一月一场的要求。

(刘柏顺)

统战工作（宗教事务）

【概况】 中共科右前旗委统战部是旗委在统战工作方面的参谋和助手，是旗委主管统一战线工作的职能部门，主要负责民主党派、无党派人士、党外知识分子、党外代表人士队伍建设，新的社会阶层、非公经济领域、港澳台和海外统一战线工作，统筹协调民族工作，统一管理宗教工作。

【完善大统战工作格局】 按照统一战线工作领导小组成员单位职责分工，召开领导小组会议2次、专题调度会2次，有力推动旗委重大决策部署落地落实。全旗14个苏木乡镇全部配备副科级专职统战委员，确保基层民族工作的运转，对基层嘎查村民族宗教工作的指导力度持续增强。疫情防控期间，全旗统战干部和统一战线成员主动作为，守在防控一线，为抗疫献计出力，为打赢防疫阻击战做出贡献。统一战线成员发挥统战属性，保持与北京、上海等先进地区交流互动，推动区域经济合作。

【履职能力建设】 加强民主党派思想政治建设，组织民主党派，学习贯彻中央统战工作会议精神及党的二十大精神。支持民主党派加强履职能力建设，深入调研，反映社情民意，提出切合科右前旗实际的建议提案14件。支持民主党派参与社会实践、拓展社会服务，开展送文化下乡、普法宣传、捐资助学、送医送药、健康知识讲座、乡村环境整治、义务植树等活动。

【民族工作】 紧紧围绕铸牢中华民族共同体意识这条工作主线，组织开展各类集中学习、专题培训千余场次，参训党员干部达3.7万人次。始终坚持落实"从娃娃抓起"要求，持续推动民族团结进步教育进大中小学课堂，构建起课堂教学、社会实践、主题教育多位一体的教育平台，开展"七个一"活动，把铸牢中华民族共同体意识教育融入学生德育教育全过程。以新媒体为载体，构建全方位、多层次、多声部的科右前旗铸牢中华民族共同体意识的对外传播矩阵，在旗融媒体中心整合开设专题专栏15个，采取文字、图片、短视频等方式，全平台展示发声，宣传报道铸牢中华民族共同体意识、民族团结创建典型经验做法等，受众覆盖40万各族人民群众，总阅读量超3亿人次，让互联网成为铸牢中华民族共同体意识的最大增量。组织开展"民族团结小区评比""五好家庭评比"等活动，营造各民族共居共学共事共乐共享的社区环境。成立273个覆盖旗、乡、村三级的铸牢中华民族共同体意识促进会，各级基层促进会以"三学一带一创"为主旨深入开展"石榴籽同心筑梦"系列主题活动2800余次，覆盖群众16万余人次，探索走出"清单式管理、项目化推进、品牌化提升、标准化考核"的前旗实践新路。番茄公社和科右前旗双创产业园、乌兰毛都中小学研学基地和兴安农村第一党支部挂牌成为全盟首批铸牢中华民族共同体意识实践创新基地和宣传教育基地。

【宗教工作】 紧紧围绕"导"字方针，引导宗教与社会主义相适应。严格按照新修订的《宗教事务条例》规定，对宗教场所筹备设立、在宗教活动场所内新扩建、改建建筑物、举办大型宗教活动均实行审批制度。在全旗228个嘎查村、27个社区、5个城市社区和49所学校全部确定宗教工作信息联络员，有效延伸统战、宗教工作在基层的触角。制定《宗教工作信息联络员管理办法》，确立信息收集、传递、处置和责任追究工作机制。将宗教事务纳入市域社会综合治理体系，调动基层党组织发挥堡垒作用，防范和抵御非法宗教渗透能力明显增强，开展宗教活动场所"六进"活动，深化教风建设，维护宗教领域持续和顺稳定。以"导"的态度，开展宗教界"铸魂、雨润、聚力、培优、筑墙"五大重点任务10余次，引导宗教与社会主义社会相适应。

【民营经济】 坚持思想政治引领，持续开展"守法诚信经营、坚定发展信心"信念教育，大力倡导和动员企业家争做爱国敬业、守法经营、创业创新、回报社会"四个典范"。成功召开科右前旗工商业联合会（总商会）第十二届会员代表大会，选举产生科右前旗工商联（总商会）第十二届领导班子成员、执委，共计104人，完成换届工作。落实好各级党政领导干部定点联系民营企业和商会组织工作制度，建立"信息直通车"制度，畅通商会、民营企业和党委政府的沟通渠道，引导全旗民营企业、旗工商联直属商协会、金融机构等参与"企业兴乡"工程。截至2022年年末，全旗已实现85家国有企业、民营企业、商协会全覆盖帮扶228个嘎查村，形成森农公司"订单合同式"、万维设计公司"旅游发展式"和众缘集团"劳动转移式"等一批新的产业帮扶模式，带动牛、马、奶、林果等11大产业链和1个民族文化产业集群发展，激发嘎查村发展的内生动力。

【党外代表人士队伍建设】 落实党外干部"双走访"制度，开展党外干部专题调研，全面更新党外干部库数据，全旗有县处级党外干部4名（4副职），科级党外干部23名（4正职19副职），有效缓解党外干部梯队建设，开展一系列党外知识分子和新的社会阶层人士主题教育活动，党外代表人士的政治把握能力、履职尽责能力和合作共事能力进一步提升。根据《关于开展全盟"无党派人士"政治面貌认定暨调整补充兴安盟、自治区无党派人士重点人物库的通知》要求，对科右前旗无党派人士进行重新申报、认定，有本级重点联系的无党派代表人士人物库19人，实行动态管理。

【侨务工作】 加强基层组织建设，根据中央及自治区侨联"侨胞之家"创建管理办法和《关于开展内蒙古自治区华侨文化交流基地申报工作的通知要求》，积极推进巴日嘎斯台乡创业村和大石寨镇平安村"侨胞之家"创建工作。积极申请"侨胞之家"自治区级活动经费4万元，进一步规范建立侨务活动场所，不断提升侨务管理水平。

【统一战线工作】 按照统一战线工作领导小组成员单位职责分工，召开领导小组会议2次、专题调度会2次，有力推动旗委重大决策部署落地落实。全旗14个苏木乡镇全部配备副科级专职统战委员，确保基层民族工作的运转，对基层嘎查村民族宗教工作的指导力度持续增强。疫情防控期间，全旗统战干部和统一战线成员主动作为，守在防控一线，为抗疫献计出力，为打赢防疫阻击战做出贡献。统一战线成员发挥统战属性，保持与北京、上海等先进地区交流互动，推动区域经济合作。对旗内乡镇开展侨情调查工作，科右前旗有台籍人员5人，台胞15人，台属31户89人，其中党员9人，政协科右前旗第十四届委员1人。归侨华侨和华人77户135人，其中华侨114人，归侨5人，华人16人。侨眷77户，低保户7户12人，政协科右前旗第十四届委员1人，自治区留学生代表1人。

(刘 荐)

机构编制

【概况】 中共科尔沁右翼前旗委员会机构编制委员会办公室是旗委机构编制委员会的常设办事机构(加挂科尔沁右翼前旗事业单位登记管理局牌子)，列旗委机构序列。设立4个内设机构：综合组、机关与监查组、事业与法规组、登记组。下设1个事业单位：科右前旗政务和公益机构域名注册中心(机构编制数据中心)。

【加强党对机构编制的全面领导】 坚持党对机构编制工作的集中统一领导，把学习贯彻《中国共产党机构编制工作条例》和《机构编制违规违纪违法行为处理和问责规则(试行)》作为一项重要政治任务，在旗委编委会上进行学习和传达，并将《中国共产党机构编制工作条例》学习纳入旗委中心组学习和党校系列培训课程内容，全旗范围内转发学习《机构编制违规违纪违法行为处理和问责规则(试行)》，切实增强机构编制纪律的严肃性和权威性。坚持机构编制刚性约束。严格执行机构限额、领导职数、人员编制的总量控制规定；严格按照管理权限和审批程序办理机构编制事宜；坚决杜绝超编进人、超职数、超规格配备领导干部、条条干预等现象发生。

【机构改革】 坚持优化协同高效原则，加强对部门履行职责、协调配合机制落实等情况跟踪了解，严格按照事前沟通、提供政策依据、充分论证的动议程序，对部门上报的机构编制请示事项进行充分调研和论证，根据科右前旗发展实际需要，对相关部门"三定"规定进行调整。牵头启动旗乡"优化职能职责优化工作流程"专项行动和印发旗级方案。努力构建基层管理新格局，明晰"属地管理"职责，厘清职责关系，落实优化营商环境工作任务，深入调研苏木乡镇承接权力事项情况，对苏木乡镇承接权力事项动态调整备案。清理规范开发区管理机构，将旗工业园区管理委员会调整为内蒙古兴安盟经济技术开发区管理委员会科右前旗产业园管理办公室，整合组建旗产业园综合事务服务中心，为内蒙古兴安盟经济技术开发区管理委员会所属公益一类正科级事业单位。落实国防动员体制改革任务，整合组建旗人民政府国防动员办公室，在旗发改委加挂牌子，暂时保留人民防空办公室牌子挂在旗发改委；同步落实人防(民防)事业单位机构编制事项调整，将旗宏观经济发展中心加挂旗人防(民防)指挥信息保障中心牌子并增加相关职能职责。

【各领域改革】 深化基层管理体制改革，撤销基层财政所，通过"减上补下"完成将原财政所职能职责及人员编制划转至苏木乡镇党群服务中心人员编制69名；配合盟委编办起草林草领域县乡共同承担事项责任清单指导目录初稿工作。深化事业单位改革试点工作，持续提升事业单位改革试点质效，调整完善"三定"规定19家、新设立事业单位9家、撤销事业单位14家、调整机构名称7家、调整机构挂牌7家、调整职能职责5家、调整内设机构事项5家、调整人员编制138家次、调整领导职数9家，完成人员转隶535人。深化综合行政执法改革，理顺林草执法管理体制，将林草执法机构更名为旗自然资源和林草水利综合行政执法大队，隶属关系由旗自然资源局所属调整为旗人民政府直属，重新印发"三定"规定。调整城管执法机构内设机

— 101 —

构设置及职能职责。

【机构编制资源使用】 切实保障重要部门、重要领域的用编用人需求,确保编制资源向重点领域和基层一线倾斜,加大部门间编制统筹调配力度,共调整机关事业单位编制278次。规范实名制系统管理,严格审核实名制管理系统机构、编制、实有人员数据,确保实名制数据准确、真实,增强实名制管理系统的规范性。强化机构编制日常管理,全年共办理机关事业人员转隶、调入等实名制信息系统业务4279笔,审理机构编制事项500余项,开具《审档单》161份,《准许使用空编通知单》728份。审批各机关事业单位使用行政编制19名、事业编制412名,用于公务员考录、事业单位招聘、"绿色通道"引进人才等。为重点领域提供机构编制保障,动态调整中小学教职工编制,重新调整核定中小学教育专项编制总量,审批备案分配方案;按标准测算社保经办机构、文物考古机构和幼儿园机构编制,在旗博物馆加挂旗文物站牌子,在旗文化旅游体育事业发展中心加挂旗文化馆牌子,旗5所公立幼儿园核定人员总量130名。

【编外人员专项调查统计】 进一步健全机构编制统计体系,逐步完善和规范专项调查工作,2022年6月、12月依据自治区党委编办编外人员统计口径,会同旗财政局、旗人力资源和社会保障局对全旗编外用人情况进行了两次专项调查统计工作。

【事业单位登记管理】 设立登记单位5家,变更登记单位108家,注销登记2家,203家事业单位完成年度报告公示。11家事业单位完成法人证书到期更换。29家单位完成统一社会信用代码变更,并按时完成档案资料收集和整理归档工作。按照3%的比例,抽取6家事业单位,顺利完成事业单位法人公示信息"双随机、一公开"工作。做好网上名称管理工作,梳理网站域名现状,规范域名注册,办理网站开办审批手续,督导网站标识挂标工作。

【乡村振兴】 融合"干部到乡"和"党员志愿服务队",通过投资、捐物和环境整治等多种方式,深入开展"我为群众办实事"实践活动,化解民生难题。编办驻村工作队认真负责、主动作为,与俄体镇双花村村两委团结协作,全面协调新建人畜分离肉牛养殖场4000平方米、产业资金390万,协调食品企业与合作社签订蔬菜订单带动种植大田蔬菜约17公顷、统筹通过贷款发展养殖产业、庭院经济155户,全年不间断开展防返贫动态监测,培育"晓景计划"农业致富带头人2名。

【疫情防控】 坚持主要领导靠前指挥,分管领导具体指挥,在阳光丽景小区和双花村两个阵地,编办全员分别投入疫情防控阻击战,圆满完成测体温、医疗废物处理、隔离司机、组织协调、维护秩序、值班站岗等工作任务,两个包联阵地始终保持无疫零病例。

(富　饶)

党校教育

【概况】 科右前旗党校位于科尔沁镇府前街西,大坝沟路北侧,占地面积约13333平方米,有教学综合楼一座,建筑面积6960平方米。党校挂科尔沁右翼前旗行政学校、科尔沁右翼前旗社会主义学院和中共兴安盟委党校科右前旗分校、中共海淀区委党校教学研究基地、北京林业大学党建研究基地、北京林业大学教授团工作站、北京林业大学教学研究基地、北京林业大学学生社会实践基地八块牌子。内设校委办公室、教学研究办公室、组织教育办公室、电教中心、对外培训办公室、行政管理办公室、图书管理办公室、党建办公室八个职能科室，党校实行校委会领导体制，校长由旗委常委、组织部长担任，由常务副校长主持日常工作。

【培训办班】 全年共举办各级各类主体班次13期、培训1909人次，其中科级干部培训班次2期、培训292人次；年轻干部政治能力提升暨十九届六中全会精神专题培训班次1期、培训40人次；入党积极分子培训班次1期、培训172人次；公务员培训班次6期、培训1101人次；"乡村振兴大讲堂"暨嘎查村书记全员轮训培训班次2期、培训224人次；非主体班次全旗事业编制人员入职培训班次1期、培训80人次。此外，"三送"沉浸教学培训136场次、培训2089人次；青年干部培训班1期、培训48人次。培训班严格按照《党校工作条例》规定，每期班课程设置完成理论专题占比75%、党性教育占比25%。

【教研成果】 教科研一体化建设是党校高质量发展的客观要求。2022年旗委党校在全区重点调研课题申报和盟社科联课题立项取得优异成绩。其中，全区党校系统重点调研课题"加快探索推动'绿水青山'向'金山银山'转化典型案例研究——以内蒙古兴安盟为例""关于内蒙古兴安盟科右前旗乡村治理发展的思考与探索"已顺利通过盟级初审；"'党建引领'规范基层党组织建设路径研究""乡村振兴战略背景下农村人居环境整治的现状与探究""兴安盟'绿水青山'向'金山银山'转化路径探究"三项课题经盟社科联评审予以立项；学术成果《乡村振兴背景下农村人居环境治理研究》刊发于河南科技报《科技研究》。

【师资建设】 聚焦高质量发展对干部能力素质提出的新要求，旗委党校根据不同类别、层次、岗位干部的个体履职需要，改变传统"一试到底"的试讲模式，依据各类培训班的培训需求，有针对性不定期开展，实现新课试讲常态化、规范化、制度化。并通过多轮新课试讲，发现问题、提出意见、及时改正、杜绝事故，确保党校姓党、党校教师姓党。同时，为不断提高教学质量和水平，成立教案及课件审核工作小组，严把教学质量关口，不断提高课程教学质量。在网课学习上，2022年青干班打破以往"凝固式课件推送自学"模式，成功尝试"腾讯视频会议"直播方式授课学习，直接将教室搬到"空间"管理，学员反映效果良好。教学方式实现新突破，2022年创建红色音乐党课和草原讲党课品牌，其中音乐党课多次在盟旗大型舞台上演出。

【管理服务】 激发队伍活力，提升整体效能，形成团结、求实、勤奋、向上的优良校风，充分展现爱岗敬业、乐于奉献、以身作则，勇于担当的师德风貌，工作用心，主动向前靠的风气逐步构成。推动自身提质，提高服务质效，为提升教师的教学能力水平，旗委党校不断更新以人为本的管理理念，始终坚持全员参加宣讲，集体备课主张"人人参与、人人张口"，鼓励教师积极参与各项比赛，教师能力素质有新的提高。以老带新传帮带，以新促老共成长，根据年龄、教龄、职责、所学专业选派指导教师，发挥以老带新的优势，帮助新教师缩短知识、能力的转换过程，更快更好的转型，通过"以老带新""以新促老"的形式，充分发挥以学促导、导学相长的作用。参加教学活动，提升教学教研能力。为提升教师的教学水平，给教师创造提升的平台。在全盟党校系统开展"四史"精品课比赛中，旗委党校认真组织安排精品课比赛活动，荣获全盟"四史"精品课程荣誉；选派老师参加"理响新征程"兴安盟理论宣讲大赛获得最佳风采奖；在"喜迎二十大 理响新征程"兴安盟理论宣讲故事分享会。

【疫情防控】 按照上级要求，做好本单位和包联小区疫情防控工作。2022年开展2轮包联小区全员核酸检测培训及实战演练，落实岗位职责，细化检测流程，做好核酸检测备战工作。认真开展"敲门行动"，组织教职工深入帮扶嘎查村和包联小区核实户籍底册、排查流动人口和摸清接种疫苗情况，为开展核酸检测工作做好充分准备。动员60岁以上未接种疫苗人员开展疫苗接种。在兴安盟发现新冠本土确诊病例以来，组织全体教职工在包联小区共开展18轮核酸检测工作。

（单榕彦）

档案史志

【概况】 2021年3月因机构改革科右前旗档案馆和科右前旗党史地方志局整合组建科右前旗档案史志馆。科右前旗档案史志馆为中共科右前旗委员会直属公益一类事业单位，业务由旗委办公室管理，机构规格为正科级，内设综合办公室、档案业务股、史志业务股3个股室。

【档案指导移交】 完成"两类"档案的指导移交工作。档案史志馆发挥职能职责，不断加强督促指导，对涉及脱贫攻坚档案的22家旗直成员单位和14个苏木乡镇以及疫情防控8家成员单位，开展多轮互动式现场培训，手把手指导"两类"档案整理工作，同时将此项工作作为执法检查重要内容纳入年终档案工作考核目标中。完成脱贫攻坚和疫情防控2020年度档案的接收工作，共计接收2100卷9000余件。2021年度疫情防控档案已全部接收进馆。

【档案业务监督检查】 开展"双随机、一公开"档案抽查工作。为进一步促进全旗档案工作管理水平的提升，2022年9月，与旗档案局联合开展档案"双随机、一公开"工作，随机抽检17家旗直部门及重点企业，检查内容主要包括组织保障、干部队伍建设、建章立制、档案整理及保管、信息化建设、违纪违法行为等几大项。通过执法检查，提高各地各部门对档案工作的重视程度，促进档案工作管理水平。

【档案业务指导】 继续加强对全旗档案业务指导工作力度，对旗直部门、苏木乡镇、重点国有企业的档案室建设、档案安全保管、档案业务指导和移交、查阅利用服务等项工作列为工作重点逐项推进。2022年，共指导旗直部门、苏木乡镇及重点国有企业共33家，指导、接收23家涉改单位档案300余卷800余件。

【档案信息化建设】 制定《科右前旗档案信息化建设规划》《科右前旗档案信息化实施方案》，同时推进"存量数字化"工作，并与旗民政局联合对23811件婚姻档案进行数字化录入，占馆藏婚姻档案总数的50%。

【档案利用】 提升档案安全保管意识。加强依法依规开放档案审核工作，简化档案查阅流程，开展异地查阅和午间查阅工作机制。2022年，共接待查阅者2000余人，提供查阅及利用档案2万余卷(件)。同时筑牢档案安全防线，牢固树立安全责任意识，不断健全完善库房各项安全管理制度和"九防"措施，确保档案资料得到安全妥善保管。结合执法检查工作，对全旗各地各部门档案室及库房建设情况开展摸底调查、统计上报与安全隐患排查处置工作。

【基层档案管理体制建设】 2022年，全旗15个苏木乡镇(中心)财会档案、脱贫攻坚贫困户类档案已实行"嘎查(村)档案苏木乡镇代管"模式。同时指定专人对党史学习教育、重大建设项目、重大活动、重点工程等档案资料进行指导，并将此项工作纳入档案工作年度考核目标。

【红色档案】 2022年打造红色档案展览库，充分利用馆藏资源，建成以"党的光辉照边疆、草原儿女心向党"为主题的红色档案展览库，展库内容主要以内蒙古自治区人民政府成立前后以及社会主义建设时期的红色档案为主，充分发挥档案文化教育功能，传承红色基因。

利用馆藏红色档案资源，邀请旗融媒体中心拍摄"庆祝二十大 档案颂辉煌"微视频，为庆祝党的二十大胜利召开献礼。

【地方综合年鉴编纂】 完成《科尔沁右翼前旗年鉴》(2021卷)、《科尔沁右翼前旗年鉴》(2022卷)收集、整理、编辑工作，已送出版社审稿。

【志书蒙古文翻译工作】 完成《科尔沁右翼前旗志》(第一部志)汉译蒙工作，并于2022年2月完成印刷出版。

【年鉴供稿工作】 完成《内蒙古年鉴》(2022卷)、《兴安年鉴》(2022卷)科右前旗条目文稿的编辑上报工作及《内蒙古大词典》科右前旗词条的补充及修改工作。

【党史编研】 制定《科右前旗社会主义革命和建设时期党史专题资料征集工作方案》，组织成立领导小组，将资料征集工作列入2022年度工作重点，已挖掘整理出1949—1957年永久档案共768卷、长期档案共132卷，1号全宗精选后25卷，3号全宗"四清"运动材料。

【资料审读】 配合盟、旗两级宣传部门协助巴日嘎斯台乡"红色党支部""努图克旧址""烈士纪念馆"等红色旅游项目展陈大纲、版式稿、解说词的审读；为巴日嘎斯台乡、察尔森镇旅游名镇建设提供文字资料；协助审读"科右前旗红色资源概览"，并根据史料记载出审读意见；对全旗境内的博物馆、烈士陵园、烈士墓(碑)等材料进行审读，并查阅相关史料出审读意见。

【史志开发利用】 全年共接待查阅资料者45人次，提供文献资料50余次。配合盟老促会和旗委宣传部查阅《兴安盟老区红色遗址遗迹现状考证记录》相关材料。

(谢斯琴)

党群服务中心

【概况】 截至2022年年末，科右前旗党群服务中心所辖五个城市社区人口统计约为：碧桂园社区9182户22016人；科尔沁社区7870户20761人；兴科社区9678户21182人；札萨克图社区1906户5038人；永宁社区2712户6664人。党群服务中心作为旗委直属公益一类事业单位，承担贯彻落实党中央关于党群、党建工作的方针政策和自治区党委、盟委、旗委决策部署，同时还承担5个城市社区的建设、管理、监督、服务等工作职能。

【社会服务】 以常规工作为抓手，扎实推进城市社区平稳有序健康发展。广泛开展社会事务服务，保障居民各项权益。实施低保动态管理，对城市社区享受低保人员核查清理并重新认定，做到应保尽保，应退尽退，切实保障困难群体利益。启动临时救助金救助困难群众8名。引进兴安家政零工市场入住兴科社区，举办招聘会3场，参与居民达500余人，摸排辖区内5000余条零工师傅信息，提升社区就业服务水平。兴科社区被民政部评为"先进基层群众性自治组织"。成立社区级残疾人协会，建立71个残疾人户籍档案，为残疾人配发辅具、进行无障碍改造。完善社会养老服务体系，升级改造碧桂园社区养老服务站和札萨克图养老服务综合体建设，除永宁社区外其他城市社区均改造和完成养老服务建设。开展红十字会工作，札萨克图社区获得全国红十字模范单位。申领退役军人优待证820个，办理建档立卡档案异地维护918人，悬挂光荣牌454个。主动对接业务单位，全力服务经济社会发展。开展2021年及2022年出生人口核对工作；完成280家基本单位在库企业的变更、新增，17家"四上"及"疑似四上"企业的实地核查，2022年人口抽样调查建筑物核查及620家抽中住房单元的入户工作等多项统计调查工作。开展助企纾困，帮扶企业共渡难关。中心干部以座谈交流、走访慰问等形式向52家民营企业宣传兴安盟惠企政策汇编，为企业提供政策参考，共计开展6轮，促进企业健康良好发展。扎实开展驻村帮扶工作，助力乡村振兴。联合盟直机关工委共同筹措资金2万元，在居力很镇南沟村荒山上栽植山杏树1500余棵，均已成活；针对南沟村重点人群进行回访，完善农牧民收入倍增系统数据录入，结对帮扶23户。

【城市基层治理】 以重点工作为靶向，开创城市基层治理新局面。持续开展创城工作，提升社区文明创建水平。丰富创城宣传载体，开展各类活动330余场次。完成创建第七届全国文明城市内蒙古自治区复验收及自治区级文明城市复检两次区级检查。集中开展三次环境卫生整治行动，加强札萨克图现代设施农业园平房区环境整治。联合执法拆除乱搭乱建60余处，规范治理门市垃圾堆放100余处。构建多元协商共治联席机制，为城市社区治理"聚力"。创新推出党组织引领下的"四级联动、八方联席"社区多元协商共治主题联席会议机制，已开展联席会议2轮，共召开定期联席会议98次，临时联席会议5次，累计收集群众急难愁盼问题230件，154个"群众点单"的小区治理问题得到解决，环境卫生、垃圾分类等35条问题实现常态化推进。被《中国日报》《工人日报》《光明日报》《环球时报》《中国社区报》等多个媒体宣传报道，兴科社区也因此获得全国先进基层自治组织荣誉称号。推进创新试验区建设，为城市社区治理"固本"。选取"培育邻里守望相助的社区精神"课题进行实验，创新提出"一站、一约、一制、一队、一会、一活动"的"六个一"邻里守望相助促进体系，其中以联席会为载体的社区多元协商共治机制，典型做法被内蒙古民政部、北疆先锋宣传报道。加强小区综合治理，优化提升小区面貌。组织指导成立小区的业主委员会，配合开展小区的住宅专项维修资金使用工作。协调相关部门建设电动车充电点位、施划小区停车位、修补楼体外墙、修补坑洼路面、公共管道维修100余处。协调执法部门加强小区执法管理，深入整治小区野广告、楼体飞线、占用消防通道等问题。完善社区准入制度，界定社区职责边界。推动建立健全社区公共服务事项准入制度，走访调研各社区公共事务办理目录63项，按照"权随责走、费随事转、事费配套"的原则，制定社区应出具及不应出具证明、应办理及不应办理事项、协助办理事项五个清单，切实减轻社区行政事务负担。铸牢中华民族共同体意识，深化社区民族团结工作。成立铸牢中华民族共同体意识促进会队伍5支。按照一区一品一特色规划社区铸牢中华民族共同体意识活动。北京市海淀区马连洼街道梅园社区与兴科社区签订结对共建互助共建协议，协调海淀区两家企业为兴科社区注资10万元用于社区建设，实现共同发展共同进步的共建目标。全面开展文化主题活动，不断丰富民族团结活动形式。兴科社区荣获自治区文化和旅游厅"非遗在社区"示范社区。

【疫情防控】 做好常态化疫情防控，筑牢社区疫情防控网。线上线下联动宣传，提高居民防控意识。做好风险人员排查管控工作，严格落实"五包一"工作制度，共梳理上报中高风险地区往返人员13591人，其中居家隔离2861人，健康监测5463人，三天两检、三天三检、五天五检等需做核酸人员5267人。建立消杀队伍，针对重点区域，集中开展卫生清理、消毒。兴科社区被自治区团委评为疫情防控先进组织。做好全员核酸检测保障工作，助推高效率完成检测任务。摸清人口底数，研究制定辖区常住人口、流动人口明细表，实现动态管理。规范设定核酸采样点，研究制定并不断完善中心及各城市社区的全员核酸检测方案、预案。广泛开展新冠疫苗接种宣传工作。做好静默期间民生服务保障工作，确保居民生活秩序平稳。静默期间，累计上门配送生活物资1961次，送药上门604次，护送就医524次，解决出行不便之困。做好在呼和浩特市（呼市）学生返乡工作。接收呼市返乡学生478人，其中集中隔离72人，居家隔离406人，完成居家隔离返乡学生交接转运任务，确保闭环管理。

【平安建设】 推动纪律作风整顿工作，营造良好工作氛围。开展党内政治生活庸俗化交易化问题集中治理，抓紧抓实党内政治生活。推进平安建设，打造和谐稳定的社区环境。坚持平安建设工作例会制度和督查制度，全年集中开展"平安建设暨命案防控宣传活动"17次，发放宣传单4000余份。抓好"五个专项行动"和"四个任务"工作落实，排查重点人员724人，排查化解矛盾144次，依法取缔非法宗教聚会1次。开展安全隐患排查2次，提高辖区小作坊的安全意识与安全生产保障能力。开展法律宣传进社区，提升居民法律素质。开展民法典宣讲及"反诈"知识小课堂活动26次，参加群众达300余人，提高群众的法律意识和法治观念。

（程　娜）

科尔沁右翼前旗人民代表大会

概　　述

重要会议

主要工作

旗人大常委会办公室

科尔沁右翼前旗人民代表大会

概述

【概况】 2022年，是科右前旗第十八届人大及其常委会依法履职的第一年。科右前旗第十八届人民代表大会下设法制委员会、财政经济委员会2个专门委员会。2022年1月科右前旗第十八届人民代表大会第一次会议选举产生科右前旗第十八届人大常委会，常委会内设办公室、监察和司法工作委员会、财政经济工作委员会、教科文卫工作委员会、农牧业工作委员会、人事代表选举工作委员会，办公室下设预算网络服务中心。2022年，科右前旗人大常委会在旗委的坚强领导下，以习近平新时代中国特色社会主义思想为指导，深入学习宣传贯彻党的二十大精神，坚持党的领导、人民当家做主、依法治国有机统一，依法行使监督权、决定权、任免权，积极参与民主立法，不断发展全过程人民民主，扎实推进"四个机关"建设，全年共召开人大常委会会议7次，主任会议10次，听取审议专项工作报告13项，为推动科右前旗高质量发展和民主政治建设作出了积极努力。

重要会议

【人民代表大会会议】 2022年1月6日至9日，科右前旗第十八届人民代表大会第一次会议在科尔沁文化中心召开。会议审议通过《科右前旗人民政府工作报告》《科右前旗2021年国民经济和社会发展计划执行情况与2022年国民经济和社会发展计划草案报告》《科右前旗2021年财政预算执行情况和2022年财政预算草案报告》《科右前旗人民代表大会常务委员会工作报告》《科右前旗人民法院工作报告》《科右前旗人民检察院工作报告》，并作出相应决议。会议选举产生旗第十八届人大常委会主任、副主任、委员，旗人民政府旗长、副旗长，旗监察委员会主任，旗人民法院院长，旗人民检察院检察长，表决通过了旗第十八届人民代表大会财政经济委员会、法制委员会。对2021年政府民生实事项目完成情况开展满意度测评，票决产生科右前旗2022年政府民生实事项目8项。会议期间共收到代表建议113件。

【常务委员会会议】 2022年，科右前旗第十八届人大常委会召开7次常委会会议。

3月8日，科右前旗第十八届人大常委会召开第一次会议。旗人大常委会主任王家博主持会议。"一府一委两院"及政府组成部门联系人大工作副职领导列席会议。会议审议通过《旗人民政府关于兴安盟开发区项目征占用科右前旗基本草原调整"占补平衡"的请示》、旗十八届人大常委会2022年工作流程、旗人大常委会部分工作制度草案及修订草案，表决通过旗十八届人大常委会代表资格审查委员会，补选自治区第十三届人民代表大会代表。会议表决通过接受辞职事项，任免国家机关工作人员35人。

5月7日，科右前旗第十八届人大常委会召开第二次会议，王家博主持会议。会议审议通过《科右前旗人民政府关于国家通用语言文字推广普及情况的报告》《科右前旗人民政府关于农牧民专业合作社运行情况的报告》《乌兰毛都立法联系点参与全区立法工作"123"计划补充方案》《关于个别代表的代表资格报告》，审议批准《关于开展法治宣传教育的第八个五年规划（2021—2025年）》。会议任免国家机关工作人员8人。会议邀请旗委党校老师作"走好必由之路 一起向未来"专题讲座，人大常委会组成人员进行集体学习。

7月27日，科右前旗第十八届人大常委会召开第三次会议，王家博主持会议。会议审议通过《科右前旗人民政府关于国有资产综合管理情况的报告》，任免国家机关工作人员18人次。

9月15日，科右前旗第十八届人大常委会召开第四次会议。旗人大常委会主任王家博主持会议。会议审议通过《科右前旗2022年预算调整方案的报告》《科右前旗2021年财政决算草案和2022年1—6月份预算执行情况的报告》，任免国家机关工作人员1人。

10月28日，科右前旗第十八届人大常委会召开第五次会议，王家博主持会议。会议审议通过《科右前旗2022年1—6月份国民经济和社会发展计划执行情况的报告》《科右前旗2021年度本级财政预算执行和其他财政收支情况的审计工作报告》《科右前旗人民政府关于2022年代表建议办理情况的报告》《科右前旗人民法院关于环境资源审判工作情况的报告》，听取《科右前旗人大法制委员会关于规范性文件备案审查工作情况报告》。会议表决通过接受辞职事项，任免国家机关工作人员17人。

11月21日，科右前旗第十八届人大常委会召开第六次会议，王家博主持会议。会议接受部分旗十八届人大代表辞去代表职务的申请，审议通过《科右前旗人大常委会关于选举和补选旗十八届人大代表的决定》《科右前旗第十八届人大代表选举和补选工作实施方案》和科右前旗选举委员会组成人员名单。

12月16日，科右前旗第十八届人大常委会召开第七次会议，王家博主持会议。会议审议决定关于召开科右前旗第十八届人民代表大会第二次会议有关事宜，审议通过科右前旗人民政府关于法治宣传教育第八个五年规划贯彻落实情况的报告、关于科尔沁镇城区物业管理情况的报告、关于《中华人民共和国旅游法》实施情况的报告、关于政府性债务管理情况的报告。审议通过《科右前旗第十八届人大常委会代表资格审查委员关于个别代表的代表资格报告》《科右前旗人大常委会工作报告（审议稿）》，表决通过了科右前旗第十八届人大常委会代表资格审查委员会名单。

主要工作

【审议决定重大事项】 坚持科学决策、民主决策、依法决策，严格依照法定权限，遵循法定程序，紧扣全局性、长远性、根本性的重大问题，作出调整预算、《关于开展法治宣传教育的第八个五年规划（2021—2025年）》等决议决定5项。

【监督工作】 全面贯彻习近平生态文明思想，聚焦生态文明建设，开展环境资源审判工作专题调研。聚焦铸牢中华民族共同体意识，开展国家通用语言文字专题调研，进一步提高全旗国家通用语言文字普及水平。聚焦产业振兴，开展农牧民专业合作社运营情况专题调研，以产业振兴助力乡村振兴。聚焦大力发展红、蓝、绿"三色旅游"，开展《中华人民共和国旅游法》执法检查，依法规范发展壮大全旗旅游业。围绕全国文明城市创建，关注城市居民生活质量提升，视察科尔沁镇城区物业管理情况。审查计划、财政、审计工作报告，专题调查国有资产综合管理情况和政府性债务，常态化推进预算联网监督，助力财政预算执行一体化进程。开展"八五"普法专题调研，围绕规划贯彻落实、普法责任制落实、法律"六进"活动提出意见建议。

【代表工作】 落实"双联系"制度，畅通人大常委会组成人员与人大代表、人民群众的联系渠道。开展代表建议办理工作专题调研，跟踪督办代表建议110件，对办理结果不满意的2件建议进行重新交办。组织代表参加"一府一委两院"及其有关部门召开的座谈会、听证会、评议会33人次。依托科右前旗智慧人大平台，为215名旗级人大代表和832名苏木乡镇人大代表全部建立履职账号和履职档案。以提升代表政治素养为重点，采取邀请党校老师宣讲、组织阜外考察、举办培训班等多种形式，组织各类专题培训7次。全面监督票决制工作，组建专项工作监督小组，开展"一对一"全过程监督，对各项目实施情况进行月监督、月通报，建立健全监督框架和反馈机制，推动解决项目实施过程中的困难和问题。

【参与立法工作】 全面推进参与全区立法工作"123"计划。本年度，在全旗范围内选聘信息员100名、专家库成员20名，设立联络站30个，切实拓宽了人民群众有序参与立法的途径。依托自治区人大常委会乌兰毛都立法联系点，全年围绕13部法律法规（草案）征求意见建议131条，形成修改建议79条，被上级人大采纳20条。

【人事任免】 坚持党管干部原则与人大依法行使任免权相统一，任免地方国家机关工作人员79人次。严格执行任前考法、供职、宪法宣誓制度，进一步增强新任职人员的宪法意识、责任意识、为民行权意识。

【自身建设】 深入学习习近平新时代中国特色社会主义思想和党的二十大精神，落实人大常委会党组、人大常委会学习制度，通过党组理论学习中心组学习、专题研过交流、领导干部讲党课等方式持续深化理论学习成效。持之以恒加强作风建设、纪律建设，坚定不移推进党风廉政建设和反腐败斗争。落实中央八项规定精神，改进工作作风，人大常委会领导和机关干部累计深入基层集中开展调查研究16次。加强和规范人大常委会、专门委员会设置，制定、修订《科右前旗人大常委会各工作机构职责》等工作制度7项，为常委会议事履职提供制度保障。落实人大常委会党组、人大常委会机关例会学习制度，累计召开各类学习会议32次。加强人大工作新闻宣传和理论研究，在盟级以上媒体发稿16篇。接待群众来信来访27件次，全部转办办结，做到件件有着落，事事有回音。持续加强工作联动，先后承接全国人大民族委员会、浙江省人大常委会等区内外人大工作者考察交流11批次，配合自治区人大常委会、盟人大工委开展视察、调查、执法检查等活动17次。印发《全旗人大工作评价办法（试行）》，不断加强对苏木乡镇人大工作的指导,旗乡两级人大切实形成了工作合力。印发《关于进一步加强旗人大常委会各工作机构与旗直部门工作联系的通知》,人大常委会机关与"一府一委两院"的工作联系进一步加强,相关部门接受人大常委会法律监督和工作监督更加自觉。

旗人大常委会办公室

【概况】 旗人大常委会办公室是科右前旗人大常委会的综合服务机构,下设预算网络服务中心,对外增挂科尔沁右翼前旗人大常委会办公室综合保障中心牌子。

【办文办会】 人大常委会办公室立足于服务大局、服务领导决策的需要深入调查研究,撰写各类报告、领导讲话、经验交流等综合性材料50余篇。做好各类会议的组织、服务工作,全年共筹办人代会1次、常委会7次、主任会9次,会议质量不断提高。积极发挥参谋助手作用,先后协助人大常委会开展国家通用语言文字使用情况、环境资源审判工作情况、农牧民专业合作社运营情况等视察调查活动8次、执法检查1次。认真做好常委会党组会议、主任会议确定的各项工作及研究事项的跟踪落实,督促各项工作按时限、按要求全面完成。

【自身建设】 以筑牢党员思想根基为抓手,常态化开展政治学习,严格落实"三会一课"制度,全年组织召开机关党组会17次,党员大会8次,支委会10次,民主生活会1次,组织生活会1次,先后组织开展"强思想 展担当""庆'七一'·喜迎二十大"等主题党日活动11次。加强人大工作新闻宣传和理论研究,在盟级以上媒体发稿16篇。扎实推进市域社会治理现代化,落实"四乡工程",积极参与全国文明城市创建活动,全面完成了人大常委会机关承办的各项工作任务。

(王燕飞)

科尔沁右翼前旗人民政府

概　　述
重要会议
重要文件
旗政府办公室
政务服务（行政审批）
信访工作
科右前旗产业园
现代农牧业园区管委会
民　　政

应急管理（安全生产监督）
科尔沁右翼前旗消防救援大队
乡村振兴
扶贫开发投资
人力资源和社会保障
医疗保障事务
民族事务
机关事务服务

科尔沁右翼前旗人民政府

概 述

【概况】 全旗地区生产总值完成128.79亿元,同比增长2.9%;固定资产投资完成68.29亿元,同比增长0.7%;规模以上工业总产值完成25.61亿元,同比增长45.32%;社会消费品零售总额完成19.81亿元,同比下降0.6%;一般公共预算收入完成4.79亿元,同比下降10.85%;一般公共预算支出完成了50亿元,同比增长10.72%;城乡常住居民人均可支配收入分别达34466元和15632元,同比分别增长6.5%和9.2%。

【深入贯彻党中央重大决策部署】 2022年,全旗上下坚持以习近平新时代中国特色社会主义思想为指导,全面贯彻落实党的十九大、党的二十大精神,弘扬伟大建党精神,坚持稳中求进工作总基调,完整、准确、全面贯彻新发展理念,加快构建新发展格局,不断深化改革开放,推动高质量发展,坚持以供给侧结构性改革为主线,统筹疫情防控和经济社会发展,统筹发展和安全,持续改善民生,着力稳定宏观经济大盘,全旗经济社会呈现趋势向好、结构更优、动能转强、效益提升的高质量发展态势。

【推动项目建设提质提效】 坚持以重大项目为主抓手,紧紧围绕产业转型升级、基础设施建设、民生事业保障,千方百计扩大有效投资,筑牢经济发展"压舱石"。全年实施重大项目40个,总投资253.8亿元,年内完成投资63.8亿元。中广核风电项目实现并网发电,成为国内首个单体百万千瓦级陆上风电投产项目。伊利5G液态奶智能制造项目试车生产,中央储备粮仓储项目破土动工,华能20万千瓦风电项目进展顺利,天瑞华府、观湖兴景等一批房地产项目竣工投用,重大项目点燃旗域经济高质量发展的"强引擎"。储备入库索伦抽水蓄能、中核绿色供电、黑羊山通用机场等重大项目46个,总投资319.3亿元,实现项目梯次接续、滚动发展。招商引资成效显著,积极对接巴音孟克、华莱士、澎派农业等企业,签约项目39个、协议总投资125亿元,到位资金50亿元,完成全年任务的129%,增速位列全盟第一。

【夯实固农兴牧发展格局】 始终坚持把解决好新发展阶段"三农三牧"问题作为重中之重,着力调整产业结构,扎实推动乡村振兴,闯出了全员出击、共同致富的精彩篇章。一是脱贫成果持续巩固。围绕"两不愁三保障""一高于一安全",深入落实防返贫动态监测和帮扶机制,全年开展动态管理4次,及时跟进帮扶措施,消除了1094人返贫致贫风险。投入资金837万元,实施易地搬迁后续扶持项目,群众生活幸福感、满意度不断提升。扶贫资产清产核资工作有序推进,分级分类完善"三本台账",20.7亿元扶贫资产持续保值增值。二是乡村振兴稳步向前。我旗成功晋升为自治区乡村振兴先行示范旗，全年争取各级各类资金3.7亿元，141个兴产业、补短板、惠民生项目全面建成投用。深入实施人居环境整治行动，在全区率先启动垃圾源头减量、卫生厕所改造、生活污水治理一体化等项目，"田水路林村"风貌显著提升。持续完善联农带农机制，带动群众户均增收3600元以上，让小庭院成为增收"聚宝盆"。京蒙协作、中央单位定点帮扶、厅局帮扶、社会帮扶成绩斐然，"万企兴万村"行动卓有成效，农畜产品年度进京销售额达7588万元。三是产业结构调整优化。全旗粮食产量突破30亿斤，实现"十三连丰"。实施东北黑土地保护性耕作约5.3万公顷、深松作业约4.27万公顷、高标准农田1.07万公顷，打造绿色高效增粮示范基地约3533公顷。流转土地约5.3万公顷，农作物综合机械化率达88.2%。成功争取自治区级"大豆制种大县"项目，种植带状复合4000公顷，新品种示范推广4000公顷。围绕"小沙果、大产业"，新建高标准果园约133公顷，全旗林果总面积达约1.53万公顷。认证绿色食品标准化生产基地约17.13万公顷，23个农产品入选全国"名特优新"产品名录。科右前旗被评为"全国农作物病虫害防控推广基地"，旗农技推广中心被评为"全国五星基层农技推广机构"。四是发展动能持续增强。总投资32亿元的4座万头牧场竣工投运，总投资6亿元的修刚云端牧场项目进展顺利，传统乳制品文化产业发展中心建设完成，全旗奶牛存栏5.8万头，年产奶量突破33万吨。"肉牛产业再造行动"成效明显，发放贷款2.1亿元。新增肉牛规模化养殖场5处，肉牛存栏32万头。新建肉羊规模化养殖场2处，新增家庭农牧场10家，规模化养殖比重达65%，全旗肉羊存栏达380万只。总投资29亿元的德康百万头生猪产业一体化项目平稳运行，12个厂区主体建设全面完成，新建千头家庭猪场2个，全旗生猪年出栏突破50万头。牧业年度牲畜存栏445万头（只、口），现代畜牧业"前旗样板"见效成势。五是草牧产业快速起步。秸秆综合利用项目有序推进，全年消纳秸秆125万吨，转化利用率达90%以上。中草药种植突破4000公顷，成功承办"中国中药材产业高质量发展大会"，向蒙东地区北药集散地迈出了坚实一步。申请首批国有草场试点约2.75万公顷，实施草原生态修复800公顷、退化草原改良约6666.67公顷、毒害草治理2000公顷。种植中科羊草约533公顷，年产优质牧草5.1万吨。成功承办中国内蒙古第四届牧草产业大会，阿力得尔草产业园区一期投入运营，引进蒙草、蒙树、草都等7家国内草业龙头企业，"立草为业、草牧并举、草畜一体化"的发展格局初步形成。

【**工业经济快速发展**】 牢固树立"大抓工业、大抓产业"的鲜明导向，以园区为节点、以企业为支点、以项目为重点，全面提升产业链、创新链、供应链协同发展水平。一是工业重点项目高效推进。实施千万元以上工业项目17个，完成投资24.2亿元，新增规上企业4家，总数达25家。中药科技产业园、东瀚无人机等6个项目主体完工。水发沙果精深加工、鑫特康物流等12个项目开工建设。玄武岩纤维拉丝、智慧农业示范等17个项目快速推进，工业经济高质量发展再添"新动能"。二是企业发展活力持续释放。乌兰泰安大化肥项目顺利升规，艾郎风电完成技改升级，希倍优制氢装备制造试车生产，创新发展成为企业加速前进的第一动力。天星园马铃薯产业园建成投用，宏达压铸实现满产满销,荷丰农业全年稳定生产,德康饲料、科尔沁王酒业等骨干企业稳中有进,全旗工业经济的大好来势正在加速形成。三是园区承载能力不断提升。大石寨街、好仁街等配套道路建成通车,水电气暖等基础设施互联互通。工业污水处理厂改扩建项目主体完工,固废综合处理项目建成投用。工业园区累计入驻企业达113家,完成投资81.6亿元,年均增长8.4%,形成了特色引领、园区带动、产业集群的经济发展新格局。

【第三产业不断壮大】 探索旅游产业创新融合新途径,抢抓商贸物流联动共赢新机遇,展现金融服务多措并举新气象,现代服务业成为拉动经济增长的新动能。一是全域旅游高位推动。"前·海"驿站、野奢帐篷客等项目进展顺利。草原宿集、百年古榆民俗度假村等项目建成投运。察尔森水库、金马鞍景区成功晋升为国家3A级景区,察尔森嘎查荣获"自治区乡村旅游重点村""中国美丽休闲乡村"称号。承办第九届全区乌兰牧骑艺术节暨2022·兴安盟那达慕,活动期间圈粉破亿。《欢乐城市派》《乡村振兴中国行》《瞭望中国》等栏目高频聚焦,掀起全旗品牌旅游推介新热潮。全年接待游客300万人(次),实现旅游收入11亿元,同比增长20%。二是商贸物流焕发新机。举办汽车文化节、伊德根文化节等展洽活动9场(次),承办全盟"消费扶贫月展销活动",拉动消费2亿元。全旗电子商务交易额突破4亿元,同比增长14.5%。梦幻塔拉游乐园投入运营,"前·海"不夜街等夜间消费震撼来袭,持续释放新"夜"态潜力。三是金融服务质效并举。争取地方政府债券7.3亿元,化解政府债务5.2亿元,连续4年超额完成化解任务。金融机构存贷款余额达108亿元和115.7亿元,同比增长18.2%和16.1%,存贷比达107.1%。国有参股动产质押监管公司组建完成,进一步拓宽了农牧民融资渠道。通过中小企业融资服务平台投放贷款18.7亿元,受益企业162家,金融服务实体经济能力大幅增强。

【城乡面貌明显改善】 坚持城乡融合、绿色发展、建管并重,以精致理念引领城市前行,改善生态环境生命线,由表及里改变了城乡外在形象和内在品质。一是城市功能不断完善。完成索伦街、学府街等6条市政道路,新增里程5.2公里。新建和改造给排水管网22公里、供热管网13.4公里。实施科尔沁湖、柳树川河生态治理等6项绿化工程,新增绿地面积15.5万平方米,人均公园绿地面积达49.9平方米,国家园林城市复检顺利通过初审。全年房地产开发面积47.9万平方米,改造危房179户,700余人实现安居梦。开展"城市精细化管理"专项整治,打造了干净整洁、美观有序、舒适宜居的生活环境。二是基础设施成效显著。乌兰毛都至金马鞍、乌兰河至乌兰敖都等旅游公路建成通车,国道331等5个道路项目强势推进,全旗公路总里程达3420公里。全面推进节约集约用地,完成增减挂钩项目约83公顷,预计收益3.6亿元。耕补库挖潜74公顷,实现收益3740万元。治理河湖岸线61公里、河道55.2公里,完成水土保持综合治理140平方公里。实施红旗66千伏输变电、宝格达山10千伏线路等39个电网改造工程。三是生态底色更加亮丽。坚持山水林田湖草一体化保护和系统治理,完成造林绿化约533公顷、草原建设任务15万亩。加大秸秆禁烧管控力度,空气质量优良天数比例保持在97%以上。全面做好水源地保护、入河排污口管理工作，国控断面水质均达Ⅲ类标准。合理划定"三区三线"，编制完成120个村庄发展规划，土壤污染分类管控不断深化，工业固废综合利用率达100%。河湖长制、林草长制实现双向发力，坚决守护生态底色，不负美丽前旗。

【保障民生福祉持续增进】 始终践行以人民为中心的发展思想，知民之深、爱民之切、敬民之重，持续加大民生投入，破解民生难题，用亲民之情，谋利民之事。一是民生保障稳步推进。人大代表票决的10个民生实事项目全部竣工投用，为人民群众带来了实实在在的获得感、幸福感、安全感。圆满完成年度"三保"工作，高质量解决历史陈欠账款，基本民生资金实现应保尽保。城镇新增就业1300人，登记失业率控制在2.9%以内。4个创新创业孵化基地入驻企业208家，带动就业2993人。在全盟率先打造5个线下零工"小市场"，激活了创新就业"大民生"。支出各类救助、补助资金2.3亿元，城乡低保标准分别提高4%和10%。建成碧桂园和兴科社区养老服务站，城镇养老服务设施覆盖率达95%以上。切实发挥"12345服务热线"连心桥作用，以政府暖心服务换来群众真心满意。二是教育事业蓬勃发展。深入实施"教育强旗"战略，学前教育、特殊教育普惠发展，义务教育优质均衡发展，高中教育多样化发展。深入推进职业教育产教融合、校企合作，职普融通更趋实效。完成教育基础设施投资5820万元，兴安海淀学校拔地而起，永兴小学独立办学，第三小学载梦起航。招聘各类教师281人，98名支教教师到岗授课。旗教育局被评为"全国关心下一代工作先进集体"，察尔森少年军校被评为全国"八一爱民学校"。三是卫生健康卓然进步。"健康前旗"建设成效显著，分级诊疗服务体系持续完善，急诊急救中心通过全区初审。基层医疗机构中蒙医药服务率达100%，全旗城乡居民参保率稳定在95%以上。疾病防治、妇幼保健服务能力稳步提升，"一老一小"保障体系不断健全。完成3栋840间集中隔离用房标准化改造，配套建设100间防疫人员箱式房屋，应急处置能力全面增强。四是文化体育交融共进。在全区率先实行"文化村长"，齐峰、乌兰图雅等23名文艺工作者助力乡村文化振兴。杨澜、任贤齐等近500位名人聚力点赞，前旗美誉度、知名度全面提升。旗图书馆正式开馆，"公共文化云"平台成功启动，云端文物鉴赏录制有序推进。"三美家园·书香前旗"品读会成为全区唯一国家级文学重点扶持项目。乌兰牧骑开展文艺演出百余场次，在第九届全区乌兰牧骑艺术节中荣获团体金奖。体育事业多点开花，成功斩获全区青少年田径锦标赛四金两银。旗足球协会正式成立，更大范围普及和推广了足球运动。五是社会大局和谐稳定。扎实推进法治政府建设，深化司法体制综合配套改革，察尔森嘎查被评为"全国民主法治示范村"。纵深推进"百日行动""双清双打"，全年刑事案件同比下降12.6%，平安前旗建设不断深化，市域社会治理现代化再上新台阶。全面铸牢中华民族共同体意识，推动新时代党的民族工作高质量发展。坚持和完善新时代"枫桥经验"，加强矛盾纠纷排查化解，解决了一批历史遗留信访问题。兴科社区被评为"全国先进基层组织"。食品药品安全监管不断强化，安全生产形势持续稳定。

【迈出改革开放重要一步】 以

改革增动力、以开放添活力、以环境强引力、以廉洁聚合力,激发了推动经济社会高质量发展的磅礴力量。一是深化改革再创新成绩。扎实推进"放管服"改革,助企纾困服务稳进提质。深入推进科技工作改革创新,在全盟率先成立科技事业发展中心。农村产权交易中心土地经营权抵押融资11439笔、贷款金额5.4亿元。全年退税减税降费10.8亿元,惠及1.7万户(次)纳税人。国企改革稳步推进,国投公司、城投公司等5家国有企业完成优化重组。持续深化供销系统综合改革,新建村级综合服务合作社22个,"832"平台销售额达2140万元。二是对外开放迈出新步伐。深入推进"前·海"科技创新创业谷建设,成功研发全盟首款沙果微生物功能性饲料。建立教授工作站2个、牛业胚胎移植实验室2个,旗内国家级高新技术企业达6家。开设"草地羊"北京旗舰店,百余种特色商品进入"首都商圈"。巴音同圆顺利实现对外贸易出口,井泉药业出口道地药材110吨。我旗被评为"县域外经贸破零增量示范县",全旗外贸进出口总额达18.5亿元。三是营商环境开启新篇章。全面落实"企业开办3.0""证照分离"政策,1069个事项进驻服务大厅,同比增长51%。全年办理事项41万件,"一窗受理"率达86%以上。深入开展"四办"工作,全程网办率达80%。全面深化政务服务体系建设,实现旗乡村三级政务服务事项集中办理,打通便民服务"最后一米"。清偿民营企业、中小企业账款近亿元。发放中小微企业贷款1500万元,全旗市场主体发展到2.7万户,全面构建了亲而有度、清而有为的政商关系。四是"五大起底"取得新突破。圆满完成沉淀资金大起底工作任务,清理盘活上缴资金6114万元、撤销账户26个。待批项目办结率达97.2%,补办项目办结率达100%。盘活了一批"半拉子"工程,以"存量盘活"实现"增量发展"。超额完成批而未供大起底工作,消化处置土地150.5公顷,有效促进了资源节约集约利用。成功盘活云天化农业公司,唤醒"沉睡资源",让"包袱"变成财富。五是政府效能实现新提升。坚持以党的政治建设为统领,捍卫"两个确立"、增强"四个意识"、坚定"四个自信"、做到"两个维护",严格落实意识形态工作责任制。自觉接受人大工作监督和法律监督、政协民主监督和社会监督,主动接受监察监督、媒体监督。全年办理人大代表建议99件、政协委员提案150件,办复率均为100%。严格执行中央八项规定及其实施细则精神,坚持过"紧日子"思想,持续创建节约型机关。深入推进廉政建设和反腐败斗争,政府自身建设和治理能力不断提升。

重要会议

【旗政府党组会议】 2022年,科右前旗政府共召开20次党组会议。

1月13日,旗委副书记、旗长王立东主持召开第1次党组会议,传达学习中央农村工作会议精神、传达学习党史学习教育总结大会精神等;研究《旗四大班子领导春节前走访慰问活动实施方案》、六所学校供电变压器增容项目工程款置换给付、林权确权调查等事宜。

1月24日,旗委副书记、旗长王立东主持召开第2次党组会议,研究收购平安村蔬菜园区、《科右前旗退役运动员安置实施方案》、旗城市建设重点项目服务中心法人变更、解决东瀚无人机农民工上访和退回"助保金贷款"引导资金等事宜。

2月22日，旗委副书记、旗长王立东主持召开第3次党组会议，研究乌兰毛都勿布林嘎查草原民俗文化旅游项目有关事宜、研究东瀚航空3000架无人机项目奖补资金拨付事宜、传达学习粮食流通管理条例、传达学习内蒙古自治区党委农村牧区工作会议精神。

2月27日，旗委副书记、旗长王立东主持召开第4次党组会议，研究清理拖欠民营企业账款、肖秀芳信访、工业园区以案促改等事宜。

3月19日，旗委副书记、旗长王立东主持召开第5次党组会议，传达学习盟委张晓兵同志在科右前旗调研时的讲话精神、加强草原保护修复的实施意见、第十九届中央纪律检查委员会第六次会议精神等，研究新冠疫情防控物资资金申请流程和拨付、设立兴安海淀学校、双创产业园现状及运营管理等事宜。

3月27日，旗委副书记、旗长王立东主持召开第6次党组会议，研究2022年京蒙协作资金计划、旗属国有企业优化重组改革方案、工业园区固废综合处理项目征地资金拨付、居力很镇征地资金拨付等事宜。

4月10日，旗委副书记、旗长王立东主持召开第7次党组会议，传达学习中央第三生态环境保护督察组督察内蒙古自治区动员会及石泰峰书记、王莉霞主席相关指示精神，研究旗国投公司对外提供抵押、归流河流域乌兰毛都苏木勿布林嘎查段河道清淤疏浚、盟级疫情防控集中隔离场所征收等事宜。

4月21日，旗委副书记、旗长王立东主持召开第8次党组会议，研究拨付旗信用联社以物化债抵债资产本金、启动门德沟至桃合木工程及拨付2021年专项工程配套资金、拨付固废综合处理项目资本金、完善万亩水稻观光园区毛渠衬砌项目相关手续等事宜。

5月5日，旗委副书记、旗长王立东主持召开第9次党组会议，传达学习2022年集中治理党内政治生活庸俗化交易化问题相关文件精神，研究2001年分流返岗人员信访诉求、兴安海淀学校设施设备购置、申报奶业振兴相关专项债等事宜。

5月18日，旗委副书记、旗长王立东主持召开第10次党组会议，传达学习习近平总书记对湖南长沙居民自建房倒塌事故作出的重要指示精神、孙绍骋同志在我盟调研时的讲话精神等，研究退役运动员安置、享受公务员医疗补助人员健康体检、增加城区绿化养护预算费用等事宜。

5月30日，旗委副书记、旗长王立东主持召开第11次党组会议，研究科右前旗"三区三线"初步划定成果、永兴幼儿园扩建项目征拆、学校消防未验收工程集中整治、拨付国家园林县城复查所需资金等事宜。

6月17日，旗委副书记、旗长王立东主持召开第12次党组会议，研究疫情防控资金拨付、工业园区小城镇基础设施建设项目资金拨付、察尔森西山公墓批准为经营性公墓等事宜。

6月28日，旗委副书记、旗长王立东主持召开第13次党组会议，研究失地农民生活补贴、拨付草原植被恢复费、传统奶制品标准化试点项目补贴资金及审议《传统乳制品产业发展试点工作实施方案》等事宜。

7月26日，旗委副书记、旗长王立东主持召开第14次党组会议，研究专项债券资金调整、旗文旅体局室外维修、增加城中草原基础设施、蒙佳粮油加工循环经济现代产业园项目推进等事宜。

8月31日,旗委副书记、旗长王立东主持召开第15次党组会议,研究涉企资金盘活、旗国投公司与岩威科技公司共同出资成立合资公司、2022年增减挂钩项目整合资金等事宜。

9月5日,旗委副书记、旗长王立东主持召开第16次党组会议,研究调整2022年财政预算、仪诺工程检测公司划转、城乡公共汽车有限公司增加资本金、购置新能源公交车、打造草原房车露营基地、拨付电影《沙果的味道》启动资金等事宜。

9月30日,旗委副书记、旗长王立东主持召开第17次党组会议,研究天瑞华府小区2号地块地价调整、盛泽新型建材项目剩余未供给土地挂牌出让、传统乳制品产业发展中心建设等事宜。

11月1日,旗委副书记、旗长王立东主持召开第18次党组会议,传达学习贯彻党的二十大精神,研究2023年预算编制、部分专项资金分配、审议国有企业负责人管理方案等事宜。

11月25日,旗委副书记、旗长王立东主持召开第19次党组会议,传达学习《国家药监局关于推进市县药品监管能力标准化建设意见》、新冠疫情防控有关文件精神,研究拨付制种大县发展规划编制服务费、白音套海河治理工程设立临时取料点、居力很镇红心西瓜产业园区土地流转等事宜。

11月30日,旗委副书记、旗长王立东主持召开第20次党组会议,研究1—11月份预算执行及2023年预算编排、重点项目服务中心剩余债券资金原渠道退还等事宜。

【旗政府常务会议】2022年,科右前旗政府共召开19次常务会议。

1月13日,旗委副书记、旗长王立东主持召开第1次常务会议,传达盟委(扩大)会议暨全盟经济工作会议和全盟深化"破坏草原林地违规违法行为专项整治行动"会议精神。

1月24日,旗委副书记、旗长王立东主持召开第2次常务会议,研究工业园区以案促改工作问题清单、《奶牛养殖示范牧场项目投资协议》事宜。

2月14日,旗委副书记、旗长王立东主持召开第3次常务会议,研究平价煤处置、与兴安盟蓝康环保投资有限公司签订框架协议事宜。

2月22日,旗委副书记、旗长王立东主持召开第4次常务会议,研究盟纪委监委《反映有关问题摘要》、三所学校更名、200公顷林果示范基地建设等事宜。

2月27日,旗委副书记、旗长王立东主持召开第5次常务会议,研究察尔森生态旅游名镇项目、建成区内绿化管理养护、伊利停车场土地划拨、工业园区以案促改整改工作方案等事宜。

3月19日,旗委副书记、旗长王立东主持召开第6次常务会议,传达学习全国两会精神、习近平总书记在参加十三届全国人大五次会议内蒙古代表团审议时的重要讲话精神等,研究综合执法局公车转籍、2022年食品安全领域重点工作等事宜。

4月9日,旗委副书记、旗长王立东主持召开第7次常务会议,传达学习习近平总书记和李克强总理关于安全生产工作重要指示批示及有关会议精神,研究与黑龙江中青旅合作、洮儿河旅游休闲公园前期手续办理、工业污水处理厂项目审计等事宜。

4月21日,旗委副书记、旗长王立东主持召开第8次常务会议,传达学习《国家新型城镇化规划(2021—2035年)》,

研究财经秩序专项整治行动情况、成立旗供应链管理有限公司和动产监管公司等事宜。

5月5日,旗委副书记、旗长王立东主持召开第9次常务会议,研究由国资委出具股东决议、龙泉殡仪馆三期建设项目等事宜。

5月18日,旗委副书记、旗长王立东主持召开第10次常务会议,听取2022年乡村振兴项目、交通项目建设等进展情况。

5月30日,旗委副书记、旗长王立东主持召开第11次常务会议,传达学习习近平总书记在庆祝中国共产主义青年团成立100周年大会上的重要讲话、全国稳住经济大盘会议等文件精神,研究2022年衔接资金调整使用和京蒙协作海淀区级资金使用计划等事宜。

6月17日,旗委副书记、旗长王立东主持召开第12次常务会议,传达学习关于更加有效发挥统计监督职能作用的意见、不同层级地区有效应对新冠疫情经验做法,听取2022年上半年经济运行、疫情防控工作开展等工作情况,研究审议工业园区建设用地施行阶梯地价等事宜。

6月28日,旗委副书记、旗长王立东主持召开第13次常务会议,审议《荷丰农业—产业链扶贫融资业务逾期款项代偿协议》,研究确定城镇土地使用税土地等级及四至范围、2022年债券项目事宜。

7月26日,旗委副书记、旗长王立东主持召开第14次常务会议,研究热电家园西区办理不动产权登记、2020年棚户区改造项目方案调整、与阿里集团合作、原好仁和巴拉格歹供销社转制工作销号等事宜。

9月5日,旗委副书记、旗长王立东主持召开第15次常务会议,传达学习《关于羊草产业发展的调研报告》等文件精神,研究旗二小增设北门及建设海淀学校南门道路工程、申报科右前旗一二三产业融合示范园等事宜。

9月20日,旗委副书记、旗长王立东主持召开第16次常务会议,传达学习《内蒙古自治区禁毒条例》《内蒙古自治区实施湖长制工作方案》《关于全面推行林长制的实施意见》等文件精神,研究合力木嘎查河道整治工程所需资金、调整特布格日乐嘎查满族风情休闲体验区项目等事宜。

9月30日,旗委副书记、旗长王立东主持召开第17次常务会议,研究解决居力很镇前进村和万宝村"以租代征"信访事项、城建公司控股内蒙古三建建设工程有限公司等事宜。

11月25日,旗委副书记、旗长王立东主持召开第18次常务会议,研究审议《"村权户养"肉牛养殖项目实施方案》、成立科右前旗宜牧草业有限责任公司、2023年区级优秀教师定向培养申报、伊利液态奶项目用电等事宜。

12月25日,旗委副书记、旗长王立东主持召开第19次常务会议,研究审议2023年政府工作报告、调整预算支出、新建粮食加工厂项目土地出让等事宜,传达学习《乡村振兴责任制实施办法》。

重要文件

《关于深化全旗消防安全网格化管理的实施意见》(旗政发〔2022〕29号)

关于印发《2022年科右前旗统筹整合使用财政涉农涉牧资金实施方案》的通知(旗政发〔2022〕48号)

关于印发《科右前旗2022年大豆玉米带状复合种植工作方案》的通知(旗政发〔2022〕81号)

《关于科尔沁右翼前旗蒙

油新能源有限公司蒙油加油站建设项目建设用地的请示》（旗政发〔2022〕226号）

《关于国道331线零点至宝格达山段公路工程建设项目用地的请示》（旗政发〔2022〕227号）

《关于科尔沁右翼前旗国家园林县城工作总结》（旗政发〔2022〕394号）

《关于申请调整科右前旗水功能区范围的请示》（旗政发〔2022〕276号）

关于呈报《科右前旗2017年国家级电子商务进农村综合示范项目评估问题整改报告》的报告（旗政发〔2022〕107号）

关于报送《兴安盟科右前旗巴日嘎斯台乡红色美丽乡村建设综合示范项目实施方案》的报告（旗政发〔2022〕273号）

《关于科右前旗2019—2021年地方政府债券资金使用专项审计发现问题整改情况的报告》（旗政发〔2022〕247号）

关于印发《科右前旗高标准农田项目排查整改方案》的通知（旗政发〔2022〕329号）

关于呈送《科右前旗2023年度冬季保障性"菜篮子"工程太阳能光热设施农业项目实施方案》的报告（旗政发〔2022〕371号）

关于上报《科右前旗外经贸破零增量示范工作实施方案》的报告（旗政发〔2022〕385号）

旗政府办公室

【概况】 科右前旗政府办公室作为旗人民政府的参谋助手，是承上启下、平衡左右、协调各方的枢纽部门，也是联系基层、联系群众的桥梁。负责政府和政府办公室的文书处理工作，旗政府常务会议、旗长办公会议、政府党组会议的会务组织工作，督促检查、反馈旗政府各部门和各苏木乡镇（中心）人民政府对国务院和内蒙古自治区、兴安盟、旗政府文件、会议决定事项及旗政府领导有关指示的落实情况并跟踪调研，及时向旗政府领导报告。负责上级人大、政协和旗人大、旗政协交旗政府的有关议案、提案的办理工作，政府机关和办公室日常工作及完成政府领导交办的其他工作。

【以文辅政】 按照"上接天线、下接地气"的要求，牢固树立精品意识，高质量起草政府工作报告、政府专项会议报告等各类综合文稿。全年累计起草领导讲话、汇报材料等500份、200多万字，流转各类公文1508件，办理旗政府和旗政府办公室文件526件，撰写旗长办公会议纪要32次、政府党组会议纪要19次、政府常务会议纪要18次、各种会议记录300余次，召开各类专题工作会41次。围绕全旗中心工作和社会、经济发展的需求，深入基层广泛开展调研，形成反映工作进程中出现新情况、新问题的调研报告35篇，为领导做决策、了解社情民意，提供第一手资料。

【以智辅政】 坚持"研究一个课题，推动一项工作"要求，高质量完成各类理论文章、调研报告、政务信息、行动方案、讲话稿、专题片脚本等近百篇文稿。全年接收旗直各部门和乡镇报送信息5031篇，旗级采用899篇，向盟行署上报信息675篇，采用238篇，向自治区办公厅报送信息568篇。编发《政府工作信息专报》共46期。编辑出版《科右前旗人民政府公报》5期，编发《科右前旗人民政府办公室信息采用情况通报》12期。完成政府办公室政务公开、三务公开工作，全年公开257条。在2022年两会期间，翻译人代会六大报告、六个决议、政协会议和党代会等相关资料20余万字。

【以技辅政】 坚持从"精细化""特色化"入手,对接待的每个环节都做到精心谋划、周密部署。特别是一些领导重点交代的接待任务,着重在线路踏勘、察看点准备等前期准备环节下功夫,高标准地完成各项接待任务。全年完成"全区人居环境现场会""全盟旅游现场会"等10项大型会议、重大活动的后勤保障工作。起草、修改、审核接待方案百余个,接待区级领导、盟级主要领导等50余次。

【办文办会】 建立统一的会议管理流程,从会议的发起、组织到结束对会议进行全过程标准化管理。全年筹备会议986次。其中,重大型会议22次,政府党组会议19次,政府常务会议18次,旗长办公会议220次,其他各类会议654次,协助旗委办公室筹备会议50次。同时转接全国视频会议20个、自治区视频会议26个、全盟视频会议72个、上级督查及座谈会议60个,提高会议的质量与效率,促进会议和公务活动的规范化、制度化、科学化。

【督查督办】 坚持"聚焦重点"督要事、"关注民生"督实事、"紧扣问题"督难事的要求,高质量地完成中央环保督查整改、国家森林督查整改、疫情防控、重大项目建设等督查工作任务。发布督查通报11份,督查专报31份,安排实地督查50余次,起草督查项目落实情况材料20份。全年共办理人大代表建议、政协委员提案249件。其中,盟政协委员提案45件、旗政协委员提案105件、旗人大代表建议99件。截至2022年年末,所有建议、提案已经办结,见面率、办复率、满意率均达到100%。

【乡村振兴】 按照要求,旗政府办公室在德伯斯镇太平山嘎查开展乡村振兴工作,全嘎查义务教育阶段适龄儿童12名全部在校;应参保人数139人全部参保;住房安全巩固率100%;安全饮水保障率和达标率100%。2022年人均纯收入17210.23元,较2021年增长3693.9元。协调江西商会和多家眼镜店开展"为村民送光明"配花镜活动,免费为150名高龄村民配花镜。为村部协调27吨取暖煤,切实保障冬季供暖需求。设置25个公益性岗位,切实推动环境卫生、公益设施管护、农田灌溉管护工作质效提升。

【档案管理】 管理旗政府和办公室印鉴、信笺安全无失误,完成各类通知和会务服务安排。全年共收集归档立卷文件75盒、1721件。严把办文程序关,从文稿草拟、核稿到签批、复印、分发、传阅、归档等环节实行规范化管理。共接收文件3758份。其中,收到密件449件,国家级32件、自治区级43件、盟级374件,非密件1859份,国家级38件、自治区级74件、盟级1747件,确保文件运转准确、及时、安全、保密。

【后勤保障】 行政事务安排优质稳妥,积极做好办公设备采购及维护工作,在厉行节约的同时,较好地满足公务活动的需求。进一步完善机关行政管理、车辆管理、财务管理、治安管理等各项制度。车队完成一年一度的年检、车辆定编两项任务。做好后勤管理工作,严把物资出入关,扎实开展节能降耗活动,大力推进节约型机关建设。全面掌握资产变动及管理情况,确保国有资产的完整安全。

政务服务（行政审批）

【概况】 科右前旗政务服务局是原行政审批服务中心，2018年3月更名为政务服务中心，2019年3月根据机构改革要求，政务服务局成立。内设"放管服"改革推进股、政务公开与电子政务股、办公室、效能督查股。政务服务大厅进驻部门30个，设置窗口30个，窗口工作人员78名。

【全年办件量】 2022年，政务服务大厅共办理各类审批事项37276件，办结37276件，办结率100%，群众满意率100%。

【政务服务建设】 在2021年权责清单基础上，组织25个相关单位编制并公示科右前旗行政许可事项241项。组织旗本级行政权力部门，对行政许可事项外的行政权力清单进行动态调整22项。进一步推进"四办"改革。"一网办"方面，全旗政务服务事项网办率达100%，全程网办率达95.84%。汇聚各类电子证照等41类362434条，制作电子印章87枚。同时邀请23家中介机构入驻兴安盟中介服务网。"掌上办"方面，接入"蒙速办"App移动端特色应用11个，推动全旗注册量151812人，访问量2833880次；"一次办"方面，梳理"一次办"事项145项。率先使用"一次办"事项一套表单，实现材料压减比率达41%，办事环节压减比率达61%，审批时间压减比率达71%，跑动次数压减比率达72%。截至2022年年末，受理联办件23988件。"帮您办"方面，梳理"帮您办"事项清单40项，梳理清单外涉及的其他类群众"常办难办"项目12项。截至2022年年末，重点工程项目办结88件，"常办难办"项目办结63件。"综窗"改革方面，推进918个事项进驻政务大厅及各分厅综合窗口。截至2022年年末，全旗实现平台配置1519项，办理事项136928件，"一窗受理"事项比率已达85.87%以上。

【政务服务效能建设】 三级政务服务体系建设，成立领导小组，下发实施方案。2022年5月，确定牧区乌兰毛都苏木、半农半牧区察尔森镇、农区科尔沁镇为试点地区先试先行。梳理旗本级苏木乡镇直办事项清单497项，帮办代办事项清单52项；嘎查村直办事项清单30项，帮办代办事项清单50项。9月末，全旗范围推开建设工作，制定汇编《科右前旗各级政务服务中心(站)规范化建设指导手册》。全旗14个苏木乡镇256个嘎查村(社区)均已建立便民服务中心、站，组建1369人帮办代办队伍。14个苏木乡镇认领编制行政服务事项3143项。已办理镇级直办事项20092件，帮办代办事项12243件；256个嘎查村(社区)认领编制行政服务事项1761项，已办理村级直办事项45721件，帮办代办事项37585件。多次组织开展业务培训。协助指导各乡镇党群服务中心梳理完善事项清单，全面提高基层政务服务效能。提升企业群众满意度。完善"好差评"评价体系。2022年1月至12月，政务大厅及各分厅办件量480937件。共收"好差评"149608条，好评率100%。完成12345转办工单20件，解决率100%。推进12345政务服务便民热线工作。11月1日完成与旗市域社会治理中心业务交接事宜。抽调专人组建"12345"热线办公室，成立微信群，全面做好工单受理、办理、反馈、督办等工作。1月13日，按照割接使用自治区统建12345热线平台工作要求，科右前旗按时间进度顺利完成自治区统建12345热线平台的上线割接工作，实现热线工单归集到自治区统建12345热线平台运行处理，新形成的诉求工单将在"内蒙古自治区12345政务服务便民热线平台"操作处理，原平台工单将继续在"兴安盟社会联动平台"操作处理，直至所有工单办结。截至2022年年末，"兴安盟社会联动平台"内科右前旗共受理热线工单5212件，已办结4492件，已完成回访工单4036件。其中，解决2808件，解决率69.57%，满意3544件，满意率87.80%。"内蒙古自治区12345政务服务便民热线平台"内科右前旗受理热线工单429件，已办结278件，已完成回访工单67件。其中，解决65件，解决率97.01%，满意65件，满意率97.01%。

【规范服务行为】 为进一步塑造科右前旗政务服务窗口形象，加强大厅纪律管理，政务服务局严格实行管理举措。把好考勤关，完善考勤制度，严格考勤纪律，结合大厅工作实际完善考勤制度，利用钉钉软件电子管理平台对中心全体干部进行统一管理，以更加人性化、智能化的管理方式，提高管理规范化程度。规范工作行为，要求窗口工作人员在办理业务过程中严格执行首问责任制、一次性告知、限时办结等制度，效能督查股不定期检查，检查结果作为年终考核评优的依据。修订完善各项规章制度，装订成册。严格按照用制度管人管事，规范工作程序，真正做到言必信，行必果，纪律作风焕然一新。把好效能投诉监督关，通过局效能督查股每日进行两查，值班长日查，局领导不定时巡查，建立起"平时巡查、值周检查、随机抽查、明察暗访"相结合的监督体系，利用行政审批管理系统、电子监察工作平台、效能视频监控系统，对审批事项办理的各个环节进行全过程实时监察，并在大厅显目位置设立意见箱、投诉电话对工作人员工作纪律、服务规范进行日常监督，及时了解和掌握服务大厅工作情况，解决和纠正问题。

【完善服务】 不断改进服务方式方法，实现创新服务。开展特色服务，推行代办帮办、延时服务、预约服务、限时服务、上门服务等便民服务举措。开通"绿色通道"，对政府确定的重点投资项目、招商引资和入驻园区项目，局办公室派专人进行协调，促进科右前旗投资发展软环境有较大提升。提供便民服务。在便民利民的工作上加大力度，在大厅增设志愿服务导询台，有志愿者不间断进行服务，并提供爱心轮椅、老花镜、针线、雨伞、助听器等志愿服务。建立政务公开查询区，给办事群众提供方便、舒适、快捷的办事环境。

【互联网+政务服务平台】 2022年全旗已录入监管行为信息46180条。

【信息公开】 2022年，全旗共主动公开政府信息82618条，其中公开重点领域和重点民生领域信息11267条，总浏览量46万人次。发布政策解读20余条。在内蒙古政务服务网科右前旗子门户对外展示全旗依申请事项1194项，公共服务事项5232项。全年共收到依申请公开12件。

【民族团结与精神文明建设】 开展"民族团结进步月"活动。通过读书会、志愿活动、民族知识测试、推广普及国家通用语言文字等，进一步铸牢中华民族共同体意识。开展"创建文明城市"工作。通过设置无障碍通道、志愿服务点等，完善创建工作"硬件"内容。通过组织开展环境整治、创建宣传等，提升全局创建积极性。开展精神文明建设工作。完成文明交通勤导志愿服务活动,通过爱国主义教育及诚信主题教育,提高政务服务文明建设质量。开展系列法治宣传活动。学习《中华人民共和国宪法》《国旗法》《国徽法》《保密法》等法律法规原文。观看普法影片《以法之名》及中国共产党第二十次全国代表大会直播等,通过参与"多彩前旗"答题活动,进一步提升全体人员法治素养。

【疫情防控】 开展全员核酸检测工作。负责包联科右前旗碧桂园社区静水湾博园小区14栋楼居民核酸检测工作,共计358户981人。自工作开展以来,组织开展"敲门行动"入户摸排共计4次,参与全员核酸检测24次,全局共检测9000余人次,检测率达95%以上。

【乡村振兴】 深入远光村开展乡村振兴及"干部到乡"活动,压实驻村工作队工作责任,协助村两委做好产业谋划。坚持每月走访机制,开展环境整治,落实信息采集及动态监测任务。2022年,联合科尔沁镇远光村开展主题党日活动5次,书记讲党课2次,开展铸牢中华民族共同体意识宣传活动1次,组织干部到乡走访入户8次。

(李红艳)

信访工作

【概况】 科右前旗信访局是旗政府办公室的内设机构。

【群众信访事项】 2022年,全旗共接待来访群众169批883人,同比分别下降43.48%和52.98%,其中个体访120批222人,同比分别下降43.13%和45.32%,集体访49批661人,同比分别下降44.32%和55.10%。发生群众进京走访44批46人次,同比分别下降70.27%和70.70%;赴区走访17批27人次,同比分别下降15%和3.57%;到盟走访266批1431人,同比分别上升38.54%和30.68%。通过交办、转办,群众信访事项一次性办结率大幅提高,矛盾纠纷在基层和初始阶段得到有效化解,极大地减少社会不稳定因素,基层信访秩序持续好转,社会大局和谐稳定。

【网上信访】 充分发挥新媒体在信访工作上的作用,拓宽群众网上投诉渠道,利用微信公众号打造指尖上的"阳光信访",减少群众的信访成本,让群众少跑腿,数据多跑路,打通服务群众"最后一公里"。2022年信访部门共受理网上交办信访件666件,已办结626件,未办结40件。信访部门及时受理率100.45%(网络预受理2件),群众满意率95.03%,群众参评率90.96%。责任单位及时受理率100%,按期办结率99.71%,群众满意率95.08%,群众参评率90.50%,重复率31.78%。

【信访案件化解】 "四大攻坚"专项行动第一批交办案件16件,化解5件,办结11件;中联办集中治理重复信访事项第一批交办科右前旗46件,化解34件,办结12件;盟纪委转交1件,此信访事项中涉及纪检类诉求盟纪委已有处理结果,涉法诉求已由科右前旗法院立案,办结报告已上报;中联办集中治理重复信访事项第二批交办科右前旗13件,化解12件,办结1件;自治区联席办集中治理重复信访事项第二批交办科右前旗11件,化解7件,办结4件;省级领导包案1件已化解。盟级领导包案13件,化解6件,剩余7件已制定还款计划,按计划分批支付工程款;受理中央生态环境保护督察交办群众信访举报案件15件,全部办结。申请信访复查案件8件,受理办理5件(其中两件盟局按退件处理),不予受理3件。

【矛盾纠纷排查化解】 2022年组织定期排查9次，重点排查8次，通过全面排查、系统筛选和上级推送，信访局梳理重点人员、重点群体170件，全部落实"五包一"责任，责任单位在积极推动信访事项化解的前提下，均成立稳控专班，及时消除不稳定因素。梳理三跨三分离信访案件76件。其中，跨省三跨三分离16件，跨盟市三跨三分离5件，盟内三跨三分离55件。联合户籍地信访局扎实做好信访人员稳控、困难帮扶、教育疏导和接劝返工作。

【敏感节点信访安保维稳工作】 在自治区两会、全国两会、北京冬奥会、冬残奥会及党的二十大等敏感时期，信访部门周密安排部署，制定应急预案，抽调乡镇工作人员在火车站、汽车站、飞机场成立巡查劝返工作组，全力做好进京赴区上访人员工作。2022年，共接劝返上访人员40余人次，切实做到"三个不发生"（即不发生进京赴区规模性聚集、不发生涉访个人极端事件、不发生因信访问题引发的负面炒作），实现信访安全保障任务期间"零进京""零非访"目标。

【推行信访代办制】 落实盟委、行署关于信访工作的安排部署，2022年推行信访代办制。科右前旗通过农贸集市、网络群组、条幅、宣传彩页、制度上墙等多种方式，全方位向群众宣传信访代办，在全旗14个乡镇苏木、党群服务中心、绿水种畜繁育中心建立200多个村级信访代办点，培训信访代办员258人、信访代办助理42人，其中碧桂园社区协调化解矛盾30余件、居力很镇前进村代办以某某为首反映的以租代征事项、额尔格图镇兴牧嘎查协调化解13件、德伯斯镇前宝地代办民情民访6件，农牧民群众与信访代办员高度互信，初步形成共享共治的良好局面。

（王丽颖）

科右前旗产业园

【概况】 兴安盟经济技术开发区科右前旗产业园位于内蒙古兴安盟科右前旗新址以南，东至天骄路，南至同仁街，西至环城西路，北至哈萨尔街。始建于2007年5月，规划核准面积20.5平方公里，建成面积6.75平方公里。2011年9月批准为自治区级工业园区。2017年12月，被自治区农牧业厅评为内蒙古自治区农牧业产业化示范园区。2018年2月，经国家六部委审核，科右前旗工业园区列入《中国开发区审核公告目录（2018年版）》。2021年，按照自治区园区改革方案要求，兴安盟开发区、乌兰浩特市、科右前旗、扎赉特旗四园区已合并为一区四园，园区更名后为兴安盟经济技术开发区科右前旗产业园。截至2022年年末，园区注册企业113家。其中，商业企业43家，工业企业70家，规模以上企业6家，规模以下企业64家。

【经济运行】 2022年实现销售总额31.26亿元，实现利润1.16亿元，实现税金0.71亿元。其中，实现工业总产值15.25亿元，实现利润0.91亿元，利税0.51亿元；园区35家汽车4S店等商业企业实现销售收入12.85亿元，实现利润0.25亿元，利税0.2亿元。

【基础设施建设】 截至2022年年末，园区基础设施建设已累计投入22.52亿元。其中，市政道路31.63公里，桥梁12座（包括铺设雨水管道63.26公里，污水管道29.63公里，生活给水管道31.63公里，工业给水管道12.42公里）；铺设供热管网15公里；铺设供电线路45.2

公里；铺设通信管道及电缆24.18公里；铺设燃气管网10公里。园区有66千伏变电站1座、工业废渣场1座、日处理1.5万吨污水处理厂1座、天然气供气站1座、集中供热公司1家。道路、雨水、污水、给水、热力、电力、天然气及通信等基础设施均已基本健全。园区具备"六纵五横"路网格局，已实现九通一平标准。

【体制机制创新】 以案促改方面，通过以案促改工作，园区全体党员干部增强党性观念，提升纪法意识，园区党工委制定和修订36项制度，建立健全监管长效机制，强化不敢腐的震慑、扎牢不能腐的笼子、增强不想腐的自觉，做好执纪审查"后半篇文章"，推动园区各项工作取得新成效，使"一岗双责"得到全面落实，机关作风明显转变，工作体制机制更加规范，营商环境进一步优化，惩防体系进一步完善，提升全体党员干部的纪法意识，为园区经济社会高质量发展营造良好的政治生态。机构改革方面，2022年科右前旗工业园区管委会改革工作正式开始，根据相关文件要求，园区机构设置由1个行政单位(科右前旗工业园区管委会)、2个事业单位(科右前旗工业园区管委会机关事务服务中心、科右前旗工业园区信息中心)变更为1个行政(科右前旗产业园管理办公室)、1个事业单位(科右前旗产业园综合事务服务中心)，科右前旗产业园管理办系兴安盟经济技术开发区内设机构，科右前旗产业园综合事务服务中心系兴安盟经济技术开发区所属事业单位。

【疫情防控】 2022年，工业园区坚持"疫情要防住、经济要稳住、发展要安全"的总要求，统筹抓好经济运行和疫情防控工作。工业园区党工委精心安排部署疫情防控工作，全面启动党工委班子包联机制和应急处置工作执行组，抓实抓细各项防控举措，对人员密集企业进行上门核酸检测，成立伊利施工现场、艾郎风电、荷丰农业、园区管委会集中采样区等4个核酸采样组，实施规模以上企业闭环管理，打通保供保畅淤点堵点，及时为企业纾困解难，形成疫情防控工作与重点企业和项目建设齐抓共管的稳定局面。

（姜兆贺）

现代农牧业园区管委会

【概况】 科右前旗现代农牧业园区总占地面积23平方公里，为国有一般农用地。其中，耕地约933公顷、草地约1067公顷、林地约247公顷、其他用地约53公顷。园区内整体地势平缓，呈中部高，东北、西南两侧低的缓坡走势，园区中部最高点海拔404.7米。园区划分为高效养殖区、高效种植区、加工物流区、科研展示区、其他功能区等五个功能区。园区坚持"创新、协调、绿色、开放、共享"的新发展理念，突出"养殖为主、种植为辅、农牧结合、生态循环、绿色有机、科技引领"的发展定位，立足于原有地形地貌采取点状布局，形成一二三产良性融合，打造以休闲生态旅游、果蔬种植采摘为补充的高端现代农牧业园区。

【驻园企业】 截至2022年年末，现代农牧业园区产值达到52253.28万元。其中，科右前旗德康农牧有限公司42645.18万元，生猪存栏达到132825头，销售数量319040头，实现规模451865头，产值达到42645.18万元，同比增长77%。科右前旗三峡光伏协鑫电站8188.1

万元,光伏发电项目一、二期87.3兆瓦工程并网运营稳定,发电量12799.6万千瓦时,产值8188.1万元。内蒙古大公草畜有限责任公司1300万元,通过胚胎移植技术繁育萨福克种羊1200只,销售种羊800多只。利用先进的农业机械和科技手段发展智慧农业,种植玉米约27公顷、大豆约67公顷、大豆玉米带状复合种植约67公顷,种植高产燕麦100公顷、每公顷产干草7500公斤,与自治区农牧科学院合作试验种植高丹草约3公顷。科右前旗旺达农庄120万元。种植玉米40公顷,荞麦2公顷,大棚蔬菜0.2公顷,林间种植黄芩约5公顷;羊存栏700只。产值达120万元。

【园区重点项目建设】 科右前旗德康农牧有限公司生猪养殖项目建设情况。100万头生猪养殖项目总投资24.8亿元,吸纳当地250多人就业,员工平均月工资7800元,缴纳六险一金;项目通过政企合作模式和资产收益性扶贫方式,截至2022年年末,向旗政府缴纳约9728万元的扶贫性资金,助力乡村振兴;建成兴安盟及蒙东地区最大的生猪稳产保供基地,获得农业农村部颁发的"国家级生猪产能调控基地"称号,成为国家生猪稳产保供的重要基地之一。截至2022年年末,已建成投产的存栏5200头种猪场4个和年出栏5万头选育场、年出栏7.5万头育肥场、年出栏12.5万头育肥场和公猪站各1个,建成未投产使用的存栏6000头种猪场和年出栏12.5万头育肥场各1个。项目在建工程包括存栏6000头种猪场和年出栏12.5万头育肥场各1个。畜禽粪污资源化利用粪污处理中心项目建设情况。该项目为百万头生猪养殖产业一体化项目配套粪污处理工程,以沼气工程为纽带,构建"生猪—粪污—沼气—肥料—种植—饲料"循环经济模式,产生良好的社会、环境、经济效益。一期项目2018年7月5日开工,2021年1月试运行,内容有,主体厌氧发酵罐4座,总发酵容积2万立方米;落地储气膜一座,储气总容积3000立方米;沼液池一座,储存总容积为2万立方米。一期项目试运行期间,日均接收处理粪污量300吨,日产沼气400立方米;发电并网外架线路完整施工。内蒙古大公草畜有限责任公司沙果发酵饲料项目建设情况。据统计,兴安盟沙果种植面积2万多公顷,年产量超过2亿公斤,每年有6500多万公斤落地果无法销售,造成果农收入减少、资源浪费和环境污染。该公司与中国农科院饲料研究所开展技术合作,研发沙果发酵系列产品。2022年5月开始项目考察、产品设计、菌剂研发、设备采购,在沙果成熟的9月初步具备生产条件,并在当年实现收购果农的落地果1050吨,生产沙果发酵饲料2100吨,加工成营养丰富的"牛羊水果罐头",在本场进行试喂效果良好。

【基础设施建设】 农牧业园区服务中心前桥于2022年7月修复通车。农牧业园区服务中心东侧果园实施更新改造。移动信号塔建成运行改善园区网络通信质量。

【安全生产】 召开园区年度安全生产工作会议,签订责任书压实企业安全责任,部署各项安全生产工作。做好禁止秸秆焚烧监控,开展春季防火演练保证防火安全。开展企业安全生产宣传,增强驻园企业全体员工安全生产意识,随时督查企业内部安全生产机制措施的落实,及时消除安全隐患。常态化加强驻园企业疫情防控工作。

【疫情防控】 严格落实疫情防

控责任。督导驻园企业落实各项防控措施。全面配合林草局做好枫景佳苑小区疫情防控工作，开展多轮全员核酸检测工作。静默期间坚持24小时门卫值班，严格落实防控措施。派驻桃合木苏木乌申一合嘎查工作队员，投入当地疫情防控工作中，值岗排查。

【中央生态环境保护督察问题整改】 2022年4月中旬接到中央第三中央生态环境保护督察组交办1件群众环境信访案件，反映生猪养殖产业一体化项目园区生猪养殖场环境污染问题，管委会接到交办通知后第一时间进行调查处理，核实案件基本情况，制定整改措施，规定整改时限，按节点要求已于2022年4月26日办结案件，全面完成整改任务。管委会将进一步落实环境治理主体责任，加强园区生态环境保护工作，保证周边居民群众生活环境保护安全。

【乡村振兴】 管委会包联桃合木苏木乌申一合嘎查，派驻一名党员为驻村工作队员，配合内蒙古移动公司选派的第一书记开展工作。工作队认真协助嘎查两委巩固拓展脱贫攻坚成果同乡村振兴有效衔接，嘎查有监测户3户8人，均已采取针对性帮扶措施，未突发严重困难户。2022年管委会为嘎查群众做4件实事，为羊品种改良提供科技支持；沟通解决建造养牛暖棚事宜；为干部到乡结对户送去食用油大米等慰问品，送去菜籽农药帮助种好菜园子；为1户牧民联系解决医疗保险报销问题。

（李天贺）

民　政

【概况】 科右前旗民政局是社会行政管理部门，承担基层政权和社区建设、社会救助、养老服务、儿童福利、社会事务管理、社会组织管理、行政区划和地名管理等职责。内设股室有综合办公室、计划财务股、社会救助股、养老服务股、儿童福利股、社会组织管理股、基层政权和社区建设股、社会事务股。

【社会救助】 认真落实城乡居民最低生活保障政策。按时完成城乡低保对象补助标准的提标工作，全旗有城乡低保对象21297户30276人，全年发放城乡低保金1.52亿元。加强低保对象的动态管理，进一步完善审核审批程序，实施"阳光"操作。加强城乡居民经济状况信息核对监察工作，实施精准救助，2022年完成社会救助家庭委托核对数据12595户14489人，完成重点监测数据核对8486户9456人，其中低保人员受委托核对8550户10444人，重点监测数据7985户8955人；完成特困供养人员受委托核对4045户4045人，重点监测数据501户501人。落实好城乡特困供养救助政策。全旗有城乡特困供养对象1883人，全年发放生活费2417.23万元。助力脱贫攻坚成果同乡村振兴工作的有效衔接。全旗脱贫人口中有低保对象和特困供养对象11567人，占建档立卡脱贫人口比例49.6%。自2022年初开始，全面排查不在兜底保障范围内的脱贫不稳定户、边缘易致贫户和突发困难户3257人，通过排查享受低保待遇的1640人，继续对未兜底保障的1617人实施监测排查，截至2022年年末，全旗脱贫人口纳入低保"渐退期"管理的1027人，按照程序退出低保的608人，及时开展临时救助和慈善救助等工作。发放临时救助金694.32万元，救助城乡困难群众2613人次；发放慈善医疗救助金16万元，救助14名重特大疾病患者；

救助护送流浪乞讨人员9名，结算住院治疗费用和伙食费5.74万元。

【社会福利】 做好养老服务工作。全旗有公办养老机构4个、民办养老机构10个；加强对养老服务机构的监督管理，完善各项规章制度，并认真指导抓好落实，确保其规范运行；宣传国家的养老服务政策，支持和引导民办养老服务机构健康发展，促进全旗养老事业协调发展。落实儿童和老年人福利政策。认真做好未成年人保护工作，为89名孤儿和事实无人抚养儿童发放补助补贴资金145.14万元；发放福彩圆梦金1.5万元；依法办理收养登记2件，解除收养关系1件；发放高龄津贴466.96万元；发放"三民"补贴和精减退职职工补贴268.28万元，发放70—79周岁经济困难老年人养老服务补贴446.29万元。

【社会事务】 认真落实残疾人保障政策，开展助残活动。全年发放残疾人两项补贴1316.93万元。依法加强社会组织管理，规范社会组织行为。全年办理社会组织登记4个，注销14个，办理民办非企业单位登记3个，注销11个，办理社会组织年检132个，全部实现网上办理。抓好婚姻登记管理。完成85690份历史婚姻登记档案数据的补录工作；依法办理结婚登记1381对、离婚登记528对，补办结婚登记2836对，补办离婚登记91对。配合有关部门探索和推进婚俗改革，倡导全社会形成正确的婚姻家庭价值取向。加强殡葬管理。依据相关政策法规，对旗域内965座违建墓地、36处集中埋葬点进行整治和规范，治理丧葬陋习，提倡文明节俭办丧事，推进生态丧葬；为109名城乡低收入困难群体和重点优抚对象免除基本殡葬服务费用9.97万元。做好行政区划工作。开展边界踏查，对科右前旗与乌兰浩特市行政界线上20个界桩进行补设，全部更新为智能界桩。

【基层政权和社区建设】 认真指导村务公开民主管理活动。全旗有228个嘎查村、908个村民小组，有28个社区，其中城市社区5个、农村社区23个。各村（居）委会普遍设置公开栏，向群众公开村（居）事务，对于稳定性较强的内容进行每月固定公开，对群众关心和涉及群众切身利益的重要事项做到随时公开，确保各项惠民政策落实落地，切实维护群众利益。积极推进基层治理创新，初步形成"党建引领、民主协商、多元参与、协同共治"的基层治理机制。全旗嘎查村（居）共设置网格785个，有专职网格员3533人、兼职网格员713人，全年解决群众反映问题2.2万余件；将疫情防控、平安建设、养老诈骗等项工作纳入网格，推行网格化治理模式，构建起民情无盲点、民意无死角、惠民零公里的工作新格局。28个社区服务综合信息平台基本实现前台受理、后台协同办理；社区管理服务纳入信息化管理系统，实现居民参与社区管理智能化，享受社区服务便捷化，提升城市管理服务水平。完成嘎查村（居）委会赋码信息的更新工作。开展1期社会工作者考前培训，参加培训140人。

【民政项目建设】 完成乌兰毛都苏木、大石寨镇、索伦镇、巴日嘎斯台乡农村区域性公益性公墓建设项目的选址和可研。完成科右前旗北部殡仪馆服务中心建设项目的选址和可研。完成科右前旗殡仪馆三期建设开发项目建设（总投资5000万元，占地4.8万平方米）。完成科右前旗综合社会福利中心消防设施改造、办公环境完善和设施设备更新项目建设(总投资570万元)。完成碧桂园社区和扎萨克图社区基础设施及养老服务站建设项目建设(总投资303万元)。

(孟祥玉)

应急管理(安全生产监督)

【概况】 科右前旗应急管理局正式成立于2019年4月,是旗人民政府行政管理部门,负责全旗应急管理工作,承担旗安全生产委员会办公室、旗森林草原防火指挥部办公室、旗防汛抗旱指挥部办公室、旗减灾委员会办公室、旗抗震救灾指挥部办公室职能,指导全旗各地区各部门应对安全生产类、自然灾害类等突发事件和综合防灾减灾救灾工作。内设4个股室:综合办公室、火灾救援股、自然灾害救援股、安全生产综合管理股。有副科级事业单位1个:科右前旗应急管理综合行政执法大队。

【应急预案演练】 承办2022年自治区安全生产月咨询日活动、2022年兴安盟安全生产月启动仪式,2022年度兴安盟防汛救灾应急综合演练及兴安盟"砺剑兴安—2022"森林草原灭火作战联合演练4项区盟级活动演练。

【应急救援队伍建设】 切实提高基层救援能力,在全旗14个苏木乡镇,228个嘎查村建立以镇村两级干部、退役军人、公安、卫健为主体的旗乡村三级应急救援队伍242支,总人数达到5400人。全力提升应急预案针对性实用性和可操作性,组织完成《科右前旗突发事件总体应急预案》《科右前旗地质灾害应急预案》《科右前旗地震应急预案》《科右前旗生产安全事故应急预案》《科右前旗防汛抗旱应急预案》《科右前旗山洪灾害防御预案》等9项应急预案的编制修订,通过预案编制进一步明确各部门职责、应急能力得到有效提升。

【安全生产】 全面履行安委办工作职能,对安委会各成员单位履职情况进行常态化督查,对工作进度较慢的重点工作采取协调、交办等形式确保责任体系全覆盖工作落实到位。2022年,开展城镇燃气、道路交通、自建房、高层火灾、非煤矿山、建筑施工、危险化学品、特种作业人员虚假网站、金属冶炼、油气储存、三年专项整治等各项安全生产大检查15次,出动检查人次1698次,累计发现安全隐患3377条,发现的安全隐患已全部整改完成。2022年全旗共发生生产安全事故2起、伤亡2人,事故起数、伤亡人数与2021年持平,全旗主要安全生产考核指标均在盟行署下达的可控指标之内,总体形势呈现稳定态势。

【森林草原防火】 全面履行旗森林草原防灭火指挥部办公室职能。精准预判部署,实现全年无森林草原火灾的工作目标;出动专业半专业扑火队员420人次、车辆85辆次、机具290台完成点烧国境、盟界防火隔离带52公里,居力很镇外围防火隔离带7.3公里,生态扶贫光伏项目外围防火隔离带12.6公里。

【防汛抗旱】 全面履行旗防汛抗旱指挥部办公室职能。应对11轮强降雨和强对流天气过程,无重大灾险情报告,无人员伤亡报告,实现安全度汛;坚持早谋划、早部署、早行动、早落实,科学调度、优化配置,储备各类应急抢险物资96万余元。投入资金245万元对科右前旗第二水源水毁堤岸进行抢险加固,确保前旗新址群众的饮用水安全。

【灾害救助】 全面履行旗减灾委员会办公室和旗抗震救灾指挥部办公室职能，完成全旗8次灾情、7699人、4400.26公顷农作物受灾核实上报工作，下拨2021年冬春救助资金277.64万元。通过上报核查等工作，确定2022—2023年冬春需救助人员3168人。

（张 巍）

科尔沁右翼前旗消防救援大队

【概况】 科尔沁右翼前旗消防救援大队承担着全旗的防火、灭火和综合应急救援任务。2022年，共接出警431起，其中火灾353起，抢险救援和社会救助78起，出动消防车489辆次，消防指战员2283人次，抢救财产价值3856.71万元，为科右前旗的经济快速发展提供安全保障。

【岗位执勤】 完成各项安保任务6次，针对辖区灾害事故区域特点，组织对高层建筑、酒店、KTV等场所开展熟悉演练72次，典型战例研讨9次。在日常训练中聘请专业教练，因材施教，根据个人身体素质有针对性地进行训练。1名消防员获全国火焰蓝技能大赛亚军、全区消防行业技能大赛冠军并荣立个人二等功，2名消防员被评为全国消防救援队伍训练尖兵，2名消防员评为全区消防救援队伍训练尖兵，4名消防员荣立个人三等功。2022年5月25日，由盟工会和盟消防支队举办的全盟首届消防行业运动会上，大队取得团体总分第一名，6个单项第一名，2个单项第二名，3个单项第三名的优异成绩。

【政治思想】 根据支队制定的《执法质量考核评议规定》等18项制度规定，标明底线，筑牢指战员廉政防火墙，认真贯彻消防安保工作政治监督要求，对重大活动和救援任务跟踪开展政治监督。把整治后勤装备物资采购、消防执法、收送红包礼金、管酒治酒和微腐败作为监督执纪的重点，全年累计饮酒抽查50余次、抽检人数1500余人，未发现有违规饮酒事件发生。在元旦、春节、中秋、国庆等重大节假日，开展廉政谈话，坚决纠正"四风"突出问题，持续深化作风建设。

【后勤保障】 2022年，多次向旗政府主要领导、分管领导专题汇报，协调旗财政部门争取经费277.7万元，其中业务经费189.4万元，项目经费88.3万元。2022年补充个人防护装备及常规器材共计71.03万元，进一步提高大队执勤备战综合保障能力。向旗政府申请3万元防疫物资，大队各类防疫物资充足。新建体能训练馆和10层训练塔已投入使用。

【消防监督】 2022年，大队结合工作实际，采取"指导式"检查、"说理式"执法，以教育为主、处罚为辅，规范消防监督执法程序。结合"北疆蓝盾"消防安全大检查工作，先后开展城镇燃气、高层建筑、自建房、养老机构等消防安全专项行动。共检查指导单位964家，发现及督促整改火灾隐患723处，临时查封15家，责令停止使用8家，下发行政处罚决定书45份，罚款19.15万元，拘留3人。治理私家车占用消防车通道171起。在桃合木苏木建设政府专职消防队1个，当地政府已招录专职队员10人，已投入执勤。新建市政消火栓35个，已完成年初建设任务。大队与旗人民检察院建立"检消"协作机制，先后开展座谈3次、联席会议2次，并针对辖区住宅小区"飞线"充电问题召开听证会议1次,进一步保障消防行政执法与公益诉讼有效衔接,推动"消检协作"深入开展。大队深入贯彻落实全旗12345政务服务便民热线揭牌仪式暨启动会议精神,将"96119"消防举报热线纳入12345政务服务便民热线,对群众反映的问题做到件件有着落、事事有回音,在第一时间回应群众咨询、求助、建议事项111件,群众满意率100%。大队创新举措,围绕三长包保责任制及小火亡人火灾治理等专项工作,全力破解末端消防监管难题,经中共科尔沁右翼前旗委员会同意,选派消防指战员在全旗14个乡镇苏木政府挂职,切实将防灭火工作延伸到乡镇一级,进一步夯实乡镇火灾防控基础,提高基层消防安全管理水平,真正实现城乡防控力量全覆盖。

【宣传工作】 成立萨日朗消防志愿服务队、校园讲师团、社会青年讲师团,围绕消防宣传"五进"工作开展系列活动,截至2022年消防志愿服务队伍人数累计注册人数5000余名,培养高校志愿骨干1000余名,组建校园消防安全志愿服务队23支,志愿消防App服务累计时长达5000小时,排自治区各消防志愿服务队伍第一名。在央视频、抖音、微信公众号等平台开展校园消防安全培训直播活动,在线观看人数达5万人,点赞超过4万次,受益师生数万名。联合辖区高校新建消防科普教育基地1个,大力推行体验式消防科普教育,全力保持消防站"红门"开放常态化,开展队站开放、科普馆开放累计接待群众15万余人次,取得良好的社会宣传效果。联合教育部门持续推进中小学消防宣传教育师资、课时、教材、场馆全覆盖,配发消防安全教育读本3.2万册。

(邢瑞美)

乡村振兴

【概况】 2022年科右前旗乡村振兴局贯彻落实党中央关于乡村振兴工作的方针政策和内蒙古自治区党委、兴安盟委、科右前旗旗委相关决策部署,在履行职责过程中坚持和加强党对乡村振兴工作的集中统一领导。

【驻村帮扶】 选派驻村干部440人,举办乡村振兴大讲堂53期,累计培训驻村干部36638人次,提升驻村干部政策理论水平,增强履职尽责能力。

【防返贫工作】 健全防返贫动态监测帮扶机制。制定《健全防止返贫动态监测和帮扶机制实施方案》,建立健全预警机制和行业部门联合会议制度,全年开展5次防返贫动态监测工作,累计识别纳入监测对象437户1069人,根据返贫致贫风险类型、劳动能力和发展需求,全部落实针对性或综合性帮扶措施。高效推进大排查大提升行动。先后召开乡村振兴领导小组会议及巩固拓展脱贫攻坚成果后评估调度会,安排部署大排查大提升行动,细化各部门的任务分工,及时解决排查过程中发现的困难和问题;对照后评估检查材料梳理嘎查村相关档案目录和台账,完成入户核查、信息采集录入、档案整理工作,搜集整理完成巩固拓展脱贫攻坚成果同乡村振兴有效衔接政策汇编,逐条逐项梳理排查成果,查缺补漏、补齐短板、推动提升。

【易地搬迁后续帮扶】 摸排搬迁人口就业需求、推送企业岗位需求,促进"供""需"双向选择,实现就近就地就业469人。投入衔接资金537万元,为俄体镇双花村、阿力得尔苏木光明嘎查2个安置点新建人畜分离养殖场2处；投入衔接资金300万元，在阿力得尔苏木光明嘎查、翁胡拉嘎查、永安村、双发村4个安置点创新实施清洁能源集中供暖试点，极大程度降低安置区取暖成本。

【乡村建设及治理】 扎实推进乡村建设行动。投入资金527.65万元，实施给排水一体化项目1个，实现供水、排水、生活污水收集处理一体化。投入资金3380万元，实施城乡环卫一体化项目，从源头上实现垃圾减量与资源化利用。投入资金1970万元，建设"牛羊出院"人畜分离试点4处，有效改变人畜混居现象。规范化推行乡村治理。制定《科右前旗在乡村治理中推行积分制管理的实施方案》，确定盟级积分制乡村治理试点村3个，旗级积分制乡村治理试点村11个，设置9大类12个内容116项奖罚积分，用积分制正向激励农牧户"守村规、改陋习"，积极参与环境整治、乡村建设、产业发展，确保规范化推进乡村治理。

【产业工作】 巩固产业发展基础使用中央、自治区衔接资金28248万元，重点发展肉牛、庭院经济、中草药、设施农业等乡村特色产业，全年实施产业类项目64个、投入资金16271万元，财政衔接资金用于产业发展方面资金占比为57.6%。严格执行脱贫人口小额信贷政策，新发放小额信贷231户959.5万元，富民贷784人3661万元，助农贷198户912.79万元。

【资金项目管理】 严格按照"村申报、乡审核、旗审定"的项目储备程序，规范项目库建设，聚焦防止返贫动态监测和帮扶、产业发展、乡村建设行动等任务，优先将带动能力强、利益联结机制紧密、与群众生产生活密切相关、资金使用效益高的项目录入项目库，2022年在全国防返贫监测系统项目库中储备项目249个、资金规模6.9亿元，为推动乡村振兴战略落实落地奠定项目基础。2022年共利用中央、自治区、盟、旗四级财政衔接推进乡村振兴补助资金3.49亿元，实施项目145个。使用京蒙协作资金9001.75万元，实施37个项目。全年整合中央6类、自治区3类涉农涉牧资金27674.65万元，实施项目78个。提升衔接资金绩效管理。聘请第三方公司全过程对项目建设进行监管，有效保障资金安全和资金绩效质量。利用中央和自治区财政衔接推进乡村振兴补助资金2.82亿元、实施项目104个，其中实施产业发展项目64个，投入资金1.63亿元，实施基础设施项目37个、投入资金1.14亿元。项目完工100个。加强扶贫项目资产后续管理，全面核查扶贫资产底数。制定并印发"1+4"规范性管理办法，即《科右前旗扶贫项目资产管理办法》和产权移交、运行维护、资产处置、收益分配4项细则。按照扶贫项目资产管理工作要求，全面启动清产核资工作，排查梳理2012—2020年累计形成扶贫资产20.7亿元。其中，经营类资产10.51亿元、公益类资产5.24亿元、到户类资产4.95亿元，并建立旗、乡、村三级经营类、公益类、到户类资产"三本账"，已全部确权移交登记，并纳入农村牧区集体资产管理体系。

【京蒙协作】 巩固拓展脱贫攻坚成果。重点发展乡村振兴基础设施、产业合作、人才培训、社会事业、劳务协作等巩固拓展脱贫攻坚成果项目37个，使用京蒙协作资金9001.75万元，其中产业类项目占比68.2%，以德伯斯镇前宝地嘎查人畜分离、乌兰毛都金马鞍旅游产业为代表产业发展项目，在生态振兴、文化振兴等方面为科右前旗开创新路；以生活垃圾处理、养殖粪污处理项目为代表的基础设施项目，解决科右前旗环境治理的难题。结对帮扶成果。全年完成海淀区8个街道(镇)、14个村、9家企业、11个社会组织、30所学校、3家医院与前旗15个苏木乡镇(中心)35个村、52所学校、3家医院结对；帮助农村劳动力实现就业2622人；累计农副产品和特色手工艺品销售额达到7588万元；选派人才中长期跟岗培训31人，基层干部集中培训150人次，各领域人才集中培训500人次。通过结对协作，科右前旗全面享受到海淀区教育、医疗、科技和经济发展成果以及资金资源支持，为科右前旗蓄势发展夯实基础。

(张小莉)

扶贫开发投资

【概况】 2022年6月，科右前旗众诚扶贫开发投资有限公司转为旗属国有企业。下设科右前旗众益工程咨询管理有限公司、兴安盟碧野田间农牧业发展有限公司、兴安湖畔旅游度假有限公司。公司负责旗、乡、村脱贫攻坚和乡村振兴投入的各级各类资金项目的后续备案管理。2022年全面清产核资后，纳入监管的资金37.35亿元，形成资产评估价值25.98亿元。

【收益分配】 管理旗级层面资产74585.4610万元，2022年为228个嘎查村分配收益金2036.39万元。

【资产管理】 采取有效措施，收回到期资金2900万元，收益金684.5万元，全部按照资金管理办法进行上缴和分配使用。

(关鹏飞)

人力资源和社会保障

【概况】 科右前旗人力资源和社会保障局为科级单位。内设机构，办公室、信访与调解仲裁办公室、就业促进与失业保险股、养老保险股、专业技术人员管理股、人力资源开发股、事业单位人事管理股、工资福利股、财务股、审计监督股、劳动关系与监察股、职业能力建设股、工伤保险股、机关党委。下属事业单位4个，科右前旗人力资源和就业服务中心、科右前旗社会保险事业服务中心、科右前旗人社局干部人事档案中心、科右前旗人事劳动综合服务中心。

【就业创业】 2022年，城镇新增就业人数1364人，完成城镇新增就业目标人数1100人的124%；城镇失业人员再就业人数858人，完成目标人数300人的286%；就业困难人员再就业人数642人，完成目标人数500人的128%；高校毕业生就业481人，完成目标任务480人的100%；城镇登记失业率为2.9%，控制在年度目标的5%以内。农牧民法定劳动力转移就业24180人，完成目标任务2.1万人的115%。拓宽就业渠道，2022年重点打造5个线下"零工市场"，开发线上兴安零工微信小程序，拓宽灵活就业渠道，优化就业服务环境，更好地满足群众多元化就业需求；组织开展线上线下多主题招聘会共28场，参会企业共178家，提供就业岗位7551个，达成就业意向930人；加快创业园孵化基地建设，巩固提升盟级示范创新创业孵化基地1家，新建3家具有孵化功能的创业园，共入驻企业208家，累计带动就业2993人。强化技能培训，委托13个定点职业培训机构开展中式面点师、母婴护理等19个职业(工种)培训班66个班期、培训人员2129人。推广"企校双制、工学一体"和企业培训相结合模式,兴安盟鑫华玉商贸有限责任公司和兴安盟亚龙汽车销售服务有限公司企业依托兴安职业技术学院开展新型学徒制培训7个班期,培训人员117人。细化就业服务,为185家企业发放稳岗返还补贴241.36万元,惠及企业职工4672人;发放一次性留工培训补助333.25万元,惠及参保单位257户、职工6665人;发放一次性扩岗补助25.95万元,惠及企业36家、职工173人;审批认定见习单位13家,安置青年见习生上岗110人(高校毕业生78人、失业青年32人)。加强创业担保贷款政策宣传力度,通过中国银行科右前旗支行和科右前旗信用合作联社发放创业担保贷款1615万元(企业4家1060万元、个人创业担保贷款30笔555万元)。

【社会保障体系建设】 2022年,全旗城镇职工基本养老保险、城乡居民基本养老保险、失业保险、工伤保险参保人数29.6万人(次)。其中,城镇职工参保55943人、城乡居民基本养老保险参保207066人、失业保险参保13349人、工伤保险参保19377人。实现基金征缴收入5.78亿元,发放基金9.25亿元。

【人事人才】 完成2021年公开招聘50人和农村牧区订单定向医学毕业生2人的资格复审、体检、考察等工作;使用事业编制用于安置"招生并轨"毕业生办理16人;为2021年兴安盟卫生健康系统事业单位公开招聘19人;完成2022年兴安盟教育系统事业单位公开招聘教师101人、2021年自治区公费定向师范毕业生29人、退役士兵34名的进岗工作;完成2022年全盟事业单位公开招聘的党委序列7人、政府序列143人、自主招聘56人(乌兰牧骑3人、基层卫生院53人),组织招聘社区工作者20人;通过"绿色通道"引进高层次和急需紧缺人才11人。推进职称评聘,激发专业人才干事创业动力。已完成218家单位事业单位岗位设置备案工作,累计聘任高级专业技术职称104人,中级172人,初级117人。管理人员聘任18人。工勤技能人员聘任9人。申报高级职称(除卫生事业单位)97人、中级职称191人、初级职称393人。

【信访和劳动保障】 加强督促检查,加大化解查处力度。共受理欠薪投诉案件260起,引导法院诉讼4起、调解34起、移送公安6起,立案解决109起。受理兴安盟社会联动平台案件线索222起,受理全国根治欠薪平台案件411起,均已解决。共为24153名农牧民工追回工资4579.73万元。受理兴安盟社会联动平台案件线索192起、完结173起,受理全国根治欠薪平台案件350起,均已解决,共为2443名劳动者追讨工资6175.89万元。组织实施保障农牧民工工资支付联合执法检查3次、对新就业形态用工企业及录用女职工较多企业开展执法检查2次、"双随机"执法检查3次,共计检查用工企业31家,日常执法检查18个建设项目。坚持多措并举,构建和谐劳动关系。全旗59家企业新签订集体合同、工资专项集体合同,已在网上进行合理性审查,并对农业银行等4家申请和谐劳动关系单位进行认定审批;推进和谐劳动关系三年行动,深入内蒙古阿尔——九八酒业有限公司等9家企业进行政策法规宣传工作;加强对企业的劳动用工监督检查,对申请综合工时和不定时工时6家企业进行审批,并对企业执行审批情况进行监督检查;截至2022年年末,12345政务便民热线共接260件工单,已处置254件。加强调解仲裁，防范化解重大风险。劳动仲裁共受案138起，结案138起，结案率100%，调解率78%，仲裁终结率94%，线上办案率97%，为劳动者挽回直接经济损失290万元，裁决用人单位为25位劳动者补交养老保险金39万余元。接办信访件65件，已办结63件，涉案109人，来人来访200余人（次）。开展工伤认定工作，共受理工伤案件66起，其中认定49起、不予认定1起、送达结案50起，受理因病劳动能力鉴定申请45起，工伤伤残等级鉴定申请40起。

【优化营商环境】 贯彻落实科右前旗优化营商环境工作要求，提升审批服务效能，优化升级政务大厅"一站式"功能，推进人社服务"综合柜员制"经办模式。探索推进人社系统"互联网+"模式。通过入户走访、公众号、微信群、定向短信等方式宣传"四位一体"就业云服务，不断提高需求企业及群众知晓率及应用率，截至2022年年末，通过"四位一体"就业云平台进行求职的用户共254人次注册，企业用工需求共27家注册。

（刘 学）

医疗保障事务

【概况】 2019年2月，依据中共科右前旗委员会办公室《科右前旗机构改革实施意见》（旗党办发〔2019〕47号）文件组建设立科右前旗医疗保障局，是旗政府工作部门，为正科级行政单位。全局内设5个职能股室和两个所属事业单位。2022年4月，依据科尔沁右翼前旗委员会机构编制委员会《关于科尔沁右翼前旗医疗保险服务中心机构职能编制的批复》（旗机编办发〔2019〕23号）及《关于设立科尔沁右翼前旗医疗保障局综合保障中心的批复》（旗机编办发〔2022〕37号），将原科尔沁右翼前旗医疗保障局所属公益一类事业单位科尔沁右翼前旗医疗保险服务中心调整为参照公务员管理事业单位，机构规格相当于副科级。核定参照公务员管理事业编制12名。设主任1名（副科），副主任2名（正股），内设机构股级领导职数4名（4正）。同时设立科尔沁右翼前旗医疗保障综合保障中心为科尔沁右翼前旗医疗保障所属公益一类事业单位，机构规格相当于正股级。

【医疗保障参保工作】 充分利用公安、民政、卫健、乡村振兴等部门共享数据，加强信息比对，挖掘参保资源，突出新生儿、返乡大学生、灵活就业人员和外来务工人员等重点群体，加大参保宣传力度，采取数据比对、入户核查、上下联动、便民服务等方式，全面排查摸清参保底数，依法推进参保登记。2022年，城镇职工参保33456人，其中破产企业退休人员、下岗灵活就业人员缴费6560人。城乡居民参保人数为255287人，其中自主缴费212718人，资助参保42569人。

【医疗保障服务】 落实职工门诊统筹及门诊共济。将全旗定点医药机构（含定点诊所、药店）全部开通职工医保门诊统筹结算功能，实地指导两定机构操作流程，确保结算顺利完成。并加强培训指导定点医药机构规范开展职工医保门诊统筹费用结算业务，保障参保职工能便捷享受职工医保门诊统筹待遇，同时按时划拨门诊统筹结算费用。充分利用"多彩前旗"App、微信朋友圈等新媒体形式，宣传职工基本医疗保险门诊共济保障机制，参保职工本人及其配偶、父母、子女在定点医疗机构就医发生的由个人负担的医疗费用，可由参保人员个人账户进行支付。开展和推进跨省异地就医直接结算工作。随着退休人员常驻外地人口的增多，办理异地就医的人员也在逐年上升。截至2022年年末，职工异地直接结算1124人次，统筹基金支付1629.8万元。城乡居民异地就医直接结算2203人次，统筹基金支付2034.5万元，大病666.9万元，医疗救助224万元。提升医保经办服务能力。进一步缩减报销时限，减轻群众医药费用垫付负担。开展延时服务和容缺受理服务。为解决参保患者"多次跑"和对医保报销业务不熟悉的问题，实行延时服务及容缺受理服务机制。推进区域点数法和按病种分值付费（DIP）支付改革。3家二级医院，21家一级卫生院实现DIP结算全覆盖，清单上传率、质控合格率均达到100%。

【医保基金】 围绕"织密基金监管网，共筑医保防护线"宣传主题，开展宣传月活动。通过制作基金监管宣传微传单、公开历年医保违法违规行为查处情况和典型案例、在"多彩前旗"App发布基金监管宣传短视频等宣传手段，有效提升医疗机构、参保群众等各类主体医保守法意识，营造全社会齐抓共管的良好氛围。发放宣传单2400余份，折页1500余份，手册1200余份。截至2022年10月末，对38家定点医疗机构完成全覆盖检查，对2家定点医院存在多收费、不规范用药、过度检查等使用医保基金共计498824.82元予以退回处理。检查定点零售药店136家。对185家两定机构进行全覆盖检查，且在12月完成定点一级医疗机构"回头看"22家，二级医疗机构1家，汇总检查结果处理22家，共缴回违规基金71753.23元。按照国家、自治区、盟医保局统一部署安排，认真组织开展定点医药机构医保违法违规行为和医保经办机构医保违法违规行为自查自纠工作。为切实保障"两定"机构自查自纠工作"不走过场""不流于形式"，分批次组织开展针对各级、各类定点医药机构的培训会，在解读医保政策的同时进一步突出自查自纠工作要求，推进工作顺利完成。

【医保改革】 贯彻落实国家医保局"两定管理办法"，按照经办服务和协议管理职责，认真做好"两定机构"的服务协议签订和管理工作。加强"两定管理办法"的宣传力度，提高政策知晓率。根据全区统一的医保服务协议文本，结合实际对服务协议进行条款补充，完成与辖区内185家定点医药机构的协议签订工作。按照规定流程适时开展新增和变更医药机构的申请评估工作，2022年共新增26家协议医药机构。推进药品带量采购，提高医保基金使用效率。组织全旗27家医疗机构参加药品和高值耗材集采工作，及时与医疗机构沟通，了解集采过程中存在的问题，加强指导和帮助协调解决，推进集采工作有序运行。同时通过召开会议等形式加强集采政策培训和宣传，合理引导社会舆论和群众预期，确保集采惠民措施在科右前旗落地落实。截至2022年年末，开展第六批（胰岛素专项）、第七批及十三省联盟、十四省联盟等多次国家药品集采和京津冀"3+N"联盟冠脉药物球囊类、起搏器类等高值医用耗材带量采购工作，有效减轻参保群众医药费用负担。推广使用医保电子凭证，按照工作要求，分类分批召开乡镇医保经办人员和定点医药机构负责人会议，全面布置医保电子凭证激活和应用推广工作。

【疫情防控】 强化责任，组织党员干部、志愿者前往林园小区参与一线疫情防控，完成全员核酸检测的工作安排，保障人民群众健康。开通报销绿色通道，对因疫情原因未能即时报销的门诊慢性病医药费用，在疫情解除管控后凭门诊或药店医药费用发票等材料办理手工报销手续。强化大厅疫情防控措施，引导办事群众佩戴口罩并自觉接受体温检测，避免交叉传染，保护好办事群众和经办工作人员的健康和安全，让群众放心办事。

【医疗保障行风政风建设】 医保局党组以党建为统领，发挥党员的示范引领作用，持续提升医保经办服务能力，大力提升政务服务水平，设立党员服务示范窗口，党员干部佩戴党员徽章上岗，亮明党员身份，主动接受办事群众监督。按照《内蒙古自治区医疗保障经办政务服务事项清单》，全面梳理规范医疗保障经办政务服务事项，将每项政务服务事项细化到每一位工作人员。

（何新宇）

民族事务

【概况】 科右前旗民族事务委员会是旗政府工作部门，为正科级，加挂科尔沁右翼前旗蒙古语文工作委员会牌子，归口旗委统战部领导。内设办公室、监督检查和民族语言文字股、经济和社会发展股3个股室。设有科尔沁右翼前旗民族团结进步创建指导中心1个。

【民族工作】 开展民族工作相关法律法规宣传教育。紧密结合民族团结进步"一周两月"活动，通过宣传海报、悬挂条幅、电子滚动屏等形式营造铸牢中华民族共同体意识宣传教育的浓厚氛围，发放《中华人民共和国国家通用语言文字法》《中国共产党统一战线工作条例》《内蒙古自治区实施〈中华人民共和国国家通用语言文字法〉办法》《内蒙古自治区促进民族团结进步条例》《铸牢中华民族共同体意识应知应会手册》等宣传资料7000余份，有形、有感、有效促进最深层次的文化认同，增强各族群众对共同体意识的认同感、自豪感和归属感。铸牢中华民族共同体意识为主线，扎实推进民族团结进步创建工作。着力打造建设铸牢中华民族共同体意识宣传教育基地和实践创新基地。番茄公社、科右前旗双创产业园、兴安农村第一党支部、科右前旗中小学研学实践基地被命名为全盟首批铸牢中华民族共同体意识实践创新基地和宣传教育基地。成立完善273个覆盖旗、乡、村三级的铸牢中华民族共同体意识促进会，形成"1+16+256"的组织机构框架，有会员2500余人，下辖"八支队伍"，开展活动百余场，辐射群众2.2万人次。2022年持续巩固全区民族团结进步示范旗成果，对科右前旗民族团结进步示范单位进行提质扩面。2022年5月会同旗妇联等多部门深入索伦牧场五连小学组织参加"童心喜迎二十大 民族团结一家亲"儿童节文艺会演，送去民族团结进步相关图书、儿童体育用品等物资。在全区第39个民族团结进步活动月期间，配合旗委、旗政府开展"踔厉奋发新征程 迎接党的二十大"全民国防教育日活动暨新时代好少年表彰大会。5月对全旗新址街面道旗、宣传标语和公交站点宣传展板内容进行完善整改，共整改219套。7月配合盟民委承办兴安盟"石榴籽同心筑梦"主题系列活动之全盟弓箭文化交流会暨第五届"豁尔臣"杯科尔沁哈日靶比赛；8月协助举办兴安盟那达慕，承办全盟"桑都仍杯"马头琴演奏大赛和传统趣味那达慕赛事；9月会同旗教育局组织参加全盟第十三届"银铃杯"中小学生诗歌朗诵大赛,科右前旗中小学生取得优异成绩。培树典型实体化引领,强化榜样精神。3月会同旗委宣传部、旗委统战部在全旗范围内开展盟级民族团结进步示范区示范单位组织申报工作,推荐兴科社区等16个部门单位为第六批全盟民族团结进步示范区示范单位。8月组织推荐7个集体和14名个人为全盟民族团结进步模范集体和模范个人表彰对象。9月察尔森镇1个集体和3名个人被自治区表彰为全区民族团结进步模范集体和模范个人。开展"石榴籽同心筑梦"系列主题活动。开展"中华文化大家学"活动。全旗各地开展活动1003次,8.3万人次参与。在农村牧区开展"听党话、感党恩、跟党走"活动。5月18日,察尔森镇察尔森嘎查承办全盟农村牧区"听党话、感党恩、跟党走"活动启动仪式。截至2022年年末,开展活动1042次,辐射5.4万人次。在城市社区开展各族群众"互帮互助"活动。五个城市社区共开展各类活动200余场,受益群众达2.3万余人。教育系统开展推广普及国家通用语言文字助教助学活动。全旗共26所学校参与结对共建,"教师一对一"结对人数80人,结对校间开展教学研讨活动128次,参与教师1598人次。"同心戍边"活动中开展思想筑边"四堂课"200余次、梳理建议150多条、答疑解惑200多项,排查化解矛盾纠纷52起。

【蒙古语文工作】 社会市面蒙汉两种文字翻译制作源头管理入手,坚持问题导向、有的放矢原则,开展行之有效的工作。安排两名干部入驻政务服务大厅,开展社会市面蒙汉两种文字并用工作,2022年审核市面牌匾400余块。

【少数民族发展资金项目】 2022年争取到少数民族发展资金项目资金共3批2020万元,全部整合实施衔接推进乡村振兴建设项目中使用。推动8个苏木乡镇实施产业发展和补齐基础设施短板建设等13个项目。

【特色亮点】 成立2个工作组深入各苏木乡镇、嘎查村社区开展"大走访、大调研,送政策、送温暖,促团结、促发展"百日行动,走出机关、深入基层、走进群众,把中央、自治区党委、盟委民族工作会议精神和党的民族理论政策宣传贯彻到千家万户。组织开展民委干部"能力素质提升年"活动,通过参加"能力素质提升年"专题培训班、组织一次知识竞赛、实施一人打造一个基层典型示范观摩点、开展一次主题演讲比赛、设计一条"类型完备、突出特色、覆盖面广"的观摩路线、撰写一篇民族工作调研报告、召开一次"能力素质提升年"专题组织生活会、评选民委系统优秀干部等"八个一活动",切实提高干部能力素质。科右前旗2个示范点(兴科社区和番茄公社)协助盟里承办全区铸牢中华民族共同体意识现场会。全年共接待外盟市考察学习团5次,盟内考察学习团7次。2022年8月在参加全盟铸牢中华民族共同体意识工作专题研讨班期间,为巩固与云南省昆明市石林彝族自治县"民族团结进步示范区建设友好旗县"关系,促进两地之间的友好往来,深入考察学习并借鉴铸牢中华民族共同体意识工作、民族团结进步创建的先进经验做法,特邀请盟委统战部副部长、盟民委党组书记、主任、二级巡视员带队一行4人,于8月22日下午赴云南省昆明市石林彝族自治县进行考察学习交流。

(包乌日嘎)

机关事务服务

【概况】 科右前旗机关事务服务中心(科右前旗合作交流中心)成立于2005年,是服务旗四大班子部门,为旗政府所属事业单位。中心前身为科右前旗机关事务管理局,2021年3月与原旗接待局合并,组建旗机关事务服务中心(旗合作交流中心)。有办公室、公务接待保障股、公共机构节能股、国有资产股、办公用房股、公务用车股、会议交流培训股等7个股室。

【公务接待】 认真学习领会中央八项规定、《党政机关厉行节约反对浪费条例》等制度准则,常态化组织接待股、机关餐厅学习新形势下公务接待工作新理论、新要求,确保接待工作始终服务于全旗经济社会发展大局。制定《副处级以上领导同志公务接待标准及相关支出的规定》,采取"一单式"管理,延伸"跟单式"服务,强化"三单一函"制度,规范公务接待审批流程,严控接待标准和范围。贯彻制止餐饮浪费行为指示精神,在机关餐厅倡导文明用餐,发起"光盘行动",全力制止餐饮浪费行为。以信息化统筹管理模式,完成第九届内蒙古自治区乌兰牧骑艺术节暨2022·兴安盟那达慕、第四届牧草产业博览会、中草药高质量发展大会、"小沙果大产业"产销大会等重大会议、活动、招商后勤保障任务,全年累计接待647批次,近1.8万人次。

【公共机构节能】 利用节能宣传周,动员机关干部、基层群众、青年志愿者3200余人,开展形式多样的宣传活动,让节能工作进机关、进学校、进乡镇(社区),发放宣传单5万余份,转发各类节能政策、文件、链接260条,营造起浓厚的节能宣传氛围。按照《科右前旗机关食堂反食品浪费工作成效评估和通报管理办法》,形成完善的工作成效评估和通报制度,指导各苏木乡镇、旗直部门食堂多措并举、齐抓共管,营造良好的反浪费氛围,实现舌尖上的节约目标。利用实地督查、能耗预警、实绩考核等方式,开展节能督查12次,下发能耗预警函41件,构建全方位公共机构节能监督体系。

【公务用车】 强化公务用车日常监督管理,累计为143台公务用车安装"移动终端",形成"标准化+信息化"管理模式,有效提升监督管理水平。对全旗207家行政事业单位682台公务用车进行年审工作,对车辆年检、保险及喷涂标识情况进行多维度监督,保障公务用车运行使用安全。车辆处置21台,调剂9台,购置20台,在满足日常用车需求的同时杜绝"车轮上的浪费",实现公务用车入口、出口上的节约和效率上的提高。

【办公用房】 按照《加快推进党政机关房产地产管理信息平台图形化信息采集与录入工作的通知》要求,对全旗党政机关办公用房进行三方测绘,已完成旗党政综合大楼、自然资源局和生态环境局办公用房的面积测绘工作。进一步规范党政大楼、楼外办公单位、各苏木乡镇办公用房使用管理,组织相关单位在全旗范围内开展2次安全检查督查,确保办公用房的使用安全。完成旗政府2号楼入驻前期对接相关工作。

【国有资产】 按照《科右前旗党政机关办公用房权属统一登记工作》要求,对全旗49家单位办公用房产权进行摸底排查,为权属统一工作奠定基础。完成旗老干部局活动中心17间办公用房和兴安办事处2处商品间权属统一，对社保局、移民办位于察尔森镇办公楼、车库等资产进行划转。特别是多年存在的老消防楼权属问题，2022年11月全部捋清，房产证办到机关事务中心名下，为下一步全旗办公用房权属统一工作开好头、起好步。

【服务保障】 不断细化会议服务标准，提升会议服务精细化水平，2022年完成各类会议服务1327场次。邀请礼仪老师，对机关干部、会务、餐厅服务员、保洁、保安进行2次礼仪培训。实行保洁区域化责任管理，通过自主管理、区域交叉监督相结合方式，推进保洁监管动态化、常态化、长效化。推进安保服务市场化改革，与铁甲护卫公司续签服务协议，开启政府后勤保障市场购买服务管理模式。从细节入手，强化党政综合大楼办公维修保障工作，截至2022年年末，处理各项设施故障超2100余次。利用楼内电子屏、电视播放党的二十大精神宣传标语、前旗新闻、放疫情防控等政策宣传类视频、图片累计545条。在完成好大楼各类报纸收发工作同时，发放四大办文件2840份。

【疫情防控】 按照党政两办联合印发的《关于加强对旗党政综合办公楼内部工作人员管理的通知》，全面加强党政大楼的保障工作。做好静水湾博园、纳兰雅居、壹号公馆等3个小区全员核酸、小区管控、干部"五包一"等工作。静默期间为保障全旗疫情防控工作人员用餐安全，机关餐厅采取封闭式管理，以"两荤两素+1个煎蛋"标准，累计做出2万份盒饭。

【乡村振兴】 做好"干部到乡"各项工作，多次开展联合党日活动。对接万企兴万村项目，协调中广核风电，为阿力得尔苏木大窝铺村争取产业项目资金15万元。协调内蒙古浙商实业集团有限公司为阿力得尔苏木大窝铺村两委建设室内厕所，改善村两委办公环境。通过与万佳公司、兴安盟丰泉商贸有限公司对接，发展庭院经济作物，种植卜留克1公顷左右；甜玉米约7公顷；种植紫苏约0.67公顷；种植南瓜约2公顷，创建庭院经济种植品种多样化。

（李　迪）

政协科尔沁右翼前旗委员会

概　　述
主要工作
重要会议
旗政协办公室

政协科尔沁右翼前旗委员会

概 述

【概况】 2022年是十五届政协履职的开局之年。一年来，常委会在旗委的坚强领导下，坚持以习近平新时代中国特色社会主义思想为指导，坚持团结和民主两大主题，坚持建言资政与凝聚共识双向发力，发挥政治协商、民主监督、参政议政三大职能作用，团结带领广大政协委员和全体政协工作者共同书写一份厚重的履职答卷，开创政协工作新局面。

主要工作

【视察调研】 政治协商精准建言。积极协助盟政协领导班子成员承担的肉羊、甜菜、大豆、医药等7个产业链及包联嘎查村工作在前旗落地落实。聚焦旗委中心工作，开展优化营商环境、"小沙果·大产业"发展、水资源节约集约利用、学前教育发展、札萨克图刺绣、工业园区基础设施建设、农村牧区人居环境整治及2022年重点提案办理等视察调研活动8次，提出工作建议45条。特别是在优化营商环境主席视察中，组织委员、民主党派代表、企业家及相关部门负责人广泛参与，通过实地走访企业、视察职能部门、召开协商座谈会等方式，为企业解决实际问题3个，促进科右前旗营商环境持续优化。在"小沙果·大产业"发展情况主席视察中，深入沙果加工企业、沙果种植基地，向企业负责人、果树种植户全面了解全旗沙果产业发展现状及存在的困难，针对落地果销售难、龙头企业影响力弱、产品附加值不高等问题召开协商座谈会，提出建议10条。通过举办兴安盟沙果节、扶持企业科技创新、鼓励企业开发新产品等举措，促进全旗沙果产业做大做强做精。

【基层协商】 基层协商逐步完善。推进政协协商与基层协商有效衔接，成功承办兴安盟政协"四个一"平台建设现场观摩会。2022年新建晓景、乌兰毛都苏木、兴科社区等"政协委员工作室"7个。政协委员齐晓景依托"政协委员工作室"平台，利用自身在乡村振兴中产业发展、乡土人才培育等方面的优势，与群众协商共发展，采取多种互利共赢的精准扶贫模式，带领乡亲们共同致富。乌兰毛都苏木"政协委员工作室"结合牧区群众生产生活特点，围绕马产业链发展、草原保护与畜牧业转型升级、奶制品生产经营等议题开展协商活动，将农村牧区"政协委员工作室"打造成民族文化传承"新基地"，联系服务群众"新阵地"，委员履职尽责"新品牌"。兴科社区"政协委员工作室"依托"四级联动，八方联席"共治协商联席会议机制，广泛参与基层社会治理，切实解决群众关心的热点难点问题，推动人民政协的制度优势转化为参与基层治理效能。

【提案办理】 民主监督提升实

效。加强提案办理工作，一次会议以来，征集整理的经济管理、城乡建设、社会民生、公检法司及其他方面共五大类提案107件，在两办督查室、提案委员会及承办单位的共同努力下，现已全部办结，见面率、答复率、满意率均达到100%。强化社情民意信息工作，制定《政协科右前旗第十五届委员会反映社情民意信息工作规则》，调动委员社情民意信息工作积极性，全年收集社情民意信息141条，上报100条，一批社会关注的热点、难点、焦点问题，通过政协渠道得到及时反映。监督司法公正工作，组织政协委员参加公安、法院、检察院听证会及案件执行监督活动10次，充分发挥政协委员民主监督作用，维护司法权威，促进公平正义。

【参政议政】 参政议政履职尽责。一次会议期间，委员列席人大会议，讨论政府工作报告、计划和财政报告、民生实事及法检两院报告，以提案、建议案形式为全旗经济社会高质量发展建言献策。旗委邀请政协主席列席常委会议，政府邀请副主席列席常务会议，参加重大项目、重要问题、重要人事的决策。一年来，政协领导班子成员参加区盟旗三级重要工作会议60余次，参加庆祝建党101周年、第九届内蒙古自治区乌兰牧骑艺术节暨2022·兴安盟那达慕、"前·海"农业科技节等重大活动60余次，围绕助推旗委重大决策、政府重要工作提出许多具有前瞻性、可行性、建设性的意见，切实发挥了参政议政的职能作用。

【中心工作】 实干担当中心工作。围绕中心、服务大局、促进发展是人民政协工作的重中之重。一年来，政协领导班子服务全旗发展大局，在科技创新、招商引资、乡村振兴、林果发展、畜禽产业、包联社区(嘎查村)、联系企业、信访维稳等工作中开拓创新、实干担当。积极推进了"前·海"——中博农胚胎生产实验室、罗普特科技集团市域社会治理基地建设、水发农业集团沙果全产业链深加工和岩兴科技有限公司玄武岩项目落地落实。积极打造了集技术推广、产业示范、科普研学、农旅融合于一体的科尔沁镇现代农业园区，成功举办了兴安盟科技成果展示与现场观摩会暨"前·海"农业科技节。积极促成了沙果主题电影《结满阳光的树》成功开机拍摄。为额尔格图镇六合嘎查秸秆转化、过水路面修复协调项目资金240万元，为巴日嘎斯台乡水库村庭院改造、冷棚建设协调项目资金200万元。

【书香政协】 "书香政协"全面启动。以培养书香委员、建设书香机关、助推书香社会为目标，营造书香文化，建设"书香政协"。开展常委论坛、委员讲堂、委员读书沙龙等书香委员读书活动19次。组织机关干部开展"一起读党史"、读书分享会等书香机关读书活动21次。举办农历虎年"迎新春·送春联""书香政协·文史资料进乡村"、政协委员走基层书法培训班等一系列文化下乡惠民活动8次，丰富文化生活、汇聚文化力量、增强文化自信，以"书香政协"助推书香社会建设。

【委员活动】 小组活动内容丰富。8个委员活动小组根据界别特点和委员专长，开展党的二十大精神集体学习、铸牢中华民族共同体意识专题讲座、冰雪旅游、设施农业建设、乡村振兴等学习调研活动23次，丰富委员履职的形式和内容，促进政协工作全面开展。第三小组开展的"冰雪旅游促发展 喜迎冬奥庆新年"主题调研活动,助推冬季旅游项目建设,营造全社会参与冰雪运动、关注冰雪旅游、热爱冰雪文化、发展冰雪经济的浓厚氛围。第二、第四小组联合开展的"凝聚政协力量 助力乡村振兴"主题调研活动,委员们在感受田园风光、体验劳动快乐的同时,助推"市民下乡、干部到乡、企业兴乡、能人返乡"工程的进一步落实落地。第六小组开展的"委员下基层 感受新时代"主题调研活动,深入了解设施农业建设情况,使委员们在履职实践中提高政治站位,提升履职热情,强化责任担当。

【完善制度】 制度建设全面完善。制定完善全体会议工作规则、常务委员会工作规则、委员管理办法、委员活动小组履职工作考核办法等13项规则制度,规范工作程序、严明工作纪律、提高工作效率。制定完善机关财务管理制度、机关会务管理制度等23项工作制度,切实提升政协机关工作科学化、规范化、制度化水平。

【对外交流】 广泛联谊增进共识。首次主办"携手新征程 奋进新时代"科右前旗统一战线迎新春联谊会,号召广大统一战线成员从党的百年奋斗历史中汲取前进力量,坚定不忘合作初心、继续携手奋进的共同信念。开创性举办"同生约"系列活动,打破委员小组界限,举办以"政协一家亲 共植委员林""喜迎二十大 重温红色记忆""祖国陪我共成长 我与祖国同庆生"为主题的活动3次,各界别委员在庆生活动中感受政协温度,增进了解、增进团结、增进共识。加强与旗外政协学习交流,全年共接待全国政协、自治区政协及其他省市政协视察考察调研活动45批次,达到了广泛交流、广交朋友、增进友谊的良好效果。

【铸牢中华民族共同体意识】 团结合作促进共识。学习宣传贯彻习近平总书记关于加强和改进民族工作的重要思想,增强做好新时代民族工作的政治责任,推动国家通用语言文字落地落细落实,促进各民族交往交流交融,维护我旗民族团结大好局面,筑牢祖国北疆安全稳定屏障。开展以"深入宣传贯彻党的民族政策,铸牢中华民族共同体意识"为主题的宣传活动,进机关、进社区、进村屯,引导各族群众增强对伟大祖国、中华民族、中华文化、中国共产党、中国特色社会主义的高度认同,铸牢中华民族共同体意识。

重要会议

【政协科右前旗第十五届委员会第一次会议】 2022年1月5日至8日,政协科右前旗第十五届委员会第一次会议在科右前旗科尔沁文化中心多功能厅召开。提名旗政协主席岳嵩山主持开幕大会。提名旗政协副主席孙继辉主持闭幕大会。中共科右前旗委书记孙书涛到会祝贺。会议审议批准修儒峰代表政协科右前旗第十四届常务委员会所做的工作报告。会议审议批准陈凤华代表政协科右前旗第十四届委员会常务委员会所做的提案工作报告。审议通过政协科右前旗第十五届委员会第一次会议提案审查情况的报告。审议听取并赞同旗政府关于科右前旗2021年民生实事项目完成情况和2022年民生实事正式候选项目形成情况的通报、科右前旗2021年国民经济和社会发展计划执行情况与2022年国民经济和社会发展计划草案的通报、科右前旗2021年财政预算执行情况和2022年财政预算草案报告、旗法院工作报告、旗检察院工作报告讨论情况的汇报。会议选举岳嵩山为政协科右前旗第十五届委员会主席，陈凤华、孙继辉、张国军、侯海山为政协科右前旗第十五届委员会副主席。会议期间中共科右前旗委书记孙书涛等旗党政军领导出席会议，就全旗经济社会发展的重点工作和事关群众切身利益的热点难点问题，与委员协商互动、深入交流，听取意见建议。十五届政协一次会议上，政协委员共提出提案128件，整理归类分为五大类107件。其中，经济管理类24件，占立案总数的22.4%；城乡建设类44件，占立案总数的41.1%；社会民生类30件，占立案总数的28%；公检法司类8件，占立案总数的7.5%；其他方面1件，占立案总数的0.9%。截至10月份，这些提案在各承办单位的共同努力下均已办结，提案工作呈现出"旗委政府重视、政协主动、部门联动、委员满意"的良好局面。

【**政协常委会会议**】 2022年1月20日，旗政协党组书记、主席岳嵩山主持召开政协科右前旗第十五届委员会第一次常委会会议。旗政协党组副书记、副主席陈凤华，副主席孙继辉、张国军，党组成员、副主席侯海山，党组成员高玉荣出席会议，各专委会主任、副主任列席会议。本次会议共有四项议题：会议通报了政协科右前旗第十五届委员会领导班子工作分工；协商通过了《政协科右前旗第十五届委员会委员活动小组名单（讨论稿）》《政协科右前旗第十五届委员会2022年工作要点（讨论稿）》《政协科右前旗第十五届委员会常务委员会规则制度（讨论稿）》。会上，岳嵩山就如何做好政协常委工作提出要求。

2022年5月18日，旗政协党组书记、主席岳嵩山主持召开政协科右前旗第十五届委员会第二次常委会会议。旗政协党组副书记、副主席陈凤华，副主席孙继辉、张国军，党组成员、副主席侯海山，党组成员高玉荣、陈宝龙出席会议，各专委会主任、副主任列席会议。本次会议共有九项议题：开展常委论坛活动；听取政协科右前旗第十五届委员会第一次会议提案交办情况的汇报；协商通过《科右前旗政协"同生约"系列活动实施方案（讨论稿）》；协商通过《"书香政协"建设实施方案（讨论稿）》；协商通过《关于科右前旗优化营商环境情况的视察报告（讨论稿）》；协商通过《关于科右前旗"小沙果·大产业"发展情况的视察报告（讨论稿）》；协商通过《科右前旗学前教育发展情况的调研报告（讨论稿）》；协商通过《科右前旗政协委员活动小组工作考核方案（讨论稿）》；人事任免事宜。

2022年8月31日，旗政协党组书记、主席岳嵩山主持召开政协科右前旗第十五届委员会第三次常委会会议。旗政协党组副书记、副主席陈凤华，副主席孙继辉、张国军，党组成员、副主席侯海山，党组成员高玉荣、陈宝龙出席会议，各专委会主任、副主任列席会议。本次会议共有七项议题：开展常委论坛活动；传达学习《中国共产党政治协商工作条例》；协商通过《政协经济委员会关于我旗工业园区基础设施建设情况的调研报告（讨论稿）》；协商通过《政协提案委员会关于科右前旗札萨克图刺绣发展情况的调研报告（讨论稿）》；协商通过《政协民族宗教委员会关于科右前旗农村牧区人居环境整治情况的调研报告（讨论稿）》；听取《政协经济委员会走访经济界别委员活动情况汇报》；听取《政协经济委员会走访旗内商会情况汇报》。

2022年11月17日，旗政协党组书记、主席岳嵩山主持召开政协科右前旗第十五届委员会第四次常委会会议。旗政协党组副书记、副主席陈凤华，副主席孙继辉、张国军，党组成员、副主席侯海山，党组成员高玉荣、陈宝龙出席会议，各专委会主任、副主任列席会议。本次会议共有五项议题：开展常委论坛活动；传达学习党的二十大精神；协商通过《政协提案委员会关于2022年重点提案办理情况的调研报告（讨论稿）》；听取《政协经济委员会汇报与旗外三级政协经济委员会交流联动情况》；人事任免事宜。

2022年12月29日，旗政协党组书记、主席岳嵩山主持召开政协科右前旗第十五届委员会第五次常委会会议。旗政协党组副书记、副主席陈凤华，副主席孙继辉、张国军，党组成员、副主席侯海山，党组成员高玉荣、陈宝龙出席会议，各专委会主任、副主任列席会议。本次会议共有十五项议题：听取旗政府《关于政协科右前旗第十五届委员会第一次会议提案办理情况的报告》；听取旗委办公室《关于政协科右前旗第十五届委员会第一次会议提案办理情况的说明》；听取政协科右前旗第十五届委员会各委员活动小组年度工作开展情况汇报；听取政协科右前旗第十五届委员会第二次会议筹备情况的通报；协商通过政协科右前旗第十五届委员会第二次会议秘书处工作机构、秘书处工作机构主要职责；协商通过召开政协科右前旗第十五届委员会第二次会议的决定（草案）及会议议程（草案）、日程（草案）；协商通过政协科右前旗第十五届委员会第二次会议选举办法（草案）；协商通过增补、撤销政协科右前旗第十五届委员会委员事宜；协商通过选举政协科右前旗第十五届委员会秘书长、补选常务委员建议名单；协商通过政协科右前旗第十五届委员会第二次会议总监票人、监票人建议名单（草案）；协商通过政协科右前旗第十五届委员会提案审查委员会成员建议名单（草案）；协商通过政协科右前旗第十五届委员会第二次会议讨论组建议名单；协商通过表彰政协科右前旗第十五届委员会优秀政协委员、优秀提案、优秀委员活动小组相关事宜；协商通过政协科右前旗第十五届委员会常务委员会工作报告（讨论稿）；协商通过政协科右前旗第十五届委员会常务委员会提案工作报告（讨论稿）。

旗政协办公室

【概况】 科右前旗政协办公室是政协科右前旗委员会工作部门。内设综合组、文秘组、党建组、财务组和后勤服务保障中心等4个组室、1个中心。

【办文办会】 2022年度，制定《科右前旗政协机关公文处理办法》《科右前旗政协机关办公室发、收文处理流程图》，使文件管理进一步规范、准确，简化流程同时严格按照制度要求执行。坚持少发文短发文，进一步规范行文程序、控制文件数量、提高发文质量。对上级未要求配套制发的规范性文件，一律不发文。2022年纳入精减范围的发文数量无增加。持续推进无纸化办公，减少纸质文件发放数量，向政协委员发文直接采用PDF形式下发至微信群，取消取文环节，提高文件落实运转效率，减轻委员负担。办公室完成1次全委会、4次常委会会议、7次党组会议、7次主席会议、13次机关工作人员会议的组织筹备和服务工作。无论是会前的材料起草、会场上的服务，还是会后的材料收集整理等工作，都竭力做到细致周到，不放过每一个细节，尽量为与会人员提供一个良好的环境，确保会议胜利召开。

【接待服务】 接待上级或外地政协来科右前旗进行调研、视察、考察、联谊等活动共34次，办公室在严格接待标准、规范接待程序的前提下，认真拟定详细的接待方案，悉心接待，展现政协的良好形象，对外积极推介前旗、宣传前旗。举办政协委员培训班2次，实现政协常委、委员和机关干部培训全覆盖。2022年4月成功举办在科右前旗召开的全盟政协四个一履职平台观摩现场会。为组织开展"迎新春·送春联"活动、"携手新征程 奋进新时代"科右前旗统一战线迎新春联谊会活动全力做好服务保障工作。组织机关读书分享会、文史资料下基层、"常委论坛""委员讲坛""委员沙龙""书香政协"等系列文化活动8次。每季度为该季度出生的政协委员和机关干部举办集体生日庆典，2022年分别举办"政协一家亲 共植委员林""喜迎二十大 重温红色记忆""祖国陪我共成长 我与祖国同庆生暨农旅融合产业发展调研"3次"同生约"主题活动。

【协调督办】 强化综合协调。办公室注重加强与各专委会的工作协调与协作，确保政协各项工作能够超前部署、超前实施、超前完成。各项工作力争做到细致具体、务实高效；切实抓好工作的督办落实。无论是旗委、旗政府以及上级政协所交办的工作，还是全委会、常委会或主席会安排的工作都能做到尽心尽力、尽职尽责抓好督办落实，在工作中时刻树立"马上办"意识，保证政令畅通，确保时限。

【重点工作】 着力提高工作效能。统筹协调各专委会开展调研、视察及委员小组活动，确保政协履职有序进行、取得实效。在开展调研视察活动中，办公室积极配合各专委会细化方案、协调人员、安排后勤；积极参与实地调研视察和报告撰写，加强报告的规范性审核；主动加强与旗委、旗政府及相关部门的沟通衔接，确保报告报送及时，领导批示反馈及时，意见建议落实及时。全年参与组织优化营商环境、"小沙果·大产业"、水资源节约集约利用、学前教育发展情况、蒙古族刺绣和手工编织发展情况、工业园区建设情况、农村牧区人居环境整治和2022年重点提案办理情况等8项视察调研活动组织筹备、实地调研视察及报告撰写、审核、报送等工作，形成一批高质量、有价值的调研视察成果。

（黄业超　张　健）

中共科尔沁右翼前旗纪律检查委员会
科尔沁右翼前旗监察委员会

巡察工作

中共科尔沁右翼前旗纪律检查委员会
科尔沁右翼前旗监察委员会

【概况】 根据国家监察体制改革要求，2018年1月8日，科右前旗监察委员会正式挂牌成立，与中共科右前旗纪律检查委员会合署办公，简称旗纪委监委。旗纪委监委属党政机关。内设办公室、组织部、宣传部、案件监督管理室、案件审理室、信访室、党风政风监督室、干部监督室、第一至第六纪检监察室共14个科室，另设有廉政教育中心、数据中心2个部门所属事业单位，根据监察体制改革共设立18个派驻纪检监察组，综合派驻纪检监察组15个，单独派驻纪检监察组3个。

【政治监督】 围绕加快推进五大任务、全方位建设"模范自治区"强化政治监督。加强对中央生态环境保护督察反馈问题整改，推动破坏草原林地违规违法行为专项整治，开展林草以案促改，督促问题图斑及案件全部完成整改，查处满族屯满族乡乱开滥垦草原问题，"室组地"联动监督国家林草局挂牌督办破坏森林资源等问题的整改情况；督促落实"五大起底"，持续跟进疫情防控工作，加强对意识形态、网络新业态等重点领域监督检查，常态化推进扫黑除恶"打伞破网"，维护全旗社会安全大局；常态化治理煤炭资源领域违规违法问题，将推进碳达峰碳中和、落实能耗"双控"要求纳入政治监督台账，跟进监督，保障落实；高标准农田建设领域进行"室组地"联动监督，常态化跟进监督。深入开展违建别墅问题清查整治、农村乱占耕地建房问题专项整治、落马领导干部在农村圈地建豪宅问题清理整治，坚决遏制耕地"非农化"；深化铸牢中华民族共同体意识，加强和改进民族工作的监督，压紧压实各级党委（党组）主体责任，精心呵护"全国民族团结进步示范旗"崇高荣誉；加强对巩固拓展脱贫攻坚成果同乡村振兴有效衔接、统计造假专项纠治、"12345"热线服务、困难群众救助补助资金审计发现问题专项治理、供暖保障、户厕改革"回头看"等方面的监督检查力度，进一步强化责任落实；贯彻落实中央八项规定精神，聚焦工作纪律、公务用车、"三公经费"等重点事项开展监督，驰而不息纠治"四风"。

【审查调查】 做好信访举报办理工作。全年共受理信访举报544件，同比下降43.21%。检举控告类240件，同比下降63.58%。其中，初次检举控告类144件，办结率100%；立案14件15人，立案率10.14%；办理结果反馈128件，满意率95.31%。加强审调工作力度。共处置反映问题线索516件，立案120件，同比下降58.2%；结案300件，同比增长81.8%；给予党纪政务处分306人，同比增长71.9%；涉嫌犯罪移送检察机关5人，同比下降76.2%。精准运用"四种形态"。运用"四种形态"批评教育帮助和处理920人次，增长25.7%。其中，第一种形态处理618人次，占67.2%；第二种形态处理250人次，占27.2%；第三种形态处理31人次，占3.4%；第四种形态处理21人次，占2.3%。开展以案促改。协助旗委召开领导干部警示教育大会2次，制作警示教育片1期，指导地区、行业部门累计召开警示教育会64次、受教育3794人次。督促主体部门落实廉洁文化建设，着力提高党员干部拒腐防变能力，增强社会廉洁意识，逐步净化政治生态。

【巡察覆盖】 开展三轮巡察，完成12个旗直部门、3个事业单位、4个苏木乡镇及所辖44个嘎查村(社区)的巡察任务，发现问题474个，移交问题线索19件。深化上下联动，开展交叉巡察，发现问题16项，移交问题线索4件。强化巡察整改，巡察反馈的56个问题完成整改55个，延期整改1个。

【深化改革】 认真落实纪检监察体制改革工作要点，将9大项改革内容细化分解为41项具体任务，完成年度改革任务。

【队伍建设】 加强三化建设。深化信访检举控告平台应用，录入廉政档案信息10684条。开展案件质量"回头看"，对2020年以来771个立案办结案件进行质量评查，发现的问题全部整改。深入贯彻纪律检查委员会工作条例和派驻机构工作规则等，全面推进纪检监察机构、职能、权限、程序、责任法定化。加强办案安全，召开周例会35次，抽查回看同步录音录像101人次133小时。加强自身建设。把不敢腐、不能腐、不想腐一体推进的理念贯穿自身建设，加大严管严治、自我净化力度，坚决防止"灯下黑"。开展集中培训2次170余人次，发放学习手册和"工具书"14类2500余册。将以案代训、以老带新实战模式贯穿始终，持续深化"室组地"联动机制，通过选派干部参与专案、抽调基层干部参加本级专案或部门调训等方式，打好练兵"组合拳"。

(徐佳乐)

巡察工作

【概况】 2017年7月，科右前旗委巡察机构正式成立，设立旗委巡察办、旗委第一巡察组、旗委第二巡察组、旗委第三巡察组，为旗委工作部门。旗委巡察办内设2个组室，分别为综合组、督查室，下设1个副科级事业单位为巡察工作数据服务中心。

【巡察工作】 压实主体责任，强化责任担当。旗委坚决扛起政治责任，制定出台《旗委常态化学习贯彻、听取研究巡察工作制度》，先后召开3次常委会学习传达新精神新要求、审议巡察五年工作规划及相关配套制度。旗委书记把巡察工作作为"书记工程"来抓，主持召开3次书记专题会听取巡察工作情况汇报，研究成果运用，旗帜鲜明点人点事点问题55项，作出指示批示5次。巡察工作领导小组严格履行组织实施责任，累计召开6次会议研究部署工作，向旗委请示报告，做好力量调配和经费保障，着力解决制约巡察工作发展的难点问题，不断推动主体责任落实落细。坚持务实举措，压茬推进巡察任务。旗委统筹巡察全覆盖"时间表""路线图"，压茬推进巡察轮次。2022年共组织开展三轮巡察，以"巡乡带村""直接巡村"的方式，完成9个旗直部门、1个事业单位、4个苏木乡镇及所辖44个嘎查村(社区)的巡察任务，累计发现问题418个(其中村级问题269个)，移交问题线索17件。截至2022年，十五届旗委已完成四轮巡察任务，覆盖率为18.7%。在第二轮巡察期间，巡察组采取开设微信"二维码"

进行接访，通过巡察"码"上办的方式，收集群众信访问题，推动解决群众强烈反映的供暖和路灯不亮等问题。深化上下联动，持续推进贯通融合。针对自治区指导督导组反馈的5个方面13个问题和盟委巡察指导督导组反馈的4个方面问题，旗委书记作出认真贯彻落实反馈意见批示，领导小组牵头制定整改方案，共细化整改措施50项，建章立制6项，确保问题整改完成。2022年按照中央《关于加强巡视巡察上下联动的意见》及自治区配套措施要求，配合盟委完成异地交叉巡察1轮、提级巡察1轮，做到同频共振、同向发力，有力推动巡察全覆盖。不断完善巡察与纪检监察、组织、信访等协作配合机制，与审计部门联合印发《关于规范巡察和审计工作协作配合机制的实施办法》，从互通计划、干部选派、前期通报等方面资源共享，建立巡审同步、先巡后审、先审后巡的联动模式，不断强化监督合力。全年向相关部门累计发函72件，复函信息105条。强化整改落实，做好巡察"后半篇文章"。2022年，旗委将巡察整改情况纳入年终目标考核体系，不断推动巡察整改工作走深走实。严格落实"双反馈""三通报"机制。2022年向被巡察党组织和主要负责人反馈巡察问题的基础上，向旗委政府分管领导、主管部门、派驻纪检监察组分别通报反馈意见，做到协同推进巡察整改任务。建立"双周"报告机制。自巡察反馈之日起，被巡察单位每半个月向旗纪委监委党风室、巡察办督查室上报一次整改台账，根据台账整改情况，对整改中存在的问题及时进行跟踪指导，有序推动巡察整改。建立联动整改机制。为推动粮食购销领域整改，旗纪委监委、巡察办定期沟通被巡察单位整改情况，旗纪委监委共组织召开粮食购销领域整改推进会3次，进一步压实整改责任。截至2022年年末，十五届前2轮巡察反馈问题222个，完成整改210个，整改率为94.6%，通过整改督促各被巡察党组织建立完善制度69项，上缴财政资金2190.7万元，原渠道归还资金16.9万元，收回承包费114.99万元，提醒谈话64人，党政务处分1人。

【队伍建设】 强化专职人员配备。为进一步强化巡察组力量，加强巡察组与被巡察党组织和有关部门(单位)之间的日常工作协调，切实发挥联络员上传下达、内通外联作用，2022年初，向三个巡察组各配备1名固定联络员，确保组内工作高效运转。加强教育培训。每轮巡察前将保密教育作为巡察培训的首堂课，不断强化巡察干部保密意识，并将巡前培训、巡中指导、巡后复盘贯穿巡察全过程，全方位为巡察干部充电、储能，有效提升巡察干部政治素养和业务水平。全年共开展巡察业务培训5次，邀请盟委巡察机构领导授课1次，外出学习交流1次，专题研讨3次、参加盟委巡察视频培训1次。加强作风建设。旗委巡察机构制定出台《巡察干部守则》《巡察工作"十不准"》等规定，做到"巡前承诺约束，巡中社会监督，巡后评价监督"，严格执行中央八项规定精神，坚决防止"灯下黑"。

【疫情防控】 2022年，旗委巡察机构严格按照旗疫情防控指挥部要求，按照"外防输入、内防反弹"总要求，在做好单位疫情防控的基础上，全员参加包联社区疫情防控工作，调整核酸检测路线图3次，配备交通锥、电源线等防疫物资7套，开展核酸检测培训4次，为社区制作疫情防控指示牌45套，张贴单元核酸检测路线图50份，组织干部参加核酸检测23

次。先后深入包联的扎萨克图社区、俄体镇乌兰村开展摸底排查、防疫宣传5次,在开展"敲门行动"期间,深入居民村民家中,摸底排查社区、村人口底数、帮助升级健康码、宣传新冠疫苗接种等工作,全年共排查生态移民小区10栋楼648户1453人,排查乌兰村142户423人,切实做到疫情防控底数清、情况明。

(杨和平)

群众团体

工商业联合会
工　　　会
共　青　团
妇　　　联
科　　　协
残　　　联
红十字会
文　　　联

群众团体

工商业联合会

【概况】 科右前旗工商联是中国共产党领导的人民团体和商会组织，是党和政府联系非公有制经济人士的桥梁纽带，是政府管理和服务非公有制经济的助手。2021年11月11日，在旗委机构编制委员会第四次会议中将旗区域经济合作服务中心隶属关系由旗发改委所属事业单位调整为旗工商联所属事业单位，因此2022年的工作中有区域经济合作服务中心的工作内容。

【第十二届会员代表大会】 2022年科右前旗工商业联合会（总商会）召开第十二届会员代表大会。选举产生科右前旗工商联（总商会）第十二届领导班子成员、执委，共计104人，完成科右前旗工商联换届工作。完成新一轮工商联会员选拔工作，入会新会员（包括乡镇会员）45人，全旗会员总数已达到773人。

【企业兴乡】 围绕关于深入推进"企业兴乡"工作部署，细化制定《科右前旗"企业兴乡"工程实施方案》，进一步引导民企、商会、园区、金融机构等市场主体，从资金援助、产业帮扶，到物资捐赠、消费带动，再到劳务协作、带动就业等多种形式参与乡村振兴，推进"企业兴乡"工程由"输血式"帮扶向"造血式"帮扶转变。截至2022年年末，全旗已实现85家国有企业、民营企业、商协会全覆盖帮扶228个嘎查村，有效带动牛、马、奶、林果等11大产业链和1个民族文化产业集群发展。承办全盟"企业兴乡"工程现场会，并做典型发言。推动乡村发展加快释放新动能，带领科右前旗有合作意向的企业赴海淀区深入对接，已成功牵手3对企业。

【招商引资】 旗级领导先后带队赴北京、上海、江苏等地走访洽谈项目，围绕前旗特色产业，聚焦生猪、肉牛、肉羊、林果、文旅等产业项目进行考察对接外出考察35次，先后考察企业70余家。在鄂尔多斯市召开主题为《感恩十年 携手再出发》的招商引资推介会，会上邀请70余家企业参加，分别与巴音孟克集团采供贸易公司、鄂尔多斯羊绒集团绒纺事业部等企业签订战略框架合作协议书。科右前旗引进招商项目28个，其中到位资金项目28个，到位资金20.204亿元。发动各方力量，全面开展"能人返乡"工作，共收录前旗籍能人246人，收集各地项目需求53个，能人需求172人。累计举办现场会、见面会、座谈会12次，全盟首场"能人返乡"对接现场会在科右前旗召开，会上成功签约素茂食品等5个项目。已引回能人返乡落地项目21个。

（乌日柴胡）

工　会

【概况】 科右前旗总工会是正科级群团组织。内设财务部、组宣部、经济部、保障部、法工部、女工部、网络工作部、办公室、困难职工帮扶中心。

【困难帮扶工作】 开展精准帮扶、普惠服务，集中力量推进困难职工解困脱困。帮扶困难职工共计88人，共计发放各级帮扶资金85万元。包括帮扶资金开展"金秋助学"活动，帮助城镇困难职工和困难农牧民工子女解决"上学难"问题。2022年面向疫情防控一线人员、困难职工、农牧民工等群体，开展各类慰问活动慰问人数千余人，发放慰问金及慰问物资共计13.2万余元。其中，2022年元旦和春节，慰问困难职工、交警、劳模、新业态劳动者、环卫工人等17人，共计发放慰问款1.2万元。开展"冬送温暖"活动，慰问疫情防控人员、医务工作者、环卫工人、交通警察、一线企业职工、一线农牧民工300余人次，共计开展7次慰问活动，发放慰问物品折合金额5万余元。开展"工会进万家"活动8次，慰问疫情防控一线工作人员200人次，慰问新就业形态劳动者"六送"等600余人，发放慰问品金额5万余元，开展"致敬劳动 情系盛夏"夏送清凉慰问活动，为科右前旗城市管理综合行政执法局、科右前旗乌兰牧骑等多家单位坚守岗位的一线职工送去夏日放暑降温物品，共计慰问130余人，发放慰问物品折合金额2万余元。加强工会微信公众号、职工之家等阵地建设，开展"六送"入企活动10场，惠及职工近千人。推动互助医疗向大病和困难职工倾斜，7221名职工参保。截至2022年年末，职工医疗互助参保人数达8267人，申领人数203人，申领总金额581816.47元。深化职工医疗保障，避免职工因病致困的风险。

【工会组织"揭榜领题"工作】 新就业形态劳动者开展工会组建攻坚战。新建工会55家，发展会员1.4万名，其中新就业形态工会8家，发展会员351名。全旗基层工会总数达到402家，基层会员总数达到2.4万名。开展"工会进万家·新就业形态劳动者温暖行动"服务月活动，筹集资金对4家企业260人次开展慰问。女职工合法权益维护工作取得新突破。在女职工维权月期间发放宣传资料300多份，女职工参与法律答题活动200人次；新建"女职工休息哺乳室"1处，并抓好规范化建设；继续打造"工会佳缘"服务品牌，举办交友活动1场次，参与职工30人，5对单身职工成功达成交友意向；赴20家单位开展女职工产假等权益专项执法行动，开展"喜迎党的二十大 绽放女工芳华——玫瑰书香"女职工读书分享活动1次，组织262名新就业形态女职工开展"两癌"免费筛查。

【产业工人队伍建设】 制定下发《科右前旗总工会2022年度劳动和技能竞赛工作意见》，开展劳动和技能竞赛5场，带动5家企业、400余名职工参加，4家先进集体和50名先进个人获得表彰，推荐10人荣获"兴安盟技术标兵"，1人入选"北疆工匠"培育计划。投入近15万元开展慰问活动，慰问一线职工近1300人，涉及27个机关企事业单位。组织8名一线职工参加疗休养。建立困难职工档案123份，向13名困难职工发放救助资金6.5万元。举办"春风行动""就业援助月"等招聘会3场，提供岗位320个。根据企业需求，开设免费技能培训班4个，174名职工参加培训后获得技能资格等级证书，培训资金20万元。本着创新创业，新就业形态的发展趋势，通过讲课、实操培训，提高农牧民工职业技能水平及就业能力，培养造就一批有文化、懂技术、会经营的新型农牧民。

【先进典型选树】 开展劳模精神宣讲。组织10名劳模组成劳模工匠宣讲团，进校园、进工地、进社区开展劳模精神大宣讲5次，开展技术服务5次。加大劳模选树力度。推荐1家单位荣获"兴安盟工人先锋号"，6人荣获"兴安盟五一劳动奖章"，1人荣获"内蒙古自治区五一劳动奖章"，1家单位荣获"全国五一劳动奖状"。

【市域社会治理】 开展厂务公开民主管理工作。累计共有110家企事业单位开展厂务公开民主管理工作，通过定期召开职工代表大会、厂务公开推进会、及时更新厂务公开栏内容、邀请职工代表参与本单位重要活动、重大决策等，丰富厂务公开的途径和方式。成立户外劳动者服务站点，投入资金20万元。为广大户外劳动者提供纳凉、取暖、饮水、热饭、休息等温馨服务，架起党和政府直通基层的"连心桥"。

【劳动领域政治安全】 注重监测排查。由旗总工会班子成员带队，分2个组经常深入基层工会走访摸排，密切关注职工思想动态。成立工会劳动领域维护政治安全信息员队伍，实行每周报告制度，及时反馈工会劳动领域不稳定因素，并及时进行处理。注重权益维护。借助自治区工会干部赴科右前旗工业园区开展蹲点工作的有利时机，开展集体协商要约行动，签订企业集体合同112份、工资集体合同112份、行业性工资集体合同1份，签订率达到建会率的80%以上，百人以上建会企业集体合同签订率达到100%。开展普法服务进企业、进工地30余场，服务劳动者2000余名，受理劳动争议37件，劳动关系监测点增至30家，印发劳动合同、安全生产、社会保障等方面法律法规宣传单2000份，帮助农牧民工和新就业形态劳动者知法懂法用法。

【优化营商环境】 减轻企业各项负担。认真贯彻落实群过总工会为企业纾困减负政策，返还74家小微企业工会经费69.3万元。提高职工幸福指数。职工慰问活动投入近15万元，慰问职工近1300人、涉及27个机关企事业单位。

【乡村振兴】 2022年，旗总工会从加大基础设施、结构调整、基层组织等方面作为突破点和切入口，取得扎实的成效。加大人员投入，2022年派驻到德伯斯镇五家子嘎查驻村第一书记1名及工作队员1名，加大帮扶力度，巩固脱贫攻坚、助力乡村振兴。主要负责人带队，多次深入德伯斯镇五家子嘎查，召开乡村振兴对接座谈会，对乡村振兴工作作出具体部署，并投入3.2万元帮扶资金。

【疫情防控】 把包联商户和包联小区疫情防控任务分配到人，多次深入对接小区开展密接人员排查，向企业发放疫情防控宣传单2000张，疫情防控期间每周在微信公众号发布疫情防控知识。派遣18人去金碧苑小区疫情防控值班、执勤，参与一线疫情防控工作。

（任志威）

共 青 团

【概况】 共青团科右前旗委员会是隶属旗委的群众团体组织。内设组宣部、学少部、青发部、办公室3部1室，此外有1个事业单位青少年事业发展服务中心。

【青少年思想政治引领工作】 围绕迎接和学习宣传贯彻党的二十大，着力提升青少年思想政治引领。开展"喜迎二十大、永远跟党走、奋进新征程"主题教育实践活动35场,重点开展"五四公开课""百人传递团旗""百名少年入团""喜迎二十大 振兴正当时——红色希望""打卡团团文化墙"等活动,其中承办团盟委活动1场。做好庆祝建团100周年有关工作,全旗各级团组织集中收看庆祝中国共产主义青年团成立100周年大会并开展研讨、热议,累计线下观看65场,发表热议67篇。开展"热爱内蒙古、建设内蒙古、我为北疆添光彩"主题实践活动,发布活动信息59条。深化党史团史学习教育,"青年大学习"网上主题团课参学31期,参学23.4万人次,组织开展党史、团史知识竞赛1次,参加全盟复赛获二等奖。开展青春宣讲,完善"科右前旗百人青年讲师团",组建"青马筑基""青语讲史""青帆护航""青铸团结""青力助农""青志环保""青声说法"等10支青年讲师团宣讲队伍。累计开展"学习沙龙·青春宣讲"活动76场。持续加强工作,上报稿件多次被学习强国客户端、《中国火炬》《中国青年报》、中国教育新闻网、奔腾融媒、草原客户端等媒体采用。

2022年8月兴安盟那达慕志愿服务合影

【服务青年】 坚持服务大局与服务青年相统一,组织动员广大青年在全面建设社会主义现代化国家进程中建功立业、健康成长。乡村振兴青春建功行动。组织动员广大青年投身乡村振兴,选派2名团干部驻村。召开"揭榜领题"工作启动会、全旗共青团工作会议,举办"青春建功'十四五'直播带货助振兴"15场次,启动"兴安产 安心选"青年推荐官带货活动。开展"希望工程1+1""点燃阅读薪火 共建书香校园""青联希望小屋"等"圆梦微心愿"公益项目,累计捐资助学约96.55万元。深化青年志愿服务工作,累计承担全旗各类赛会志愿服务19场,全年累计志愿服务时长1.9万余小时。第九届内蒙古自治区乌兰牧骑艺术节暨2022·兴安盟那达慕派出志愿者19个组300余人。纵深实施《内蒙古自治区中长期青年发展规划(2018—2025年)》,围绕"晓景计划"目标任务,成立科右前旗青年电商孵化基地、科右前旗青年电商选品中心,实施共青团促进青年就业行动,开展"创业大巴乡村行"培训5场次,开展"春风行动""就业有位来"等线上就业招聘8场次,线下大学生专场招聘会1次,达成就业意向30余人。申报自治区级青年文明号1家、盟级青年安全生产示范岗4家,选树"全区乡村振兴青年先锋"4个。

【基层基础建设】 狠抓基层基础建设,不断巩固和提升团的组织力、凝聚力、战斗力。深入全旗7个苏木乡镇开展大走访大调研活动,增强基层团支部的组织活力。推动社会领域团建高质量发展,新建社会领域团组织23个,非公领域团支部15个,发展社会领域团员10名,"青年爱里"1个,将团组织延伸到更多社会团员青年当中。丰富创新团的基层组织形态。科右前旗团代表联络站发挥"两联"机制,累计开展活动28场次。推进"智慧团建"系统建设,录入团支部570个。推进新时代团员先进性建设,学校领域发展团员538名。完善党、团、队相衔接育人链条。全面开展"红领巾奖章"争章活动,认真开展推优入团工作。

【青年组织工作】 坚定不移深化改革,努力建设始终紧跟党走在时代前列、走在青年前列的现代化青年组织。持续深化共青团改革,进一步推动团的直属单位优化布局、强化功能。履行"全团带队"职责,全旗42所学校持续深化少先队改革,中小学校全面设立少工委,广泛建设校外实践教育基地,积极构建社会化工作体系。

(张兴宇)

妇 联

【概况】 科右前旗妇联正科级群团组织。内设3部1室,即发展部、组宣部、家儿权益部、办公室。

【思想引领】 以巾帼铸魂品牌工程,广泛开展"巾帼心向党 喜迎二十大"群众性主题宣传教育活动,做优"百千万巾帼大宣讲""妇女恳谈""北疆巾帼思政大讲堂"等工作品牌,充分运用"恳谈引领工作法"开展"主题党日活动"12场次,女性恳谈152场次,参与群众3.7万人次;开展纪念三八国际妇女节112周年"强国复兴有我 点赞巾帼榜样"最美女性故事分享汇报会,晒出好家风"家风家训征集评选展播"、送奖到基层、铸牢中华民族共同体意识宣传宣讲等活动15场次,覆盖群众1.1万人次,实现网上宣传无缝隙、线下活动零距离,构筑立体化、多元化的政治思想宣传新格局。

【乡村振兴】 以"壮大'妇'字号产业、做强庭院经济"为抓手,组织实施"晓景计划、庭院增收"一系列巾帼助推乡村振兴行动。组织农牧民妇女合理利用院落空间,采取"果树+N""赠鸡还蛋""赠苗还肉""抓两头带中间"等模式发展庭院种植、养殖、乡村游、农家乐、开展刺绣、手工编织、手工工艺等,推动庭院经济规模化发展。培树乡村振兴巾帼领头雁122名,其中11人被纳入晓景计划。2022年,协调乡村振兴局在阿力得尔苏木海力森嘎查、察尔森镇察尔森嘎查打造"多彩庭院",为全旗800余户监测户免费发放新品种营养杯秧苗12万株,夯实监测户的菜篮子。依托"年货认购""商企助力妇女发展推介""助力冬奥冰雪嘉年华庭院年货展""晓景计划""赋新能 前旗巾帼勇争先沙龙活动"为女能人搭建销售发展平台,共达成合作意向17万元,展销产品70余种。举办"布丝瑰"手工刺绣技能订单式培训,推荐科右前旗劲草传承手工艺品专业合作社等2家合作社加入自治区北疆布丝瑰助创产业联盟,科右前旗红鑫种植专业合作社荣获国家级、自治区级"现代农业科技示范基地"荣誉称号,多路径引导广大妇女在创业就业中发挥巾帼力量。

【妇女就业创业】 举办第九届内蒙古自治区乌兰牧骑艺术节

暨2022·兴安盟那达慕民族服装服饰和手工艺品大赛，面向全区招募16支服装服饰表演队、46名手工艺品、66名刺绣产业的能工巧匠参加比赛，将非物质文化遗产传承展示与旅游发展相结合，创新和继承优秀传统文化，进一步铸牢中华民族共同体意识、全面展示兴安盟妇女手工产业、民族服装服饰产业发展成果，助推乡村振兴。以线上学习、线下培训为抓手，举办现代农业实用技术、电子商务、乡村旅游、手工制作等技能培训。线上依托全国妇联女性之声网站、清华大学乡村振兴远程网络教育、"北疆先锋党建云"平台、微信平台"妇女实用技术云课堂"，线下与农牧业局、劳动就业等部门全方位开展妇女技能培训，共举办培训班35期，培训妇女2.2万人次。

【权益工作】 深耕家庭教育，打造家风家训家庭教育前旗风景线。创新开展"贤孝传家 兴邦有我"推进家庭家教家风建设活动，着力围绕"贤、孝、法、廉、和、红"六大家庭文化建设，持续推进村嘎查每月家风巡讲常态化、星期二线上家风讲堂长效化，累计开展家风宣讲66场次，建立5个婚姻家庭指导站，为16个苏木乡镇（中心）配备家风指导师、家庭教育指导师。通过开展"小手拉大手、共建幸福家"活动，为全旗30所中小学2万余名学生发放《弟子规》伴成长宣传册2.4万册，用优秀中华传统文化浸润家庭文明；常态化开展"最美家庭"寻找、绿色家庭创建和五好家庭选树活动，科右前旗2户家庭获评自治区级最美家庭、"五好家庭"，10户盟级最美家庭，2户盟级"五好家庭"，并推送1户国家级最美家庭。"贤孝传家 兴邦有我"系列推进家庭家教家风建设主题活动、反家暴宣传周系列活动105场次，累计覆盖群众1.5万余人次。进一步压实329名留守儿童结对爱心阿姨的职能职责，保证了关爱及时、对接到位。向上争取"春蕾女童"救助金6万余元，受益30人。开展《民法典》普法宣传活动13场次。2022年开展婚姻家庭矛盾纠纷预防排查化解，共排查婚姻家庭矛盾纠纷75起，化解75起。联合综治办，派出所等部门联合制定出台反家庭暴力工作协作联动机制，明确了各部门职责分工，为反家庭暴力工作提供了有力保障。开展1期家庭教育亲子公益训练营等活动，参与家庭19户，覆盖群众40余人。有亲子互动，心理测试，家教指导等不同环节，内容丰富，课程丰满，在互动中收获知识，在亲子陪伴中感悟天伦之乐，给孩子一个不一样的人生体验。深入贯彻落实家庭教育促进法，开展主题普法宣讲16场次，科学家教进万家活动20场次，承办全盟家庭教育宣传周启动仪式，成功申请自治区妇联蒲公英婚前教育培训项目，累计开展目标人群婚前培训20场次，幸福婚姻团体治疗20场次，累计覆盖群众2150人次。全面完善规范儿童之家建设，规范盟级儿童之家6个，旗级儿童之家25个，申报自治区级护童之家1个。

【志愿服务】 创新开展"我是娘家人·我帮你"巾帼志愿服务品牌，并开展活动56场次；全力配合落实好疫情防控各项工作，发布《科右前旗妇联倡议：巾帼聚力 携手抗疫》倡议书及给广大家庭的一封信，深入包联小区参与全员核酸检测15轮次，有3400余名妇女干部、妇联执委、巾帼志愿者，严格落实旗委、旗政府疫情防控工作部署，为全力筑牢疫情防控安全屏障贡献巾帼力量。以市民下乡、干部到乡为抓手，开展关爱母亲 呵护健康两癌健康讲座、慰问援吉医护人员及家属等特色关爱活动23场次。全力开展以五好平安家庭助推平安建设，建立健全重点妇女儿童及高风险家庭台账，创新开展星期二线上家风讲堂，累计开展乡村两级妇联干部线上培训45场。

【人居环境整治】 建设"积分银行"工作，盘活乡村文明自治新动能。在全旗15个苏木乡镇(中心)建设15个"积分银行"示范嘎查村，并细化优化量化积分评定标准，建立起月考核日监督的评估机制。以"三动"促"三变"，务实策、求实效、用真功，推动环境整治、庭院产业发展、家庭文明建设一体化推进，全面提升家庭人居环境质效。

(任 浩)

科　　协

【概况】 科右前旗科协2003年4月独立建制，内设办公室、科普部、学会部、科技馆等。乡级科协15个，园区科协2个，企业科协2个，旗直学会4个，青少年科技辅导员协会1个，农村牧区专业技术协会5个，科普示范基地4个。

【全国科普示范旗创建工作】 成立以旗委书记任组长的工作领导小组，定期研究、谋划、部署创建工作。制定印发《科右前旗创建全国科普示范旗实施方案》，召开创建"全国科普示范旗"工作动员会，形成旗委统筹协调，责任单位各司其职、共同推进的良好工作格局。旗委分管领导组织召开三次推进会，旗党政两办督查室联合科协成立督查组，开展两轮常态化督查，了解掌握工作进展。2022年7月29日，自治区科协对创建"全国科普示范旗"工作进行实地检查验收，并召开创建全国科普示范旗工作汇报会。

【科技工作者】 推荐科普专家团成员王强获得内蒙古自治区"2022年最美科技工作者"荣誉称号。

【全民科学素质建设】 争取科技馆免费开放项目，对科技馆科普设施和展教水平进行升级，全年放映科普影片和天文节目120场，举办各类科普主题活动55场，接待区盟旗级领导及旗内外参观者达7800余人次。自治区第36届青少年科技创新大赛，在少年儿童科学幻想绘画比赛中，一等奖1名，二等奖4名，三等奖7名。VEX IQ机器人挑战赛冠军被自治区科协推荐参加全国比赛。兴安盟第五届青少年科技创新大赛，一等奖5人，二等奖9人，三等奖10人及10个优秀教师奖。包揽VEX IQ机器人挑战赛的小学组一、二等奖和初中组的一、二、三等奖。40名科技辅导员认证成功。截至2022年11月底，全旗科普中国App注册人数12400人，全区第11名，分享传播科普文章408万余次，全区第5名。科技志愿者服务队24支，注册科技志愿者2758人，结合新时代文明实践开展科技志愿活动60场，受益人数达到2.4万人次。开展百名专家旗县科普传播行、大篷车进社区、三下乡、科技周系列活动等各类科普宣传活动共计24场，受益群众近万人次。2022年9月20日，在科右前旗府前广场开展以"喜迎二十大 科普向未来"为主题的2022年兴安盟全国科普日主场活动。发放科普宣传材料800余份，科普宣传品3000余件，社区居民和青少年500余人参加。结合"科普+旅游"理念自主设计定制一批富有特色的文创产品3万余份，印制科普画册2250册。

【乡村振兴】 全体帮扶责任人严格按照旗里的要求，做到每个月深入建档立卡困难户家1次，宣传国家扶贫政策，完善扶贫档案和明白卡，了解困难户生产生活情况。针对建档立卡困难户开展新冠疫情防控知识宣传，并送去防护物资和关心慰问。为结对户每家购买20只鸡雏、50斤鸡饲料，邀请专家举办养殖技术科技培训班。帮助他们发展庭院经济，提高生活质量。协调文体局为嘎查争取到2套乒乓球台。

（包鲁元）

残联

【概况】 科右前旗残联成立于1989年。内设办公室、康复部、教就部、组联部、宣文部、维权部，下设残疾人康复服务中心1个所属事业单位。位于科右前旗兴安职业技术学院新址道南残疾人康复中心大楼。2022年年末，科右前旗持证残疾人12555人。其中，肢体障碍6772人，智力障碍1342人，听力障碍1387人，精神障碍932人，视力障碍1348人，言语障碍367人，多重障碍407人。

【康复服务】 2022年内设辅助器具供应室、聋儿儿童康复评估室、检测室、集体训练室、家长培训室、成人康复服务室、心理咨询(治疗室)等1120平方米；配套教育评估工具、认知训练、OT\PT设备82件。2022年，全旗21个卫生院均已完成"社区康复服务室"挂牌，同时为21家卫生院配备2台轮椅，为8个社区康复服务室和1个服务中心投入康复设备17台，总金额50万元。全年残疾人精神住院和服药补贴237人，投入资金331708.26元；残疾儿童接受康复训练91人，补贴资金105.4万元，残疾人辅助器具适配全覆盖1221人，投入资金49.5万元。2022年放宽对残疾儿童救助年龄的限制，将残疾儿童康复救助年龄范围从0—7周岁扩大到0—8周岁。康复服务中心语训部2022年有2名儿童顺利康复毕业进入普幼。

【残疾人证办理及动态更新】 残疾人证评定工作。全年办理残疾人证691人，重度残疾人入户评定177人。开展基层组织建设。完成科右前旗辖区内14苏木乡镇、2个中心、4个农牧场、228个嘎查村、28个社区、33个队的换届工作。全面做好残疾人证"跨省通办"工作，残疾人证办理不受户籍地限制。

【残疾人教育就业创业】 残疾人教育方面。为全旗符合条件的71名残疾人大学新生和残疾人子女大学新生发放补贴，合计17.95万元。为残疾儿童学前教育机构进行补贴，按1000元/人的标准，对8家学前机构发放专项补贴资金1.2万元。残疾人就业创业补贴。对符合补贴条件的扶贫车间和残疾人辅助性就业机构，按0.5万元/人标准，全年补贴总金额10万元。残疾人"阳光家园"（托养机构）补贴。按照每托养一名精神、智力或重度肢体障碍1500元/人标准，对9个机构进行补贴，共计下发专项资金15万元。温馨家园建设。残联申请京蒙协作帮扶资金30万元，用于建设科右前旗首个残疾人"温馨家园"。选定在兴科社区建设"温馨家园"。2022年7月，北京残联教就部主任带队对兴科社区进行调研，经调研座谈协商，项目资金中15万元用于购置残疾人康复器械，15万元用于购置电梯。

【残疾人维权及无障碍改造工作】 持续开展残疾人信访维权和残疾人法律救助工作、残疾人普法和12345服务热线工作，做到事事有回音，件件有着落。2022年共有528人申请贫困家庭无障碍改造项目。

【残疾人就业培训工作以及残保金征收】 录入城镇残疾人新增就业15人,农村残疾人新增就业67人,城乡培训155人,录入率达到100%。利用"中国残疾人就业创业网络服务平台"开展互联网线上招聘会；在盟残疾人就业服务中心开展残疾人招聘会,共有16家企业达成意向,提供岗位200个。与税务部门密切配合做好残保金的征收核定工作,2022年核定金额约808万元。全年共开展5次职业技能培训和农业技术培训,培训人数共277人。通过多种形式安置20多名残疾人就业,多数安置中小企业、盲人按摩院。

【残疾人宣传文化体育工作】 在各类残疾人节日期间,开展一系列活动,惠及残疾人3000人次左右。开展残疾人文化进家庭进社区"五个一"系列活动。惠及重度残疾人64人。宣文部以"为二十大献礼 我是残联人"为内容撰写系列报道,截至2022年年末已报道6人,此系列报道得到自治区、兴安盟以及新闻媒体高度认可和积极转发、采访。利用各种载体媒介,积极营造残疾人事业发展浓厚氛围。学习强国平台、旗融媒体中心"今天我出镜"中宣传残疾人康复工作,积极参与旗政府"稳中求进高质量发展政策解读新闻发布会"。科右前旗无障碍阅览室建设完成。由北京市慈善基金会、北京市国有资产经营有限公司和科右前旗残联联合援建的科右前旗无障碍阅览室于2022年建设完成。总投资共计20万元,完善内部主体装修、书柜展架陈列,内设电子书墙、盲人书籍、大字书、电脑、大容量可下载触屏读书机等设备,图书馆已开馆,面向全旗残疾人开放。

【疫情防控】 按照旗委、政府统一安排部署,高度重视并持续做好疫情防控工作。对包联商户、包联小区实施疫情防控管理。对静水湾小区进行全员核酸检测20轮次以上,疫情防控期间24小时不间断进行卡口值守,确保小区居民安全,从根源上杜绝疫情蔓延的风险。

【其他重点工作】 完成科右前旗残疾人"十四五"规划编撰。在全面总结"十三五"时期科右前旗残疾人事业取得的成绩和经验做法的基础上,编制《规划》初稿。先后书面征询盟残联、旗残工委成员单位对《规划》的建议,广泛听取基层残联和残疾人组织的意见建议,并就修改意见进行沟通商讨、达成一致。经旗政府研究同意后印发。2022年9月28日,组织召开科右前旗残联第八次代表大会。

（何长秀）

红十字会

【概况】 科右前旗红十字会属正科级群团事业单位,内设办公室、赈济部、宣传与筹资部、监事会秘书股4个内设机构和备灾救灾保障中心。

【宣传筹资】 多渠道开展筹资,"博爱一日捐"接收捐款219.9万元。借助京蒙对口帮扶平台,争取助学善款30万元救助困难学生300名。联合旗卫健委参加"兴安盟博爱卫生站"项目筹资活动,为阿力得尔苏木援建卫生站2所。加大人道文化传播力度,5月8日开展世界红十字日主题宣传活动、世界急救日主题活动,承办"喜迎二十大 奋进新征程"全民健身活动,联合主办科右前旗第一届"我帮你"新时代文明实践志愿服务项目大赛,弘扬红十字精神、传播红十字文化。

【"三救"工作】 加强物资储备库建设，经请示旗政府，协调旗民政局提供库房作为红十字会备灾救灾储备库，促进物资储备工作规范化、标准化。持续推进"五个一"项目，新建"博爱家园"项目2个，修缮归流河镇光荣嘎查卫生室并配备相关医疗器械，为额尔格图镇六合嘎查建设过水路面，助力乡村振兴。在乌兰毛都苏木金马鞍景区游客服务中心和察尔森镇游客服务中心建设应急救护点，在巴日嘎斯台乡兴安农村第一党支部纪念馆建设应急救护角。推进应急救护培训，对教师、兴安职业技术学院师生、兴安伊利集团员工进行救护员培训，对旗中等职业学校、教师等进行普及性培训，在旗委党校、中小学校等人员密集公共场所设置AED9台，倡导"人人学急救 急救为人人"的人道救护理念。开展人道救助，"博爱送万家"活动发放价值71.6万元的面粉、大米、食用油等物资，受益困难群众2万余人。关心关爱病患群体，参加"健康心"社会公益活动，10名困难家庭先天性心脏病患儿在清华大学第一附属医院接受免费手术。春节、端午节、重阳节走访慰问敬老院。发放救助金12.9万元救助困难农牧民及机关干部职工66人。

【"三献"工作】 "三献"工作实现新突破，巴日嘎斯台派出所所长和旗融媒体中心1名记者成功捐献造血干细胞，为得血液病患者送去"生命火种"。55名造血干细胞捐献志愿者参加血样采集，为白血病患者提供生命的希望。宣传普及人体器官捐献知识，对造血干细胞捐献者、器官捐献者家属进行慰问，做好入库志愿者回访和服务工作。

【基层组织】 健全基层组织网络，全旗228个嘎查村、22个社区、53所学校、1个林场建立红十字会基层组织，建会率达到100%。札萨克图社区被评为"全国红十字模范单位"。

【疫情防控】 融入全旗疫情防控工作大局，发挥物资保障组成员单位作用，做好防疫物资储备、管理、使用，向旗疫情防控隔离点、部分苏木乡镇科局发放口罩、帐篷、被褥等物资，接受疫情期间捐款20.08万元以及药品、口罩等物资，深入高速路口、窗口单位以及社区慰问一线工作人员，牵头组织水岸绿洲小区核酸检测、值班值守等工作。

（阚红云）

文 联

【概况】 科尔沁右翼前旗文学艺术界联合会成立于2012年，是旗委领导下的全旗文学艺术界人民团体，是党和政府联系文艺界的桥梁纽带。内设机构2个办公室、组联部，所属股级事业单位1个，科右前旗文艺志愿服务中心。所属协会8个，作家协会、书法家协会、科尔沁蒙古文书画协会、摄影家协会、四胡协会、美术家协会，音乐家协会，舞蹈家协会。

【组织建设】 全力实施"乡村文艺播种"计划，提出"漫游科右前旗500里书香文艺长廊"战略规划，以乡村振兴帮扶村居力很镇红发村为示范，确定居力很镇红发村文艺志愿服务站为"书香文艺长廊"起点，在全旗拉开大幕。打造居力很镇红发村、阿力得尔苏木新立村、科尔沁镇柳树川村3个村级文艺志愿服务站。提档升级"山里红文学社""白音居日合草原牧民诗社"，挂牌成立"农耕诗社""杨柳青诗社"，全力联络协调新文艺群体。对外开放乌兰毛都文艺创作基地,在察尔森挂牌"科右前旗作家协会文学创作基地",更新"柳树川农民艺术馆",多措并举构筑科右前旗文学艺术、人文地理符号和形象。通过文艺赛事、文艺采风、文艺展览、文艺培训等多种方式为文艺人才搭建平台,多人次加入国家级、区级组织新会员,开展线上线下培训9场次。

【文艺品牌】 "书香前旗"品牌推向全国。"三美家园·书香前旗"文学品读会为内蒙古唯一成功入选2022国家级文学志愿服务示范性重点扶持项目的活动。以此为契机创新推动第三届品读会三地轮动开展,以"诗歌艺术的盛会,人民群众的节日"为宗旨,以讲好"红绿蓝"三篇文章为主题,分别围绕科右前旗第三届插秧节暨兴安论"稻"产业发展论坛,"喜迎二十大 振兴正当时"科右前旗首届红色文旅嘉年华,第九届内蒙古乌兰牧骑艺术节暨兴安盟那达慕等旗委政府大型主题活动借势发力,深入红绿蓝三色文化发源地开展,活动报道登录新华社客户端、中国网等中央级新媒体平台,成为《人民日报》有品质的新闻,其中《人民日报》新媒体浏览量达100多万次,受益群众达1000多人次。举办"喜迎二十大 前旗女工绽芳华""玫瑰书香"女职工读书分享活动,全力参与"兴安岭上兴安盟"经典朗诵会。梳理创新案例被盟委信息采用,荣获科右前旗第一届"我帮你"新时代文明实践志愿服务项目大赛三等奖。"到人民中去"品牌创新推进。文艺"七进"志愿服务活动,开展"万副春联送万家""戏曲进乡村""我们的美好生活""书法百米长卷进社区""逐梦乡村·我们的舞台"等文艺志愿服务活动100多场次。"农牧民文艺"品牌提质增效。以农牧民文艺人才为引领的牧民诗社、农耕诗社、杨柳青诗社、农牧民书法委员会、四胡协会分会、文艺志愿服务队等在"永不落幕的基层文艺大舞台"上"送文艺、种文艺、传精神",推出农民诗人诗集《明月集》《痕迹》以及《柳树川文艺》等精品力作。打响"乌兰毛都大草原诗歌节"品牌。举办2022·首届科右前旗乌兰毛都大草原诗歌节暨"梦回乌兰毛都·我在科右前旗等你"诗歌那达慕,通过诗歌讲座、草原采风、星空诗会、颁奖典礼、诗歌朗诵等多种形式展示"乌兰毛都大草原"人文地理形象,科右前旗被授予"内蒙古诗歌之乡"称号,以内蒙古首家获此殊荣。旗文联被旗委政府授予第九届内蒙古自治区乌兰牧骑艺术节暨2022·兴安盟那达慕先进集体之最强劲演出、赛事指挥组。

【文艺创作】 聚焦"推出一批文艺精品",紧紧围绕"喜迎二十大 讴歌新时代"重大主题,创作出版长篇报告文学《袁隆平与兴安大米》,纪实报告文学《老兵档案》,画册《乌兰毛都大草原印象》《第九届内蒙古自治区乌兰牧骑艺术节暨2022·兴安盟那达慕风采》。启动编撰《科右前旗文学简史》,多次召开研讨会推进创作。长篇报告文学《袁隆平与兴安大米》荣获2022年内蒙古"五个一工程"奖。组织开展"喜迎二十大 礼赞新时代"——写好"红绿蓝"三篇文章暨诗歌散文小说全国大赛,"助力冬奥会 一起向未来"冰雪嘉年华摄影大赛,"黑羊山岩画大赛",第九届内蒙古自治区乌兰牧骑艺术节暨2022·兴安盟那达慕摄影大赛,2022·首届科右前旗乌兰毛都大草原诗歌节暨"梦回乌兰毛都·我在科右前旗等你"诗歌大赛等各门类艺术大赛6次,收到作品近

4000个，有效吸引全国各地爱好者关注宣传前旗。聚焦"举办一批文艺展览"工程，通过线上线下举办"喜迎二十大书法美术摄影展览""喜迎二十大 振兴正当时"红色嘉年华书法艺术展，"上强国、铸同心"马文化摄影展，"兴安石市展"，不断推出精品力作。多人次多部作品获得各级奖项。助力全国民族团结进步示范旗创建，组织开展"石榴籽同心筑梦——讲好民族团结故事"征集活动，创作歌曲《血脉相连》《像石榴籽一样紧紧抱在一起》MV被"学习强国"内蒙古学习平台采用，并通过"多彩前旗"App广泛推送。文联被旗委政府推荐为"全盟第六批民族团结进步示范单位"，推荐"全盟民族团结进步先进个人"1人。

【文艺志愿】 助力筹备全区"学习强国"学习平台学用经验交流会，参与策划"音乐党课"等。创新性推出聘请文化名家担任嘎查村"文化村长"助力乡村文化振兴行动，推出创新案例，典型带动全盟开展"我们的美好生活"文化文艺志愿服务活动暨"文化村长"助力乡村文化振兴行动，作为项目实施主体部门，全力做好统筹协调、方案制定、"文化村长"选派、项目打造等各项工作，全力完成23个示范村的摸底排查等工作，率先启动"柳树川村——全区文化振兴示范村"打造，推动文艺志愿服务12个子品牌活动全部落地见效的同时又推出"柳树川农民艺术馆""柳树川文艺志愿服务站""柳树川本土农民艺术家根雕绘画书法展览""漫游科右前旗500里书香文艺长廊"等独具特色的子项目，全力打造柳树川文艺符号。全区"我们的美好生活"文化文艺志愿服务活动暨"文化村长"助力乡村文化振兴行动观摩会在科右前旗科尔沁镇柳树川村召开。组织"文化村长"深入嘎查村推进村赋、村歌创作、村史馆打造等各项工作；配合盟委宣传部策划制作音乐纪录片《岁月如歌——〈草原上升起不落的太阳〉》；参与"一句话叫响兴安盟"征集活动，创作"绿色兴安岭 红色兴安盟"地域形象宣传语，以网络投票第一名成功荣获入围奖。围绕抗疫彰显作为。组织各文艺家协会全力以"艺"抗疫，创作文学、书法、摄影作品500多篇，"多彩前旗"文联窗口，《札萨克图文学》《科尔沁摄影》推出专题"艺"起战"疫"16期，"内蒙古文艺""魅力前旗"和《兴安日报》等媒体转载宣传，充分发挥文艺暖人心、聚民心、筑同心的作用。

（柏海荣）

法 治

政法委与综治
公　　安
科尔沁右翼前旗边境管理大队
检　　察
法　　院
司　　法

法 治

政法委与综治

【概况】 科右前旗政法委既是政法部门，同时又是旗委领导和管理政法工作的职能部门，是旗委加强政法工作的参谋和助手。旗委政法委下设办公室、政治安全和维稳指导组、综治督导组、基层社会治理组、反邪教协调组、法治和执法督察组、队伍建设和宣传组共7个内设机构，下设反邪教协会办公室和法学会群团(成立于2021年4月，由旗委政法委代管)事业单位2个，社会治理中心(成立于2021年3月，政法委所属公益一类事业单位)事业正科级单位1个。

【维稳安保工作】 按照《关于认真落实自治区〈党的二十大维稳安保突出风险问题及责任清单〉的通知》要求，全面梳理16个风险点，制定印发《科右前旗党的二十大维稳安保工作方案》《科右前旗"迎接党的二十大"社会矛盾风险排查化解责任分工方案》，成立科右前旗党的二十大维稳安保信访工作领导小组，设立10个专项小组，按照工作职能针对政治安全、社会稳定、信访维稳、公共安全、安全生产、重点人员等内容进行重点排查，对排查出的风险隐患严格落实旗、乡、村(企业)三级管控责任。多次召开全旗干部会议、书记专题会、旗委常委会、信访工作联席会议、调度推进会议，第一时间传达落实区盟各项党的二十大安保维稳精神，整合力量，细化分工，压实责任，启动"日报告、日研判、周调度、周通报"机制，实行"零报告"和24小时值班制度，按照"四第一"(第一时间发现、第一时间报告、第一时间处置、第一时间反馈)"四当日"(预警信息处置情况当日核查、当日见面、当日稳控、当日反馈)"四当即"(重大预警信息当即核查、当即见面、当即稳控、当即反馈)和"两抽查三调度"(每日对信访重点人管控工作进行两抽查、三调度)要求，进一步压紧压实情报信息预警处置和应急处突责任。组织定期排查8次，重点排查6次，通过全面排查、系统筛选和上级推送，梳理党的二十大"重中之重"矛盾隐患154件。其中，个体136件，群体18件，A级28件，B级42件，C级31件，D级53件，B级以下旗里要求乡镇部门做到情况明、动向知；退役军人事务局梳理矛盾隐患32件；法院梳理矛盾隐患31件；纪委监委梳理矛盾隐患31件，已按照"五个一"要求(即一名领导，一个工作专班，一套化解方案，一份会议纪要，一套稳控措施)，落实"五包"责任和"五包一"措施("五包"即包掌握情况，包思想教育，包解决化解，包人员稳控，包息诉罢访。"五包一"即一名旗级包案领导，一名苏木乡镇党委书记或旗直部门主要负责同志，一名乡镇信访干部或其他干部，一名嘎查村干部，一名公安干警)，各单位在推动信访事项化解的前提下，均成立稳控专班，每日调度情况，及时消除不稳定因素。梳理三跨三分离信访案件33件。其中，个体访28件，群体访5件。已函告户籍地信访局负责稳控、困难帮扶、教育疏导和接劝返工作。召开无理信访行为研判会议。2022年，依据《科右前旗关于依法处理信访活动中违法犯罪行为的通告》，打击违法信访行为2次；开展领导接访下访。从9月开始至党的二十大闭幕，每天由一位旗级党政领导到旗信访接待室接访，协调解决群众信访诉求，接访工作安排面向全社会公示；9月18日，召开全旗信访事项代办工作推进会，对信访事项代办、"三率"提升、重复访治理等信访重点工作进行安排部署，努力把问题解决在基层，把人员吸附在当地，避免矛盾积累和信访上行；启动信访督查。抽调旗党政两办、纪委监委、信访局骨干力量成立2个督查小组，对乡镇部门信访事项化解稳控责任落实情况开展明察暗访。对盟委督导组督查科右前旗党的二十大期间安保维稳工作情况进行全旗通报，对有关人员作出约谈提醒、批评教育、深刻检查、扣发工资等处理决定。

【平安科右前旗建设】 按照上级安排部署，科右前旗始终保持平安建设"高压"态势，始终把平安建设工作作为一项政治任务来抓。制定《全旗平安建设工作督导方案》《平安建设月例会制度》，通过深入苏木乡镇实地召开月例会的形式，细化指标、明确职责、强化责任，结合旗平安办每月督查检查结果，在月例会进行研判分析；制定印发《关于立即开展五个专项行动的紧急通知》深入排查矛盾纠纷、分类排查重点人员并落实稳控责任人确保不发生"民转刑、刑转命"案件，对发生命案的乡镇实行惩戒机制，督查各地平安建设工作开展情况。共排查各类重点人员21370人，其中重点人数432人，均已落实管控责任人。清缴枪支12支，子弹603发，炮弹18枚，雷管390枚，炸药2.5公斤、黑药0.5公斤，清查出租房屋880间、流动人口40303人、查处行政案件1168起、抓获逃犯50人。制作普法宣传音视频23个、转发和点击超20万人次、开展各类宣传活动和讲座1090场次、发放宣传资料10万余份；常态化开展扫黑除恶工作，制定印发《科右前旗扫黑除恶重点任务分工方案》，同时将《反有组织犯罪法》纳入全年扫黑除恶重点工作任务，组织全旗各成员单位开展《反有组织犯罪法》的学习宣传活动；以防范"颜色革命""街头政治"为核心，严防内外勾连策划实施"街头政治"等非法聚集活动，对煽动组织者坚决落地查处，对非法聚集活动坚决取缔驱散，坚决挫败敌对势力的破坏图谋。严密管控境内政治重点人，有效阻止境外分裂分子入境渗透破坏，坚决切断境内外、网上网下勾连渠道。

【法治营商环境】 为深入贯彻习近平总书记关于优化营商环境的重要论述，系统整治全力纠正执法司法理念偏差，进一步提高科右前旗营商环境，活动期间，按照上级文件要求开展集中学习300余次，参学人员1.1万余人次，全旗干警对照"九个是否"深刻检视撰写检视报告1400余份，接收涉法涉诉涉企案件12件，化解12件，化解率100%；为企业解决224个所急、所需、所盼问题；通过深入企业开展座谈会，征集意见、建议158条；组建政法机关大讨论活动宣讲团，以点单式宣讲模式开展宣讲79场，普及3390人；政法各单位建章立制31条，真正做到助企纾困，为科右前旗经济社会高质量发展提供司法力量。打击整治养老诈骗方面，共接收各类线索9条，结案9件，抓获犯罪嫌疑人

20人，追赃挽损517.15万元；查处行政案件2起，罚款5004元。涉法涉诉事项化解"百日攻坚"行动方面，为推动更多力量向引导和疏导端凝聚，既要"抓末端、治已病"，更要"抓前端、治未病"，按照自治区《关于全力做好全区政法系统涉法涉诉事项化解"百日攻坚"行动工作的通知》，科右前旗成立由旗委政法委主要领导为组长、政法各单位主要负责人为副组长的科右前旗涉法涉诉信访事项化解"百日攻坚"行动领导小组。开调度会3次，召开协调会5次，召开听证会3次，接收盟涉法涉诉信访事项化解"百日攻坚"行动领导小组案件4件，化解4件，化解率100%，推进涉法涉诉信访案件稳控化解。"5+1"涉法涉诉项目大起底方面，为有效促进资源节约集约利用，推动经济社会高质量发展，按照区、盟文件要求，对科右前旗境内针对待批项目、批而未供、闲置土地、沉淀资金、"半拉子"工程、开发区闲置资源要素和涉长期停产企业、停建项目、闲置矿权大起底涉法涉诉案件等六个方面的大起底行动，共筛查出涉及企业3家5项，多次组织相关部门召开协调推进会，帮助陷入诉争仍有发展前景的企业能顺利盘活，保证土地资源合理有效利用。针对所涉3家企业已形成初步的处理想法，将紧盯进度、主动服务，确保大起底各项工作如期完成。

【市域社会治理现代化试点工作】 按照《全国市域社会治理现代化试点工作指引(第二版)》，认领63项重点任务、355项细化任务和《区域特色工作指引》的7项重点任务、19项细化任务。将82项重点任务及6项负面清单工作任务逐一分解到各单位，明确各单位工作责任，涉及20个牵头单位、7个并列牵头单位，共计75个参与单位。按照细化任务表，更新工作台账，并在每月20日前上报盟市域社会治理现代化领导小组办公室；由领导小组统一调度，各牵头单位分头统筹，召开责任单位工作推进会议23次；强化学习交流。充分利用平安建设月例会制度，围绕市域社会治理现代化试点工作，深入扎赉特旗、额尔格图镇、阿力得尔苏木进行学习、观摩、交流座谈解决整改工作遇到的问题，推动市域社会治理试点验收各项工作；强化监督落实。旗市域社会治理领导小组办公室成立4个督导检查组，对20家牵头部门开展督导教学，持续推动反馈问题整改，确保整改工作迅速彻底、长治长效；结合上级开展市域社会治理现代化宣传工作的要求，在盟级以上媒体刊发稿件221篇，印发《应知应会手册》4万册，在2022年全旗公务员培训班中开设社会治理专题，培训1200人次，乡村振兴暨嘎查村党组织书记全员轮训班培训村书记224人，提升干部群众对市域社会治理现代化工作的知晓率和认可度；紧盯项目施工进度。已安装前端监控1985台，完成1550台上线使用；完成自治区政法大数据智能化应用平台，以"案件办理网上协同、案件材料线上流转、办案流程全面监督、办案信息全程共享"为总体目标，2022年，旗法院共接收流转案件51件，最终将实现全区、全案件、全流程案件协同和执法督查从纸质化到电子化再到智能化的转变。

【疫情防控】 旗委政法委坚决按照疫情防控指挥部要求，全员上阵，参与疫情防控工作任务，在包联的科右前旗兴科三期小区，全体干部始终坚守在疫情防控第一线，作为兴科社区包联单位总指挥牵头单位，旗委政法委始终发挥党委部门牵头抓总作用，积极组织、协调旗教育局、旗生态环境分局，组建6个疫情防控小组，对兴科三期小区2800余常住居民，开展20轮核酸检测，旗委政法委共出动干部720人次，车辆40车次，累计开展核酸检测工作140小时，核酸采集5.6万人次。

（贺喜格图）

公　安

【概况】　科右前旗公安局为旗人民政府行政单位。全局设置督察法制大队、情报指挥中心、政治工作办公室、警务保障室、政治安全保卫大队、警务支援大队、经济犯罪侦查大队、治安管理大队、刑事侦查大队、交通管理大队、基层基础大队、反恐怖和特巡警大队、生态环境食品药品犯罪侦查大队13个内设机构及培训中心、看守所、拘留所、产业园分局，其中产业园分局为副科级机构。有25个派出所（包括察尔森水上派出所和4个原森林公安派出所）。科右前旗公安局综合保障中心成立于2021年，为科右前旗公安局所属事业单位，机构规格为正科级。2022年全旗公安机关在旗委、政府和上级公安机关的坚强领导下，以党的二十大安保维稳为工作主线，坚持政治建警全面从严治警，全力抓好防风险、保安全、护稳定、促发展各项工作，全面保障全旗社会稳定和经济发展安全。

【政治稳定和国家安全】　组织开展对涉政治安全领域不稳定因素集中摸排工作，依法取缔非法宗教活动场所，办理邪教案件，查处传播、非法持有宣扬恐怖主义、极端主义物品案件。严格落实网上巡察和"1126"工作机制，及时研判预警各类内幕性、行动性情报信息。规范建设守望草原巡防队，成功侦办"4·29"组织他人偷越国边境案，有力维护边境地区安全稳定。完成中央、自治区首长及第九届内蒙古自治区乌兰牧骑艺术节等各类安保警卫任务52批次，有效确保全旗政治社会大局持续稳定。

【打击各类违法犯罪】　全年共立刑事案件769起，同比下降8.89%；共破获刑事案件587起，同比上升56.11%；抓获犯罪嫌疑人848人，同比上升58.5%，抓获犯罪团伙23个170人，破获6起命案积案，现行命案连续17年全破。新型电信网络诈骗案件立案195起，同比下降18.41%；破案128起，同比上升178.26%。共受理、查处治安案件1164起，治安处罚1479人，拘留441人，同比2021年治安案件查处数上升3.6%，治安处罚人数上升7.8%，拘留人数上升19.5%。立治安管辖刑事案件11起。成功破获部级督办毒品目标案件1起，缴获毒品甲基苯丙胺（冰毒）30余克、甲基苯丙胺片剂（麻古）84粒，打掉一条由四川、重庆至内蒙古的物流寄递贩毒通道。侦办组织、领导传销案1起，抓获犯罪嫌疑人19人，冻结扣押涉案资产5000余万元。

【专项整治】　全年开展整治黄赌违法犯罪专项行动，破获黄赌刑事案件2起，刑事强制措施8人，查处黄赌行政案件116起，查处涉赌违法人员635人。开展"百日行动""双清双打"专项行动，查处治安案件130起，破获刑事36起，查处酒驾103起，醉驾68起。检查重点单位、行业场所1674家，整改隐患187处，收缴子弹352发、炮弹9枚，收缴枪支3支，管制刀具6把，查处交通违法行为15881起。打击多发性侵财犯罪，立案29起，破获14起，抓获4人。开展打击假药劣药专项行动，抓获犯罪嫌疑人4人，扣押涉案药品600余盒，2万余粒，涉案金额10余万元。开展"三查一控"专项行动，全年清查实有人口277860人，清查流动人口41351人，清查出租房屋873间，排查化解各类矛盾纠纷1094起。列管涉访重点人156人，管控东北亚义乌、涉军退役、民办教师、大中专毕业生等四个信访群体，依法打击缠访、闹访、无理访人员6人。

【公共安全管理】 全年共处理道路交通事故1408起，造成29人死亡，266人受伤，直接财产损失199万元。共查处交通违法行为54738起，行政拘留48人，刑事拘留252人。开展"护校安园"、整治医疗机构治安秩序、整治城镇燃气、三电设施保护、重要油气设施保护、公交和长途客运安保、银行保险机构保卫、保安服务行业清理等一系列专项行动。强化散装汽油管控，严格落实销售实名登记制度，严防流入不法分子手中制造事端。

【公安改革】 设立科右前旗公安局综合保障中心，机构规格为正科级，从根源上解决事业编制人员的晋升瓶颈问题。将原森林公安临时工18人备案至旗人社局；按照机构改革后调整辅警系统，上涨辅警8%微调工资。建成科尔沁、大石寨两个"一站式派出所"；在察尔森党群服务中心设立公安综合窗口，涉及户政、出入境、治安、交管等167项高频次公安政务服务，实现"一窗通办""全程网办"。建成合成作战中心，将警力、技术、信息、装备、机制等各项警务资源进行有效整合，开展集情报、反诈、舆情、维稳等合成作战。执法办案管理中心将打造成办案资源相对集中、办案环节全程监督、办案需求全面保障、警种部门高效协作的"一站式"执法办案管理中心。

【公安队伍建设】 持续开展政治轮训，共举办10期政治轮训班，实现政治轮训全覆盖。组织召开9次公安"大监督"工作例会，通报全局各部门各派出所存在的问题，进一步压实管党治警主体责任。成功举办首届警务区文化节，统一指挥、条块结合的警务区运行模式进一步融合，基层警力优势逐步显现，违法犯罪发生率大幅度下降。

【公安基层基础】 2022年新建的执法办案管理中心，主体已完成；完成情报指挥中心、合成作战一体化改造，并交付使用。科右前旗公安局业务技术用房室外环境附属工程，已完成招标工作，中标资金为700万元，该工程已进行一半。2022年共投入资金700余万元，为执法办案中心购置涉案财物系统、案卷管理系统及执法办公设备；为刑警大队购置电子物证实验室设备、足迹采集设备、勘测通4.0S设备等先进设备；同时购置电脑、打印机等办公设备。司法鉴定中心建设基本完成，中心以满足刑事技术发展为目的设置8个专业实验室，招录8名专业技术人员。

【公安宣传】 全年累计开展宣讲活动40余场次，落实宣传近2万人次。累计在各级媒体发布宣传报道新闻稿件261篇，盟旗两级新媒体平台共发布稿件1014篇；召开舆情研判会议2次，组织全局各部门网评员58人建立网评员队伍。共处理舆情核查19条，组织网评任务500余次，转发量达5.3万余条。吸纳全局文艺人才40余人组建科右前旗公安乌兰牧骑，制作剪辑形式新颖的新媒体普法产品，通过官方公众号、微博、抖音等新媒体对外发布，并以嘎查村"村村通"广播、宣传栏为载体，将公安声音传递到千家万户。

【疫情防控】 组建20人的大数据核查专班，24小时运转，核查数据25278条，开展"网上敲门"行动核查9678条。静默期间在前旗主城区周围设置疫情检查卡口20个，设置小区巡逻执勤点46个，累计投入执勤警力3860余人次，劝返、查控车辆15909辆，人员40522人。查处6起涉疫行政案件，打击处理11人。116名警力紧急奔赴突泉、扎旗两个旗县，完成防控支援工作。设立流调指挥部，实行24小时值班调度，开展流调溯源工作，完成流调任务9609人。

（金 丹）

科尔沁右翼前旗边境管理大队

【概况】 科右前旗边境管理大队原为科右前旗边防大队。按照转隶要求，2018年12月科右前旗边防大队转隶为科右前旗边境管理大队，驻扎在兴安盟科右前旗科尔沁镇。下设3个边境派出所(满族屯边境派出所、乌兰毛都边境派出所、绿水边境派出所)、1个边境检查站(三岔边境检查站)。辖区面积7580平方公里，实有人口1.4万人，民族有汉族、蒙古族、回族、满族、壮族、鄂温克族、达斡尔族7个民族，主要以牧业为主。2022年，科右前旗边境管理大队党委在驻地党委政府、旗公安局、支队党委的坚强领导下，团结带领全警谋大事、统全局、抓重点，实现"党组织坚强有力、疫情防控成效显著、边境维稳扎实有效、亮点特色持续深化、队伍管理安全稳定"的良好局面。

【边境管控】 精准管控边境辖区安全。常态化落实党政军警民合力强边固防措施，依托1326抵边警务室，联合盟、旗边防委，外事办，解放军边防部队等协作单位，开展各类清边踏查40余次，检查抵边车辆110辆230余人，做到边境通道、辖区、前沿闭环管控。发动护边员340余人，检查辖区空置房屋、边境前沿作业点、无人区等盲点区域和部位150余处，巡查清理做到"全覆盖、无死角"，切实增强防控针对性、实效性，织密前沿防控网。严厉打击涉边违法犯罪。适时启动24小时双向查缉级勤务模式，刚性发挥边境检查站"堵截滤网"作用，设置临时查缉点位4处，流动查缉勤务200余次，做到"守住卡点、延伸两翼、封控合围"，杜绝不法分子潜入潜出。在支队的情报支持和指导下，抽调25名警力成功侦办"4·29"组织他人偷越国边境案全程参与嫌疑车辆跟踪、嫌疑人抓捕、隔离看管、异地侦查、集中审讯、线索深挖、案件侦办、国籍认定、移送起诉等一系列工作。紧盯重点群体稳控工作。按照"一人一专班，一人一对策"的标准，落实重点人员100%轨迹化、接力式动态管控。定期对辖区66名重点人员开展排查和风险评估，防范现实危害。坚持稳控与化解并重，实现不稳定群体的精细化管理。依托公安厅治综平台全力做好源头稳控，在安保决战决胜阶段，采取联合稳控等措施，实现边境辖区重点人员的源头稳控和闭环管控。

【新闻宣传】 立足工作实际，深入学习宣传贯彻党的二十大精神，把智慧和力量凝聚到实现移民管理工作思路和具体措施上。2022年，1名民警和1名民警家庭受到国家级表彰，3名民警受到省部级表彰。在大队党委积极谋划下，自主统筹协调各级各类媒体资源，先后策划"民警助力接羔保育""边境草原上的巡防路"等主题宣传活动，累计在中央、自治区媒体刊发稿件百余篇，进一步扩大移民管理警察的影响力，主责主业持续受到关注，提升队伍的知名度、影响力和公信力。

【疫情防控】 按照"一手抓疫情防控，一手抓边境稳控"的工作思路，坚持边境维稳与疫情防控"双轨并进"，累计出动警力300余人次，配合地方防疫部门开展防疫工作。特别是2022年10月兴安盟内突发疫情，大队组建疫情防控执勤分队，全面投入科尔沁镇主城区8个居民小区开展24小时应急职守、政策宣传、摸底排查、精准管控和疫情流调等任务，完成防疫任务。在静默管理条件下，打击处理拒不执行人民政府在紧急状态下发布的决定、命令案1起，赌博案3起，非法携带管制器具案4起，确保疫情状态下边境辖区治安稳定。

【群防群治】 自筹经费设计发放守望草原巡防队蒙古袍新式队服46套，结合边境维稳管控实际，发展建立35户巡防队堡垒户，将全部野外生产作业点纳入网格化管理，探索实行户长制，边境管控实现无死角、全覆盖。2022年，发动巡防队员近千人(次)，开展法律宣传、疫情防控、日常巡逻、便民服务等各类活动710次，帮助找回丢失牛羊136头(只)，挽回经济损失18万余元。守望草原巡防队荣获第二届兴安盟"我帮你"新时代文明实践志愿服务项目"优秀志愿服务组织"和第一届科右前旗"我帮你"新时代文明实践志愿服务项目大赛优秀奖，并被推荐参评2022年度自治区评选项目，巡防队被各级媒体平台宣传报道30余次，总阅读量高达110万次。

(宝仲凯)

检察

【概况】 科右前旗人民检察院是科右前旗地区的法律监督机关。设6个职能部门。

【平安前旗建设】 受理审查逮捕各类刑事案件82件128人，批准和决定逮捕40件61人，受理审查起诉447件532人，提起公诉240件282人。投入命案防控工作，强化提前介入引导侦查，保护国有、集体财产，维护人民群众合法权益，全年提起公诉侵犯公民人身权利、民主权利犯罪27件31人，侵犯财产犯罪25件31人，危害公共安全犯罪158件160人。提起公诉涉"黄赌毒"类妨害社会管理秩序犯罪18件42人。推进打击整治养老诈骗专项行动，以群众听得懂、听得进的方式大力开展反诈宣传。

【刑事检察】 依法监督立案1件1人、撤案1件1人，提前介入引导侦查4件，纠正侦查和审判违法情形22件，纠正漏捕漏诉2人，提出刑事抗诉4件。办理重大案件讯问合法性核查7件，开展财产刑执行监督1件，监督纠正监管场所、社区矫正不规范问题10件。侦办司法工作人员职务犯罪案件1件1人，已移送审查起诉。

【民事检察】 加强涉企民事检察监督，认真开展涉企民事检察监督案件依法优先办理专项活动，受理涉企案件6件，提出检察建议6件，法院全部采纳。监督纠正民事审判程序违法案件1件并制发检察建议，法院已采纳纠正。围绕民事执行中群众较为关切的问题，扎实推进"终结本次执行"案件专项监督活动，受理终结本次执行程序案件15件，提出检察建议15件，助推民事执行更加规范、高效。

【行政检察】 对法院行政审判

程序违法行为提出检察建议3份，对行政非诉执行案提出检察建议13件，法院全部回复并予以采纳。扎实开展"全面深化行政检察监督依法护航民生民利"专项行动，办理行政违法行为监督案件25件，并举行集中公开听证，制发类案检察建议，行政机关完全采纳。

【公益诉讼检察】 办理行政公益诉讼线索80件、立案65件，民事公益诉讼线索2件、立案2件。在全盟率先与松辽委察尔森水库管理局会签《关于建立水行政执法与检察公益诉讼协作机制的实施意见》，推动水利部门与检察机关良性互动，凝聚行政和检察保护合力，共同维护国家水安全。在林草专项行动中，及时介入提供侦查思路，办理非法占用农用地、盗伐林木案件9件9人，为实现增强生态系统循环能力、维护生态平衡发展的目标提供检察方案。

【未成年人司法保护】 扎实履行未成年人"国家监护人"法定职责，提起公诉侵害未成年人犯罪5件5人。倾注"幼吾幼以及人之幼"司法关怀，对3名涉罪未成年人作出附条件不起诉决定，对1名涉罪未成年人相对不起诉。持续探索符合新时代未成年人司法需求与身心发展规律的法治教育，27名检察官担任法治副校长，开展线上、线下普法宣传活动30余次。

【司法救助】 通过办案系统摸排线索并主动启动司法救助程序，办理司法救助案件5件11人，发放国家司法救助金16.5万元，全部向合作社延伸。对困难妇女进行司法救助的同时，协同妇联、民政等部门将心理辅导、社会救助等方式纳入救助计划，使被救助人长期受益。

【诉源治理】 "如我在诉"落实信访件件有回复制度，受理群众来信来电来访61件次，坚持把释法说理做到位，7日内回复率、3个月到期办结答复率均为100%，院领导包案办理首次信访案件22件，全部办结后无再次到上级检察机关申诉信访件。贯彻少捕慎诉慎押刑事司法政策，不捕率52.34%，不诉率34%，分别同比上升21.63%、12.3%，进一步强化人权司法保障，促进修复社会关系。把加强检察建议作为参与社会治理重要抓手，提出检察建议90件。其中，社会治理类和公益诉讼类45份，充分发挥检察建议在社会治理中的规范引领作用。

【检察监督】 通过12309中国检察网公开案件程序性信息967条，接待律师阅卷77人次，邀请人大代表、政协委员、人民监督员等各界代表参与公开听证41件次，对不起诉案件全部做到"能公开尽公开、能听证尽听证"，确保权力行使到哪里、监督制约就跟到哪里。

（周金铭）

法　　院

【概况】 科右前旗人民法院始建于1950年6月，设有刑事审判庭、民事审判庭、立案庭、审判管理办公室等10个职能部门，下设6个基层人民法庭。审判区设有少年审判法庭、互联网审判法庭，立案大厅设有导诉、立案、收费、排期送达等窗口，并设有当事人休息大厅。楼内设有电子阅览室、健身房、老干部活动室。2022年，科右前旗人民法院共受理各类案件11283件，审结10738件，综合结案率95.17%。结案率排名全盟第2位。

【社会安全稳定】 严惩危害治安犯罪，审理故意杀人罪3件、故意伤害罪27件、强奸罪4件、投放危险物质罪2件、危险驾驶罪140件、交通肇事罪21件、故意毁坏财物罪、过失致人死亡罪、强制猥亵侮辱罪、敲诈勒索罪各1件，帮助信息网络犯罪活动罪8件。审理危害公共安全类犯罪180件，侵犯公民人身权利、民主权利类犯罪43件。

【法治化营商环境】 强化部门联动，与旗政府共同出台《企业破产工作府院协调联动机制实施方案》。与工商联建立联系机制，畅通民营企业维权渠道。与淘宝拍卖、前旗不动产登记中心、中国邮政等签订合作协议，优化司法拍卖、资产查询、邮寄送达等环节工作。修订完善《关于定期开展清理未结案件的实施方案》《证券纠纷代表人诉讼指引》等制度文件。2022年，共办理涉企诉讼执行案件1200件、企业破产案件2件。

【乡村振兴】 审结牧业承包合同纠纷38件、土地承包经营权纠纷37件，标的额517.2万元。为助推全域旅游事业发展，专门设立网上预约立案、远程调解审判的金马鞍景区"旅游法庭"。践行绿色理念，审结非法占有农用地罪8件、滥伐林木罪1件，并发布《环境资源审判绿皮书（2019—2022)》。

科右前旗第一个旅游法庭成立

【司法保障网】 向困难群众发放司法救助金15.5万元、决定免交缓交诉讼费20.8万元。审结民生案件433件，审结拒不支付劳动报酬犯罪案件2件、追索劳动报酬纠纷27件、劳动争议纠纷24件、提供劳务者受害责任纠纷23件，涉案标的额220.2万元。打击养老诈骗，组织法律讲座1次、发布反诈小视频4条、进社区宣传7次、发布微信公众号20条、悬挂宣传条幅40条，发放宣传彩页、赠送定制宣传物品各1000份。

【家庭文明建设】 审结婚姻家庭类案件699件，涉案标的额1934.6万元。坚持最有利于未成年人的原则，选派法官担任中小学法治副校长、校外法治辅导员。联合旗检察院到前旗第二中学开展送法进校园活动；联合前旗第三中学开展邀请60余名学生到法院参加模拟法庭社会实践活动。

【多元解纷服务】 在居力很镇红心村开展"无讼村"示范点创建活动。深入开展巡回审判，设立一站式诉讼服务中心，全面应用人民法院调解平台。对接旗工商联、税务局等部门，推行业调解进法院。加强人民调解、行政调解、司法调解联动，2022年，共受理诉前调解案件4157件，调解成功3364件，诉前调解率80.92%。

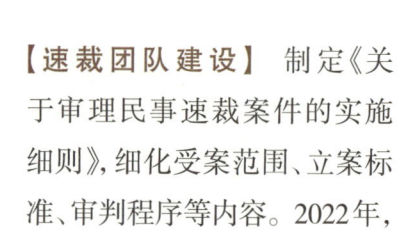

【速裁团队建设】 制定《关于审理民事速裁案件的实施细则》，细化受案范围、立案标准、审判程序等内容。2022年，

速裁团队审结案件1435件，结案率95.41%，占院内收案的46.73%。对诉讼标的额较小、双方争议不大的案件，依法适用小额程序审理，共受理159件，结案率100%，平均办案用时仅为2.8天。

【执行体制改革】 执行指挥中心投入实体化运行，执行立案、集约送达、财产查控、财产处置、案款管理等流程节点全部纳入执行指挥中心一体管控。2022年，共受理执行案件4455件，执结4206件，执结率94.41%。29人被纳入失信被执行人"黑名单"，限制高消费2081人，强制传唤405人，对6名拒不执行生效判决的当事人采取拘留、罚款措施。

【智慧法院建设】 24小时自助诉讼服务中心全面投入使用，宣传和推广人民法院在线服务平台，方便当事人网上立案。新建互联网法庭8个，2022年，共接收网上立案936件，同比增长104.81%。互联网开庭调解案件234件，同比增长360%。人民法院"12368"诉讼服务热线共接听电话1032件，接通反馈率达到99%。

【人民监督】 主动接受监督，加强与新闻媒体互动，共同维护社会公平正义。坚持全过程司法公开，共邀请人民陪审员参与案件审理785件、1570人，邀请代表、委员及社会各界参加案件听证、见证执行11次22人。

（凌宵）

司 法

【概况】 科右前旗司法局是旗政府直属行政单位。按职能划分共设13个股室，法律援助中心（司法局综合保障中心）、公证处两个事业单位，下辖15个基层司法所，另有4个国营农牧场和1个绿水种畜场司法办。

【法治建设】 法治政府工作扎实推进，召开科右前旗委全面依法治旗委员会第四次会议，将党政主要负责人履行推进法治建设第一责任人列入年度述法考核内容；将习近平法治思想纳入旗委理论学习中心组、全旗公务员轮训内容；健全党领导全面依法治旗工作制度机制，增强党领导全面依法治旗的能力和水平，做好"一规划、两纲要"的组织实施，制定《法治前旗建设实施方案（2020—2025年）》《科右前旗贯彻落实〈法治社会建设实施纲要（2020—2025年）〉实施意见》，组织开展党政主要负责人履行推进法治建设第一责任人职责督查，推动党政主要负责人责任落实。召开全旗各行政执法单位规范行政执法行为、优化法治化营商环境专项行动动员部署会，推行行政执法"三项制度"，开展行政执法协调监督，打造察尔森司法所为行政执法监督试点，开展驻点监督检查，开展案卷评查，规范行政执法行为，持续优化法治化营商环境。

【行政复议案件】 接待行政复议咨询69人次，接收行政复议申请32件，审结案件中，维持原具体行政行为的15件，撤销原具体行政行为的11件，已审结案件均在法定期限内结案，按时办结率达100%。行政应诉案件办理情况，办理前旗人民政府为被告的行政应诉案件22件，一审案件16件，二审案件6件，已结案16件，8件驳回原告诉请，原告撤回起诉3件，撤销一审裁定，责令继续审理2件，撤销行政行为3件。在全旗14个司法所设立行政复议代办点，打通服务群众行政复议维权"最后一公里"。优化行政复议案件办理程序。在案件受理环节实行"即收即受",突出复议审查重点,在复议中做到实体与程序并重,突出对执法单位办案程序的监督,切实做到该维持的维持,该撤销的撤销,该变更的变更。对行政应诉案件,及时跟踪对接案件承办单位,督促承办单位积极对接代理律师做好应诉证据资料收集,加强与法院、政办的沟通协作,加大对行政机关负责人出庭应诉的提示督促力度,下发行政机关负责人出庭应诉提示函12份。

【社会治理】 开展"调解促稳定 喜迎二十大"矛盾纠纷排查化解专项活动。结合命案防控工作,扎实开展"五个专项行动",开展矛盾纠纷排查557次,各级调解组织受理各类矛盾纠纷780件,预防纠纷80件,成功调处案件707件,成功率90.64%。表彰奖励2021年度旗级金牌、银牌人民调解员18人,获得盟级金牌银牌调解员称号3人。聚焦长效监管,筑牢特殊人员管控体系。全旗接收社区矫正对象198人,解除174人,在矫社区矫正对象208人,在全旗范围内开展2轮社区矫正安全隐患排查专项行动,累计签订谈话笔录440份、建立排查台账34份,上报自查报告17份,辖区内社区矫正对象全部排查到位。

【法律服务】 制定"八五"普法规划,落实"谁执法谁普法"普法责任制,开展领导干部任前法律知识考试和任职宪法宣誓活动,实施"科右前旗提升基层治理法治化'四个一百'工程",推荐"法律明白人"培养人729人,培养"百名党员带头讲法"258人,开展宣讲45场次,展播"百个优秀调解案例",举办法律明白人培训班。开展"民主法治示范村"创建工作,推荐察尔森镇察尔森嘎查为"全国民主法治示范村",深入推进基层民主法治建设。推荐自治区级"民主法治示范嘎查(村、社区)"5个。召开"万名律师进乡村"启动签约仪式,开展"法律服务乡村振兴"座谈宣传活动,持续发挥法律援助中心、工作站、联系点的法律援助作用,做到应援尽援,推进苏木(乡镇)和嘎查(村)两级公共法律服务实体平台建设,已建成14个苏木(乡镇)级"12348"公共法律服务工作站和228个公共法律服务工作室,推进公证便民服务及我为群众办实事活动,扩大公证"最多跑一次"事项范围,为弱势群体减免公证费用4万余元。

(王明达)

军 事

人 武 部
科尔沁右翼前旗武警中队
退役军人事务

军 事

人 武 部

【概况】 2022年，人武部坚持以习近平强军思想为指导，着眼"完善国防动员体系"目标，坚定维护核心、深化练兵备战、聚力主责主业、持续正风肃纪，全面建设持续稳中向好，有力推进各项工作深入展开。

【练兵备战工作】 坚持党委议战议训先学、专武干部例会常学、组织学习培训研学，深入学习习近平强军思想。跟进现代战争指挥模式、作战样式、战场形态不断变化实际，围绕可能担负的动员支前、社会维稳、边境管控、重要目标防护等任务，制定年度战备建设工作具体措施。常态抓好战备值班培训与考核，实行战备值班认证上岗。分批次分阶段采取"基地轮训、以岗代训、基层组训"等方式，高标准完成基干民兵训练任务，骑兵分队训练，创造3个首次（首次分片组织训练、首次女子民兵参与、首次进行挂钩训练），参加全盟第五届群众性练兵比武竞赛，取得8个单项第一和团体第二的好成绩，民兵打破武装3公里越野比赛记录。坚持把军事训练考核成绩，作为评优评先、晋职(级)、晋衔(档)重要标尺，逐步实施"一票否决"制；广泛开展练兵备战"创优争先"活动，建立民兵训练典型荣誉长廊，大力宣传先进单位和个人，结合召开表彰大会，颁发奖牌和证书；充分发挥纪委监督职能，加大训练监察力度，每季度对基层武装部练兵备战情况进行讲评。

【国防动员和后备力量建设】 开展民兵潜力数据调查、整组和点验工作，依据《民兵"十四五"建设规划》，按照应急、支援两个专业，完成全旗民兵整组任务；2022年6月联合地方相关部门完成基层武装部和编兵单位民兵整组验收工作，人员信息准确率、专业对口率等得到明显提升。兵役征集质量逐步提高，坚持以征兵"五率"为抓手，把全程监督与征兵宣传贯穿全过程，召开2021年度表彰奖励暨2022年征兵工作会，与旗委宣传部联合下发全旗征兵宣传方案，利用传统媒体和新媒体进行广泛宣传。国防教育效果提升明显，组织上校军官进校园讲战史，设计制作涵盖军史、战史和征兵政策三个方面内容的移动军史长廊，协调乌兰牧骑民兵宣传队深入边区牧区进行演出。持续推进兴安盟察尔森少年军校建设，研究制定《察尔森少年军校人才培养战略规划》《察尔森少年军校2022年人才建设计划》，联合相关部门召开成立20周年庆祝大会、军地协调会、"三支队伍"聘用任职大会，组织第22个全旗全民国防教育日活动，迎接军区政委检查指导。持续探索帮扶村巴日嘎斯台乡新发村"党建+"模式，衔接乡村振兴战略，完成集体经济育肥羊养殖场围栏建设。"八一"期间举办"军事日"活动。

【部队建设】 依据"四个秩序"建设标准和基层人武部建设标

准，以创先争优活动为牵引，持续规范基层武装部建设，帮建察尔森镇、满族屯满族乡武装部，完善"三室一库"和文化氛围，7个基层武装部达到优秀水平；持续推动人才队伍、特别是职工队伍建设，制定包含三个方面14条具体内容的《适应新体制、履行新使命、激发新动力，加强职工队伍建设具体措施》。开展条令法规学习和"四严四整"教育整训活动，严肃组织保密工作专项整治。严密组织安全隐患排查，建立"日检查、周通报、月讲评"制度；围绕重大安全问题防范，组织"讲政治、明大义、守底线"专题组织生活会。坚持将安全教育纳入政治教育计划统筹安排，每月至少组织1次安全教育，落实每日安全提醒、每周隐患排查、每月形势分析制度，组织签订安全保密责任书，及时更新警示标牌和安全文化。围绕"六个坚持"（坚持定期分析疫情防控形势、坚持定期进行全员核酸检测、坚持定期进行疫情防控教育、坚持定期进行疫情防控演练、坚持定期与地方防疫部门沟通联系、坚持定期修订完善人武部疫情防控应急处置方案和常态化疫情防控处置方案）抓好疫情防控工作。协调旗委政府把民兵事业费、基层武装工作经费、营房维修和物业服务费纳入财政预算，形成常态予以保障。坚持把专武干部选拔纳入干部考察任用机制统一安排，2022年两名基层武装部长走上重要领导岗位。

【综合保障能力】 坚持党委理财，大项经费开支坚持集体研究决定，参加5次预算编制调整会审。严格遵守财务管理暂行办法，经费实行"联审会签"，行政性消费限额控制。加大营房建设力度，完成暖气管道维修、备用电源增设、变压器改造升级、发电机推车制作、房车维修保养，并对水泵房进行升级改造。保障日益精准，收集补录现役军官、文职人员及其家庭成员保障卡信息数据，完成星空迷彩服、作业服、新式作战靴配发请领。依托旗人民医院、军队医院对全体人员完成体格检查。

【人民防空】 2022年，完成人民防空方案、重要经济目标防护方案编制，组建科右前旗人民防空指挥部，加强人防专业力量体系建设。认真落实专项治理整改工作，专项审计发现问题整改完成率98.63%，内蒙古自治区督查排查发现问题整改完成率80.31%。

（李爽）

科尔沁右翼前旗武警中队

【概况】 科右前旗武警中队驻科尔沁右翼前旗大坝沟镇西6公里处，主要担负科右前旗看守所外围武装警戒任务。

【军事工作】 对表总队"八个体系建设"规范要求，聚焦主责主业研战谋战务战，组织好"战备日、战备周"活动，扎实组织"修方案、学方案、推方案"活动，按照打仗的要求做好战备工作。深入贯彻武警部队执勤安保工作规范化集训精神，学习配套执勤法规，规范信息化条件下"四勤"运行，严格落实执勤制度，持续提升"智慧磐石"工程效能，厘清"三员一兵一组"具体职责，全面提升正规化执勤水平，始终聚焦中心谋打赢。坚持干部带头，加大教练员培养力度，明确教学责任分工，确保全年无偏训、漏训科目，继续盯紧指挥训练、分队专业训练和战术训练，弥补训练短板，2022年年末，官兵军事体育通用课目优良率力争达到80%以上。

【政治工作】 坚持把迎接保卫、学习贯彻党的二十大作为首要政治任务，围绕"忠诚维护核心、矢志奋斗强军"主题，结合中队实际，强化政治引领，有效落实武警部队、总队、支队党委（扩大）会议精神。经常性思想工作扎实有效，文化活动丰富多彩，新闻宣传报道在质量和数量争取排到前列，并在总队及外网融媒体上求突破。思想骨干队伍发挥作用明显，谈心、思想汇报、思想形势分析等制度有效落实，一人一事的思想工作扎实，注重重点关注对象教育转化，无不稳定因素。"四反"工作扎实，全年做到"六无"。干部骨干对战士态度端正，无打骂体罚问题，内部关系融洽。战士自觉尊重干部，服从管理、听从指挥，"三互""双四一"活动经常开展，无违反群众纪律，无警民纠纷。

【后勤工作】 扎实开展"后勤管理年"活动，提升综合保障质效，加强战勤编组练兵备战，提升"一长五员"业务能力，严格经费管理使用，精心制作"营养餐"，依法管装爱装，加强卫生防病，坚决阻断鼠疫、新冠等传染病传播。

【装备管理】 加强装备科学化、制度化、经常化管理，严格落实装备管理法规制度，使其保持良好技术状态，保证遂行任务需要。官兵对武器装备做到"三熟悉""四会"，装备管理达到"四无"，枪弹管理正规，安全制度落实，完好率达到规定标准。抓好爱装管装教育训练，结合新兵入伍、授装接装仪式、执行重大任务、武装备普查等，经常进行爱装管装教育。组织学习武器装备管理知识，提高管装用装能力。用好武器装备，扎实开展健康教育和卫生防病工作，强化官兵以队为家意识，加强营产营具管理，提高后勤管理质量；严格落实疫情防控制度，坚决杜绝疫情传入。

【支援地方建设】 及时与目标单位建立和谐融洽的工作协同，做好相关单位的走访工作；积极和周边单位建立联系协作，做好驻地周边信息采集，了解官兵是否存在欠账赊款和不遵守群众纪律现象。每季度邀请目标单位领导到中队上一次课，积极为目标做好事，主动向目标单位汇报工作开展情况，征求目标单位对中队工作的意见和建议，加强沟通配合。

（刺　盼）

退役军人事务

【概况】 科右前旗退役军人事务局于2019年3月成立，是旗政府工作部门，为正科级行政单位。所属事业单位科右前旗退役军人服务中心成立于2019年5月，为副科级事业单位。

【服务保障体系建设】 按照"五有"要求和政治文化建设标准，全旗共建立各级退役军人服务中心（站）51家并录入高德地图、百度地图。组织各苏木、乡镇（场）和嘎查村（社区）退役军人服务站开展"全国退役军人服务中心（站）管理服务系统"线上培训并面对面督导，已确保服务中心、站都由专人熟练掌握系统操作方法，各项工作有序开展。

【思想政治和权益维护】 处理信访事项，2022年共受理信访事项6件，网上转办信访件5件、来人访1件，已全部出答复意见。共接待来访政策咨询人员85人。退役军人事务部电话信访转件23件，已全部办结，办结率达100%。2022年着手调查核实，多次沟通协调多个相关部门、向旗委政府汇报相关情况并请示化解方案，成功解决历史遗留重点难点问题3件，24名应安置未安置退役军人的编制问题、伤残民兵优抚待遇、信访事项。开展走访帮扶工作，已对96名生活困难退役军人进行帮扶援助。开展退役军人志愿服务活动，组织成立"戎耀北疆"志愿者服务队，全旗成立退役军人志愿服务队9支，吸纳队员231名。退役军人志愿服务队开展各式各样志愿服务活动达20多场次。参加无偿献血1次，参加义务栽树活动2次、参加疫情防控阻击战志愿服务12次。

【移交安置与就业创业】2022年全旗接收退役士兵共计91人，报到手续已完成，其中选择自主就业安置的84人，并组织以上人员开展为期5天的适应性培训；符合政府安置条件的退役士兵7人。为39名安置后下岗的退役士兵安置就业援助岗位，并对10名退役士兵有援助岗位需求，完成登记。分别于2022年7月、8月、10月参与组织三场退役军人招聘会。协助完成105名退役士兵享受国家教育资助，8人完成专升本学历提升，11人享受积分或免试入学。

【拥军优抚与褒扬纪念】截至2022年年末，科右前旗共有享受抚恤补助的各类优抚对象1153人。制定出台《科右前旗烈士纪念设施管护工作守则》，签订《科右前旗烈士纪念设施管护承诺书》，旗域内有4个涉及乡镇的7处烈士纪念设施均明确专职管护员。为烈属、军属和退役军人家庭悬挂光荣牌4581块。"八一"期间，选派三名参战老兵代表赴阿尔山参加同走主席路暨"军营开放日"活动，并组织开展老兵肖像巡展活动。组织作家，精心为33名老兵撰写事迹报告文学集《老兵档案》，首发500册。清明节期间，组织广大群众及乡镇服务站开展网上祭英烈活动，祭扫点击量位居全盟第二名，并在巴日嘎斯台蒋弼仁烈士墓举行烈士公祭日活动。截至2022年年末，旗级服务中心审核通过建档立卡3561人，审核通过优待证3278人，制发优待证1464张。

【双拥创建工作】开展走访慰问活动。春节、"八一"期间走访慰问驻旗军（警）部队13家，走访慰问优抚对象及困难退役军人205人，走访慰问现役军人家庭392户。健全完善双拥工作责任目标考评体系，促进双拥创建工作提质增效。及时调整旗双拥工作领导小组成员，印发《2022年双拥工作责任目标考评办法及工作细则》，进一步量化指标，明确职责任务。协调旗卫健委为武警兴安支队、兴安盟消防救援支队开展新冠疫情防控技术指导和穿脱防护服采样培训4次，赠送防护物资，为260余名抗疫支援北京的一线部队官兵进行核酸检测，常态化为武警、消防共计约260余人上门累计核酸采样1.8万余次。走访慰问执行特殊任务或边海防士兵家庭4个，制定科右前旗现役军人子女教育优待办法，为1名现役军人子女在科右前旗第二小学办理入学。协调某部队、旗教育局为科右前旗第一中学、第二中学2名品学兼优、家庭困难的高中学生每人捐赠3000元助学金和一套学习用品，该助学金为部队官兵集资，他们将持续资助2名学生直至大学毕业，受资助学生中1名学生为退役军人子女。培树先进典型。"八一"期间组织开展先进典型表彰活动，表彰全旗双拥工作先进单位20个，双拥工作先进个人15名，评选表彰"最美退役军人"15名，先进基层退役军人服务站5个。为8名立功受奖现役军人家庭开展送喜报活动

（周 敏）

农牧林水

农牧和科学技术
林业草原
水　　利

农牧林水

农牧和科学技术

【概况】 科尔沁右翼前旗农牧和科技局是科右前旗人民政府的工作部门，为正科级。主管农牧业、科学技术与农村牧区经济发展的行政职能。内设股室15个：办公室、财会股、内审股、政策法规股、发展计划和农村牧区社会事业促进股、乡村产业发展股、市场信息与对外合作股、生产股、畜牧业股、兽医管理股、农畜产品质量安全监管股、科教股、农田建设管理股、农牧业机械化管理股、渔业渔政管理股。农牧业科学技术发展中心、农牧业综合执法大队、农村牧区集体经济服务中心、农畜产品质量安全检测中心、动物疫病预防控制中心。

【种植业生产】 完成粮食播种面积26万公顷，完成任务的112%。开展东北黑土地保护性耕作5.4万公顷、深松作业约1.33万公顷、新建高标准农田1.07万公顷，打造各类示范区37个、开展各类农技培训60余场、开展各类新品种、新技术，新机具试验50余项、发放三批种粮农民一次性补贴6512.6万元，发放耕地地力保护补贴15404万元、发放生产者补贴20342万元，进行大豆完全成本保险试点，实现三大粮食作物种植收入保险全覆盖，开展农资打假春雷行动、实施绿色防控虫口夺粮专项行动、防早霜促早熟保丰收专项行动、机收减损专项行动，挽回粮食损失1亿公斤。响应国家扩种大豆号召，广泛推广大豆玉米带状复合种植技术。建设1个万亩(666.67公顷)、1个千亩(66.67公顷)、1个百亩(6.67公顷)大豆示范区。在12个苏木乡镇落实大豆玉米带状复合种植任务4000公顷，涉及种植户831户，大豆种植面积达约3.14万公顷，是2021年的一倍。2022年科右前旗粮食产量继续保持在15亿公斤以上，实现粮食产量十三连丰。

【养殖业生产】 2022年牧业年度牲畜总存栏445.2万头(只、匹)，其中肉牛存栏32万头，同比增长16%；奶牛存栏4.1万头，同比增长61.4%；肉羊存栏384万只，与2021年持平；生猪存栏23万头，同比增长15%；其他牲畜存栏3.1万匹。在肉羊产业上，推进规模化发展。2022年，羊存栏384万只，同比增长1.1%，养殖规模不断提高。提升养殖水平，推进畜牧业生产标准化行动，以规模养殖示范场为引领，推进养殖主体饲养科技水平与管理水平的提升，推广先进的自动投喂、环境控制等设施装备，和节水、节料、节能的养殖工艺，提高养殖业自动生产率。强化技术服务和改良体系建设，利用100个家畜改良点，推进肉羊改良技术推广，同时对购买纯种杜泊和萨福克种公羊的农牧户，继续整合种公羊良种补贴资金，每只补贴1600元。生猪产业上，100万头生猪养殖产业一体化项目于2017年启动建设，涵盖100万头生猪养殖项目、30万吨饲料加工厂项目和100万头生猪屠宰肉食品加工厂项目各一个。其中，30万吨饲料加工厂位于旗工业园区内，已于2020年10月22日建成投入运营；100万头生猪屠宰肉食品加工厂已完成规划选址工作。100万头生猪养殖场已累计投产存栏5200头种猪场4个，年出栏5万头选育场、年出栏7.5万头育肥场、年出栏12.5万头育肥场和公猪站各1个，建成未投产使用存栏6000头种猪场和年出栏12.5万头育肥场各1个。截至2022年年末，已投产8个养殖场有生猪存栏29万头，其中能繁母猪2万头，哺育仔猪及保育育肥商品肥猪27万头。项目在建工程包括存栏6000头种猪场和年出栏12.5万头育肥场各1个，已完成工程量85%以上。在马产业上，进一步进行马遗传资源调查，对蒙古马遗传资源实行重点保护，加大政策支持，全面落实保种主体责任。完善保种体系建设，加强保种场基础设施建设，扩大种群数量，组织带动周边农牧民开展联合保种。2022年，在往年已鉴定保护1100匹蒙古马的基础上，扩大保护规模，已完成1365匹蒙古马进行鉴定保护，并制作蒙古马保种档案，加强保种管理。加强马产品资源利用与开发。扶持中小奶畜养殖场、马奶产品加工产业改造升级，实现标准化养殖，标准化生产，形成稳定的产能和质量控制，规模生产，服务于地区经济高质量发展和新旧动能转化。2022年完成升级改造马奶产品加工厂1处，提升蒙古马马业等企业产能及新产品研发生产能力。

【奶业振兴行动】 2022年，科右前旗聚焦畜牧业提质增效，大力推动奶产业发展，深入实施奶业振兴倍增计划，继续推进优质奶牛生态循环养殖示范园区中已开工的4座奶牛牧场建设进程，中利2.5万头牧场、中博农2.5万头牧场、白音1.5万头牧场及优然1.2万头牧场主体建设即将完成，4座牧场奶牛存栏量近4万头。启动奶牛牧场项目二期工程，修刚牧场主体建设已达75%。实施标准化养殖提升行动，继续提升改造中小规模奶牛养殖场。

【肉牛再造行动】 2022年，科右前旗全力推动基础母牛扩群增量，发挥家畜改良培训基地作用，技术培训、良种补贴双向加力，加快推进肉牛基础母牛数量增加、质量提升。实现肉牛存量32万头、育肥牛存栏量4.5万头。编制印发《科右前旗肉牛再造行动贴息贷款手册》，将农业银行、中国银行、农村信用社、邮政储蓄肉牛贴息贷款产品进行介绍，包括申请条件、贴息政策、利率与期限、申请流程、联系人信息等，有助于申请户了解政策，积极申请贴息贷款。2022年年末贴息贷款已发放2.7亿元，有效提高基础母牛数量，并通过储草棚、优质冻精等政策推动，提高标准化养殖水平。

【高标准农田建设】 2022年度实施科右前旗实施高标准农田项目共计1.07万公顷，其中2021年项目约3333公顷，2022年项目约7333公顷。2021年项目已完工并初步验收，2022年实施旱作高标准农田项目约7333公顷，总投资14300万元，其中中央资金10885万元，自治区资金1621万元，盟级配套资金352万元，旗级配套资金342万元，农民自筹资金1100万元。建设地点为大石寨镇、归流河镇、察尔森镇、居力很镇、科尔沁镇、俄体镇、德伯斯镇7个乡镇，21个嘎查村。主要建设内容为土壤改良约73333公顷，更新机电井378眼，井台378座，井箱378座，水泵378套，过水路面及涵管桥145座，田间道路230公里，谷坊704座，沟头防护63座，铅丝石笼护坡5.32公里，植树92733株，高压线路94.15公里，低压线路97.99公里，变压器156套，高压计量58套，启动第三次全国土壤普查。

【种业振兴行动】 2022年科右前旗承担国家生物育种产业化应用试点种植面积4000公顷，占全国试点总任务的75%。旗委政府高度重视试点工作，成立由旗委书记、政府旗长为双组长、分管旗长为副组长，农牧和科技局、公安局、财政局主要负责同志和各试点乡镇党委书记为成员的专项工作领导小组，实现组织协调、风险防控、人员培训、技术指导、应急处置等工作的统一指挥调度。出台《试点工作实施方案》《技术指导实施方案》《社会风险防控方案》《舆情管控及宣传工作实施方案》等4个方案，进一步明确各环节职能职责，严密试点工作制度。采取分乡包片"网格化"技术指导的方式，组织78名技术人员提供全程技术指导。与1375个试点主体全部签订《种植知情书》并建档立卡，聘任村级安全巡查员54名，长期开展安全、长势、舆情巡查。采取人防、技防措施，在试点区域抽调警力14人、车辆1台，并在重点区域安装视频监控设备20套，主动落实常态化日巡查要求。建立宣传部门舆情风险点日报告台账制度，落实安保网络舆情监督任务。试点期间未发生任何社会风险和舆情风险事件。高标准打造4个百亩核心示范区和1个千亩示范展示区，累计投入资金1330万元，在完善农田水利设施、推广生物降解地膜、实施秸秆综合利用等方面加大扶持力度，全力保障试种成效。在各级专家的指导下，科右前旗成功克服春旱、低温、前茬药害等诸多不利因素，完成各项试点任务。

【农业机械化】 2022年组织全旗各乡、苏木、镇、场农机管理服务修理人员开展农牧业机械、机具冬检冬修工作，共检修农牧业机械5.7万台，为春季农业春播生产奠定坚实基础。2022年科右前旗粮食生产，共投入春耕拖拉机4.2万台，配套农机具8.4万台。全旗完成机耕总面积21.07万公顷，机耕水平为91.7%；完成机播总面积24.07万公顷，机播水平为86.8%；机收完成面积23.53万公顷，机收水平为84.9%；综合机械化率为88.2%。

【病虫灾害监测防控】 科右前旗3—4月雨水少，有利于越冬幼虫化蛹、羽化和成虫交配产卵。地下害虫发生面积约1333公顷，发生区域主要集中在科右前旗阿力得尔苏木、桃合木苏木等北部乡镇，其中地老虎发生面积1066.67公顷，金针虫发生面积266.67公顷。地老虎跟金针虫，轻发生地块每平方米0.05—0.1头；中等偏重地块每平方米0.5—1头。黏虫，10个苏木乡镇的玉米田发生危害面积约3.33万公顷，其中轻发生面积3万公顷；中等发生面积约3333公顷，最高虫口密度为每百株玉米有虫27头。草地螟，越冬代成虫农田发生面积约3.33万公顷，一代幼虫农田发生面积2万公顷，发生程度2级，零星发生未达防治指标，一代成虫发生面积约13.33公顷，发生程度1级，零星发生未达防治指标。玉米螟，一代玉米螟发生面积约5.33万公顷，发生程度2级，二代玉米螟发生面积8.67万公顷，发生程度2级。双斑萤叶甲，发生面积10万公顷，虫口密度每平方米10—100。玉米大斑病，发生面积2万公顷，发生程度2级。马铃薯晚疫病，发生面积约13.33公顷，发生程度1级。稻瘟病，发生面积1333公顷。

谷瘟病，发生面积666.67公顷。甜菜褐斑病，发生面积1333公顷。大豆根腐病，发生面积66.67公顷。

【动物疫病防控】 2022年，科右前旗未发生重大动物疫病区域性流行。持续推进免疫接种工作，针对牲畜口蹄疫病、禽流感病、小反刍兽疫、猪病和禽病、畜间布病、羊棘球蚴病、羊痘及羊三病、炭疽病、牛结节性皮肤病等14种动物疫病的免疫接种工作，共免疫畜禽1404.2万头（只）次，其中家畜1311.6万头（只）次，家禽92.6万羽次。进一步深化流行病学调查，定期对口蹄疫、高致病性禽流感、小反刍兽疫等26种常规流行病进行流行病学调查，每月对养殖场及牲畜交易市场进行牛结节性皮肤病专项流行病学调查，累计调查畜禽累计流行病学调查畜禽97495头（只、羽）。持续加强畜间布病防控，患病624人，其中新病例592人，老病例9人，无法核实19人，重复检查4人，涉及有畜户245户，存栏牛1219头，羊22571只，基本摸清科右前旗人间布病患者患病原因。严格落实重大疫病防控。对非洲猪瘟、鼠疫、棘球蚴病等重大疫病，严格执行24小时专人值班、领导带班制度，坚持日巡查、日报告制度，各苏木乡镇安排基层兽医工作人员每天对养猪场（户）、生猪屠宰场开展现场巡查，并将巡查结果及时上报。做到责任明确、人员到位、联系畅通、记录详细，一旦发生疫情，能按照"早、快、严、小"的要求迅速果断处置，累计巡查2814个/次乡镇，23361个/次嘎查村，1871个/次养猪场，197059个/次养猪户，636914口/次猪。在产地检疫和屠宰检疫方面。产地检疫羊54.5万只、牛4671头、猪30.9万口，完成全旗14家屠宰企业的换证工作，在乌兰毛都苏木敖力斯台嘎查新建投资2500万元、年屠宰能力44万只羊的企业一处，2022年生产的屠宰企业11家，屠宰羊43.2万只、牛192头、猪189口。

【乡村产业发展】 全旗销售收入100万元以上的企业有48家，其中油类加工企业1家、粮食加工企业9家、糖类加工企业1家、白酒企业2家、肉类加工企业16家、林果加工企业2家、粉业1家、中药饮片企业1家、肥业2家、饲料加工企业1家、流通企业5家、种植养殖企业7家。有1家列为国家级农牧业产业化重点龙头企业，有12家被列为自治区级农牧业产业化重点龙头企业。8家被列为盟级农牧业产业化重点龙头企业。48家企业总资产达到639009万元，固定资产达到193935万元，全年销售收入实现290000万元，增加值81000万元，利润总额3500万元，上缴税金1900万元，辐射带动农牧户2.8万户。形成蒙佳大豆油，科尔沁王酒业、阿尔——九八系列白酒，荷丰农业白糖，畋园牧业的系列猪肉，草原天鸿的系列羊肉，蒙佳、绿泰源、鲜稻家、金昌岭南纯、金瑞仓香系列绿色有机米，绿雨有机杂粮杂豆，北峰岭面粉，恒佳果业的果干、金口味沙果饮品、天甲粉业的粉条、察尔森水库的有机鱼、特门郭勒有机羊肉、大公草畜的改良羊等一系列品牌。

【国家农畜产品质量安全县创建】 2022年，科右前旗开展国家农产品质量安全县创建工作，召开国安县创建工作推进会及苏木乡镇监管工作调度会共8次，对每一阶段工作进行安排部署，并分三轮对全旗15个苏木乡镇（中心）创建工作开展情况进行督导，实地了解15个苏木乡镇（中心）监管站工作运行情况以及存在的问题并逐一进行解决。组织镇村两级监管人员230人次参加农产品质量安全监管检测培训。在科尔沁镇柳树川村主干道口设置创建国家农产品安全县宣传牌、在公交站点设置宣传专栏,在镇村重点位置悬挂宣传条幅89条,对进入前旗境内用户开通创建国安县宣传短信提醒。兴安盟羊肉地理标志农产品保护工程项目进展顺利。加强基层监管体系建设,在健全体制机制、经费保障、基础建设等方面重点投入。截至2022年年末,科右前旗"两品一标"认证企业共59家128个产品,其中绿色食品认证企业41家,产品86个;认证产品有大米、面粉、蔬菜、水果、羊肉、杂粮杂豆、马铃薯等。认证面积:种植业3.22万公顷,产量78368吨;畜产品认证80000只,产量1117.2吨。有机农畜产品认证企业12家,产品39个(大米、水产品、羊肉、牛肉、杂粮杂豆、小麦粉)。地理标志登记保护产品3个,分别为"归流河酒""俄体粉条""巴达仍贵大米";全国名特优新产品23个产品认证,绿色食品原料标准化生产基地17.1万公顷,其中玉米标准化生产基地12万公顷、大豆标准化生产基地约2.3万公顷、马铃薯标准化生产基地2万公顷、水稻标准化生产基地7066.67公顷。全年定量检测900批次,截至2022年年末已完成778批次样品,定性检测任务8000批次,完成6480批次。指导14个乡镇完成农药残留速测34317批次。

【农牧业综合执法】 "护奥运保春耕"专项行动、2022年农资打假专项治理行动、2022年化肥、滴灌带产品质量专项整治行动、农牧业投入品专项整治行动,突出抓好春耕备耕春管和夏种夏管两个农资使用旺季,对科右前旗境内农资生产企业和经营门店开展拉网式排查,建立更新农资生产经营单位名录,全面检查生产经营行为是否规范,以保证农牧民能够用上放心种、放心肥、放心药。开展"2022清风行动""中国渔政亮剑2022"内蒙古自治区系列专项执法行动,分别于2022年5月25日和7月20日,会同盟、旗两级多部门,针对科右前旗境内洮儿河干流流经区域违法捕捞现象展开联合行动,严厉打击涉渔违法违规行为,销毁违法网具60余张顶;清理、疏通河道10余公里;没收、放生非法捕捞渔获物60余公斤;巡查沿河路口10余处;累计开展陆上巡查、巡河4000余公里。开展科右前旗食用农畜产品"治违禁 控药残 促提升"行动、2022年兴安盟兽药行业综合整治行动,结合"双随机、一公开"执法检查持续发力,严厉打击违法经营假劣兽药和违禁药物等违法行为,规范兽药使用,严厉打击养殖环节非法使用违禁兽药和人用药的行为。开展2022年农牧业安全生产执法检查。全年累计出动执法车辆1454台次、出动执法人员5718人次,检查农牧领域各类经营主体1047家次。立案18起,办结案件19起(其中2021年立案办结1起),共计罚款10.122482万元;没收违法所得0.2671万元,没收违法经营货值0.066万元。在兽药行业监管方面,累计出动车辆42台次,出动检查人员187人次,检查兽药店108家,主要针对兽药溯源二维码的扫描情况、购货凭证、GSP后续跟进情况、日常经营情况等方面开展检查工作,并与企业签订《兽药经营企业质量安全承诺书》。在饲料市场规范方面,共检查饲料经营企业69家,与企业签订《饲料添加剂经营质量安全承诺书》。开展"瘦肉精"专项监测展,对阿力得尔苏木、俄体镇、索伦镇等12个乡镇的80个养殖场(户)的肉牛肉羊开展"瘦肉精"抽检工作,共抽检尿样400批次，所有尿样均现场进行盐酸克仑特罗、莱克多巴胺和沙丁胺醇三个项目的筛查，检测结果全部为阴性，未检出"瘦肉精"成分。与养殖户签订《畜产品质量安全承诺书》《规范使用兽药承诺书》和《不使用"瘦肉精"等禁用药物承诺书》。认真开展饲料抽检工作。

【人居环境改善】 开展人居环境秋季集中整治行动，广泛发动辖区干部群众参与，通过落实"三个五"工作机制，加快推动城乡公共服务均等化，全面提升人居环境整治成效。2022年，通过实施爱国卫生百日攻坚战、人居环境秋季集中整治等系列活动，累计清理生活垃圾9876吨、水塘429口、沟渠865公里、畜禽粪污4102吨，发放宣传单1.2万份，张贴标语1834处，投工投劳2.13万人次。排查2013年以来科右前旗各级财政支持改造的户厕14645个，共发现问题户厕5117个，主要有三类，可立行立改户厕2069个，主要为配件损坏、厕所异味、闲置或挪作他用、粪污清掏、不会用、不愿用等，已全部完成整改。技术模式不科学需列入"十四五"规划逐步整改户厕1274个，已充分与农牧户沟通，经农牧户同意，列入"十四五"规划。年久失修失去厕所功能需按程序办理报废销号户厕1774个，已全部完成第三方评估鉴定，并办理报废销号流程。

【农村牧区经营服务】 2022年4月开始，采取内引外联、多方合作的办法，筹建全旗农经综合平台搭建工作。投资173万元，搭建包括三资管理模块、产权制度改革模块、产权交易模块、新型经营主体模块、承包经营权管理模块、银农直连模块等六个模块组成的科右前旗农经综合平台，平台建成后将大幅提升科右前旗农经管理水平。依托现代信息网络技术，充分发挥计算机网路在信息处理和传播方面的优势，维护集体产权制度改革成果，管理农村集体资金资产资源的同时，向产权交易平台提供数据对接，有力支持产权交易平台的有序运行，同时通过建设三资公开平台，能够接受广大村民的监督，杜绝暗箱操作，防止集体资产的流失，切实保护广大农牧民和集体的利益。2022年申报盟级示范社12家，盟级规范社20家，旗级示范社10家。认定和完善203个家庭农牧场，新增旗级示范家庭农牧场10家。新增10家社会化服务组织，引导服务组织实行土地托管、代耕代收、统防统治等面向小农户的农业生产性服务。进一步扩大服务面积，把农民从土地中解放出来，发展多种经营，增加农牧民收入。

【科技培训与推广】 在农业科技推广工作上，开展大豆玉米带状复合种植不同模式对比试验、大豆玉米带状复合种植不同大豆品种筛选试验、青贮大豆、玉米不同品种带状复合种植对比试验、玉米新品种与常规品种对比试验等各类试验12项。开展耕地质量监测与保护工作，2022年新增19个自治区级耕地质量监测点。截至2022年年末，已建立60个耕地质量监测点。其中，国家级耕地质量监测点2个，自治区级耕地质量监测点37个，盟级耕地质量监测点21个。耕地质量监测点建立在科右前旗粮食生产功能区、重要农产品生产保护区，涉及15个乡镇苏木(中心)，60个村(嘎查)，涵盖4种耕地土壤类型。做好土壤地温及墒情监测、测土配方施肥技术服务工作、化肥减量增效试验工作、化肥减量增效"三新"技术示范推广工作。进行大豆根瘤菌剂接种推广，在全旗15个乡镇苏木(中心)推广大豆根瘤菌剂接种面积5200公顷,在绿水种畜繁育中心建立1个万亩大豆根瘤菌剂接种化肥减量增效示范区。进行种质资源普查,2022年抢救性收集科右前旗种质资源99份,种质资源均已收集上交至自治区种质资源库。开展农业外来入侵物种—水生外来入侵物种普查工作,制定普查工作技术方案,成立工作小组,制定三条普查线路17个踏查点,包含全旗所有河流、湿地、湖泊等自然生境。截至2022年年末已完成12个踏查点的普查工作,科右前旗未发现大规模水生外来物种入侵情况。进行稻渔综合种养,使用中央投资资金31万元用于支持稻渔综合种养示范推广,确定出10家种植养殖专业合作社及73家农户,共计83家种养条件好,技术较完备的经营主体开展稻渔综合种养示范706.67公顷。开展农业生态环境监测,对受污染耕地、农业生态环境监测工作、农产品产地土壤环境质量、农田地膜残留量、外来有害植物刺萼龙葵等进行全面监测。开展户用沼气报废处置、外来入侵植物普查。

【畜牧技术推广】 2022年完成大小畜改良配种总规模141.7万头(只、匹)。其中,肉牛改良配种12万头(冷配2.3万头);奶牛冷配2.5万头;绵羊改良配种120万只(人工授精4万只);马驴改良配种1.7万匹。完成全旗范围内供种场(或公司)种公羊鉴定工作,保障养殖户放心购买优质种公羊。4月在全旗有需求的苏木乡镇巡回举办"畜牧业标准化养殖技术培训班"15次,培训养殖户共600人次。9月举办"2022年全旗牛改良员培训班"1次,培训基层牛改良员35人。将主要分布于牧区(乌兰毛都苏木、满族屯满族乡、绿水种畜繁育中心等地)的地方品种乌兰毛都草地羊计划命名为"札萨克图肉羊",并完成新品种申报工作。完成下派到科右前旗的国家乡村振兴产业科技特派团肉牛、肉羊产业组专家对口支援工作,完成业务对接与业务交流,累计协助专家组16人次,完成实践指导养殖农牧户100人。5月、10月分别协助局畜牧股和种业股完成2020年、2021年"蒙古马保种补贴项目"蒙古马品种鉴定及注入芯片工作,2020年项目鉴定蒙古马供1362匹,2021年项目鉴定蒙古马供1362匹,为蒙古马保种工作提供技术支撑。完成2021年"粮改饲"项目复查验收工作。供协助旗公安局办理羊投毒案件11件,累计鉴定案件羊2800只,为公安机关和群众解决实际牲畜案例提供技术服务。

附:科右前旗地方主要绵羊品种简介:

据2021年科右前旗第三次畜禽遗传资源普查数据显示,科右前旗绵羊品种有蒙古羊、札萨克图羊等地方品种,有乌珠穆沁羊、小尾寒羊、湖羊、夏洛来羊、特克赛尔羊、东佛里生羊、萨福克羊、杜泊羊等引进品种和兴安毛肉兼用细毛羊等培育品种及杂交改良的后代。2021年年底,札萨克图羊约为11.23万只,从20世纪60年代到80年代,科右前旗先后引进新疆细毛羊、中国美利奴羊、高加索种公羊、奥波、斯达夫洛波羊、奥斯、东北细毛羊等细毛羊品种,迎合当时的选育需求,培育兴安毛肉兼用细毛羊品种,极大推动当时细毛羊产业的发展,随着改良杂交技术的应用及养羊市场对肉用方向的转变,原细毛羊品种逐渐被本地或外来品种杂交改良。

【蒙古羊】 蒙古羊属粗毛脂尾毛羊品种,主要分布在科右前旗乌兰毛都、桃合木、满族屯、绿水、阿力得尔、德伯斯、阿力得尔牧场等地区。蒙古羊公母羊初配月龄均为18月龄。母羊为季节性发情，多集中在9—11月；发情周期15—17天，妊娠期150天；年产1胎，年产羔率105—110%。成年公羊体重61.2±9.9公斤，母羊49.8±5.4公斤。每年春、秋季剪毛两次，平均剪毛量1—1.5公斤。毛长6—12厘米不等。

【札萨克图羊】 札萨克图羊又称乌兰毛都草地羊，属肉脂兼用粗毛型绵羊地方品种，主要分布在兴安盟科尔沁右翼前旗乌兰毛都杭盖草原。是2021年国家第三次畜禽遗传资源普查工作发现的新遗传资源。札萨克图羊为蒙古羊的分支，与蒙古羊相比身高体长略显优势，而尾巴相对较小，产肉率比蒙古羊略高，是一种丘陵山地草原羊。具有耐寒，抗旱，适应环境能力强，抓膘能力强等特点。公母羊性成熟为6—8月龄，初配年龄母羊18月龄，有较强的季节性发情周期，母羊发情周期15—17天，发情持续36—48小时。妊娠期为150天，产羔率105%左右，羔羊出生重公羔4.5±1公斤，母羔4±0.5公斤。成年公羊体重75—95公斤，母羊50—70公斤，成年羯羊屠宰率达到52.4%。羊毛质量较差，粗毛含量约占总产毛量的50%，毛长平均13—17厘米，产毛量为1—1.8公斤。

【湖羊】 科右前旗察尔森、额尔格图、德伯斯、公主陵等农区、半农半牧区有舍饲饲养。湖羊性成熟早，常年发情和配种，繁殖率很高。除初产外，每胎多在2只以上，高的可达6—8只，平均产羔率为228.92%，母性较强、泌乳性能好，在正常饲养条件下，日产乳1公斤以上。湖羊一般在春季4—5月配种，秋季9—10月产羔，一年二胎。也可适当调整繁殖季节，在9—11月配种，次年2—4月产羔，以实现"二年三胎"。但秋配春产的羊不宜留种，只准用于肉羊生产。湖羊产肉性能好、羔羊生长发育快，3月龄断奶体重公羔25公斤以上，母羔22公斤以上。成年羊体重公羊65公斤以上，母羊40公斤以上。屠宰后净肉率38%左右。耐热、耐湿、惯舍饲。湖羊毛属异质毛，每年春、秋两季剪毛，公羊1.25—2公斤，成年母羊2公斤，被毛中干死毛较少，平均细度44支，净毛率60%以上，2021年第三次全国畜禽遗传资源普查时数量不到1万只。截至2022年，在肉羊生产上越来越多的农户选择湖羊作为母本应用。

【兴安细毛羊】 兴安细毛羊属毛肉兼用型细毛羊品种，是兴安盟自主培育的品种，1991年6月，自治区政府验收命名为"兴安毛肉兼用细毛羊"新品种，具有体大、毛长、净毛率高、羊毛品质优良、耐粗饲，适应性强等特性。成年公羊毛长约为10.6厘米，平均产毛6.6公斤，剪毛后体重约为67.4公斤；成年母毛长约为8.8厘米，羊平均产毛4.7公斤，剪毛后体重约48.4公斤。羊毛细度以60—64支为主，净毛率约为54.5%。屠宰率约为48.1%，产羔率约为114.2%。1999—2003年，兴安盟开展细型细毛羊选育与开发研究以及"兴安细毛羊核心区建设"项目实施期间，兴安细毛羊饲养量达到40万只，达到历史最高，羊毛品质也得到进一步的改善和提高。到2013年，仅10年时间，兴安细毛羊数量急剧锐减，全盟细毛羊总数约2.5万只，存栏量只有品种验收时的1/10。这与政策导向、国民需求和养羊市场从毛用型转变为肉用或肉毛兼用型密切相关。自2016年以来科右前旗政府出台政策，建立兴安细毛羊保种核心群,并予以资金支持,兴安细毛羊品种资源得到保护。2021年第三次全国畜禽遗传资源普查,科右前旗兴安细毛羊总群数量达到5.8万只,分布在察尔森、额尔格图、俄体、跃进、公主陵等地。截至2022年年末,公主陵牧场在保护原有兴安细毛羊保种群的基础上,以湖羊为母本,培育出兴安多羔肉羊,进一步发挥核心品种优势。

(郑晓静)

林业草原

【概况】 科右前旗林业和草原局是旗政府工作部门。内设办公室、国有林场和种苗管理股、林政防火股、草原管理股、综合业务股5个股室及机关党委。所属事业单位有科尔沁右翼前旗林业事业发展中心、科尔沁右翼前旗国有林场事务服务中心、科尔沁右翼前旗草原工作站、科尔沁右翼前旗森林和草原防灾减灾中心、国盟界防火站和7个林场。

【林草生产】 2022年完成林业生态建设任务约533.33公顷,投入资金2850万元,其中重点区域生态修复治理项目约313.33公顷,果树经济林基地项目约133.33公顷,文冠果基地项目66.67公顷,义务植树20公顷,在全旗9个苏木乡镇18个嘎查村打造乡村美化绿化示范村,为4个苏木乡镇发展庭院经济发放苹果大苗1万棵。完成草原生态建设任务1万公顷,投入资金3729万元,其中草原生态保护修复项目退化草原保护修复治理800公顷,高原生态保护和修复工程建设围栏67万米,毒害草治理2000公顷,退化草原改良6666.67公顷,修复治理历史遗留的无主矿坑13个,建设草种基地526.67公顷。

【林草资源管护】 林草巡护工作,增设征占股、林草巡护队、公安局和林草局协作办公室,同自然资源和林草水利综合行政执法大队合署办公,通过服务、监督、执法、协作形成管理闭环,加强科右前旗林草资源管护质量。防火工作,2022年春秋两季签订各类防火责任状3597份,开展"三清"活动160次、督查检查50次、宣传活动99次。成功堵截"4·19"蒙古国草原大火。完成国境52公里和盟界93.7公里防火隔离带开设任务。2022年前旗未发生重大森林草原火灾。

【专项整治整改】 林草专项整治行动,成立组织机构,召开动员部署会议,制定工作方案和排查核查实施细则,组织业务培训,向社会发布公告;在全面排查核查阶段,围绕整治重点,对2010年以来草原林地查处案件和自治区下发疑似图斑开展排查核查;在集中整治阶段,严格按照自治区、兴安盟专项整治工作领导小组反馈意见及要求,对所有问题开展全面集中整治。1032件问题案件和问题图斑已全部完成销号备案,其中完成整治销号备案629件,阶段性完成整治销号备案403件。国家森林督查挂牌督办问题整改方面,共查处57起案件,处理违法责任人49人,收回林地并恢复植被46.73公顷,追责问责5人。中办督查整改方面,聚焦土地处置、案件办理、资金追缴、人员查处和后期监管5个方面,在涉事地块周边设立警示标示牌805块,埋设界桩4230余个。2022年12月,以旗委、政府共同发文的形式,将销号材料组件上报自治区林草局。

【以案促改】 33公顷以上面积较大图斑,有问题图斑38个,915.53公顷,已全部办结。2021年新开垦草原林地问题图斑，经核查，有问题图斑37个、16.93公顷，已全部办结。结合2016至2021年草原林地湿地变耕地问题整治，违法图斑292个、211.19公顷，已全部办结。

【基本草原划定】 2022年6月，全面启动基本草原划定和调整工作，通过收集数据、判读内业、核查外业、制作工作底图、更新属性等环节。具体数据为，基本草原划定和调整后总基本草原面积为70.25万公顷，其中天然牧草地69.9万公顷、人工草地约13.33公顷、其他草地3526.67公顷，占2020年度国土变化调查草地面积的93.52%；非基本草原面积3.51万公顷，占2020年度国土变化调查草地面积的4.67%；储备区面积1.36万公顷，占2020年度国土变化调查草地面积的1.81%。

【林草病虫害防治监测】 草原病虫害防治监测工作。2022年共完成115个草原有害生物普查野外踏查点踏查和调查任务。草原鼠害中度发生，面积约2.67万公顷，防治鼠害3.03万公顷；草原虫害严重危害面积约2万公顷，防治1.8万公顷。2022年有增加3个旗级监测点，国家级监测点29个。截至2022年年末，科右前旗共44个监测点。全年完成返青监测、长势监测、产量监测和枯黄监测。森林病虫害防治监测工作。林业有害生物发生面积2.06万公顷，轻度发生1.23万公顷；中度发生6200公顷；重度发生2155.33公顷，成灾面积为1020公顷(突发虫种分月扇舟蛾不计入)，成灾率为1.95‰，低于兴安盟林草局下达指标3.5‰。林业有害生物防治工作"四率"控制在自治区林草局下达的防控指标内。

【林草长制度】 与科右前旗检察院建立"林长+检察长"协同工作机制，召开工作推进会1次；旗级总林草长开展巡林巡草检查1次；投资140万元制作364块林草长制公示牌；印制发放4500份"保护林草资源明白卡"。

【优化营商环境】 科右前旗林草局政务服务实施清单共59项，已全部进入政务大厅综合窗口，其中延伸至乡镇政务服务事项10项，实施清单即办件比率70.49%，承诺时限压缩比率93.61%，网办占比率100%，事项情形化梳理比例达到46.55%。三务公开主动公开信息共87篇，其中党务公开56篇；政务公开23篇；财务公开8篇。政府网站公开信息110篇。定向服务市场主体300家，2022年未收到企业诉求。

(刘佳秀)

水 利

【概况】 科右前旗水利局是旗政府直属行政综合管理单位。内设办公室、计划财务股、水利工程建设与水旱灾害防御股、水土保持与移民安置股(河湖管理股)、农牧水利股、运行管理监督与水政水资源股、行政审批股、机关党委8个股室。下辖三级单位4个，分别是水利事业发展中心、河湖服务中心、防汛抗旱服务中心和水库灌区事务服务中心；水库灌区事务服务中心下设分支机构11个，为永丰水库服务所、兴安水库服务所、古迹水库管理所、俄体水库管理所、齐心水库管理所、水利工程移民安置管理中心、勿布林水库和五龙石水库筹建办公室、巴达仍贵灌区服务所、归流河—小城子灌区服务所、哈拉黑灌区服务所、察尔森灌区服务所。

【水利工程建设】 农村供水工程稳步提升，2021年农村牧区供水保障工程、2021年和2022

年农村饮水维修养护工程、农村牧区中小学安全供水工程均完成全部建设任务并通过验收。中小河流治理全面实施，巴日嘎斯台乡哈门河治理工程已完成90%，白音套海河治理工程已完成85%，科右前旗巴日嘎斯台河治理工程、乌努格沟河治理工程完成单位工程验收，满族屯满族乡白音乌拉嘎查河道综合整治项目已通过竣工验收。水库运行管理扎实推进，兴安水库输水涵洞加固处理工程、2022年度小型水库维修养护工程、永丰水库坝坡维修工程均通过竣工验收；小型水库雨水情测报、安全监测安装工程已完成70%建设任务。移民后扶工作稳步开展，大中型水库移民后期基础设施扶持项目开工建设，完成一期工程项目10个并交付使用。

【河湖长制工作】 旗级河湖长高位推动，通过会议研究部署、发布旗级总河湖长令等举措，持续推进河湖长制走深走实。322名各级河湖长知责担责、巡河管河，自主巡河巡湖共3216次，累计巡河3856公里、累计巡河时长800小时。更新旗级河长公示牌11块。全力做好河道及湖泊湿地管护工作，科右前旗120条河流划界成果复核全部完成。全面开展河湖管理保护"春季"行动、"秋季"行动和乡村河道垃圾清理专项行动，全旗常态化规范化自查自纠"四乱"问题和其他问题共6个，全部整治完毕。

【水资源管理及节约用水】 2022年全旗用水总量2.0111亿立方米，2022年全旗万元GDP用水量比2020年下降27.11%，高于兴安盟7.5%要求；2022年万元工业增加值用水量比2020年下降41%，达到兴安盟5%要求。取用水管理持续加强。开展取用水管理专项整治行动，完成取水口整改销号工作，整改销号项目518个，涉及取水口15049个，整改完成率100%。"以电折水"系数率定工作和中央生态环境保护督察整改落实"回头看"工作全面完成。科右前旗县域节水型社会补助建设通过验收。水资源税征收成效提高，2022年完成对科右前旗境内地下水用水户790户的日常取用水巡查和全年用水量的核定与统计，同科右前旗税务局对接用水户全年用水量，保障水资源税征收工作正常进行。2022年农田灌溉水有效利用系数达到0.556。

【水土流失综合治理】 山洪沟和河道等人居环境治理应急项目已通过竣工验收，治理山洪沟9条，治理河道3条。完成水土保持面上治理面积1.4万公顷，其中造林200公顷，种草800公顷，农田保护性耕作1.3万公顷。严管人为水土流失，全面开展遥感监管违规图斑查处整改，完成2020年一、二期140个违规图斑整改，完成2021年一、二、三期68个遥感监管疑似违规图斑认定工作。征收水土保持补偿费80.176万元。水土保持"空天地一体化"监测项目实现全覆盖。

【防汛抗旱】 联合盟水文局、旗应急局组成汛前检查组开展汛前检查，落实落细防汛措施，督促各地压实责任，全旗5座水库"四个责任人"全部上岗履职。组织相关人员对全旗重点流域和5座水库进行防汛风险隐患检查20次，排查风险隐患点10处，深入发现安全度汛风险隐患，及时采取针对性措施有效化解。安排水利救灾资金120万元，对部分水毁工程进行修复，汛期未发生人员因灾死亡事件，完成安全度汛任务。

【营商环境持续优化】 推动政务服务便民化，将行政许可、行政确认等30项内容纳入综合受理窗口，实现"前台综合受理、后台分类审批"；重新梳理上报"马上办、网上办、就近办、一次办"事项清单，进一步优化办事流程，提升服务质量；2022年累计发放取水许可证161个；受理水土保持方案审批105个；受理洪水影响评价报告3个。

【"五大起底"完成整改】 推进项目审批大起底，推进取水许可和水土保持方案审批办理工作，补办台账中涉及需办理取水许可手续的21个、需办理水土保持方案审批的32个均全部办结。待批台账需办理取水许可手续的121个、需办理水土保持方案审批的100个均全部办结。

(邹丽媛)

工 业

工业经济管理
企　　业
国网内蒙古东部电力有限公司
兴安盟乌兰泰安能源化工有限责任公司
科尔沁右翼前旗德康饲料有限公司
内蒙古宏达压铸有限责任公司
内蒙古蒙佳粮油工业集团有限公司
兴安盟艾郎风电科技发展有限公司
兴安埃玛矿业有限公司
内蒙古阿尔一一九八酒业有限公司
内蒙古科尔沁王酒业有限责任公司

工 业

工业经济管理

【概况】 科右前旗工业和信息化局贯彻落实党中央关于工业和信息化工作的方针政策和自治区党委、盟委、旗委相关决策部署，在履行职责过程中坚持和加强党对工业和信息化工作的集中统一领导。内设机构设置有办公室、经济运行与投资规划股、盐业管理与中小企业股、人事股、工会5个股室，还有科右前旗工业事业服务中心一个股级事业单位。

【工业经济运行】 截至2022年年末，全旗22家规上企业累计实现产值25.6亿元，同比增长45.32%，已超过2021年全年产值；产值超亿元企业8家，共实现产值21.2亿元；正增长企业10家，其中增速超50%企业3家。

【工业重点项目】 负责调度千万元以上重点工业项目17个，截至2022年年末，完成总投资26.42亿元，投资总量位居全盟第二，其中已竣工项目5个，在建项目12个（新建5个，续建7个）。

【"五大起底"工作】 推进停产企业整治工作，加强与工业园区的沟通，形成整治合力。已界定停产企业4家（千百味、云天化、云泉药业、稼禾农业），建立工作机制和台账，明确盘活时限，已通过自用和租赁相结合的方式完成整治1家（云天化），其他3家整治工作也取得初步进展。

【惠企项目】 累计为3家企业争取技改、融资担保奖补到位资金830万元；为4家规上企业申请工业经济高质量发展类奖补资金100万元（升规奖励资金10万元，做大做强奖励资金90万元）；为科右前旗草原天鸿等5家畜产品加工企业协调东北再担保贷款资金，带动屠宰企业产值增长1000余万元；为工业园区市政道路综合工程、污水处理厂改扩建、奶业振兴基础设施建设三个项目申报自治区重点产业发展资金项目补助；为井泉药业申报中药材初加工共享服务点机械购置补贴。

【盐务工作】 日常监管工作，严把食盐渠道关，突出对食盐流通领域的监管。重点检查乡镇市场食盐零售单位、学校及幼儿园食堂等共55家。其中，食盐零售单位41家，中小学校食堂5家，定点批发企业1家，食品加工用盐单位3家，农贸集市5个。食盐市场专项联合检查，共检查乡镇市场食盐零售单位、学校及幼儿园食堂等共36家。其中，食盐零售单位20家，学校和幼儿园食堂10家，定点批发企业1家，食品加工用盐单位2家，农贸集市3个。

（刘博宸）

企 业

国网内蒙古东部电力有限公司

【概况】 国网科右前旗供电公

司职能部门设置为6个,其中本部职能部门为5个,综合部、政治部、安全质量与物资部、建设运行部、市场营销部。业务支撑和实施机构设置1个,科右前供电服务中心。乡镇供电所设置为7个供电所。国网科右前旗供电公司截至2022年12月用工总量465人,其中全民183人,农电用工262人,劳务派遣用工20人。

【主要工作】 2022年全面完成年度目标任务,实现跨年度连续安全生产12416天;全年发展总投入1.302亿元,同比增长38.72%;固定资产完成1.26亿元,完成年度计划的100%;售电量完成6.91亿千瓦时,同比增长16.99%;综合线损率完成5.45%,同比下降2.1个百分点;利润总额完成-5911.69万元,同比减亏17.16%;电费回收率完成100%;2022年度未发生投诉。

(蔡立云)

兴安盟乌兰泰安
能源化工有限责任公司

【概况】 兴安盟乌兰泰安能源化工有限责任公司(以下简称乌兰泰安公司)是鄂尔多斯市乌兰煤炭(集团)有限责任公司的全资子公司,成立于2011年11月2日,注册资本25亿元,是一家生产尿素、液氨、硫黄等产品的大型煤化工企业。2023年有从业人员1300余人,其中工程技术人员436人,拥有各类设备2314台套。乌兰泰安公司是乌兰集团为响应内蒙古自治区党委、政府作出鄂尔多斯市对口支援兴安盟的重大战略决策,带着支持老区建设的历史使命感和责任感而成立的。在建的年产135万吨合成氨/240万吨尿素项目立项伊始就被列为内蒙古自治区投资超百亿重点项目,得到自治区、兴安盟各级党委、政府极大的关注和支持。项目采用国内煤化工行业最先进成熟的工艺技术,其中空分装置采用国际主流的规整填料和内压缩工艺,气化装置采用清华水煤浆水冷壁工艺,合成氨装置采用丹麦托普索合成工艺,尿素采用意大利斯纳姆氨汽提工艺,原料为烟煤,通过水煤浆气化、低温耐硫变换、低温甲醇洗和液氮洗净化进行氨合成,利用氨气提工艺合成尿素,副产硫黄。项目占地面积191.73公顷,总投资人民币105.6亿元,已具备年产70万吨合成氨/120万吨尿素生产能力。

【经济效益】 乌兰泰安公司2022年营业收入34800万元,其中主营业务收入24881万元,尿素产量122445吨。

科尔沁右翼前旗
德康饲料有限公司

【概况】 四川德康农牧食品集团股份有限公司(以下简称德康集团)坚持"用食品思维做养殖,用健康思维做食品",深耕于现代农牧业和高端食品产业。德康集团拥有2家农业产业化国家重点龙头企业,旗下三大业务板块生猪养殖、优质鸡养殖与食品加工,100余家企业遍布全国13个省、市、自治区。科右前旗德康饲料有限公司是四川德康集团旗下企业,属于科尔沁右翼前旗政府重点招商引资企业,建设项目位于科尔沁右翼前旗工业园区,占地面积33333.33平方米(50亩),注册资金为3000万元,经营范围包括饲料生产及饲料添加销售;粮食收购、仓储。2022年有职工31人,项目年产配合饲料30万吨。

【企业管理】 2022年公司拥有2条饲料生产线,每条线每小时生产量为15吨,生产12种猪料,满足不同阶段的猪只的营养要求,已将原粮清理环节做到细致入微,清除掉玉米种含有的杂质。粉碎细度可根据不同阶段猪只需求做出调整，高温制粒过程可除去非洲猪瘟以及相应的卫生细菌，从而更好地控制猪瘟疫情。为把控质量关，公司采购近红外扫描仪、定氮仪、脂肪仪、纤维仪等一系列的检化验设备，严格把控饲料的质量。

【经济效益】 科尔沁右翼前旗德康饲料有限公司通过长期、临时用工和采购玉米间接带动周边2000余户农牧户。2021年企业通过优质生产完成年产值1.67亿元，2022年完成2.9亿元。下步公司继续强化质量管理和采购管理，打造优质的饲料产品。

（鲍黎华）

内蒙古宏达压铸有限责任公司

【概况】 内蒙古宏达压铸有限责任公司是民营股份制企业，坐落于内蒙古兴安盟科右前旗工业园区。是内蒙古规模最大的压铸生产企业；拥有自治区级企业技术中心，拥有自治区草原英才创新团队。是中国铸协、内蒙古压铸协会、苏州压铸协会等副会长单位；是中国压铸件生产企业综合实力50强单位。宏达压铸以压铸件生产为主导，是集压铸生产、机械加工于一体的中型企业。公司占地10万平方米，建筑面积4万平方米。有员工280余人，其中工程技术人员60人。拥有各类设备160台套，其中引进设备8台套。公司资产总额10400万元。

【生产技术】 公司的压力铸造生产技术达到国内先进水平，可生产40公斤以下各类铝、锌、铜合金压铸件，年生产能力为10000吨，拥有4500吨（2台）、3400吨、2500吨（3台）、2200吨、2000吨、1600吨、1350吨、1250吨、850吨、650吨、630吨（4台）、280吨（4台）等24台压铸机，同时拥有从材料成分、材料性能、尺寸精度到内在品质、泄漏量等完善的压铸产品检测设备20余台。公司还拥有各种齐备的机械加工设备，其中立卧式加工中心60余台，目前年加工各类机械零件500万件。公司按照IATF16949：2016标准建立了质量保证体系，完成了ISO14001、ISO45001环境/安全质量体系认证。公司生产变速箱壳体、发动机支架等铝锌合金压铸件及新能源汽车零配件200余种，分别配套供应一汽大众、上海大众、一汽集团、美国水星公司、大连创新零部件公司、大同齿轮集团、中国重汽等主机厂。公司的主导压铸产品离合器壳，中、前、后壳体，变速箱盖等14个产品获内蒙古自治区名牌产品称号，公司注册商标获得自治区著名商标称号。公司的多项产品获得国际铸造博览会优质铸件金奖。

【经济效益】 2022年，实现营业收入12400万元，缴纳税金474万元。

【技术改造】 内蒙古宏达压铸聚力于铝后加工方向，持续推进高精尖压铸技术的研发，2022年进行的一次性外形精度达到±0.025毫米压铸产品项目研发；一汽红旗电动车项目10种产品的研发。

【荣誉】 国家级"专精特新小巨人"企业；轴承座产品获得国际铸造博览会"优质铸件金奖"；自治区"高新技术企业"；自治区"工人先锋号"；兴安盟"最强党支部示范基地"；苏州压铸协会"先进单位"。

（柴凤华）

内蒙古蒙佳粮油工业集团有限公司

【概况】 内蒙古蒙佳粮油工业

集团有限公司农业产业化国家重点龙头企业,是内蒙古自治区放心粮油示范加工企业、中国食用油加工企业50强、内蒙古民营100强企业。公司成立于2000年,从单一食用油加工走向多元化,2022年有20余家全资、控股及参股公司。发展成为集粮油加工,农副产品加工、仓储物流、进出口贸易、房产开发、电子商务、酒店旅游、物业服务等,全产业链一体化大型综合性集团企业,总资产过百亿元。

【质量管理】 集团为保证产品质量,源头质量严格把控、追溯管理体系健全,通过ISO9001:2015标准质量管理体系认证和ISO22000:2005标准食品安全管理体系认证。为提高产品信誉度集团注册"蒙佳"牌、"淳江"牌全类商标,年加工大豆、菜籽100万吨,玉米200万吨,水稻10万吨,杂粮0.6万吨。已有农副产品加工企业6家。荣获"绿色食品"称号、"兴安盟大米"地理标志证明商标、"中国好粮油"称号。

【市场营销】 集团建立起了以市场为导向的营销服务体系,在全国各地建立了300多个分销点,通过电子商务建立了网上商城,推行线上线下相融合的销售方式,年销售收入达30多亿元。集团为保证农副产品品质,实行种植、收购、生产、检验、销售、运输全产业链运营模式,赢得了公司高品质、高品位的商场声誉。集团积极开拓大物流配套业务,已有物流公司3家,年货物发运量50万吨;标准集装箱发运能力达到3.5万吨;快递日分拣能力20万件。拥有原粮仓储能力95万吨,植物油仓储能力22万吨。集运输、仓储、网络云仓、包装、搬运装卸、流通加工、智能分拣、保管、冷链配送、集装箱装运等是现代化综合物流服务集散。集团于2019年成立蒙佳生物科技有限公司,注册资金7亿元,发展新能源产业新建两条年产30万吨乙醇生产线的同时,为达到节能降耗提高生产效率配套建设自备电厂,配套铁路专用线实时发运,配套污水处理站采用国际先进设备及技术水平达到低碳生活。项目投产后年产燃料乙醇、食用酒精、医用酒精60万吨、DDGS饲料56万吨,为集团年增加产值60亿元,利税6.8亿元。

【集团发展】 集团坚持提升可持续发展能力,以资源的高效利用和循环利用为核心,以"减量化、再利用、资源化"为原则,发展循环经济现代产业园项目,总投资16.4亿元,项目占地面积57万平方米,包括年精加工15万吨水稻及大米食品生产线、年处理20万吨国产大豆和油菜籽生产线,配套30MW生物质热电联产项目及粮油食品研发检测中心、年处理10万吨小麦生产线、年处理15万吨马铃薯生产线、年处理10万吨杂粮杂豆及食品深加工项目和中央厨房项目。生产产品精米、米糠油、大豆分离蛋白等40多种。项目投产后,预计产值可达每年50亿元,利税可实现每年6.21亿元。

【其他项目】 集团助力于为兴安人民建设温馨家园累计开发面积220万平方米,筑就撼市大作。君御华、赛罕公馆、雅仕居、多兰丽景、商居广场。蒙佳房产打造的小区由房利美和腾甲物业提供管家式服务。集团酒店行业,商务会议各具独特风格;主题婚礼专业定制,不一样的人生记忆,一站式婚庆服务;文旅客房安全、安静、卫生、舒适的服务;独居别墅现代雅致;在稻田木屋的麦浪里看星星,感受兴安盟米都之美;日接待餐饮包间1000人、商务会议500人、旅游1000人、宴会2600人同时用餐。

兴安盟艾郎风电科技发展有限公司

【概况】 兴安盟艾郎科技发展有限公司是由上海艾郎科技股份有限公司于2011年3月21日投资成立的子公司,位于兴安盟科右前旗工业园区天骄路12号,注册资本5000万元,占地面积200116平方米,建筑面积27916.88平方米。公司2022年年末在职员工448人,2022年全年生产风电叶片76A型54套,93A型49套,合计103套,同比2021年增加22.6%,全年实现销售收入21349万元,同比增加7.1%。公司专注于风电叶片的制造,叶片功率从最初的1.5兆瓦到2022年的6.7兆瓦,叶片长度从最初的40.3米到2022年的76米乃至93.4米。

【技术改造】 公司2022年6—8月调整生产线,投入近3000万元进行技术改造和产品升级,生产93A型陆地风电叶片,单片长度93.4米,重量控制在26吨以内,工艺可实施性好,质量可控性强,具备低载荷、高发电量、适用范围广的优越特性,叶片设计突破大型低速叶片气动-结构-载荷相协调的技术难点。产品功率6.7兆瓦,叶轮直径191米,叶片扫风面积28650平方米,具备优异的抗台风性能和捕风能力。

【市场开拓】 艾郎科技是全球化的叶片生产制造商,专注于海上和陆地风电叶片的研发、生产、销售和服务。艾郎科技愿为地球的蓝天白云事业贡献出一份力量。公司已为全球多个国家和地区的风电整机运营商和风场提供创新技术与产品解决方案,为全球用户提供高品质、高性价比的产品和定制化的优质服务。公司成立于2007年,已在上海、内蒙古、甘肃、河北、江苏多地建立生产基地,是全球领先的叶片研发、生产、销售和运维服务公司。

【企业管理】 公司实施精细管理,确保"目标求精、责任求准、监督求严、防范求细",努力实现"一个目标、三个提高、四个到位。"

"一个目标",即要力争实现安全生产"零伤残事故、零火险事故"。

"三个提高",即公司全员安全意识有新提高,基层员工安全素质有新提高,突发事件应对能力有新提高。"四个到位",即安全责任落实到位,现场监督检查到位,安全隐患整改到位,安全防范措施到位。

(塔 娜)

兴安埃玛矿业有限公司

【概况】 兴安埃玛矿业有限公司内蒙古科右前旗巴根黑格其尔矿区铅锌矿位于乌兰浩特市西北约230公里处,宝格达山林场东侧。行政区划隶属内蒙古自治区兴安盟科尔沁右翼前旗满族屯乡。兴安埃玛矿业有限公司是2005年7月经盟委、行署招商引资,在兴安盟注册成立的股份有限公司,是盟、旗两级政府重点扶持的有色金属勘查、采选企业。2014年由原采选铅锌矿每年12万吨扩建至每年30万吨。

【企业文化】 埃玛矿业有限公司一直以"尽善利用资源、尽美创造生活"为使命,以及创造价值回报社会、回报员工、回报股民为企业文化精髓。集团公司花大力气加强埃玛矿业的基础设施建设,努力为员工营造温暖舒适的工作和生活环境,宏伟壮观的厂区大门,宽阔平整的水泥路面,在2014年完成新建宿舍楼的入住,改造旧宿舍楼,满足所有双职工家庭的夫妻房间,每月按时精心策划员工的生日会,奉送精美的礼品,每个传统节日都组织全体员工进行马拉松、寻宝比赛等娱乐活动,精心组织文艺晚会,不仅丰富员工的文化娱乐生活,也促进企业文化的发展。

【安全环保建设】 公司自建矿以来,始终坚持"安全第一,预防为主,综合治理"的安全生产方针,把"领导重视"作为抓好安全生产工作的重要基础;把"隐患治理"作为安全生产工作的主要任务;把"保证投入"作为改善作业条件的有力保障;把"降低事故"作为安全生产工作的最终目标。企业在盟、旗两级政府和各相关部门的监督指导下,在健全安全管理机构,完善安全生产规章制度和落实安全生产责任制上狠下功夫,采、选矿各生产系统均按照《金属非金属矿山安全规程》和《金属非金属矿山安全标准化考评标准》的要求逐步完善和提高。

【生产经营】 2022年因尾矿库需要扩容,需要征占林地,未能生产。2022年主要工作完成情况,尾矿库安全生产许可证延续已顺利通过专家验收;已完成炸药库现状评价工作;办理安全生产许可证、三级标准化等相关工作的资料已准备就绪;尾矿库林地征占事宜已上报自治区林业厅审批。

(香 春)

内蒙古阿尔一一九八酒业有限公司

【概况】 内蒙古阿尔一一九八酒业有限公司位于内蒙古兴安盟科尔沁右翼前旗工业园区,注册资本1亿元,是集白酒研发、生产、存储、销售及大曲生产于一体的综合性企业,也是内蒙古及东北地区较大的清香酒固态、纯粮、古法酿造工厂。厂区于2017年5月17日开工奠基,总占地面积20.7公顷,其中一期占地面积10公顷,年生产清香型白酒2000吨,总投资约3亿元。建设有原粮储存库、制曲车间、发酵车间、坛装酒库、勾兑车间、灌装车间、成品仓库、酒罐区等功能齐全的生产设施及锅炉车间、综合包装材料库、白酒博物馆、评酒馆、营销中心、接待中心、综合办公楼等配套设施。

【企业管理】 2018年12月,内蒙古阿尔一一九八酒业有限公司首款高品质白酒圣酿阿尔山上市,自产品上市以来,公司运行良好,销售量也稳步增长。为满足消费者用酒选择2019年"私藏·阿尔山"系列白酒灌装上市;为进一步助推喜宴市场的时尚和个性化发展,2020年"囍酿·阿尔山"灌装上市,成为拉动高质量喜宴市场的新引擎。公司成立以来,以兴安盟地区为市场依托,积极进行产品宣传,结合中国白酒技术、产品和文化上的传承与创新,秉承"创新 务实 和谐 发展"的精神,实现传承中国白酒文化,促进中国白酒产业发展,引导消费者理性饮酒、明白消费,全方位、多维度保障消费者健康,致力于白酒产业人才培养和科技创新。2021年获得盟级农牧业产业化龙头企业称号;2022年被评定为科技型中小企业;2023年获得盟级"五一劳动奖状"、消费者信得过企业等称号。

【技术改造】 内蒙古阿尔一一九八酒业有限公司传承清香酒核心技艺,采用地缸发酵、清蒸二次清的酿酒工艺。传承技艺,清字当头,一清到底,再现一瓶纯真好酒。2021年以刘昌录老先生带头的科研小组结合公司实际情况发明便洁式曲床,此发明实用性强,能够减少杂菌对曲块的污染,提高大曲质量,同时能减少传统的人工翻曲次数,减轻劳动强度,提高劳动效率,降低生产成本。2022年与江南大学合作,针对内蒙古清香型白酒酿造品质提升技术开发进行研究,为品质控制和品质表达提供科学指标体系,为提升白酒质量打下最坚实的科技基础。

【产品开发】 经过不断的创新及中高档白酒市场分析,2022年新推出两款酒,分别为圣酿阿尔山(三星)和臻酿阿尔山。臻酿阿尔山解决过度包装、渠道难控、消费者喝不到放心酒等问题,智享饮酒机应用物联网技术密封售卖保证出的每一滴酒都是臻酿阿尔山。这些创新为消费者提供更多选择的同时满足不同需求。

【市场开拓】 2022年,以原有市场为基础,在销售过程中不断进行市场调查,跟进产品,积极开拓新市场,提升产品质量,完善服务品质,持续建立品牌形象。

【经济效益】 2022年的销售收入1600万元,纳税总额600万元。

(郭占荣)

内蒙古科尔沁王酒业有限责任公司

【概况】 内蒙古科尔沁王酒业有限责任公司始建于1981年5月,地处大兴安岭南麓科尔沁草原东北部、兴安盟科右前旗归流河镇境内,距内蒙古乌兰浩特市30公里,公路铁路直达,交通运输便捷,这里盛产高粱、玉米、水稻,地下蕴藏着丰富的矿泉水。2000年12月由原国有中型企业转制为民营股份制企业,实现体制创新、机制创新。公司有固定资产5000万元,年综合生产能力近万吨,2022年销售收入1582万元,年创利税418万元,累计实现税金2亿多元,是兴安盟科右前旗的利税大户,龙头骨干支柱企业。

【企业管理】 内蒙古科尔沁王酒业有限责任公司在依法经营、照章纳税的前提条件下,强化科学管理,狠抓产品质量,企业通过ISO9001:2000国际质量体系认证。不断开发新产品,加大销售力度,扩大营销渠道,注重培养人才,重用人才,以人为本,企业坚持走一业为主,多业为辅的多元化发展之路。

【技术改造】 坚持走传统工艺与现代科技相结合的发展之路,用技术创新求发展,科尔沁王酒业在原有的基础上不断发展壮大的同时,又积极地培养和寻找新的经济增长点,从而促进企业循环经济的发展。2022年,公司新投产两条白酒生产线,既增加企业产能、又满足消费需求。

【产品开发】 在2022年先后开发53%vol600毫升清香型玉龙老酒、42%vol500毫升浓香型红科王酒、48%vol500毫升清香型玉液酒,新品一经上市,深受消费者好评。

【市场开拓】 2022年,公司管理层在公司内创新企业管理的同时,积极拓宽对外营销市场。从生产技术方面,继续走传统工艺与现代科技相结合的发展之路,以技术创新求发展。在市场开拓方面,在保证成熟市场健康、良性发展的同时,积极主动开发新市场。

【经济效益】 2022年公司销售收入1582万元,同比减少8%;上缴税金418万元,同比减少26%。

(王春峰)

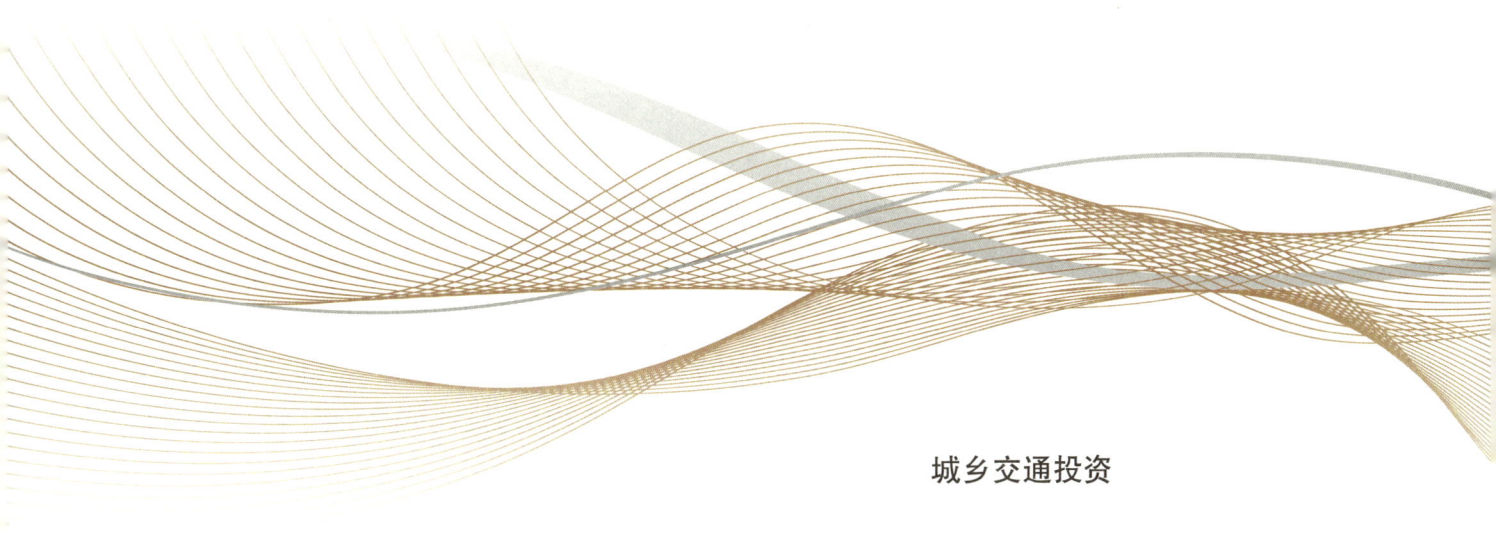

交通运输

城乡交通投资

交通运输

【概况】 科右前旗交通运输局为旗人民政府行政管理部门，内设办公室、规划股、运输服务股、审批股、财务股5个职能股室。直属单位有交通运输综合行政执法大队、科右前旗交通运输事业发展中心。

【重点工程建设】 G331线零点至宝格达山段工程已建成交工，并验收通车。阿尔山边防防火路(科尔沁右翼前旗段)，已完成总工程量的70%。2021年自然屯连接路及联网路未完工项目4个，总投资2296万元，已完成3个。科右前旗乌兰河至乌兰敖都民族风情草原观光旅游公路，2022年8月末已建成通车。乌拉盖至乌兰河旅游公路招标工作已完成。大乌拉斯台至色罕屯项目，路基已全部完成，桥涵构造物完成70%。G5511外环高速南互通连接线，由内蒙古公路交通投资发展有限公司负责建设。截至2022年年末，征地工作已全部完成。

【农村公路养护】 2022年，累计完成上级下达养护工程5处15.316公里；危桥改造工程2座39延场米；安保工程6条12.4公里。累计处理水毁工程42公里。

【执法与安全】 强化联合执法，截至2022年年末，共查扣非法营运车辆4台，处理违规经营出租车54台。推进互联网+执法监管工作，共随机抽查企业48家。12328交通服务监督热线，截至2022年年末，共受理工单365件，工单办结率达到100%，及时办结率达到98%以上。

【安全生产】 组织开展安全生产及疫情防控教育培训共计10次。对道路运输领域开展隐患排查413次，出动执法人员1074人次，执法车辆526台次，检查"两客一危"企业8家，维修企业4S店19家，驾驶员培训企业6家，路检路查(客、货、出租车1046台)，共排查隐患5处，已整改5处。加强对复工复产安全生产隐患排查力度，组织安全检查2次。严守公路安全"生命线"，所辖县道乡道安全隐患巡查里程达到4000多公里。完善各类应急预案，确保雨雪雾等恶劣天气农村公路安全畅通。加强附属设施维护，标志标线、安保附属设施齐全，全力保障群众出行安全。

【疫情防控】 按照《科右前旗新型冠状病毒核酸应检尽检和多点触发检测预警工作方案2022版》的文件要求，对交通运输从业人员、汽车站一线工作人员进行核酸检测，截至2022年年末，已完成检测4259人次。按上级部署要求，先后130次对交通行业59家企业疫情防控工作情况进行检查督导，共计出动执法人员170人次，执法车辆85台次。

（林佳妮）

城乡交通投资

【概况】 科右前旗城乡交通投资有限责任公司于2022年6月

挂牌成立，是科右前旗国有资产监督管理委员会出资的国有控股企业，注册资金1000万元。属国有控股企业公益类民生事业。作为科右前旗交通系统的主力军，科右前旗交投业务涵盖城市交通、道路运输经营管理，汽车租赁、资产评估、公路养护、建设工程施工、工程质量检测，机动车维修、工程检测检测、技术咨询、实验室检测、测绘等服务。2022年年末拥有控股子公司7家，职工200余人。

【主要工作】 截至2022年年底，科右前旗城乡交通投资公司完成国有企业改革相关事项，下辖控股子公司7家，分别是科右前旗兴城公交有限责任公司、科尔沁右翼前旗城运客运站有限责任公司、科右前旗启航汽修有限责任公司、科右前旗通衢路桥有限责任公司、科右前旗仪诺工程技术检测有限责任公司、科右前旗通达汽车租赁有限责任公司、科右前旗向北商贸有限责任公司。公司正处于起步阶段，面向未来，旗交投公司将认真贯彻科右前旗委、旗政府的决策部署，服务服从于科右前旗经济社会发展大局和战略产业布局调整，大力弘扬"勇于担当、居安思危、敢为人先"的企业家精神，为推动科右前旗国企高质量发展贡献交投力量。

(高 蕾)

邮政　通信

邮政管理
通信运营机构
移动公司
联通公司
电信公司

邮政　通信

邮政管理

【概况】 科右前旗邮政分公司有职工43人，下设支局所27个，机关人员14人。公司设立机关部室有综合办公室、市场营销部、代理金融业务中心、渠道平台部、集邮与文化传媒部、寄递事业部、服务质量部。

【乡村振兴】 2022年帮助农民销售农副产品2.4万件，兴安盟大米110吨；累计寄递农副产品2.7万件，销售额达到18.9万元；截至2022年年末，建成邮政综合便民服务站点136个，累计代投快递89万件。

【疫情防控】 2022年加大检查力度，做好常态化疫情防控工作，保障机要通信，农村邮路、邮件、驾押人员的防护，严格落实邮政寄递渠道疫情防控主体责任，紧盯"重点人员、重点场所、重点环节、重点物品"疫情防控工作，坚持"人、物、环境"同防，从严从紧落实疫情防控各项措施，确保邮政工作有序运行。

【经营工作】 截至2022年11月末，累计完成业务收入1332.19万元。其中金融业务收入完成735.07万元，寄递业务收入完成289.32万元，渠道业务收入完成105.87万元，文传业务收入完成105万元。

（哈斯宝音）

通信运营机构

移动公司

【概况】 截至2022年年末，科右前旗移动分公司共有职工55人，有泰宁街自有营业厅1处，乡镇有社会渠道营业厅60余家。

【工作要点】 2022年以宽带及5G业务发展为重点工作。抓好新增市场拓展，加快V网组建、拓展家庭、集团短号业务等工作，提升中国移动家庭宽带和农村宽带比例。按照工信部要求，加快推进未实名老用户补登记，已达到100%实名。拓宽业务受理渠道，进行全触点宣传引导。加大电子渠道建设力度，实现电子商务运营。大力推进信息化应用，促进信息惠民。优化改善窗口服务，结合政府建设文明城市要求，严格落实首问负责管理办法，确保投诉问题100%解决，100%答复，提升客户满意度。

（王　芳）

联通公司

【概况】 中国联合网络通信有限公司科尔沁右翼前旗分公司(简称科右前旗联通公司)于2007年11月18日成立，隶属于中国联通内蒙古兴安盟分公司。是一级宽带运营商，拥有覆盖全旗先进通信网络，能够为广大客户提供全方位、高品质通信服务。2022年，科右前旗联通分公司共有职工67人，设立20个营销网格。其中，乡镇网格15个；综合网格2个；自营厅1个、政企商企网格各1个；社会渠道营业厅35家。

【提升网络能力】 2022年度累计新建驻地网小区20个（含商企楼宇），新建村屯18个。其中，农村宽带网络建设方面，坚持以"空白"村屯为优选目标，全年共完成7个空白村宽带覆盖。新开通5G基站23个。其中，城区3个，乡镇20个；新开通4G基站69个，有效提升4G和5G网络覆盖能力。

【通信重保工作】 公司无偿为重大活动提供全方位的通信保障。完成"第九届内蒙古自治区乌兰牧骑艺术节暨2022兴安盟那达慕"盛会、兴安盟沙果节暨兴安岭上兴安盟"小沙果大产业"产销大会、2022年兴安盟农牧业高质量发展现场会"庆丰收、迎盛会"中国农民丰收节活动暨科右前旗农民丰收节等重要盛会的通信网络保障任务。2022年累计出动应急通信车10车次，参与保障人员100余人次，网络保障投资达到50万元。

【疫情防控】 公司通过技术支持，参与新冠疫情防控当中，推出防控扫码云服务，通过云报表，二维扫码，统计和记录人员流动情况，发挥通信保障的数字化优势。完成旗防疫指挥部突发疫情工作需求及防控要求，做到防疫抗疫人人有责。

【创新业务】 2022年全面拓展"大联接、大计算、大数据、大应用、大安全"五大主责主业业务，全面推动"1+9+3"战略规划体系深入实施。联通云高速发展，成为信得过、靠得住、用得好的"安全数智云"。2022年中国联通启动"5G点亮千座工厂"计划，推动"联通数村"平台服务全面覆盖行政村，同时加大力度推进智慧社区建设。在云上方式联通与众多企业签署战略合作协议，在信息通信、网络安全、产业融合、资本和人才等多个领域开展战略合作，赋能政府、金融、能源、园区、教育、医疗等关键行业，为客户提供优质的一体化数字服务。

【服务水平】 强化数字赋能，打造敏捷智慧高品质服务。建立以客户测评为依托的服务评价机制，优化NPS口碑测评方法，增加端到端全触点即时互动评价，构建实时客户感知洞察评价体系，形成多方结果相互校验的服务质量衡量标准。针对营业、热线、电子渠道、宽带装移维等服务触点，建立端到端全接触客户满意度测评机制，及时了解用户在业务办理、投诉处理、宽带装维、网络测速等场景下的服务感知，采取区公司专业线督导和盟市分公司执行的模式，快速跟踪解决点状问题，以回访满意为点状问题的闭环标准。

【乡村振兴】 从提升乡村宽带网络和移动网络覆盖方面着手，发挥行业优势，助力乡村振兴工作。为响应国家"乡村振兴战略"，公司设计研发"数字乡村"服务管理平台，致力于为基层治理和服务注入"智慧基因"，平台面向乡村干部与农户，利用信息化手段推进乡村信息化建设，提升乡村治理智能化、精细化、专业化水平。将"数字乡村"平台运用和规模推广，数字乡村3.0版在2.0版基础上，分不同视角对功能进行优化，干部视角更趋于乡村治理与机关管理，农户视角更趋于服务互动，让农户更深切感觉到乡村治理、服务关怀，功能层面更贴合使用场景，功能设计更符合趋于日常使用，助力乡村振兴国家战略的实施。

（杨 琳）

电信公司

【概况】 中国电信股份有限公司科右前旗分公司(以下简称前旗电信公司)隶属于中国电信股份有限公司兴安分公司。公司在岗员工21人,其中劳务派遣制员工16人。公司于2017年9月搬迁至科右前旗科尔沁城区属地办公,本部设于内蒙古鑫安建筑工程有限责任公司办公大楼八楼,自营厅设于科右前旗农业局办公楼西侧门市。

【助力中小微企业】 响应国家的号召,开展提速降费工作,前旗电信已对中小微企业客户使用的企业宽带、互联网专线给予10%优惠,促进企业年化成本支出减少10万余元。

【数字生活惠及家庭】 为进一步贯彻落实"十四五"规划,加快数字化发展,建设数字中国并惠及群众。电信通过智家通信产品,为全旗2058个家庭实现对门锁、看家、全屋Wi-Fi等终端的网络连接,满足家庭对数字化生活的需求。

【助力企业上云】 利用电信亚洲最大云基地的绝对优势,充分针对企业的实际需求,提供企业云盘、AI云监控、云电脑、5G定制网等专业化云产品,助力26家企业实现信息化上云。

【服务能力】 不断优化服务流程,以优质的标准服务于前旗各级用户,全年针对移宽用户开展质量差异化修复工作,提升客户满意度;疫情防控期间,下发电信业务服务公告,专职智家工程师24小时在线,及时保证用户居家期间的宽带使用顺畅,构建满意放心的电信服务环境。

【疫情防控】 在多轮的疫情防控开展期间,前旗电信公司连续三个月免费为全旗96名奋战在疫情一线的工作人员提供"疫情防控助力包"(语音1000分钟,流量20G),充分履行企业的社会责任。

【安全生产】 作为服务窗口行业,前旗电信分公司严格按照地方政府及上级党委对疫情防控的工作要求,加强厅店疫情防控举措,配备防疫物资;全部完成疫苗接种;前旗分公司配合碧桂园包联社区开展疫情排查入户宣传登记工作以及制作相关海报进行可视化宣传。

(吴兆阳)

经济综合管理与监督

发展与改革（粮食工作）
统　　计
农村调查
审　　计
财　　政
国有资产投资
税　　收
市场监管（工商物价、质量监督、食品药品管理）

经济综合管理与监督

发展与改革（粮食工作）

【概况】 科右前旗发改委是旗政府的组成部门，发改委内设办公室、国民经济综合股(体制改革股)、固定资产投资股(军民融合股)、重大项目股、农村牧区经济股、社会发展股、经贸流通股(民营经济发展股)、产业发展股(高新技术股、财贸外资股)、基础设施股(能源股)、环境资源和节能监察股、价格收费管理股、成本调查股、粮食和物资储备综合管理股、区域经济合作办公室15个股室。下辖区域经济服务合作中心(正科级事业单位)已于2021年11月转隶至科右前旗工商联、旗经济信息中心(副科级事业单位)已于2021年3月转隶至科右前旗大数据中心、2021年3月26日成立宏观经济发展中心(股级事业单位)，里面包含价格认证中心(股级)、节能监察所(股级)及军粮供应管理中心(股级)。

【计划执行】 全旗地区生产总值首次突破120亿元，同比增长6%；固定资产投资近70亿元，总量位居全盟前列；规上工业总产值完成25亿元，同比增长42%；一般公共预算收入近5亿元，向上争取资金超过40亿元；一般公共预算支出冲破50亿元；社会消费品零售总额攻破20亿元大关，同比增长5%；城乡常住居民人均可支配收入达到34336元和15417元，同比分别增长6%和8%，增速、绝对值均在全盟前列。

【固定资产投资】 实施固定资产投资项目83个，完成投资68.3亿元，同比增长0.7%，占全盟20%。总量位居全盟前列。

【重大项目】 实施重大项目40个，开复工率100%，总投资253.7亿元，2022年计划完成投资55.3亿元，实际完成投资60.23(调度数)/52.91(入统数)亿元。

【向上争取资金】 2022年争取中央、自治区资金项目57个，总投资45.4亿元，申请资金6亿元，已下达资金0.41亿元。地方政府专项债券申报项目10个，总投资33.63亿元，申请资金10.86亿元，已下达资金5.23亿元。

【粮食安全保障】 全力保障粮食初级产品供给及粮食质量安全。严格落实政策性粮油监督检查相关政策，5家政策性粮食企业轮换企如期完成轮出计划；55家粮食企业收购备案、企业信息化建设和信用监管平台试运行工作开展顺利，5家盟级储备粮承储企业信息化建设验收工作顺利完成；完成2022年的收购储备稻谷的任务，全力保障粮食供给需求。

【优化营商环境】 全面落实"企业开办3.0""证照分离"政策，1069个事项进驻服务大厅，同比增长51%。全年办理事项41万件，"一窗受理"率达86%以上。深入开展"四办"工作，全程网办率达80%。全面深化

— 215 —

政务服务体系建设,实现旗乡村三级政务服务事项集中办理,打通便民服务"最后一米"。清偿民营企业、中小企业账款近亿元。发放中小微企业贷款1500万元,全旗市场主体发展到2.7万户,全面构建亲而有度、清而有为的政商关系。

【疫情防控】 疫情防控物资储备扎实推进。自疫情防控开始以来,发改委负责城区8家隔离酒店及5个乡镇卡口的疫情物资保障,累计发放医疗物资15万套,应急物资2500套,消杀物资5万瓶。累计做8轮全员核酸检测。疫情防控物资调度机制严格落实。根据自治区、盟疫情防控指挥部下发关于物资日报汇总的通知,启动物资储备日监测报告制度,对每日发放的医疗物资、应急物资进行调度并向盟疫情指挥部上报物资情况,做到动态掌握。疫情防控物资中转接驳站建设工作安排有序。根据盟防指要求做好《物资中转接驳站建设工作》的通知,与前旗公交公司沟通,把中转站选择在前旗公交公司院里,院里有15个仓库供发改委使用,实行轮班制,做到即发即走,大大提高工作效率。

【信用体系】 严格落实"双公示"和信用承诺制度,及时归集本区域各部门行政许可和行政处罚、红黑名单等信用信息,并同步推送至兴安盟信用信息共享平台。2022年在"信用兴安盟"网站上报送"双公示"信息7478条,全量累计报送信息48735条。上传各行业市场主体信用承诺书4622份、红名单206条、公共事业缴费信息86条。

【亮点工作】 中广核风电项目实现并网发电,标志着我国首个单体百万千瓦级陆上风电基地正式投产,是我国在新能源领域实现多项行业首创。察尔森镇国家农村产业融合发展示范园申报工作的完成,彰显科右前旗第一、第二、第三产业融合发展成果丰硕。"五大起底"工作取得新突破,提振科右前旗经济效益。完成沉淀资金大起底工作任务,清理盘活上缴资金6114万元、撤销账户26个。待批项目办结率达100%,补办项目办结率达100%。已完成"半拉子"工程盘活工作,以"存量盘活"实现"增量发展"。完成科学储粮试点工作目标,实现科学存储玉米工作,顺利实现全旗范围当年50%的粮食实现"科学存储"

的工作目标,优化营商环境均衡普惠,为满足企业全时段业务办理需求,帮助企业尽快开展经营活动,率先推行工作日下班后和休息日延时服务举措,保障服务企业"不断档不打烊"。推出"企业开办大礼包",实现"零成本"办企业,全旗新开办企业可免费赠送5枚铜制印章和税务UK,为每户企业节约经营成本近1000元,切实让企业享受到改革的红利或申请免费寄递服务。

(谢佳恒)

统　　计

【概况】 科右前旗统计局是旗人民政府直属行政单位。内设办公室、法规股、农牧股、综合核算股、工业能源股、劳动工资股、固定资产投资股、服务业股、商贸股、基本单位股等专业股室。

【基本单位统计】 全面调查统计全部法人及产业活动单位的基本情况信息,摸清各类单位的基本情况,发展规模、布局和效益,维护基本单位信息,建立数据库维护制度,协同工商、税务、民政、编办、质监等部门定期调查增减变动情况,共同完成名录库资料更新维护工作。掌握国民经济行业间经济联系，客观反映推动高质量发展、构建新发展格局、建设现代化经济体系、深化供给侧结构性改革以及创新驱动发展、区域协调发展、生态文明建设、高水平对外开放、公共服务体系建设等方面的新进展。

【农牧业】 2022年全面调查有乡镇基本情况调查、村社会经济基本情况调查，抽样调查有牧业调查、畜禽监测。牧业普查的时间是2022年7月1日至2022年9月1日。牧业普查的目的是及时准确地统计家畜头数，分析、判断牧业生产形势，总结畜牧业生产经验，研究畜牧业发展规律，为制定畜牧业的方针、政策、计划、措施提供科学依据。牧业调查的对象是家畜，包括大畜、小畜和生猪。调查范围包括农村牧区全部家畜。在盟统计局的领导下，组织全旗牧业调查工作，统一时间、方案。从普查员入户到数据上报，历时2个月，2022牧业调查结果推算为牲畜头数390.5万头(只)。

【统计咨询服务】 提供优质高效的统计服务。全年为全旗党政各单位和各界公众提供统计咨询服务480余人次。依法发布《2021年科右前旗国民经济和社会发展统计公报》，定期整理、装订全旗国民经济主要指标月度、季度、年度等综合性统计资料。全年出《统计月报》11期，共计880本，《统计专报》11期，共计165本，及时编撰《科右前旗统计年鉴》并及时分发。充分发挥统计服务、统计咨询和统计监督的整体职能。

【人口变动抽样调查】 2022年按照国家例行工作安排，9月下旬开始进行每年一次的人口变动抽样调查工作。2022年人口变动抽样工作共涉及16个苏木乡镇场、党群中心，涉及样本村32个，176个调查小区。其中，国家级调查小区15个，自治区级调查小区161个。共选聘两员168人。其中，调查指导员38人，调查员130人。累计核查建筑物、住房单元32724个，调查阶段共完成上报2680户。

【工业】 截至2022年年末，规模以上工业企业共22家，实现工业总产值同比增长45.32%。实现营业收入27.64亿元，同比增长25.6%，实现利润总额1.6亿元。

【商业贸易】 2022年科右前旗全社会消费品零售总额下降0.6%，年内限额以上批发零售住宿餐饮企业达到30家，限额以上住宿产业单位1家，限额以上社会消费品零售总额下降7.2%。

【固定资产投资】 固定资产投资总量稳居全盟前列，2022年全社会固定资产同比增长0.7%，房地产销售面积完成232189平方米，同比下降43.44%，建筑业总产值完成1501650千元，同比下降22.06%。

【服务业】 2022年全旗规模以上服务业企业6家，总营业收入3.24亿元，比2021年同期增长400%；重点监测企业10家，总营业收入0.63亿元，比2021年同期下降30%。2022年企业研究开发项目情况，项目经费支出497万元，比2021年同期下降11%。

【执法检查】 加大统计执法力度，切实担负起统计执法检查的职能职责。通过统计法治宣传活动，营造良好的统计法治氛围。通过"双随机"联合抽查工作，及时对报表企业的营业状态、贯彻统计法律法规、落实统计制度情况、依法建立统计原始记录、统计台账和统计资料管理制度、依法履行法定填报职责提供保障等方面进行监督检查，提高报表企业统计数据质量，维护企业的合法权益，提高政府公信力。通过统计执法检查处理信息和领导干部违规干预统计工作记录调查联网直报平台，更有效地保障统计数据不受外界因素干扰。

（唐 敏）

农村调查

【概况】 国家统计局科右前调查队是国家统计局内蒙古总队下设的统计调查机构，也是统计执法机构，依法独立行使统计调查、统计监督的职权，独立向国家统计局上报调查结果，并对上报的调查资料的真实性负责。同时，承担地方政府委托的各项统计调查任务。

【主要工作】 组织实施2022年住户一体化调查、贫困监测调查、农民工调查。完成2022年农业抽样调查样本大轮换、组织实施科右前旗粮食产量全面统计、实施遥感测量、实割实测农业调查任务。组织实施季度畜禽监测调查、2022年月度劳动力调查、小微企业跟踪调查等国家抽样调查工作。根据内蒙古调查总队和兴安队要求开展经济社会各项专题调研，报告本地区的突发性经济事件和重大社会经济问题。抽调人员参加全国文明城市测评工作。根据国家统计局的授权，管理和公布统计调查数据。依法查处调查对象的统计违法现象。与地方统计局一起完成统计信息化的有关工作。接受地方政府、有关部门咨询，开展统计调查，提供统计数据咨询业务。完成国家统计局和内蒙古调查总队交办的其他事项。

（陈 晨）

审 计

【概况】 科右前旗审计局，始建于1984年9月，单位规格为正科级，是行政单位。2019年科右前旗审计局设八个内设机构，一个下属事业单位。分别为办公室、审理法制股、财政金融审计股、行政事业审计股、农牧业审计股、固定资产投资审计股、社会保障审计股、经济责任审计股。一个事业单位（中心）为政府投资审计中心。

【审计业务】 2022年，科右前旗审计局认真落实上级审计机关工作要求，紧紧围绕旗委、旗政府中心工作，共完成审计项目50个，出具审计报告50篇，查出问题金额69002万元，促进财政增收节支等57334万元，提出审计建议22条，移送纪委监委及主管部门案件线索4件。固定资产投资审计（含抽查中介）审定工程造价40472万元，核减工程造价为12533万元，审计信息区级采纳2篇，盟级采纳34篇，旗级采纳6篇，撰写国家级审计论文1篇。

【预算执行审计】 2022年对全旗6家预算单位2021年度预算执行情况进行审计，共发现问题金额50072万元，其中违规金额643万元，管理不规范金额49429万元，向相关部门移送线索2件，对在审计中发现的违规问题专门印发审计要情，得到政府领导批转，违规问题得以及时纠正。

【重大政策落实情况审计】 完成盘活存量资金专项审计、2021年度政策跟踪审计整改"回头看"审计、促进优化营商环境审计、就业补助金和失业保险基金审计、贯彻中央八项规定精神和落实过紧日子要求审计和财政补助资金、财政支出进度、专项债券等审计项目，其中盘活存量资金专项审计，抽查10个单位，审计发现问题金额1864万元，已全部完成整改。

【经济责任审计】 2022年完成对6个部门8位领导干部的经济责任审计，共查出各类违法违规金额862.15万元，管理不规范资金7998.14万元，加大对领导干部监督力度，增强领导干部任职期间的经济责任意识，做到科学决策，依法行政，自觉遵守财经纪律和各项廉政纪律。

【自然资源资产离任审计】 2022年完成对某镇党委原书记、原镇长2019年至2021年6月任期自然资源离任审计，强化对自然资源开发利用、环境保护、污染防治等重点领域的监督问效，推动领导干部树牢"绿水青山就是金山银山"理念。

【审计整改】 科右前旗实行"审计过程中促动改、交换意见提示改、审理会上研判改、出报告前认定整改、下发决定后盯办改""五步法"创新举措积极推进审计整改工作。2022年对科右前旗财政局2021年度本级预算执行以及10家旗直部门及苏木乡镇审计中发现问题103个，已整改95个，整改率92%；2022年度上级审计机关查出涉及上级审计机关对前旗查出需督促整改问题136个，已完成整改82个，申请特殊销号44个，整改率92%。

【旗委审计委员会第四次会】 2022年5月20日，旗委书记、旗委审计委员会主任主持召开中共科右前旗委审计委员第四次会议并做重要讲话。听取2021年审计工作开展情况及2022年工作安排、2021年旗本级预算执行及其他财政收支审计查出问题整改情况报告。审议通过《2022年审计项目计划》。

【沉淀资金大起底审计】 按照《兴安盟沉淀资金大起底专项行动重点核查工作方案的通知》要求，对全旗212家预算单位上报的截至2022年7月底实有账户余额5.6亿资金实现重点核查全覆盖，确保沉淀资金应盘活尽盘活，核查缴入财政沉淀资金6114万元。

【财政财务收支审计】 2022年开展财政财务收支审计项目4个，其中科右前旗100万头生猪养殖产业一体化项目建设管理办公室2017至2022年3月财政财务收支审计，为财政增收5430万元；科右前旗城市自来水服务中心2020至2021年度财政财务收支情况及禹润供水有限责任公司2020至2021年度资产、负债、损益情况审计，为财政增收172万元。

【亮点工作】 努力为旗财政增收节支57334万元，为缓解财政紧张状况做出贡献。包括收缴应缴未缴国库资金5670万元，清缴沉淀资金6114万元，政府投资审计推进完成二水源项目审计，审减1.2亿元，审减率达30%。关口前移、审中促改，旗本级整改率出报告前就达90%，科右前旗审计局实行创新举措，做到"审计中促动改、交换意见提示改、审理会研判改、出报告前认定整改、决定下发后盯办改""五步法"大力推进边审边改，实现工作前置、关口前移，成效显著。政府旗长批示"过去一年科右前旗审计局敢于担当、善于作为，为项目建设、经济发展、廉政建设做出突出贡献"。2022年"审计助力财政资金提质增效促进增收节支3.1亿元""科右前旗政府投资审计成效显著节约财政资金1.7亿元""科右前旗审计局为财政促进增收节支5.7亿元"三篇审计要情得到政府主要领导批示，审计成果得

财　政

【概况】 2022年科右前旗实现财政总收入27319万元，同比减少71809万元，下降72.44%。政府性基金收入完成25605万元，与2021年同期比减少25542万元，下降49.94%。一般公共预算收入47901万元，同比减少5829万元，下降10.85%。2022年科右前旗一般公共预算支出500007万元，同比增加48398万元，增长10.72%。2022年科右前旗政府性基金支出56596万元，同比减少31971万元，下降36.10%。

【收支管理】 着力推进财政平稳运行。加强收入管理，坚持依法治税，开展税收分析，及时掌握税源变化，增强税收收入预测的准确性和及时性，促进全年财政收入任务的完成。争取资金，全年向上争取转移支付资金40.86亿元，争取一般债券资金2.35亿元、专项债券资金5.23亿元，解决全旗经济社会发展资金需求。加强支出管理，2022年全旗一般公共预算支出达50亿元，居全盟之首，降低一般性支出和"三公"经费支出。

【兜牢"三保"底线】 2022年全旗"三保"支出19.41亿元，其中保工资14.58亿元、保运转0.74亿元、保民生4.09亿元。补发2017—2021年乡镇工作补贴0.51亿元，补发教育、卫健系统绩效工资0.53亿元，补齐全旗在职人员2021年6月至2022年年末住房公积金及各类保险支出6.13亿元。从2022年7月开始，实现旗、镇、村三级同步发放工资。

【债务风险】 加强预算统筹，强化债务闭环管理，遏增量、化存量，优化债务结构，将政府债务收支全部纳入预算，确保风险总体可控。摸清债务底数，成立科右前旗财政局债务专项核查领导小组，在全旗范围开展债务核查，对债务情况重新摸底，并采取小额债务"以资抵债"，大额债务"主动对接"等方式，降低政府债务风险。狠抓问题整改，积极主动对接，针对上级财政、审计等部门发现问题立行立改、长期坚持，以整改促落实，不断提升管理质量。聚焦化债任务，落实责任主体，全年共化解全口径政府债务5.24亿元，完成年度任务。

【财政体制改革】 坚持依法理财，加强预算管理一体化平台使用管理，全旗208家预算单位财政业务平稳运行，实现预算、执行、决算、资产、采购、绩效等多项业务在系统内无缝衔接，提高预算单位办事效率，提升财政管理水平。坚持科学理财，健全现代预算制度，完善全口径预算编制，强化"四本预算"有效衔接，加强预算项目全生命周期管理，促进预算管理各项制度的系统集成、协同高效。坚持为民理财，优化支出结构，坚持"资金跟着项目走"，加快资金拨付使用，促进更多民生领域项目尽早形成实物工作量，提高财政资源配置效率和资金使用效益。

【沉淀资金大起底专项行动】 成立工作专班高位推进，制定《科右前旗沉淀资金大起底专项行动工作方案》，保证起底范围广、程度深，确保沉淀资金和多余账户清理工作取得实效。完善制度，紧盯起底资金，将留用资金尽快形成支出，确定资金用途及用款期限，完善用款计划，建立工作台账，从事前预防、事中监管、事后监督等方面着手建立长效机制。分类处置，优先将已缴回的沉淀资金统筹用于清理民营企业及

到有效转化利用。

（齐高娃）

中小企业拖欠账款、化解本级政府债务和保障"三保"工作稳步运行等领域，切实提高财政资源配置效率和公共资金使用效益，将起底资金发挥最大作用，实现利益最大化。截至2022年年末，全旗拟上缴资金为0.61亿元，已缴回0.61亿元；按要求应撤销账户26个，已全部办理完成销户手续。加强管理，依托沉淀资金大起底专项工作，对全旗所有对公账户及资金进一步梳理，将各预算单位账户结余资金全部缴回，其他资金设代管资金账户统一管理，真正做到集中管理"钱袋子"。

【财政各项工作】 切实管好用好中央直达资金，全力以赴做好中央直达资金分配、下达、使用、监控等工作。2022年全旗收到中央直达资金15.8亿元，已拨付到位13.5亿元。加大资金清理盘活力度，建立健全结余结转资金定期清理制度，对连续两年未用完的结转资金，一律按规定收回并统筹安排。全年收回财政暂付款1.55亿元、盘活处置政府资产0.01亿元，有效缓解财政库款支付压力。开展财经秩序专项整治行动，制定《科右前旗财政局关于建立科右前旗财经秩序专项整治行动工作机制的通知》，成立工作领导小组，对专项整治行动进行安排部署，经过自查共发现4个方面31个问题，已全部完成整改。持续推进政府采购制度改革，大力推广使用"电子卖场"，建立完善政府采购内部控制制度，实施政府采购代理机构监督评价，不断优化政府采购管理。全年采购预算金额2亿元，实际采购金额1.98亿元，节约资金0.02亿元。强化预算绩效评价管理，"全方位、全过程、全覆盖、全公开"的预算绩效管理体系初步建成，建立预算安排与绩效评价结果挂钩机制，根据绩效评价结果调整项目预算。将绩效管理各项规定落实到预算管理的全过程，推进预算绩效管理工作转型升级。强化财政投资评审工作，严格执行各项财政投资评审规章制度，推进财政投资评审实质性嵌入预算管理，在项目招标前进行预算评审，根据概算批复对项目建设规模、装修标准、设施设备购置定位等方面进行详细的预算评审，充分发挥预算评审事前控制的重要作用，全年共审定工程预（结）算项目206个，评审金额合计2.59亿元，核减0.4亿元，审减率15%。

（刘 浩）

国有资产投资

【概况】 科右前旗国有资产运营有限公司成立于2016年6月，注册资本为1亿元。2017年被旗委、政府授予"科右前旗金融优质服务先进单位"荣誉称号。累计融资19.3亿元。公司下设15家全资子公司，6家参股公司，共有工作人员91人。

【沙果精深加工园区基础设施项目】 项目建成后将研发生产果醋、果酒、NFC果汁等沙果产品，探索沙果从种植、研发、加工、销售全产业链模式，项目用地面积10万平方米，总建筑面积56660平方米。项目总投资19240万元，已完成投资2840.86万元。

【中寰·盛世豪庭一期项目】 一期项目总用地面积44241平方米，总建筑面积64725.06平方米，住宅楼8栋，共计470户，商业楼2栋，4栋楼已封顶，共计246户，已对外销售，计划总投资2.4亿元，已完成投资1.16亿元。

【草产业加工物流交易园区】 阿力得尔现代草产业加工物流交易园区基础设施建设项目总

占地面积89.2公顷，主要功能包括饲草产品加工仓储物流区、草原食品及道地药材加工区、商业配套区等，是国内首家以饲草料产业为主导产业的产业园区，是"产业园区+特色小镇+特色景区"为一体的综合体。一期占地45.07公顷，计划总投资6250万元。已完成投资5021万元。截至2022年年底主体建筑基本完成，配套设施安装已完成90%。

（韩　齐）

税　收

【概况】　国家税务总局科尔沁右翼前旗税务局于2018年7月20日挂牌成立。设置内设机构9个，机构级别均为正股级。办公室(党委办公室)、法制股、税政一股、税政二股、社会保险费和非税收入股、收入核算股、征收管理股、财务管理股、组织人事股，另设机关党委(党建工作股)、党委纪检组。设置派出机构14个。其中，第一税务分局(办税服务厅)、第二税务分局、大石寨税务分局、察尔森镇税务分局，为副科级；归流河镇税务所、居力很镇税务所、俄体镇税务所、额尔格图镇税务所、索伦镇税务所、乌兰毛都苏木税务所、阿力得尔苏木税务所、桃合木苏木税务所、满族屯满族乡税务所、巴日嘎斯台乡税务所，为正股级。设置事业单位1个，名称为信息中心。

【税收工作】　2022年共组织各项税费收入20.19亿元，同比增收2.25亿元，增长12.54%。其中，还原增值税增量留抵退税后(全年增量留抵退税62387万元)，税收收入完成7.09亿元，旗级收入完成2.90亿元(29025万元)，同比增收1675万元，增长6.12%。社保费完成10.16亿元，同比增收3.47亿元，增长51.93%。非税收入2.84亿元，其他收入988万元，较2021年有所增长。

【推进精确执法】　全链条协调开展增值税增量留抵退税工作，组建税政、税源、风险、征管、办税厅等多部门审核团队，对一般审核流程的纳税人进行会审，集体研究分析，形成一致意见，确保退税质效，筑牢风控防线；按节点完成土地增值税清算工作，抽调业务骨干5人成立清算审核小组，深入企业细致审核销售收入、工程成本、扣除项金额等。同时，加大执法力度，针对清算过程中出现的疑点，及时开展专项检查，逐一约谈企业法人和财务人员，对查出的问题严格整改，防止税款流失。

【宣传辅导培训】　常态化开展大走访工作，拓展"百名党员进百企"活动，在"大走访"基础上组织志愿团队，深入分析、了解辖区内的产业分布、生产经营、发展前景等，掌握企业特点和税费需要，听取法人、财务、办税人员的意见和建议。将服务送到家门口，将问题解决在第一线，全年开展1642家；为全电试点纳税人"量身定制"进行精细辅导，开展重点开票企业财务负责人高级班、开票员初级班、其他人培训进阶班和2期首票开具专题班，累计7期9场次，共933户次参加。

【纳税服务品牌】　统筹开展"全程陪伴、全程陪办"活动，针对老弱病残等特殊群体做到涉税费业务全程跟踪，并在业务办理完成后填写"非常满意"评价单，截至2022年年末共开展31次；公开招募11名"税费服务体验师"，规范优化办税服务水平；依托"每日晨会""定期考试"，促进业务操作技能、政策理论水平同步提升。截至2022年年末共开展晨会161次，考试17次；不断拓宽绿色通道范围，将旗委政府招商引资、重点扶植企业纳入优先办理、精准对接范围，配合地方经济发展大盘。

【推行代开发票"一表通"】充分运用"一表通"理念，推动纪检监督延伸至税务执法前沿，以加大代开发票业务监督力度为抓手，对代开发票相关数据进行归集整理。经统计，发票业务中房屋租赁耗时最长、人力资源服务类业务量最大，而代开发票"一表通"只需输入销售额及月份，就可自动带出不同税种所要缴纳税额，实现将事后监督变为事前风险防范，得到上级领导的认可。

【疫情防控】 在2022年"外防输入、内防反弹"总策略和"动态清零"总方针大环境下，全局充分发挥党建引领作用，紧跟党的步伐，听从党的指挥，领导干部亲赴一线，组织全局党群干部70余人投身到疫情防控阻击战当中。全年总计完成两个包联小区22轮次全员核酸检测任务，服务群众达5万户次；对46家商户实行全天候防控动态监管，抽调8人次参加集中隔离点、重点人员运输专班等专项工作，完成各项防控任务，全局4人获旗级抗击新冠疫情先进个人表彰。

（安俊武）

市场监管
（工商物价、质量监督、食品药品管理）

【概况】 科右前旗市场监督管理局于2019年3月15日揭牌成立，内设办公室、法规与科技信息化股、综合规划和新闻宣传股、登记注册股、信用与网络交易监督管理股、价格监督检查和反不正当竞争股、广告监督管理股、质量发展股、认证认可与检验检测监督管理股、标准化和计量股、特种设备安全监察股、产品质量安全监督管理股、食品安全协调与抽检监测股、食品生产安全监督管理股、食品流通安全监督管理股、餐饮服务监督管理股、特殊食品安全监督管理股、药品和化妆品监督管理股（药品安全监察股）、医疗器械监督管理股、药品、医疗器械和化妆品稽查股、食品药品技术审评股、执法稽查股、知识产权发展和保护股、个私经济组织党建办公室、机关党委、工业园区市场监督管理分局、科尔沁市场监督管理所、察尔森市场监督管理所、索伦市场监督管理所、大石寨市场监督管理所、归流河市场监督管理所、阿力得尔市场监督管理所、额尔格图市场监督管理所、乌兰毛都市场监督管理所、俄体市场监督管理所、巴日嘎斯台市场监督管理所、德伯斯市场监督管理所。事业机构四个，市场监管综合行政执法大队、市场监管综合保障中心、产品质量计量检测所、食品药品检验检测中心。

【机构改革】 根据旗委《关于加快办理机构改革后续工作的通知》（旗机编发〔2019〕66号）精神和要求，严格按照《科右前旗机构改革实施意见》要求的时间节点，积极推进机构改革和各项后续工作。优化机构设置，理顺监管职责；整合办公场所，理顺人事、劳资关系；刻制并启用新公章，基层所统一揭匾；统一思想认识，人员合理分工，工作顺利交接，着手建章立制，确保平稳运行。

【营商环境】 截至2022年年末，全旗共有市场主体26722户，其中内资企业3858户，农民专业合作社2195户，个体户20669户，企业及农合注册资本共计3803643万元，就业人数29247人，个体户注册资本共计228525万元，就业人数37314

人。2022年科右前旗新开办市场主体共计4459户，其中新开办企业共计669户，注册资本201099万元，就业人数2093人，新开办农合共计73户，注册资本10603万元，就业人数369人，新开办个体户共计3717户，注册资本61792万元，就业人数6236人，2022年共办结个体登记业务2561件，内资企业和农合登记业务2061件，企业档案归集2201份，股权出质31件，股权冻结18件，档案查询1247件，增减补换照140件，预包装食品备案306件，食品经营许可业务1348件，小餐饮备案16件，小饭桌备案128件，食品加工小作坊业务164件，药品零售许可变更业务34件，食品生产许可业务13件。2022年，科右前旗市场监督管理局充分发挥职能优势，在审批服务事项上持续推行"减流程、减材料、减时限、减跑动""四减"措施及"零见面、零差评、零距离、零付费""四零"措施，为市场主体提供宽松便捷的市场准入环境，助力营商环境更优化。

【食品安全监管】 加强食品生产领域监管，对食品生产企业进行风险分级等级评定；加大从业人员教育培训力度，组织食品安全管理员年度考试，覆盖率、合格率均达到100%；对低风险食品生产企业以及新开办食品加工小作坊进行行政许可；完成新版小作坊登记换证；围绕疫情防控等重点工作，组织、指导各市场监管所开展进口冷链食品等各类专项检查，开展"两超一非"、塑化剂、标识标签、食用植物油非法添加等专项整治，均取得预期成效。盟委确定由科右前旗"率先试点发展地方特色乳制品产业"以来，迅速落实有关会议精神及要求，先后在本旗和赴外地考察调研，撰写提交《前旗传统奶制品加工小作坊情况汇总》《关于赴外传统奶制品考察报告》。结合本地实际，制定出台《科右前旗地方特色乳制品产业发展实施方案》。提出发展目标，出台建设传统乳制品文化产业发展中心等六项具体措施，按方案稳步实施。常态化、均衡推进食品安全抽检监测，开展"你点我检"，增强公众体验感、参与度，完成食品抽检857批次，通过抽检发现不合格样品51批次，整体不合格率为6%。其中，普通食品抽检544批次，不合格样品39批次，不合格率为7.2%。食用农产品抽检313批次，不合格样品12批次，不合格率为3.8%。以快检为主要手段，完成重大活动（会议）食品安全保障工作任务22次，在内蒙古食药监快检室网格化管理平台上报快检1477批次，其中14批次不合格，均已督促其整改。加强食品流通领域监管，重点开展重点时段食品流通领域专项整治、校园周边食品安全专项整治、食用农畜产品"治违禁+控药残+促提升"行动、自建房安全专项整治工作、农村牧区假冒伪劣食品整治、放心肉菜超市创建、全旗食品销售风险分级管理、进口冷链食品疫情防控等相关工作。开展从业人员、冷链环境等核酸检测工作，2022年，共采样农贸（集贸）市场从业人员58414人次，市场监管一线人员457人次，农贸（集贸）海鲜市场环境573例次。加强餐饮服务监管，推进"互联网+明厨亮灶"以及风险管控平台的应用，实现智慧监管，已入驻风控平台1596户。严格落实食品安全主体责任，督促学校食堂采用色标、五常、6T、4D等食品安全管理方法123家，覆盖率达100%。推行学校食堂"互联网+明厨亮灶"及风险管控平台的应用，实现智慧监管。开展学校食堂、校外供餐单位及校园周边食品经营单位进行大排查，落实食品安全责任制、从业人员管理、索证索票、餐具消毒、食品加工管理等落实情况和许可经营、食品安全设施配备情况。检查校园周边食品经营单位是否使用进口冷链食品及日常疫情防控等情况，督促各学校认真履行食品安全主体责任，督促学校食堂每周、每日开展自查自纠，及时排查和消除食品安全隐患。督促学校食堂严格执行食材采购进货查验，严禁采购使用来源不明或未经检验检疫的畜禽肉类产品，严格落实进货查验与记录制度，指导学校食堂大宗食材定点采购，建立安全稳定的食材供应渠道和追溯体系，确保采购的畜禽肉类产品和其他食品原材料手续齐全，确保产品来源可查、去向可追、风险可控。加强对学校周边食品经营单位的宣传教育，增强其法律意识和责任意识，督促其自觉守法经营，主动纠正违反食品安全法律法规的行为。杜绝食品安全风险，防范餐饮食品安全事件发生。加强特殊食品安全监管，开展特殊食品专项检查行动，共检查保健食品经营单位430家次，食盐经营单位220家次，食盐批发单位6家次，经营婴幼儿配方乳粉的超市、孕婴店、商城共计58家次。

【药品、医疗器械、化妆品安全监管】 制定并组织实施药品、化妆品检查计划，开展药品经营和使用环节专项检查、特殊药品零售使用环节进行专项检查、药品安全专项整治工作检查、疫苗接种点检查、药品网络销售违法违规行为专项整治、集中带量采购中选药品质量等监管工作。推广应用内蒙古自治区零售药店常态化疫情监测预警系统，开展疫苗安全事件应急演练。组织开展化妆品科普宣传、"安全用药月"宣传活动。开展药品、化妆品执法人员、从业人员培训。检查药品经营、使用单位204家。制定并实施《前旗市场监督管理局2022年医疗器械监管工作计划》，开展医疗器械质量安全风险隐患排查治理工作，开展疫情防控用医疗器械承储单位和使用单位监管工作，加强经营环节新冠病毒抗原检测试剂、一次性采样拭子产品质量安全监管，加强医疗器械网络销售质量安全监管，开展对无菌和植入类医疗器械、避孕套、需要冷链运输贮存类医疗器械和装饰性彩色隐形眼镜等重点品种的监督检查。在医疗器械领域开展打击整治养老诈骗专项行动，开展医疗器械信用分级分类管理、建立经营企业信用信息档案。共检查医疗器械经营、使用单位172家，开展医疗器械经营企业从业人员、使用单位医疗器械主管人员线上培训工作，培训企业从业人员106人次，医疗器械不良事件共上报87例，完成全年总任务的116%。

【计量监管】 对计量器具、验光仪、焦度计、验光镜片、加油机、医疗计量器具、出租车计价器、燃气报警器、水效能效、电动汽车充电桩以及重点用能单位计量器具、定量包装商品、预包装商品、散装商品计量进行专项检查。对全旗范围内的强制计量器具依法进行检定，共检定电子台秤、电子秤等各型计量器具4108台。衡器1216台，血压计829台，压力表1881块，天平54台，砝码128块。

【标准化管理】 贯彻落实标准化法，推进深化企业标准自我声明公开工作，鼓励企业采用严于国家标准、行业标准的企业标准、国际标准和国外先进标准，制定具有自主知识产权或者领先水平的各类标准，20家企业在用的43个标准进行网上自我声明公开。对生产企业标准执行情况进行检查，严厉打击无标生产行为，共检查生产企业25家。

【特种设备安全监察】 开展特种设备安全专项整治三年行动、特种设备领域企业主体责任落实行动，深入开展兴安盟风控平台使用与操作工作，组织开展气瓶、压力管道、压力容器、场(厂)内专用机动车辆、电梯、锅炉等专项检查和整治。检查特种设备使用单位及经营单位369家，检查各类设备1000余台(套)，发现并整改消除隐患8处，下达监察指令书17份。

【价格监督与不正当竞争】 加强重点时段市场价格监管。在元旦春节、中秋国庆期间，及时发布价格提醒告诫，并对农贸市场、商场超市、交通运输、餐饮住宿等重点区域开展市场价格检查巡查工作、涉企收费、开展教育收费专项检查、加强殡葬领域价格监管、对粮食购销领域进行"回头看""双随机"检查、组织开展2022年全区反不正当竞争专项执法行动、及时办理12315平台投诉举报线索和网络舆情反馈问题6起投诉举报、新冠疫情防控价格监管。

【信用与网络安全监管】 2022年新增加"互联网+监管"部门10个，全旗共有市场监管领域跨部门联席会议成员单位26个。制定并印发《科右前旗2022年度市场监管领域部门联合"双随机、一公开"抽查计划》并公示。召开科右前旗市场监管领域部门联合"双随机、一公开"联席会议，会上通过《科右前旗调监管领域部门联合"双随机、一公开"监管工作联席会议制度》。

【产品质量安全监管】 强化产品质量安全监督管理，推进重点领域质量安全检查和专项整治工作。开展对危险化学品、危险化学品包装物、钢筋、水泥、电线电缆、燃气具、烟花爆竹、消防产品、电动自行车、电动自行车充电器和电池10类重点工业产品专项整治生产、流通领域进行监督检查，生产领域检查是否无证生产、超范围生产、生产过程是否存在偷工减料、掺杂掺假等，流通领域检查是否销售无证产品等，督促生产企业开展产品质量安全风险自查，并对发现的问题进行整改。

【广告监管】 对全旗被国家市场总局纳入广告业网上统计的经营主体及基层所进行申报指导，数据汇总审核上报，完成统计任务。开展"双随机、一公开"工作，按要求比例抽取广告经营户21户，逐户排查逐项检查按计划完成任务。在维护广告市场秩序稳定的同时，根据上级部署和要求，开展各项专项检查。

【加强知识产权发展和保护】 加强宣传，提升企业知识产权保护意识，开展知识产权执法专项行动；强化商标品牌建设，做好地理标志保护；加强特殊标志保护，规范使用奥林匹克标志、官方标志、特殊标志；扎实推进知识产权保护工作，提升企业知识产权保护意识；继续推进知识产权强旗战略，全旗共有注册商标1580件、专利共有139件，地理标志保护产品3件，高新企业4家。

【认证认可和检验检测监管】 对9家检车线、4家4S店进行"双随机"专项检查、对2家环境检测机构联合检查、对7家机动车检测机构及3家电器材料机构进行"双随机"检验检测抽查；将"双随机、一公开"行动与推进产品认证、服务认证及检验检测等工作相结合，会同相关机构，优化帮扶措施，强化政策支持，加强跟踪指导，帮助企业梳理管理中的"痛点""难点"问题,研究提出解决方案,指导完善质量管理体系,推动企业提质增效。

【整顿规范市场秩序】 在做好疫情防控和日常监管的同时,以食品药品安全、特种设备安全、产品质量安全和价格、广告、知识产权等群众较关心的焦点问题为重点,围绕"衣食住行"等重点民生领域,开展各类专项整治,共查处案件123起(烟草移交28个案件,罚款金额为10226元),罚没款共126.7万元。通过这些案件的查处,有力地震慑不法分子,警示广大生产经营者,敦促市场主体规范生产经营行为,维护市场秩序的稳定。

【处理投诉举报工作】 加强12315投诉举报工作,全年共接待消费者咨询260余次,共受理投诉267件、举报96件,363件投诉举报全部办结,办结率100%。积极推进12315平台ODR企业建设,继2020年科右前旗美中美商场成为兴安盟首家12315平台消费纠纷在线解决服务企业基础上,2021年新增ODR企业两家,2022年又新增ODR企业两家,已有五家企业参加ODR机制。分别是美中美商场、宝辉汽车销售服务有限公司、鑫华玉商贸有限责任公司、驰程通达汽车销售服务有限公司、鑫尊汽车销售有限公司。12345热线派发的工单,均在一个小时内报请分管局长审批签字,再报请局长签字,做到100%响应率;投诉分给基层调解,举报分给基层中队核查,专业性强的分给各职能股室处理。工单流转到一线执法工作人员,要求各市场监督管理所、执法中队、职能股室严格按12345热线工作要求处置工单,做到"双见面",时间相机拍照,告知结果电话录音,提高工单解决率和市民满意率。加大力度提高12345工单"三率",减少不满意工单、未解决工单和重办工单,杜绝督办工单。

(安　岭)

金融业

银　行
中国银行
建设银行
农业银行
工商银行
农业发展银行
信用联社
邮政储蓄银行
蒙商村镇银行
内蒙古银行
保　险
农业保险
人保财险

金融业

银行

【银行业概述】 全旗金融机构存款余额873486万元，比上年增长10.56%。其中，住户存款778346万元，同比增长20.94%。各项金融机构贷款余额1086900万元，同比增长19.09%。其中，住户贷款477938万元，同比增长15.24%

中国银行

【概况】 科尔沁右翼前旗支行紧跟总分行发展战略方针，扎实抓好业务发展，转变经营理念，加强内控管理，开展业务营销，抓好振兴乡村总体规划，为科右前旗地方经济建设做出应有的贡献。

【存款】 科尔沁右翼前旗支行一般性存款合计75947万元，较2021年增加2314万元。其中，储蓄存款51349万元，较2021年增加954万元，企业存款24598万元，较2021年增加1360万元。

【贷款】 科尔沁右翼前旗支行贷款余额34403万元，较2021年增长1912万元。

【乡村振兴】 为更好地巩固拓展脱贫攻坚成果，全面推进乡村振兴发展战略，着力打造乡村振兴特色网点，结合总行战略场景建设要求，汲取先进经验，科右前旗支行于上半年打造完成全区首家乡村振兴场景示范网点——科尔沁右翼前旗支行，形成创新聚新效应，提升特色网点价值创造能力。支行打造普惠金融条线"乡村振兴小分队"深入前旗农村办理对私普惠种、养殖贷款，有效打通农村金融服务的最后一公里。

【防风险，保安全】 落实分行《员工行为20个严禁》，持续传导合规经营理念，明确行为禁区，强化合规教育，筑牢内控合规基础。提高反洗钱履职能力。

（陈 浩）

建设银行

【概况】 截至2022年年底，科右前旗建行在岗员工12人。

【存款业务】 2022年，对公存款、对私存款指标新增均为当地四行占比第二。对公方面，对公存款30816万元；全年开立对公账户193户，单位结算卡新增127张，企业短信141户，企业网银92户，账单自助133户；对私存款新增65819万元。全年发卡5294张，代工人数新增120人，信用卡发卡1304张，发放个人网银及手机银行等电子渠道26134个。

【贷款业务】 2022年累计向科右前旗境内小微快贷2931万元，裕农快贷10300万元，个人消费贷款2753万元，装修贷款2890万元，购车贷款200万元，分期通3312万元，现金分期318万元，账单分期2871万元。

（于 杰）

农业银行

【概况】 科右前旗农行2022年内设机构有综合管理部、公司业务部、个人金融部3个部室。人工网点有营业室、电力支行、科尔沁分理处3个网点。

【各项存款】 截至2022年年末,全行各项存款余额136659万元。其中,个人存款余额109369万元;对公存款余额27291万元。各项存款日均余额133860万元。其中,个人存款日均余额99701万元;对公存款日均余额34159万元。对比地区同业,科右前旗农业银行各项存款余额同业市场份额12.76%,居五行首位,同业第2位;增量市场中储蓄存款五行排名首位,同业第2位,对公存款五行排名末位,同业第5位。

【各项贷款】 截至2022年末,县域各项贷款345669万元,较年初增加56624万元。其中,涉农贷款余额9611亿元,较年初净增2271亿元,全盟占比22.5%,较年初提升16%;单户授信1000万元以下普惠型涉农小微企业贷款余额3564万元,较年初净增1999万元,增速127%。

【利润】 截至2022年年末,全行实现营业收入8958万元,中间业务收入435万元,拨备前利润7131万元,拨备后利润5546万元,净利润4170万元。

【支持地方经济】 全行切实提高站位,深入贯彻党中央和上级行党委决策部署,将支持重点领域贷款作为服务实体经济、助力金融发展和品牌形象提升的重要抓手,强化银政沟通,聚焦重点项目、重点客户,提升贷款投入占比支持绿色信贷能源项目,2022年向中广核风电一期项目投放2.13亿元,累计投放额已达7亿元,并于7月初实现中广核风电二期项目首笔提款9867万元,二期项目累计投放额已达到1.98亿元。支持重点水利项目,对引绰济辽项目新增投放6706万元;支持地区重点产业项目,投放科右前旗优质奶牛生态循环养殖示范园区基础设施建设项目投放贷款8.7亿元。2022年年末,农户信息建档5825户,较年初增加3080户,2022年累计投放"两牛两米"贷款0.84万户、4.53亿元,余额达6.2亿元。

(郝德建)

工商银行

【概况】 中国工商银行科右前旗支行隶属于中国工商银行兴安盟分行,成立于2021年1月。中国工商银行科右前旗支行贯彻落实总行的发展战略,扎实抓好业务发展,转变经营理念,加强内控管理,积极开展业务营销,各项业务发展迅猛,支持科右前旗乡村振兴,努力为科右前旗地方经济建设做出应有的贡献。

【存贷款指标】 截至2022年年末,全部存款余额24573万元。其中,储蓄存款余额16286万元,公司存款余额8284万元,全部贷款余额35890万元。

(巴 晶)

农业发展银行

【概况】 科右前旗农发行1997年1月成立,内设机构有客户部、综合部支行人员总数18人。

【各项存款】 各项存款余额15844万元,完成日均存款9810万元。

【各项贷款】 各项贷款余额149619万元,较2021年同期增加10708万元。

【基金业务】 办理农发重点基金项目2个，投资总金额11500万元，2022年股权回购187.5万元。其中，兴安盟津滨投资有限公司基金余额5000万元；科右前旗都瑞热电有限公司共1次股权回购187.5万元，基金余额562.5万元。收益69.57万元，能够按时上划，未发现其他基金投后管理问题。

【财务计划】 实现利润负3010.82万元，产生不良贷款5000万元。

【服务三农】 截至2022年年末，各项贷款余额149619万元，基金5562.5万元。贷款和基金涵盖粮食收购、地方储备粮收购、食用油加工、城市供热供水、县域城镇基础设施等多个领域。

【支持地方经济】 围绕兴安盟委行署经济和社会发展重点，认真贯彻国家经济金融政策，进一步巩固县域和农村市场的金融服务地位，从强化社会责任、支持地区经济发展、改善经营结构、提升自身经营效益的高度，积极加大资产业务拓展，全力提升同业信贷市场份额。

【重点支持】 2022粮食年度累计发放地方储备贷款5593.45万元。其中，内蒙古蒙佳粮油工业集团有限公司发放省级储备稻谷453.45万元，发放市级储备稻谷850万元，发放市级储备油1740万元。科右前旗金昌粮食有限公司发放市级储备粮贷款850万元。科右前旗粟丰粮食有限责任公司发放市级储备粮贷款850万元。乌兰浩特市和丰粮食收购有限责任公司发放市级储备粮贷款850万元。2022粮食年度累计发放购销企业粮油收购贷款29450万元。其中，乌兰浩特市源益盛粮食有限责任公司发放购销企业粮油收购贷款5500万元。兴安盟世成粮油购销有限责任公司发放购销企业粮油收购贷款5000万元。科右前旗鹏盛粮贸有限公司发放购销企业粮油收购贷款7900万元。乌兰浩特市和丰粮食贸易有限责任公司发放购销企业粮油收购贷款7000万元。乌兰浩特市顺得利粮食有限责任公司发放购销企业粮油收购贷款1500万元。兴安盟金达丰粮食有限公司发放购销企业粮油收购贷款2000万元。兴安盟裕隆粮食储有限责任公司发放购销企业粮油收购贷款550万元。内蒙古北峰岭粮油有限公司发放龙头加工企业粮油收购贷款1000万元。内蒙古蒙佳粮油工业集团有限公司发放粮油购销流动资金贷款20450万元。兴安盟智建建设管理有限公司投放教育扶贫中长期贷款14982万元。

（修毅然）

信用联社

【概况】 截至2022年年末，内设13个职能部室，下辖31个分支机构（包括1个营业部、17个信用社、7个分社、6个储蓄所）。

【资产总额】 截至2022年末，科右前旗联社资产总额650676.61万元，同比增加52648.37万元，增幅8.80%。其中，各项贷款余额466127.35万元，同比增加50999万元，增幅12.29%。全年累计投放各项贷款454742.60万元，累计收回403743.60万元。不良贷款余额24199.73万元，不良贷款率5.19%。

【负债总额】 截至2022年年末，科右前旗联社负债总额607004.01万元，同比增加51491.84万元，增幅9.27%。其中，各项存款余额576089.05万元，同比增加53861.50万元，增幅10.31%。

【财务收支】 全年实现各项收入36590万元,同比增加630万元,增幅1.75%。其中,贷款利息收入34063万元,同比增加819万元;金融机构往来收入1673万元,同比增加190万元;手续费收入351万元,同比增加21万元;投资收益392万元,同比增加13万元;营业外收入111万元(其中央行对延期贷款补助28.55万元)。全年各项支出35639万元,同比增加8143万元。其中,利息支出10354万元,同比增加2883万元;金融机构往来支出234万元,同比增加90万元;手续费支出253万元,同比减少111万元;业务管理费支出14890万元,同比增加553万元;税金及附加202万元,同比增加66万元;提取减值准备9522万元,同比增加4692万元。全年实现利润总额951万元,较同期减少7513万元,实现净利润1.53万元,较同期减少7231万元。

【所有者权益】 截至2022年年末,科右前旗联社所有者权益43673万元,较年初增加1157万元。其中,股本金总额16500万元,资本公积838万元,盈余公积5364万元,一般准备10935万元,未分配利润10036万元。并与地方党委政府深入开展"三级共建""双基联动",选派1名联社副主任挂职科右前旗农牧和科技局副局长,1名部室经理挂职科右前旗乡村振兴局副局长,22名基层信用社主任到全旗14个乡镇、苏木挂职金融副镇长、副苏木达;1名水利局干部挂职科右前旗联社党委副书记,聘任全旗228个行政村书记挂职各基层信用社主任助理,通过政银两家干部"双向挂职",实现信息互通、资源共享、优势互补,着力疏通金融服务中的盲点、痛点和瘀点,满足农牧民群众多样化、多层次的金融需求。

【乡村振兴】 大力开展"春天行动""丰收行动",强化"三农三牧"和小微企业的金融服务,持续助力地方经济高质量发展,全年累计发放各项贷款454743万元,信贷规模较年初纯增50999万元。认真贯彻落实金融支持稳经济大盘和稳增长政策,用足用好货币政策工具,对受疫情影响严重的小微企业和个体工商户采取展期续贷、延期还本付息等政策,全年办理延期还本付息贷款229户,金额163463万元,延期付息利息金额694万元。深入贯彻兴安盟委、行署提出的肉牛产业再造行动,创新推出"兴牛贷"专属信贷产品,自2022年9月以来,累计投放"兴牛贷"肉牛贴息贷款21100万元,占全旗各家金融机构投放额的85%,有效助力地方肉牛产业高质量发展。制定印发《支持绿色金融和20条重点产业链工作实施方案》,将玉米、肉羊、林果、医药4条产业链作为主办金融服务对象,将肉牛、奶业、马铃薯3条产业链作为辅办金融服务对象进行重点支持。持续推进巩固拓展脱贫攻坚成果同乡村振兴有效衔接,累计发放脱贫人口小额信贷8282万元,全力支持脱贫人口发展生产。并在内设部门、分支机构设立乡村振兴金融服务部、乡村振兴服务大厅,全力服务乡村振兴工作全局。

【风险管控】 加强精细管理、精准施策,保持不良清收高压态势,努力疏通堵点、破解痛点,持续加大风险处置力度,不良资产清降工作取得较好成效。全面修订完善、查漏补缺内部规章制度,通过织密制度之网,扎牢制度笼子,确保业务经营管理依法合规。深入开展行业自律制度"大学习、大讨论"活动,加强制度学习成效,强化内控制度执行,提升内控管理水平,夯实业务发展基础。

【金融服务】 强化科技驱动，赋能业务发展，在辖内网点布设智能柜员机29台、便携式智能柜员机27台、自助柜员机35台，拓宽金融服务覆盖面，真正打通金融服务"最后一公里"，实现客户"零跑腿"，服务"家门口"。将减费让利政策落实落细，对涉及支付结算服务费、账户服务管理费、凭证工本费等在内的12项服务实施减费降费优惠，全年全部服务项目减费降费金额达602.05万元。设立15个"一站式发卡网点"，8个"快速发卡网点"，全面推进社保卡发放。截至2022年年末，累计发放社保卡21.98万张，社保卡持有率77.06%。扎实开展"整村授信"工作，积极推进"信用村"创建工作，全面推广富民卡授信模式，努力提高金融服务的可得性和普惠性。全年累计评定信用村6个，信用村总数达到17个，向信用村发放低利率信贷资金14232万元。

【回报社会】 2022年年末，科右前旗联社存贷款市场份额分别为65.95%、42.89%，存贷款规模均居科右前旗地区各家金融机构首位。全年累计上缴各类税金2932.12万元，实现自身稳健可持续发展和支持地方经济发展同频共振。在疫情防控期间，组织干部员工投身疫情防控志愿服务，协助社区做好秩序疏导、环境消杀、进出登记等工作。同时，向科右前旗红十字会捐款20万元，用于支持新冠疫情防控工作。积极参与"万企兴万村"行动，向结对帮扶的巴日嘎斯台乡创业村提供3万元资金用于修缮村部房屋，向村民捐赠总价8万元的环保垃圾桶。积极响应科右前旗委、政府号召，认真落实阿力得尔苏木海力森嘎查推动建设百年古榆民俗旅游度假村项目实施，对科右前旗联社包联住户房屋及庭院进行装修改造。切实履行金融消费者教育宣传工作主体责任，充分利用"3·15"消费者权益日、"6·14"信用记录关爱日等关键时间节点，通过金融知识进农村、进社区、进校园、进企业方式，普及存款保险、反洗钱、反假币、防范电信诈骗等金融知识。

(刘　晶　吴富强)

邮政储蓄银行

【概况】 截至2022年年末，科右前旗邮储银行在岗员工16人。

【存款业务】 截至2022年年末，对公存款6214万元，对公账户共计210户，对私存款新增20084万元。全年发卡3898张，信用卡结存卡10607张，新增手机银行2511个，结存12664个。

【贷款业务】 2022年累计向科右前旗境内发放个人贷款47691.23万元，贷款结余49180.73万元。其中，发放经营性小额贷款39355.58万元；消费类贷款8335.65万元。

(代胡河)

蒙商村镇银行

【概况】 兴安盟科尔沁蒙商村镇银行有限公司是经中国银行业监督管理委员会批准，由原包商银行股份有限公司等4家法人机构和3名自然人共同出资，在内蒙古自治区兴安盟科尔沁右翼前旗新址设立的第一家村镇银行，2020年11月13日，经中国银行保险监督管理委员会内蒙古监管局批准，正式更名为"兴安盟科尔沁蒙商村镇银行"。于2011年11月11日正式营业，并在2013年7月在乌兰浩特市兴安南大路成立兴安支行；截至2021年12月，共有两家营业网点，下设营业部、信贷部、风险部、财务部、综合办公室及内审岗。

【依法合规经营】 严格执行党的纪律和国家法律法规，坚决贯彻上级人民银行、中国银行保险监督管理委员会内蒙古监管局、蒙商银行等各项决策和部署，把发展战略、安全经营、党组织建设、责任文化建设等新要求，落实到实际工作之中。

【贷款模式】 2022年继续加大信贷投放力度，为更好地满足农村牧区金融需求，在金融服务方式上探索便民、为民服务，紧紧围绕乡村振兴服务趋势，将涉农贷款占比提升作为年度发展的重要考量。并在总结之前工作经验的基础上不断改进授信业务，创新贷款种类，优化授信工作的方式、方法，并根据各个季节、各个行业特点，延长产业链，实现规模效益。

【金融服务】 严格按照当地疫情防控工作统一部署，实行弹性工作制。做好营业网点全面消毒工作，设置测温点，配发一次性口罩，一线员工必须佩戴口罩、手套上岗。提醒呼吁广大客户采取网银、手机银行等电子渠道办理业务。严格执行轮岗值班制度，落实领导带班和24小时专人值班制度。

【优化服务】 为提高经营水平，为客户提供高效快捷的服务，合理调配人员，开通企业账户绿色通道，不仅减轻现金区的客户等待时间，也提高对公高端客户的满意度，实现对客户的差别化服务。开展优化服务，在营业大厅张贴《优化企业开户服务公告》，明确开户所需时间、要求、监督服务电话，企业开通开户绿色通道，优先办理，贵宾室免叫号服务等措施，减少等待时间，提高企业满意度。前台是银行的第一窗口，一直对前台人员严格要求，从微笑服务、文明用语、业务技能等方面，支行行长不定时进行调取监控，针对日常服务中的不足及时整改。行务会上对相关服务质量制度、柜面服务规范、业务制度、业务流程等进行学习，将服务规范牢记于心。严格落实"首问负责制"。组织全行员工围绕"客户为中心"的服务理念和"不收客户一分钱、不拿客户一根线、不吃客户一口饭"的廉洁办贷要求，通过"自己找、领导点、互相帮、集体议、走流程"与公布电话等相结合的方式，认真查找工作效率、服务作风、纪律执行等方面的痛点堵点难点和党员干部自身观念、能力、作风上的差距和不足，明确整改目标、整改措施、整改要求。开展"适老"服务。不断强化"支付为民"的理念，持续改善金融服务环境，提升老年客户群体支付服务便利化水平。设置老年人咨询专柜，提供专门服务设施，如老花镜、放大镜、舒适休息椅等，做好特殊群体的引导服务。通过完善风险防范控制机制，提高查控水平，在做好日常工作的同时，积极配合监管机构的各项监管检查，在监管机构的科学指导下，逐步完善的各项工作。对柜面业务、员工行为进行排查，内容包括：监控检查、各类登记簿检查、密码管理、预留印鉴管理、挂失业务的合规操作、对账业务、印章使用情况检查、账户管理、柜台业务操作全面检、结算账户管理、银行卡业务、行内大额及异常账户交易、员工行为监督管理、风险处置机制、消费者权益保护、文明优质服务等内容。

【风险管控】 做好风险防控工作，严格按照规章制度要求，监督检查各个部门的工作，与各个部门一起铲除滋生案件的温床，堵塞发生事故的漏洞，严格防范重点领域的风险，为各项业务的发展保驾护航。牢固树立"安全就是效益"的意识，以预防和惩治案件为着力点，深入开展规章制度教育和警示教育活动,落实案件防范工作责任制。密切关注社会形式,严防不法分子的侵害。从早接款晚送款,到出入通勤门,督促每一个员工遵照执行。做到人人熟悉防抢预案,定期演习,把防抢劫、防盗窃、防诈骗尤其是防票据、银行卡诈骗作为安全工作重点,不断提高对高科技犯罪的防范能力。完善内控机制,强化问题整改。坚持以业务为中心,以内控为保证,一手抓业务开拓,一手抓内控监督,在制度建设方面进行全面的梳理,结合股权管理部下发的制度指引,按照业务的实际情况,制定、修改、完善、细化各项制度,2022年共计补充完善31项制度,其中新增9项制度,修改完善22项制度。

(郭静文)

内蒙古银行

【概况】 内蒙古银行科右前旗支行隶属于内蒙古银行兴安盟分行,属辖内经营性支行,成立于2021年3月18日。科右前旗支行以"融通北疆、普惠城乡"为使命,坚守"服务政府的贴心银行、助力小微的伙伴银行、普惠城乡的责任银行"的战略定位,认真贯彻国家关于支持小微企业、民营经济发展的政策导向,认真贯彻国家关于支持小微企业、民营企业经济发展的政策导向,大力支持农、林、牧、渔业、交通运输业、批发零售业、仓储物流业等行业,为民营经济、县域经济注入源头活水。

【各项存款】 截至2022年年末,各项存款余额为10932.1738万元,其中储蓄存款8101.8208万元。

【各项贷款】 各项人民币贷款余额6569万元,其中企业类贷款2205万元,个人类贷款4364万元。

【支持地方经济建设】 科右前旗支行围绕国务院关于"两权抵押贷款"试点指导意见,支持农牧业贷款业务发展,为科右前旗地区发放两权抵押贷款累计4笔、金额20万元;为努力解决和满足园区中小企业的融资需求,兴安盟昌鑫钢构工程有限公司、兴安盟民安物业管理有限公司、兴安盟万合商贸有限责任公司、科尔沁右翼前旗合源养殖专业合作社等企业共计投放贷款2205万元。先后与兴安盟津发房地产开发有限责任公司(府东小区续建一期、二期、四期)、科右前旗恒跃房地产开发有限公司(美之赢谊园)达成按揭合作协议、科右前旗中寰房地产有限责任公司(盛世新城项目)达成按揭合作协议,为广大农牧民朋友购买一手房、二手房提供资金帮助。个人按揭贷款累计投放3756万元。

【产品宣传】 为助力优化科右前旗营商环境,方便科右前旗企、事业单位和个人日益增长的金融服务需求,提升金融服务水平,科右前旗支行不定期入社区、进企业,开展金融知识和产品宣传。为广大本土企、事业单位和个人量身定制金融产品和服务模式,不断提升服务质效和资金投放精度,高效快捷地提供配套金融支持,持续加大对县域经济发展的支持力度。充分发挥地方金融主力军作用,着力推进金融服务和产品的创新,持续提高金融服务水平,持续探索金融服务实体经济发展的新路径。

(柳盼盼)

保 险

农业保险

【概况】 安华农业保险股份有

限公司是在国家重视"三农"发展提出健全农业风险保障体系,探索建立政策性农业保险制度的背景下,经中国银行保险监督管理委员会批准于2004年12月成立的商业化运作、综合性经营的专业性农业保险公司。

【险种】 安华农业保险股份有限公司经营产品包括,农业保险、涉农保险、机动车辆保险、财产损失保险;责任保险、信用保险和保证保险;短期健康保险和意外伤害保险,旨在为客户提供全方位的保险服务。

【业务发展】 2022年安华农业保险科右前旗支公司承保奶牛38239头,为全旗3285养殖户提供3.69亿元的风险保障。承保育肥猪150120头,能繁母猪16692头为养殖户提供1.45亿元的风险保障。截至2022年年末,养殖业保险奶牛累计赔付3252.9万元。育肥猪、能繁母猪累计赔付509.6万元。有效地减轻农牧民及养殖户灾后再生产的经济压力。

【内部管控】 在内控制度上,建立和完善各项规章制度和管理办法,促进管理水平的提高;在防灾防损管理上,注重与有关社会预警部门的配合,适时进行安全大检查;在行政后勤管理上,加强业务和一线人员的保障服务,重点加强安全保卫和后勤保障工作。

【客户服务】 服务质量关系公司的信誉和形象,也直接影响到公司的核心竞争力,因此2022年,把"改善服务态度,提高服务质量,转变工作作风,树立安华形象"作为重点工作目标,在坚持准确、合理的前提下,切实提高理赔速度,本着"以信誉求生存,以速度促业务,以效益求发展"的原则开展理赔服务,受到客户的好评。

(胡 芳)

人保财险

【概况】 中国人保财险科右前旗支公司(PICC)以聚焦"人民保险,服务人民"的新时代使命和内涵,以实施"卓越保险战略"为指引,加快推动公司高质量发展,积极服务实体经济、服务民生福祉、服务科技创新、服务社会治理、服务区域发展、服务对外开放,彰显金融央企责任担当,深度参与国家多层次社会保障体系建设,并积极投身社会公益事业,努力践行企业社会责任,为促进改革、保障经济、稳定社会、造福人民提供强大的保险保障。

【险种】 中国人保财险拥有完善的产品体系、门类齐全的在售产品种类,涵盖机动车辆保险、企业财产保险、家庭财产保险、责任保险、信用保险和保证保险、短期健康保险和意外健康保险、农村保险等非寿险各个业务领域,拥有一批行业领先的创新产品。

【业务发展】 2022年中国人保财险科右前旗支公司切实加大业务结构调整力度,加强管理,提升效益,各项业务均呈现出良好的发展态势。2022年保费收入3429.54万元。其中,机动车辆保险保费收入1476.03万元,企财险保费收入49.43万元,责任险保费收入970.51万元,意外险保费收入149.53万元。

【客户服务】 2022年,公司把"改善服务态度,提高服务质量,转变工作作风,树立人保形象"作为重点工作目标,在坚持准确、合理的前提下,切实提高理赔速度,本着"以信誉求生存,以速度促业务,以效益求发展"的原则开展理赔服务。开通95518全国服务专线、4001234567电话销售专线、人保E通、人保V盟、"中国人保"App及微信公众号、"中国人保财险"微信平台及小程序,有效利用线上化服务,随时随地为客户提供包括承保、理赔、咨询等在内的一站式在线服务和全天候风险保障服务,使客户足不出户即可享受优质便捷的车险投保服务,更好地满足客户需求。

【企业文化】 人保财险秉承"以人为本、诚信服务、价值至上、永续经营"的经营理念,奉行"求实、诚信、拼搏、创新"的企业精神,坚持"诚信立业、稳健经营、创造卓越、回报社会"的价值观。以"人民保险,服务人民"为使命,继续履行国有企业的责任担当,不断提升服务品质,真正让客户体会到"人民有期盼、保险有温度",做有温度的保险公司。

(暴 欣)

城乡建设和城乡投资

城乡建设
城市投资建设
城市管理

城乡建设和城乡投资

城乡建设

【概况】 科尔沁右翼前旗住房和城乡建设局是科右前旗政府工作部门，为正科级，加挂科尔沁右翼前旗人民防空办公室牌子。旗住房和城乡建设局内设机构，办公室、政策法规股、安全生产管理股、住房保障股、房地产市场监管股、建筑市场监管股、建设工程消防设计审查验收股、城市建设管理股、村镇建设管理股、建筑节能与科技股、物业管理股、人民防空业务股12个股室及机关党委。下设建筑工程质量安全保障中心[旗人防(民防)指挥信息保障中心]、建设事业发展中心、房产服务中心、城市自来水服务中心、污水处理服务中心5个事业单位。行政编制16名，设局长1名，副局长3名，股级领导指数12名。

【园林绿化】 2022年开展科尔沁塔拉城中草原、柳树川河生态治理、梅园南路绿化等6项园林绿化工程，完成国家园林县城复检、裸露地治理和各主要路口、广场的夏季绿化美化，完成绿化面积29.5万平方米，完成投资7100万元。

【市政工程】 围绕贯通主路网、打通断头路，高标准实施市政工程6项，新增道路里程2.6公里，完成投资7400万元。累计修复人行道砖5800平方米、路牙石1100米、坑槽路面2371平方米，规划道路标识线1800平方米，路灯完好率保持98%以上。

【基础设施建设】 启动"冬病夏治"模式，实施兴安盟隔离医学观察场所、乌兰毛都路、梅园路等8项供热管网工程，新建、改造供热管网10.5公里。全年城区供水总量600万立方米，管网水质综合合格率100%。全年累计处理污水480万立方米，全部执行一级A出水标准。

【建筑市场监督与管理】 累计办理各类审批、备案手续812件。认真落实"双随机、一公开"监管，全年建设项目97项，总建筑面积280万平方米，做到监督管理全覆盖。对全旗在建工程项目开展2次联合执法检查和多次专项检查，下达各类责令整改通知书308份，排查消除各类质量、安全隐患1800余处。严格落实"一金三制"，加大治欠保支力度，累计追讨农民工工资3459万余元。开展建设项目消防审验历史遗留项目摸底统计，清查未审验项目356个，依法依规妥善解决建设工程消防设计审查验收历史遗留问题99个。全旗城镇总体规划区内新建建筑全面执行绿色建筑标准，竣工绿色建筑面积39.59万平方米，占比达92.86%。

【房地产市场监管】 坚决落实房地产市场调控系列政策，全年房地产开发项目27个，审批发放商品房预售许可证21件，总建设面积253.5万平方米，房屋上市面积28.1万平方米，成交面积46.8万平方米,成交金额22.4亿元,库存面积98.6万平方米。

【住房保障体系】 狠抓保障性安居工程建设,持续推进棚户区改造力度,完成2020年棚户区改造项目选址变更及招投标工作,二期项目已开工建设。认真开展租赁补贴审核发放和住房保障家庭年审工作,发放租赁补贴150户。城镇户籍住房困难家庭实现依申请应保尽保,为393户困难家庭提供公共租赁住房实物配租,分配入住率100%

【村镇建设与管理】 开展自建房安全专项整治,累计排查、录入自建房36612户。其中,经营性自建房4441户,共发现存在安全隐患房屋1处,已完成整改。认真落实户厕问题整改工作,对因模式不合理且无维修价值的515户问题户厕全部按要求列入"十四五"改造计划,逐步整改销号。高质量完成自然灾害风险普查工作,顺利通过盟级核查,核查准确率为全盟最高。先后开展三次危房排查工作,累计排查出存在安全隐患的房屋179处,全部纳入危房改造范围,已全部竣工验收。推进垃圾无害化治理工作,申请专项资金367万元,农村牧区生活垃圾收运处置体系覆盖率达45%以上。

【安全生产】 持续开展"住建领域安全生产专项整治三年行动",不断加大监督检查力度,严格落实安全生产各方主体责任,累计消除各类安全隐患3000余处,坚决遏制重特大安全事故发生。

【乡村振兴】 共选派第一书记4名、驻村干部6名对4个苏木乡镇的5个嘎查村进行驻村帮扶,89名领导干部与244户脱贫户形成结对帮扶。扎实开展"干部到乡"工作,领导班子带头定期深入帮扶村进行走访调研,各驻村工作队都能够坚守岗位,协助村"两委"开展工作。2022年,住建局进一步加大帮扶力度,特别是结合归流河镇齐心嘎查发展实际和资源优势,上下联动、多方协调各类资金130万元,用于村集体肉牛、肉羊养殖场扩建,促进百姓增收致富。

【疫情防控】 全局140余名干部参与疫情防控及水、气、暖、重点项目的保供保运行,对碧桂园5296名居民开展全员核酸检测及小区出入口把控,组织城区30个在建工地和31家物业企业的从业人员进行核酸采样,日均采样量1500余人次。组织物业企业对45个物管小区的公共区域进行全方位消杀和生活垃圾清运,累计消毒环境点3万余个、消毒面积2440万平方米,有效降低疫情传播风险。

(马永琨)

城市投资建设

【概况】 科右前旗城市投资建设管理有限公司成立于2022年6月15日,公司位于科右前旗环美污水处理厂院内,单位性质属于国有独资,隶属于科右前旗国有资产监督管理委员会。机构设置为党支部、纪检部、综合部、财务部、人力资源部、审计风控部、工程督察部、企业管理部等。城市基础设施投融资业务、市政公用事业、土地一级开发、房地产开发等非经营性、准经营性和经营性业务;房地产开发、供水、污水处理、固废处理、新能源发电、清洁供热、储能、光热、地热、抽水蓄能、多能互补、园林绿化工程施工;城市绿化管理;城乡市容管理等,共有职工578人。科右前旗城市投资建设管理有限公司下设九个子公司及一家合作企业，分别为科右前旗禹润供水有限责任公司、科右前旗城市排水有限责任公司、科右前旗美杰垃圾处理有限责任公司、科右前旗安兴建设工程质量检测有限责任公司、科右前旗住房建设投资有限公司，内蒙古草海农牧业有限公司、科右前旗达峰能源有限公司、科右前旗城美环境科技发展有限公司，控股内蒙古三建工程有限公司。

【建设国有新能源企业】 为下步承接科右前旗新能源项目奠定基础。科右前旗达峰能源有限公司于2022年12月注册成立，注册地在科尔沁右翼前旗，隶属于科右前旗城市投资建设管理有限公司，注册资金500万元。

【建设国有农牧业管理企业】统筹管理科右前旗国有草、牧场及国有耕地。内蒙古草海农牧业有限公司于2022年12月注册成立，注册地在科尔沁右翼前旗，注册资金500万元，隶属于科右前旗城市投资建设管理有限公司，内蒙古草海农牧业有限公司贯彻党中央、国务院关于企业深化改革的部署，按照国资委做大、做强企业的有关要求，将继续推进企业改革，进一步调整优化产业结构，合理配置资源，提高核心竞争力，全面提升企业素质，统筹规范管理科右前旗国有草场、国有牧场及国有耕地。

【建设国有城市环境管理企业】科右前旗城美环境科技发展有限公司于2022年注册成立，注册地在科尔沁右翼前旗，注册资金500万元，隶属于科右前旗城市投资建设管理有限公司，环卫业务与市政园林养护的服务对象有高度重叠性，依托环卫项目开展绿化养护项目，彼此整合，降低成本、呈板块化发展，为环卫公司增加新业务、体现增利润，降低园林绿化养护人员、车辆成本；形成环卫+绿化养护一体化运营的领先局面。两项业务的从业人员统筹管理后，环卫人员肩负一定区域绿化养护任务，环卫洒水、垃圾收集车辆和绿化养护用车隶属同部门可以合理调配使用并减少两项业务的矛盾冲突，二者结合有效调配使用养护用车，既节约成本，又减少资金投入压力。

【建设国有进出口贸易企业】内蒙古盛北国际贸易有限责任公司于2023年4月14日注册成立，注册地在科尔沁右翼前旗，注册资金1000万元，隶属于科右前旗城市投资建设管理有限公司。根据旗委、政府指示，科右前旗城市投资建设管理有限公司在"打造向北开放重要桥头堡"重大任务落实上担当作为，与俄罗斯伊尔库斯克尼古拉国际商贸加工物流报税合作园区进行合作，挖掘经营潜力，拓展经营范围，扩大经营多样性收入。

【控股资质优秀的建设公司】内蒙古三建建设公司，系联升实业集团全资子公司，其业务范围包括房屋建筑、市政工程、公路工程、钢结构工程、建筑装饰装修、机电工程、超重设备安装工程、环保工程、消防设施设备安装、消防培训、安全培训等。科右前旗城投公司于2022年收购联升实业集团旗下内蒙古三建建设工程有限公司51%股份，实现控股内蒙古三建建设有限公司并与联升集团深度合作，深度参与科右前旗基础建设，借鉴汲取联升集团的发展经营理念，加速城投公司的成长速度，优化发展路径。

（王兴东）

城市管理

【概况】 科右前旗城市管理综合行政执法局成立于2015年11月，正科级行政单位，2019年事业单位改革后，科右前旗城市管理综合执法局由行政机关变为旗政府直属事业单位，内设10个机构。

【行政处罚】 2022年年末，行政处罚案件61起，罚款总金额107.2796万元。其中，一般程序案件15起，简易程序案件46件。做到程序合法、事实清楚、处罚适当、适用法律法规准确、材料完整、卷宗整洁。

【信访举报】 解决市民关心的热点难点问题。12345指挥中心，设立24小时受理举报电话，确定专人负责，对每个举报案件及上级转办的案件进行登记，按程序及时交办执法中队查处，给举报人满意的答复。截至2022年年末，指挥中心共受理电话举报案件690起。其中，4起在调查处理中，其余全部办结，办结率为99.42%；12345社会联动平台接单172起，办结率为98.26%。

【安全隐患专项整治】 2022年，对城区主次干道沿街门头牌匾、户外广告进行安全隐患专项排查整治。排查组坚持一路一排查，一店一核实；对破损残缺、存在安全隐患的门头牌匾，积极督促商户更新或拆除；对破损、脱落、脏污、陈旧的广告，及时巩固、修缮和更换；对严重影响市容、内容过期和设置违章的广告立即拆除。截至2022年年末，共出动30名执法人员，机动车6辆；通过全面排查发现17处门头牌匾、35处户外广告设施存在一般安全隐患，已责令商家拆除和更换；4处大的墙体广告牌、2处楼顶钢架广告存在较大安全隐患，已利用高空作业及切割机现场拆除。

【违法建设】 按照实际工作需要，设立24小时巡逻岗哨，采取分片承包、责任到人、错时延时巡查、节假日巡查等办法，对违法建设力求早发现、早制止、及时依法拆除。继续将遏制违法建设列为重中之重，集中开展违法建设整治，截至2022年年末对辖区违法建筑巡查，累计发现辖区内违法建筑120处。其中，停工83处、直接拆除9处、已下通知25处、翻建3处；重点加大对城市已开发区、拟征用区和棚户改造区的巡逻密度，对违法建设采取"零容忍"的态度，发现一处依法拆除一处，使违法建设得到有效遏制，努力实现违法建设"零增长"的目标。

【油烟污染专项治理】 为进一步治理城区商户油烟污染和噪声扰民，持续改善空气质量，不断满足人民群众美好生活环境需要，联合相关部门，深入城区各商户"点对点"宣传，开展常态化巡查，共排查397家。其中，餐饮行业165家，安装油烟净化器155户，未安装10户、不达标3家，全部整改完毕。通过此项整治工作，城区商户油烟和噪声污染问题得到有效遏制。

【流动摊贩管理】 本着"疏堵结合"的原则，为方便市民经营和购买蔬菜，又不影响市容的前提下，分别设置早市1处（生态移民小区南侧），夜市2处（西域商城停车场内1处、政府下广场1处），便民市场2处（兴科一期南侧、二期南侧各1处），管理中达到"三通一"规范要求，即统一设定地点、统一经营时间、统一监督管理。在整治中，清理占道经营流动商贩1600余处。

【遏制违法建设】 加大执法巡查力度,设立24小时接案举报电话,执勤人员24小时在岗随时处理举报问题,采取分片承包、责任到人、错时延时巡查、无人机不定时巡查等办法,对违法建设力求早发现、早制止、及时依法拆除。将遏制违法建设列为重中之重,集中开展违法建设整治,2022年中共受理违法建筑案件79起,查处79起,未完成处理13起。其中,巡查发现53起,查处53起;接到自然资源局转办违法建筑案件8起,查处8起;举报违法建筑案件18起,查处18起。下一步将重点加大对城区与开发区、拟征用区和棚户改造区的巡查密度,对违法建设采取"零容忍"的态度,发现一处依法处理一处,使违法建设生产和蔓延得到有效遏制。

【垃圾处理厂提标改造工程】 截至2022年年末,该项目累计完成投资2900万元,总体工程进度完成90%。提标改造完成后,该垃圾处理厂平均日生活垃圾处理规模可达每天70吨,渗滤液处理规模可达每天100吨,填埋区库容由原来30万立方米,增加到40万立方米。

【环卫管理】 坚持以"清垃圾、强监管、保洁净"为工作目标,实施机械化清扫、人工保洁、洒水车冲洗压尘、市容巡回检查"四合一"道路清扫保洁新模式,每日主要道路"二次清扫",次要道路"一次清扫",全面实现小街巷与城区主次干道清扫保洁的"无缝对接",实现重点区域全天候保洁,"六净五无"作业标准合格率达95%以上。城区生活垃圾、餐厨垃圾日产日清,每日清运生活垃圾约60吨,餐厨垃圾约5吨,截至2022年年末共清运生活垃圾19350吨,餐厨垃圾1600吨。清理城区卫生死角,堆积的垃圾500余处,共清运积存垃圾2500余吨。加强网格力量配备,实行分段、分片、定人、定岗、定责,建立环卫队伍的管理、保障、绩效激励机制,成立专门督查室对各片区工作情况进行绩效考核,提升环卫队伍专业化水平。环卫作业职能于2022年年底划转至旗城投公司。

(陈源开)

生态环保　自然资源

生态环境（环境保护）
青山国家级自然保护区
自然资源管理

生态环保　　自然资源

生态环境（环境保护）

【概况】 兴安盟生态环境局科右前旗分局是兴安盟生态环境局派出机构，为正科级，内设3个职能股室，分别是党务行政办公室、生态环境管理股、行政服务股。局属2个事业单位，分别是生态环境综合行政执法大队、生态环境监测站。

【污染防治攻坚】 以提升空气质量优良天数比率为重点，坚决打赢蓝天保卫战。建立全旗1蒸吨及以上锅炉清单共14家。科尔沁镇建城区和科右前旗工业园区内10蒸吨及以下燃煤锅炉全部淘汰。扎实做好秸秆露天禁烧工作。旗政府印发《关于禁止露天焚烧秸秆的通告》《关于在禁止露天焚烧秸秆工作中受理信访举报的公告》，组织各苏木乡镇和生态环境、农牧业科技等部门，召开全旗禁止秸秆露天焚烧工作会议，实行"日统计周通报"工作制度，组建秸秆禁烧巡查工作专班，随时到苏木乡镇地进行抽查巡查。对禁烧工作不力、着火点较多的苏木乡镇进行通报，确保秸秆禁烧工作取得实效。深化加油站、储油库油气回收治理，联合相关部门对全旗70家加油站和1家储油库安装油气回收治理设施开展检查，并定期进行监测。开展持久性有机污染物二噁英类POPs调查，科右前旗无二噁英类排放源企业。持续开展非道路移动机械编码登记工作。以改善水生态环境质量为核心，着力打好碧水保卫战。全面做好饮用水水源地保护。对全旗自然保护地及水源地保护区内违法违规建设别墅开展排查，未发现存在违建别墅问题。启动大石寨饮用水水源地保护区调整工作。规范工矿企业入河排污口管理。呼和杭盖肉制品有限公司入河排污口设置已完成审批，俄体镇污水处理厂入河排污口设置已申报。推进农村牧区环境整治和黑臭水体排查工作。经排查，辖区内不存在黑臭水体。全旗4个行政村完成农村人居环境综合整治工作。科右前旗重点江河、湖泊、水库生态安全调查评估项目完成招投标，项目总投资474万元，实施方案已通过专家评审并于2022年11月开工建设。察尔森水库入流区人工湿地水质净化工程总投资5828.48万元，西入口人工湿地已完成项目竣工验收。察尔森水库水体断面污染预警溯源监控能力建设项目采水管线延伸改造以及增设叶绿素a和蓝绿藻密度水质分析仪已完成，项目总投资15.458万元。科右前旗2022年农村污水治理项目和科右前旗归流河（科尔沁镇段）缓冲带生态修复工程项目进入自治区生态环境保护专项资金项目储备库，总投资分别为1385.5万元和4397.61万元。以强化风险管控为抓手，扎实推进净土保卫战。开展受污染耕地安全利用与严格管控工作。完成农用地土壤镉等重金属污染源头防治排查、耕地土壤环境质量类别划分工作。对2021年度土壤污染重点监管企业埃玛矿业和美杰垃圾处理厂土壤和地下水自行监测报告中数据异常开展调查。开展松花江流域干流和主要支流沿岸3公里范围内工矿企业、尾矿库、固废堆场、矿山排土场和生活污染源等排查，无矿区历史遗留废物。持续推进危险废物安全整治三年行动，开展汛期危险废物专项检查，督促企业完善应急手段，防患于未然。开展废塑料污染治理。对3家塑料相关企业进行检查，暂无环境违法案件、无相关部门移交的案件。开展危险废物领域排查整治专项行动，全旗有两家危险废物经营单位。固废管理系统共计29家企业提交管理计划，10家企业申报登记。危险废物规范化考核过程中发现的问题，相关企业已立行立改。

【中央生态环境保护督察整改】中央第二轮生态环境保护督察交办信访案件涉及共13件，已完成整改销号。中央生态环境保护督察反馈问题由科右前旗生态环境分局牵头整改共1项（尾矿库污染防治措施不到位，环境风险隐患突出），截至2022年年末未整改完成。已摸清全旗尾矿库底数为1家（埃玛矿业），对尾矿库污染防治措施落实情况进行排查，督促企业建立排查整改问题清单，制定整改方案，扎实推动中央生态环境保护督察反馈问题的全面整改。

【生态环境执法】对全旗集中供热企业污染防治设施运行、易产生扬尘企业、使用辐射设备的医疗卫生机构以及持有排污许可证、医疗机构污水治理的排污企业进行现场执法检查，2022年共出动执法人员340余人次。2022年完成"双随机、一公开"的执法抽查任务，完成抽查企业138家次，出动执法人员340余人次，责令改正环境问题25个。2022年共接到12369有效环境信访投诉31件，已全部办结；12345信访件15件，已全部办结，已处理9件，已退回6件，有效化解环境信访领域的矛盾纠纷。认真落实行政执法"三项制度"，共完成重大执法决定法制审核6件；2022年，共查处案件7件，累计罚款29.13万元。按照执法大练兵贯穿全年工作的方案，突出战中练、练中学、学中悟，以大练兵为推力，全体人员的整体素质、执法水平和综合作战能力迈上一个新的台阶。

【生态环境监测】开展污染源监督性监测、环境质量监测和信访案件监测，出具监测报告16份，有效监测数据1310个。协助盟生态环境监测站对科右前旗境内的15家入河排污口单位进行废水采样，对5家入河排污口单位进行摸底排查、拍照和上报工作。完成2021年全旗37家企业年报统计工作初审、二审及突变指标的审核及核实说明，更新2021年环境统计年报系统企业名录库。

【优化营商环境】实行项目审批限时办结制。在保证审批质量的前提下，缩短办理期限，提高工作效率。2022年共审批环境影响报告表43个项目，其中线上办理31个，线上办件率64.6%；环境影响登记表备案307个，线上办件率100%。积极推进排污许可工作。2022年新发排污许可证4个，排污许可证到期延续3个，排污许可证变更21个，注销排污许可证5个。2022年"双百工作"排污许可证质量审核，完成排污许可证质量审核34个，初审率100%。深化"放管服"改革工作。推进"一次办、一网办、掌上办、帮您办"，严格落实"双公示"制度，政务信息及时公开并更新。待批项目、半拉工程大起底工作有序推进。共梳理建设项目1374个，完成环评审批手续项目1214个,待批项目143个,补批项目15个。补批项目已完成审批14个,待批项目已完成审批141个。

(李延波)

青山国家级自然保护区

【概况】 内蒙古青山国家级自然保护区管理局是科右前旗政府主管自然保护工作的职能部门,内设5个职能股室,分别是党政综合办公室、林政规划建设股、科研监测股、保护管护股、社区事务股。

【森林防火】 严格落实防火工作责任。与各管护站签订防火责任状,将防火责任落实到人落实到山头地块。加大巡护管护力度。实行防火日查日报和24小时值班制度,2022年度累计出动巡护管护人员5680人次,车辆214车次,摩托车930车次。在重要节点和防护路口,设卡堵截,加强火源管控,2022年共排查出火灾隐患40余处,并全部进行整改消除,确保保护区防火工作万无一失。强化防火宣传力度。组织干部职工在保护区主要区域、路口悬挂宣传条幅100余条,发放宣传单1万余份,着力提高保护区周边群众的防火意识,营造"森林防火,人人有责"的浓厚氛围。

【生态环境保护】 保护区内鱼塘普遍存在的问题。成立排查领导小组和排查专班,对自然保护区内的鱼塘进行地毯式排查,根据不同年份不同历史条件下形成的鱼塘进行分门别类建档造册,制定解决方案。经排查,青山保护区内共有鱼塘15处,其中有水域滩涂养殖证的3处,无任何手续的12处。截至2022年年末,对有手续的鱼塘采取暂时保留措施,证件到期后再酌情处理,对无手续的鱼塘全部拆除取缔。保护区内偷牧现象时有发生的问题。制定禁牧工作方案,成立领导小组,保护区与林场、林场与管护站层层签订禁牧工作责任状,常态化开展禁牧巡护工作。对保护区周边养畜户下发《自然保护区内禁止放牧的通告》,联合大青山公安派出所,大青山林场,大石寨镇、俄体镇、巴日嘎斯台乡综合行政执法局,形成禁牧工作合力,做到发现一起、打击一起、处理一起、清除一起。做好宣传工作。组织机关干部联合保护区周边乡镇和林场,开展形式多样的禁牧宣传活动。

【林草有害生物防治】 2022年8—9月开展外来入侵物种普查工作,普查面积共计2733.33公顷。成立普查领导小组和专业普查员队伍,制定外来入侵物种普查方案,确定入侵物种调查清单、规划踏查路线和布设踏查点。普查员参加自治区和盟相关部门组织的线上线下培训班,熟练掌握"全国林草系统生物多样性监测数据采集系统App"的普查操作方法。普查员以地面调查App为基础,结合踏查、标准地调查等规范开展外业调查,利用普查数据采集App内置的图片采集功能进行影像采集和上传。

【保护区基础设施建设】 2022年共完成维护巡护干道29公里,步道10公里,新建17处管护站中已完工并投入使用3处、封顶3处,墙体完工11处。

【疫情防控】 成立疫情防控领导小组,对科尔沁社区义乌时代公馆小区5栋住宅楼、90家商户,共计837常住人口进行分组分楼栋管理,压实常态化监督防控责任。定期对社区商户进行人员登记、核实排查、扫描健康码、消杀等疫情防控工作的监督检查,确保商户能按照疫情防控工作指挥部的相

【乡村振兴】 2022年3月重新下派两名干部到巴日嘎斯台乡义和村开展乡村振兴驻村工作。走村入户了解民情民意，对全村的户数、人口数、牲畜存栏数、脱贫户、五保户等基础数据精准摸排统计，为上级决策提供准确数据。动态管理监测脱贫不稳定户和边缘易致贫户，共识别13户监测对象，对其及时落实帮扶责任人和有效帮扶措施，同时进行惠农政策的宣传。配合村两委成员，动员机关干部，组织网格员、保洁员不定期到各屯开展环境整治活动，各村屯村民居住环境有明显改善。

【宣传工作】 2022年在"多彩前旗"平台发布稿件、转载转发相关信息共88条。向盟林业和草原局、科右前旗委、政府等相关单位报送信息62条。在新浪内蒙古资讯、内蒙古微博等自治区新闻媒体上上稿18篇。并多次接受国家、自治区、盟、旗的督查调研和参观，宣传青山自然保护区在大兴安岭地区的生态调节功能。

（刘　洋）

自然资源管理

【概况】 科右前旗行政辖区总面积16791.17平方公里，辖9个镇，3个苏木，2个乡，总人口356591人，全旗共有耕地310081.82公顷，林地440575.78公顷，草地848264.27公顷，水域面积23050.34公顷。科右前旗自然资源局内设机构5个，分别是综合办公室、自然资源管理股、国土空间管理股、耕地保护监督与地质勘查测绘股、矿产监督管理与执法监察股，所属事业单位4个，分别是科右前旗不动产登记中心、自然资源和林草水利综合行政执法大队、基层自然资源事务服务中心、国土事业发展中心。基层自然资源事务服务中心包括：科尔沁镇自然资源所、居力很镇自然资源所、察尔森镇自然资源所、归流河镇自然资源所、额尔格图镇自然资源所、俄体镇自然资源所、索伦镇自然资源所、大石寨镇自然资源所、德伯斯镇自然资源所、巴日嘎斯台乡自然资源所、乌兰毛都苏木自然资源所、满族屯满族乡自然资源所、阿力得尔苏木自然资源所、桃合木苏木自然资源所等14个分支机构。

【土地节约集约利用】 完成增减挂钩项目127.8公顷，形成跨省交易指标82.86公顷，申请跨省统筹水田指标6.14公顷，为财政创收3289.70万元。完成批而未供处置152.08公顷，完成率152.25%，完成闲置土地处置10宗，面积7.96公顷。

【自然资源规划体系建设】 完成旗镇村三级国土空间总体规划编制工作，完成应编尽编村庄规划120个，完成《矿产资源总体规划（2021—2025年）》，国土空间规划体系初步形成。完成"三区三线"划定工作，并获得部里批复，全旗共划定生态保护红线面积79.23万公顷，划定永久基本农田25.42万公顷，划定城镇开发边界57.723平方公里。

【生态保护】 完成部里下发的243个历史遗留矿山核查，并有1个历史遗留废弃工矿土地整治项目纳入中央重点生态保护修复资金储备库。开展盟局下发的历史遗留无主矿山及废弃采坑调查摸底工作，涉及疑似图斑4709个,已全部完成核查。加大地质灾害防治,查明隐患点43处,全部纳入监测预警范围,实施泥石流地质灾害治理项目2个。

【耕地保护制度】 与旗政府签订耕地和永久基本农田保护任务责任书,落实耕地"占补平衡"和"进出平衡"制度,确保耕地和永久基本农田不减少,耕地总量保持动态平衡。2021年现状变更调查数据显示,全旗有耕地面积38.45万公顷,划定耕地保护任务37.95万公顷,比上轮增加15.03万公顷;划定永久基本农田25.42万公顷,比上轮增加6.59万公顷。

【经济社会发展能力】 共组件报批农用地转用报件15个,总面积292.49公顷。共出让土地142宗、480.41公顷,实现土地收益1.94亿元。2022年5月完成科右前旗工业园区"区域评估"工作以及科右前旗工业园区标准地体系建设任务。

【资源合理开发利用】 开展盘活矿业权和闲置矿权大起底工作,涉及全旗12宗矿业权(采矿权9宗,探矿权3宗),已有1家矿山复工复产。开展全旗打击洗洞盗采金矿专项整治行动,未发现洗洞盗采金矿违法行为。旗本级办理采矿权新立1宗,配合盟局办理采矿权延续1宗、探矿权登记1宗。推进安全生产专项整治三年行动,开展矿山安全生产检查78次,发现未按开发利用方案开采产生安全隐患8宗、越界开采3宗(1宗已整改到位),均已由执法队立案查处,并督促整改。全年未发生安全生产事故。

【优化营商环境】 完成存量不动产证照电子化转换,并在办理存量房网签备案、户籍登记、子女入学、企业开办、抵押融资、公积金提取等领域使用。实现司法查控"全程网办"。完成交房即交证试点项目、交地即交证、一证一码工作。共受理不动产业务71756件、档案查询35317次,共颁发不动产权证书7480本、证明7242本、电子证书8764本,支持抵押贷款35.86亿元。涉及一网通办事项5项,全程网办率达到100%。贯彻落实科右前旗工程建设项目"多测合一"实施细则(试行),并在"交房即交证"试点项目中应用。

【自然资源资产管理体制】 "三调"成果已全面启用。完成全旗2021年度变更调查工作。林权登记修补测工作试点工作成效良好,下一步将在全旗范围内逐步推开。在乡镇村各级全面铺开农村宅基地登记工作,登记率达45%以上。全民所有自然资源资产清查工作实物量和价值量清查工作已初步完成。所有资源门类(土地、矿产、森林、草原、湿地)实物量和价值量内业工作已完成,并通过国家和自治区质检。其中,森林、草原、湿地外业工作已完成,并通过自治区验收。

【自然资源督察执法】 共开展动态巡查20次,发现违法案件20起,立案查处20起,已办结16件,剩余4件未完成该调查。推进违法违规用地"回头看",自治区下达科右前旗任务442个,完成整改380个,完成率86%。中央生态环境保护督察涉及自然资源局牵头信访案件9件,配合办理31件,已全部办结。12345政务服务便民热线交办47件,响应率100%,解决率98%,满意率98%。全力推进法治政府建设,认真履行法治政府建设第一责任人职责,聘请法律顾问,妥善化解处置相关涉访涉诉问题以及对各项目合同及有关协议予以指导。

(王星华)

商务 服务

外事办（商务）
供　　销
烟草专卖

商务　服务

外事办（商务）

【概况】 科右前旗政府外事办公室是旗政府工作部门，为正科级，前身为科右前旗商务局，2019年5月机构改革为科右前旗政府外事办公室。旗委外事工作委员会办公室设在科尔沁右翼前旗政府外事办公室，作为旗委议事协调机构。加挂科尔沁右翼前旗商务局牌子。内设机构有综合办公室、外事业务综合管理股、电子商务办公室、商贸流通股、外贸综合管理股、市场发展建设股、边境和口岸管理股7个职能股室。

【电商项目】 2022年科右前旗电子商务交易额实现41238.29万元，同比增长15.16%；网络零售额1606.42万元，同比增长1.49%，其中农畜产品电子商务交易额实现1485.81万元，同比增长9%；完成快递进港量1132.33万件，出港量78.67万件。

【外资外贸】 科右前旗进出口总额为17610万元人民币，同比增长30%，位列全盟第一。其中，出口额508万元人民币，进口额17102万元人民币。组织科右前旗优质企业参加国内重要展销会，推动特色产品走出去，增强企业对外竞争力。金口味食品有限公司成功参加第四届西洽会，兴安盟散步羊肉制品有限公司成功参加第五届中国国际进口博览会。联系盟商务口岸局、盟税务局、旗税务局针对科右前旗外贸出口退税流程出现的问题，进行交流、辅导，顺畅外贸出口退税基本流程。

【消费促进】 成功举办科右前旗首届冰雪年货节。通过六间房农货铺、农网优选等电商平台，抖音快手直播推介，开展线上营销活动。进一步活跃消费市场，丰富居民节日生活。挖掘汽车消费潜力，组织鑫华玉、鼎龙汽车、晟成汽车、广汽传祺等10余家车企助力科右前旗第三届插秧节。车企直播团队现场宣传"乐购兴安 助商惠民 至高购车补贴1500元加油券"消费促进政策及车企促销优惠活动，助力科右前旗社零额稳步增长。成功举办"科右前旗第二届伊德根文化节暨科右前旗第五届汽车文化节"，繁荣经济市场，充分释放消费对经济的拉动作用。在第九届内蒙古自治区乌兰牧骑艺术节暨2022兴安盟那达慕期间，开展全盟农畜产品展销活动。通过开展线上线下农畜产品展销活动，进一步拓宽科右前旗农畜产品销售渠道。

【与阿里集团合作工作】 外事办与阿里对接，合作建设"兴安盟产业数字化运营中心项目暨科右前旗产业电商运营项目"。根据盟级下达资金性质，已进行政府采购流程。

【重点领域行业监管】 加强成品油市场、二手车市场、报废机动车拆解市场整治工作。与旗市场局开展"双随机、一公开"联合检查，共检查企业19家，检查中发现的问题企业均已整改完成。做好旗内商贸流通企业安全生产隐患排查工作,已与7家相关单位联合开展安全生产检查2次。对东北亚小商品批发城存在的重大安全隐患问题,已多次行文至旗安委办。

【乡村振兴】 科右前旗农畜产品销售额达10635.49万元。其中,区内销售2724.33万元,区外销售7911.16万元,区外销售中在京销售额达6364.88万元,完成2022年自治区下达的6000万元任务指标。与北京锦绣大地等企业积极探索拓宽科右前旗农特优产品进京销售渠道。充分利用锦绣大地在科右前旗注册的"京蒙互联电子商务有限公司"。该公司成功入驻"832平台",集中销售科右前旗农畜产品,进而巩固和提升科右前旗农产品在京销售份额。为进一步拓展科右前旗农畜产品销售渠道,打开在华东的销售市场。与江苏棉麻集团合作,6月20日,在南京农展馆开展科右前旗农特优产品展销推介暨"我在草原有只羊"认领活动。通过苏麻农场"我在草原有只羊"小程序对科右前旗草地羊进行认领,并对认领人员授予"荣誉牧民"证书,荣誉牧民可凭证书来科右前旗旅游、景区和用餐享受优惠待遇。9月26—30日,"京蒙帮扶协作·科右前旗消费帮扶产品产销对接活动"在北京市海淀区成功举办。通过农畜产品进社区、实地走访北京企业、两地企业座谈交流等方式,实现产销精准对接,形成消费帮扶常态化机制。9月30日,科右前旗草地羊旗舰店在海淀区永旺家园的社区商街开业,作为科右前旗在北京开设的首家社区体验店,居民不出远门,就可购买到科右前旗草地羊,这是京蒙协作、消费帮扶的新成果。

【疫情防控】 根据旗防指的工作安排,负责涉外及港澳台组邮政快递物品疫情防控专班和生活必需品保供等方面的疫情防控工作。努力克服各种困难,在盟旗的坚强有力领导下,很好地完成各项任务,为战胜疫情贡献力量,被指挥部授予"科右前旗抗击新冠疫情特殊贡献集体"称号。

【特色亮点工作】 获批县域商业体系建设行动试点县。开展县域商业体系建设申报工作。根据科右前旗实际情况,编制《科右前旗开展县域商业建设行动工作方案》并通过商务部和商务厅评审,获批"2022年度内蒙古自治区县域商业建设行动试点县",获得中央专项资金1178万元(全区首批且全盟第一个实施该项目的旗县)。获批一刻钟便民生活圈项目。申报一刻钟便民生活圈建设项目,制定《内蒙古自治区兴安盟科右前旗一刻钟便民生活圈试点方案》,打造兴科社区和碧桂园社区两个一刻钟商圈。项目已成功获批,获得自治区专项资金80万元。获批县域外经贸破零增量示范县。申报外经贸破零增量示范工作,主要围绕发展本地特色优势产品,聚焦中草药产业,编制《科右前旗外经贸破零增量示范工作实施方案》,经自治区商务厅审定,科右前旗获批全区2022年县域外经贸破零增量示范县。

(张翠翠)

供 销

【概况】 科右前旗供销社为旗政府直属参公事业单位,内设办公室、合作指导股、经济发展股、财务审计股、社有资产管理股5个职能股室。

【基层社组织建设】 2022年新建综合服务社22个。建立社员利益联结机制的基层社1个

（大石寨基层社）。新发展基层社社员2508人，2022年社员数累计达到7020人。新增开放办社企业2家，分别是内蒙古远东中药物流有限公司、军创（内蒙古）孵化器有限公司。申报盟级基层标杆社3个，分别是阿力得尔基层供销社、科尔沁基层供销社、桃合木基层供销社。申报农村综合服务社星级社（四星级）3个。分别是科右前旗古迹综合服务社、科右前旗索伦综合服务社、科右前旗兴安综合服务社。申报盟级示范专业合作社3个，分别是科右前旗航嘎日养殖专业合作社、科右前旗乌兰图雅牲畜养殖专业合作社、科右前旗众欣中药材种植专业合作社。发展电商业务经营主体1个（德伯斯基层社）；发展参与农村牧区塑料污染治理工作经营主体1个（大石寨基层社）。联合科右前旗产权交易中心分别与中国建设银行兴安分行、中国邮政储蓄银行股份有限公司兴安盟分行、内蒙古银行股份有限公司兴安支行签署战略合作协议，解决社属企业及广大社员融资难问题，实现"三位一体"综合合作为农服务新体系的构建。发展农资供应联盟成员25家，2022年供销系统内销售化肥2.35万吨。为联盟成员节本增效743万元，其中化肥节本增效705万元。

【供销社综合改革】 为确保科右前旗供销系统综合改革验收任务全面完成，已设立综合改革专项资金20万元，其中旗本级列入预算10万元，争取盟财政补助资金10万元。前旗供销社"社有资产管理股"已加挂"监事会办公室"牌子，代办监事会日常工作。监事会的设立，正由自治区供销社自上而下推动实施，待监事会机构完善后，筹划召开旗本级社员代表大会。为充分发挥企业示范带动作用，助力供销事业发展，内蒙古远东中药物流有限公司向科右前旗供销社捐赠供销合作发展基金20万元。完成任务的100%。

【乡村振兴】 全盟供销社助力乡村振兴现场会在科右前旗胜利召开。协调对接国储肥336吨，通过基层社"零差价"及时投放到新型经营主体或农户，节本增效23.5万余元。实现土地（草牧场）全程托管面积800公顷、农牧业社会化服务面积7466.67公顷。组织农业专家下沉基层开展乡村大讲堂知识宣讲5次，开展农资农技指导26场次，培训2210余人次。协调包联帮扶村巴日嘎斯台乡良种场村与神农有限公司签署战略协议，建设高标准种植示范农田20公顷。"832平台"新增8家供应商，平台销售额达1294.81万元。与前旗融媒体中心合作，推出"消费帮扶 政采同行"专题宣传片。响应旗委、政府等主办单位动员，组织系统内领办创办的专业社、社有企业、入驻832平台供应商等在各类活动现场进行科右前旗特色农副产品展销。

（仪明星）

烟草专卖

【概况】 内蒙古自治区科尔沁右翼前旗烟草专卖局是兴安盟烟草公司科尔沁右翼前旗卷烟营销部，属国有企业，内设专卖管理股、内部专卖管理监督股、客户服务部和综合办公室、大石寨专卖管理所（客户服务站）5个机构。

【卷烟营销】 2022年，按照区局（公司）、盟局（公司）统筹推进疫情防控和生产经营工作要求，结合辖区市场实际，坚持"优调控、稳增长、提结构"的经济运行方针，努力克服新冠疫情的不利影响，保持良好市场状态,提振零售客户经营信心,确保经济运行在合理区间。2022年,科尔沁右翼前旗烟草专卖局(卷烟营销部)销售卷烟13301.41箱,同比增幅2.03%。

【专卖管理】 按照盟局部署,坚持狠抓规范管理,强化专卖执法、市场监管和打假打私,促进专卖管理由"单一执法型"向"综合服务型"转变,市场监管水平、市场净化率、控制力、服务力得到稳步提升。2022年,专卖查获案件59起,同比减少46.85%;查获卷烟74.3608万支,同比增长100.02%。2022年,共办理新证172户,新办不予许可47户,变更16户,停业25户,恢复营业13户,延续152户,歇业56户,审批注销19户,收回13户。

(张丹枫)

科 技

科技事业
气　　象
教　　育

科　技

科技事业

【概况】 科右前旗科技事业发展中心于2021年12月成立，为科右前旗人民政府直属正科级事业单位，主管科右前旗科技领域工作。2022年度着力于打造科尔沁农业科技园区并承办兴安盟科技成果展示与现场观摩会暨"前·海"农业科技节，建设科技助力乡村振兴示范村项目，打造肉牛胚胎工程实验室，成立教授工作站，加强科技育才引才，建立盟级、旗级科技特派员工作站。内设机构5个：办公室、科技发展综合股、科技成果转化与区域合作股、科技产业促进股、服务体系建设股。

【科技投入】 2022年，深入实施"科技兴蒙"行动，加快建设"前·海"科技创新创业谷，认真推进科技创新领域各项重点工作。全年累计争取各级科技项目40个、争取资金2640.43万元。投入640万元资金，建设科技助力乡村振兴示范村项目，通过先进技术装备应用和先进产业模式运用，升级改造大米加工厂、小米加工厂、肉牛养殖场和饲草储备库，新建肉牛改良室，配备肉牛改良、农业植保、大米精深加工、秸秆转化、功能性饲料加工等先进技术装备，创新升级巴日嘎斯台乡保安村产业格局。投入500万元在察尔森白音牧场打造肉牛胚胎工程实验室。与旗政协科技创新办公室、科尔沁镇联合打造集技术推广、产业示范、科普研学、农旅融合于一体的科尔沁农业科技园区，培育科教农旅融合发展新业态，并获评盟级农业科技园区。科技型中小企业新增长22家，科技型企业数量同比增长4.4倍。

【科技合作】 与高校和科研院所科技合作，成立中国农业大学牛业教授工作站1个、内蒙古农业大学番茄产业教授工作站1个。

【科技成果】 新推出科技成果16项，其中大公草畜微生物技术功能性牛羊饲料、源陆食品黑小麦预拌粉等科技成果为区内领先、盟内首创。成功承办兴安盟科技成果展示与现场观摩会暨"前·海"农业科技节，在全盟深入宣传科右前旗科技创新成果，展示科技工作成效。

【科技人才】 为加强科技育才引才，建立盟级科技特派员工作站2个，在全盟率先探索成立旗级科技特派员工作站6个，选派科技特派员100名、三区人才8名，开展科技培训10期，累计培训600人次，初步形成"科技育才引才、人才兴产兴业"的良好态势。

（王国臣）

气　象

【主要气象要素】 2022年，科右前旗境内年平均气温为3.4℃，降水量为507.1毫米，大风日数为18天，日照时数为2802.6小时，年极端最高气

温为33.5℃，年极端最低气温为-28.5℃。（数据来源于索伦气象站）

【基础业务】 汛前、汛中、汛后对全旗各苏木乡镇无人站、区域站以及单雨站共计37个站点共进行3次校准、维护及多次维修，保证仪器的误差符合规定，保证观测数据的准确性、稳定性和及时性，为农牧业气象服务做好保障。严格按照《生态与农业气象观测业务规范》要求，对科右前旗主要农作物和特色农作物水稻、大豆等作物进行发育期、生长状况、主要田间工作记载等方面的观测。为科右前旗大田作物生长留存重要数据。

【气象服务】 2022年，科右前旗气象台气象服务产品发布数量与质量及指导意义均较往年有明显提高。共向旗委、旗政府和相关职能部门以及社会公众发布服务材料273期。为"第九届内蒙古自治区乌兰牧骑艺术节暨2022·兴安盟那达慕"提供气象服务保障。多种渠道开展面向新型农牧业经营主体的"直通式"气象服务，覆盖全旗95%以上的新型农牧业经营主体，确保农牧民能第一时间接收到预报预警信息。在关键农事季节开展对应气象服务工作，共制作为农气象服务产品78期。开展沙果专项气象服务，编写沙果专项气象服务产品6期。气象监测预警补短板工程，采用最新智能设备，新建额尔格图镇苏木吐六要素智能气象观测站、升级乌兰毛都国家气象观测站。

【人工影响天气】 开展12次人工增雨作业，累计发射人工增雨火箭210发；17个防雹作业点共作业2520发，为全旗的农耕生产、土壤保墒增墒、保障粮食安全及粮食增产增收、降低火险等级做出重要贡献。2022年5月30日，在大石寨镇开展全旗炮手岗前培训和操作演练工作。

【气象科普宣传】 组织开展"3·23"世界气象日、"4·15"国家安全教育日、"5·12"全国防灾减灾日、"12·4"全国法制宣传日等组织开展科普宣传工作，宣传形式主要为通过线上"科右前旗气象"微信公众号分享科普视频、科普短文、科普漫画和线下科普宣传进社区、进乡村等。通过内容丰富和形式多样的科普宣传活动进一步提升公众气象防灾减灾意识和灾害防御能力。

【优化营商环境】 进一步落实优化营商环境相关要求，全面推进政务服务"四办"，加快实现"一窗受理""一网通办"。全面推进"双随机、一公开"监管，进一步落实优化营商环境举措。2022年行政审批事项办结6件，其中办结雷电防护装置设计审核2件，办结雷电防护装置竣工验收4件。

【疫情防控、创城工作】 组织召开多次疫情防控专题工作会议，认真学习宣传贯彻习近平总书记关于疫情防控的重要指示精神，结合承担的任务和工作实际，研究制定具体工作方案和应急预案，组织全体职工走进社区，投入人员底数摸排、开展全员核酸检测，应急值守、维持秩序等联防联控工作。包联四季花城12栋居民楼和仿古一条街83家店铺疫情防控工作。5次入户开展居民底数摸排，组织开展全员核酸检测19轮，共计1万余人次。强化管理期间，在包联小区24小时执勤3次。包联兴科一期创城工作，组织人员进社区开展宣传和开展环境卫生专项整治活动9次，2年累计投入3.4万元用以公共宣传展板和维修公共道路等。

（苏 巍）

教 育

【概况】 全旗有学校49所,其中小学23所、初中14所、九年一贯制学校7所、普通高中2所、完全中学1所、职业学校1所、特殊教育学校1所。幼儿园110所,其中公办独立幼儿园5所,校带园26所,嘎查村幼儿园38所,注册民办园41所。全旗共有教职工4905人,其中专任教师4791人。全旗共有在校学生30610人,其中小学生17100人,初中生8083人,普通高中生3278人,职业学校学生1942人,特殊教育学生207人(其中在校生94人,送教学生113人)。在园幼儿6295人。

【机构设立】 全年补充教师281名。其中,特岗教师180名,事业编制101名。提任及交流副校(园)级及以上领导干部75名。认定初中及以下教师资格50人。校长及教师参加培训11422人次。发放乡村教师生活补助金1055.88万元,享受补助的乡村教师3182人。设立科尔沁右翼前旗永兴小学、科尔沁右翼前旗兴安海淀学校。

【幼儿教育】 截至2022年年末,科右前旗共有幼儿园110所,在园幼儿6295人,3—5周岁适龄幼儿6823人,学前三年毛入园率92.26%,其中独立公办5所,在园幼儿1381人。校带园26所,在园幼儿1370人。嘎查村园38所,在园幼儿570人。公办在园幼儿共计3321人,公办在园幼儿占比率52.76%;注册民办幼儿园41所,在园幼儿共计2974人,其中24所普惠性幼儿园在园幼儿2228人。全旗普惠性幼儿共计5549人,普惠性幼儿园覆盖率88.15%;全旗有示范性幼儿园39所,其中自治区级示范性幼儿园1所,盟级示范性幼儿园26所,旗级示范性幼儿园12所。全旗共有安吉游戏实践园33所,其中公办22所,民办11所。

【基础教育】 印发"控辍保学工作方案",教育局组织人员对辍学生进行地毯式全旗大排查,做到底数清,情况明。全旗没有辍学生,小学适龄儿童入学率为100%;初中适龄少年毛入学率104%。全旗残疾儿童进入特殊教育学校学习94人,送教上门113人,三类残疾儿童入学率为100%。小学阶段留守儿童1144人,初中阶段474人;小学阶段进城务工随迁子女521人,初中阶段进城务工随迁子女159人。严格按照"内蒙古自治区义务教育课程计划",开齐开全课程,根据上级对"手机、作业、睡眠、读物、体质"五项管理工作的要求,教育局在2022年5月召开以"双减"为主题的首场新闻发布会。严格按照《科右前旗关于做好义务教育阶段中小学校课后服务工作的实施意见》,对课后服务工作进行安排,确保义务教育学校全覆盖、有需要的学生全覆盖。

【高考中考】 前旗一中469名学生参加高考,其中500分以上共8名,450分以上58人,400分以上140人。前旗二中418名考生,500分以上11人,450分以上76人,400分以上191人。前旗五中70名考生,40名超过500分。前旗中等职业学校参加高考81人,450分以上10人,400分以上31人。汉授中考考生1428人,全盟前12名中有前旗三中3名同学,全旗600分以上31人;蒙授中考考生857人,前旗五中包揽全盟前8名;全盟600分以上共9名,前旗五中占8名,前旗五中2名同学分别以640.95分、639.45分名列全盟蒙授中考第一、第二名。

【职业教育】 2022年,民族中等职业学校更名为中等职业学校。招生707人，全日制学历教育在校生1942人，教职工228人。396名学生报考，315名学生参加对口升学单招考试，81名考生参加对口升学考试，本科上线5人，专科上线76人。学校完成76人的1+X老年照护职业技能等级证书(初级)证书考评工作，通过63人。教师参加盟级以上各类比赛20人次获奖。在全盟中等职业学校教师教学能力比赛上，9组教师参赛，8组获奖。

【体卫艺劳】 承办兴安盟2022年"盟长杯"校园足球联赛。前旗一中和前旗五中分获高中男子组和初中男子组冠军；察尔森小学获得小学男子组亚军。参加全盟中学生田径运动会，科右前旗获得团体总分第一名。在兴安盟第三届师生合唱节上获得优秀组织奖。进一步推进劳动课实践基地建设工作。在做好疫情防控工作的同时，加强对校园公共区域清扫消毒、室内区域通风换气，进一步整治校园整体环境卫生。推进无烟学校建设，全面营造校园无烟环境。学生心理健康教育工作逐步规范化、专业化、普及化。各学校已完成心理健康教育辅导室(咨询室)的建设、安排专兼职教师。组织心理健康教师开展线上培训活动。

【校外培训】 2022年6月，对5家非学科类校外培训机构进行分类管理工作交接。9月，教育局联合文旅局对全旗6家校外培训机构培训材料及人员进行起底式排查。聘请998名"双减"工作社会监督员，其中956名为社区网格员。运用全国校外教育培训监管与服务综合平台，完成资金核验与支付渠道开通工作。全旗6所非学科类校外培训机构的预收费已全部建立专用账户并全部纳入监管，截至2022年年末，核验通过率100%、支付开通率100%。在旗直范围内打造10处"双减"示范小区。

【思政教育】 加强思政课教师队伍建设，推动中小学思政课一体化建设。有285名专兼职思政课教师，其中小学118人、初中129人、高中38人，配齐配备率达100%。8名优秀书记、校长讲授思政课视频在兴安盟教育局微信公众平台发表。举办思政课教师"同备一堂课"观摩展示活动。组织学生开展"弘扬中华优秀传统文化、传承中华传统美德"讲故事比赛，其中选送9名优秀选手参加全盟比赛，科右前旗第三中学、俄体中学学生获盟级三等奖。

【安全管理】 持续推进中小学幼儿园警务室建设。54所学校(幼儿园)全部建成标准化校园警务室，按标准配齐安保人员，投资4.025万元，为39所学校的122名安保人员配备安保服装122套。针对安全工作重点、难点，共计组织安全专项抽查检查6次，会同相关单位进行联合检查2次，安全隐患整改率100%。加强"平安校园""防震减灾示范校"建设，科右前旗永兴小学、科右前旗第一幼儿园申报自治区级"平安校园"，科右前旗第三中学通过"自治区防震减灾示范校"复核。组织开展"消防安全、地震疏散、预防火灾、反恐防暴"等各类疏散演练400余次，师生参与率100%。通过安全生产专项整治三年行动质效评估。做好党的二十大等重大活动、重要时间节点校园维稳安保工作。开展禁毒知识竞赛、青骄第二课堂、"学宪法、讲宪法"答题等活动，学生参与率100%。开展预防校园欺凌、扫黑除恶专项整治行动，开展法治副校长进校园"法制安全第一课"活动，提升师生及家长法治意识。

【教育督导】 充分发挥责任督学作用，持续开展"双减"、疫情防控、幼儿园办园行为和校园安全等专项督导评估。2022年年末，组织开展对全旗中小学、幼儿园进行综合督导评估。实现挂牌督导全覆盖。

【工会工作】 全系统基层工会依法选举组建率95%。2022年元旦、春节期间走访慰问教职工481人，慰问款物合计36100.00元。全系统"教代会"工作达标率99.07%。代表建议的答复率和办结率100%。校务公开信息公开率100%。组织355名教职工无偿献血115500毫升。协调大病职工救助金31033.00元。2022年3月组织机关女职工63人参加健康体检；组织152名女职工投保特病保险。5月开展第九届园丁杯教职工乒乓球赛。

【团队工作】 落实推优入团、积分入团、评议入团制度，全年共有377名优秀青年加入中国共产主义青年团。组织开展"青年大学习"网上主题团课活动累计达54000人次。主题团课、队课共计842节。开展"喜迎二十大 争做好队员""党的故事我来讲——争做红领巾讲解员"等主题教育活动280余次。开展"喜迎二十大 永远跟党走 奋进新征程"学雷锋志愿服务活动160余场次。开展"我们的节日"主题观影活动，观看英雄故事影片等主题教育系列活动155场，参与人数达22666人。组织全旗各校开展共争"小石榴籽章"活动，落实"八个一"主题系列活动。

【审计工作】 2022年实施校长离任审计10个，审计资金共计28179万元。其中，小学5个，审计资金11659万元；中学2个，审计资金4918万元；一贯制学校3个，审计资金11602万元。

【基建工作】 2022年年末，2所幼儿园竣工。其中，索伦牧场小学幼儿园教学楼面积1680平方米，设置三个班级，90个学位。大石寨学校幼儿园教学楼面积2460平方米，设置6个班级，180个学位。

【教育装备】 利用项目资金为大坝沟中小学、察尔森小学配备精品录播教室，共计121.95万元。利用教育附加费为俄体小学、大石寨小学、乌兰毛都中学改善师生办公及学生条件，共计149.39万元。为科右前旗第三小学和兴安海淀学校两所学校筹备资金，购置教育教学设施设备及生活工作设施1400万余元。

【京蒙帮扶】 第三小学和海淀学校以及独立办学的永兴小学全部与海淀相关学校成为"手拉手"结对校。两地结对校间共开展160次线上教研、培训、集体备课活动，参与教师2300人次。海淀教委在原有4名支教教师（已结束）基础上，继续向科右前旗兴安海淀学校选派2名支教教师。结合教育部关于教育人才"组团式"帮扶工作相关部署，中组部派出海淀区、大兴区各2所学校的教师，对科右前旗第二中学和中等职业学校进行帮扶。共派出支教教师11人，其中包括2名校长，2名中层干部，7名普通教师，即将在科右前旗开展为期1—3年的支教工作。海淀区结对校，联合相关社会组织，共向科右前旗部分中小学捐赠价值11.04万元的图书和办公用品。海淀2家爱心企业捐赠资金80万元。教师发展中心前海科普工作站项目资金80万元，其中用于采购设备40万元，人才培训40万元。科右前旗17名学员及教师发展中心全体研训员线上参加培训。京蒙帮扶资金200万元用于归流河学校塑胶跑道项目。

【乡村振兴】 2022年巩固拓展脱贫攻坚成果同乡村振兴有效衔接，教育系统重点落实控辍保学和学生资助两项工作。全旗易地搬迁适龄儿童已全部落实就近入学政策。家庭经济困难学生各项补助及时发放。

【语言文字】 开展第25届推普周活动。14所学校（幼儿园）完成国家通用语言文字规范化达标校创建工作。在全盟第四届中华经典诵写讲大赛中科右前旗有66件作品获奖。100名教师参加国家通用语言文字能力提升培训，40名青壮年和基层干部参加普通话示范培训，1名教师参加语言文字规范标准培训。科右前旗在规定时间内完成600户居民、300名教师和240名学生语言文字使用情况的调查任务。

【教育科研】 由于疫情原因学科研修活动采取线上的形式开展4次，研训员做学科专题讲座101次，全旗共有3000余名教师线上参与活动。名师工作坊开展两次活动。区域教研开展11次活动。订单式视导共收到35份订单，完成23所学校的订单式视导邀请，专项视导（包括幼小衔接、特殊教育、统编三科及毕业班专项视导）。

统编三科活动主要采取线上与线下相结合的方式进行。组织统编三科教师参加内蒙古自治区主办的同频互动活动8次，盟级同频互动3次。包联学校间共开展活动143次，254人参与活动。全员素养提升培训3000人。人工智能培训有各校业务领导及相关学科教师、研训员共113人参训。同时为20人考取青少年机器人创客指导教师等级证书。组织开展班主任素养大赛。全旗37名小学班主任参加，有15名班主任获得一等奖，22名班主任获得二等奖。举办全旗初中、幼儿园各学科教师教学基本功竞赛活动，123名教师参加。评出一等奖52名，二等奖68名。开展第十二届教学能手初赛评选。开展全旗初中小学全学科作业设计比赛，评选出一等奖和二等奖各90名。国家级课题立项18项，自治区课题立项34项，结题8项。盟级课题中期检查55项，旗级课题立项31项。

【学生资助】 2022年落实各项学生资助补助资金4534.38万元，惠及学生3.18万人次。其中，学前至高中阶段各项补助资金1888.69万元，惠及28641人次；普通高校家庭经济困难学生入学资助533.2万元，惠及664人；发放助学贷款2031.49万元，惠及2144名高校学生；发放中央专项彩票公益金教育助学项目81万元，惠及330人，其中268名大学新生、62名家庭经济困难教师。应上级工作安排对全盟31.7万重点保障人群信息与3.65万在校生及家庭成员信息进行交换比对和摸底排查，确定家庭经济困难学生6290人，争取社会力量捐资助学资金及物资价值197.83万元。

【教育考试】 组织普通高校招生全国统一考试，前旗考区设前旗一中（27个标准化考场）、二中（31个标准化考场）2个考点及前旗五中1个备用考点，考生总计1417人。组织少数民族汉语水平等级考试三级笔试，前旗考区设置前旗一中1个考点，设19个标准化考场，参试人数548人。组织2021—2022学年第二学期全区普通高中学业水平考试，前旗考区设前旗一中（24个标准化考场）、二中（23个考标准化考场）2个考点，考生共计1135人。组织兴安盟中考，前旗考区设前旗一中（32个标准化考场）、二中（33个标准化考场）、五中（34个标准化考场）3个考点，考生共4875人。组织成人高考报名364人。组织农村牧区特设岗位教师招聘考试405人。

【后勤保障】 强化食品安全和饮水安全管理,持续实施农村义务教育学生营养改善计划,投入膳食补助资金1483万元。其中,中央补助资金1188万元,自治区补助资金295万元,惠及38所农村义务教育学校,受益学生达1.51万余人。51个学校食堂均实现明厨亮灶,"互联网+明厨亮灶"覆盖率达到90%。协调水利部门完成38所农牧区学校饮用水井水表安装工作,并办理饮用水取水许可证。借助实施京蒙协作项目,为16所学校饮水配套设备进行改造。到2022年年末,共有22所学校冬季校园燃煤取暖逐步被风电供暖、空气能供暖取代,累计惠及师生1.4万余人。

【教育基金会】 2022年公益助学共资助学生75人,2022年共发放助学金15.8万元。其中,49名家庭困难学生为长期资助,每人2000元;与北京中科海讯数字科技有限公司达成协议,遴选25名品学兼优中学生,每人一次性资助2000元;救助1名患有重大疾病儿童一次性救助5000元;救助察尔森小学1名肝移植手术儿童一次性资助1万元。接受兴安盟锡来暖气通建筑安装有限公司淘气堡设施,价值40万元,用于索伦牧场五连小学。接受内蒙古自治区通信服务有限公司1台松下高速扫描仪,价值108000元,捐赠给科右前旗教师发展中心使用。

(刘士元)

文化　旅游　体育

全域文化旅游
融媒体中心（广播电视
互联网信息）

文化　旅游　体育

【概况】 科右前旗文化旅游体育局是科右前旗人民政府直属行政单位，内设办公室、文化旅游与产业发展股、群众体育股、文化市场综合性监督管理股、机关党委5个股室。所属事业单位有科尔沁右翼前旗文化市场综合行政执法局、科尔沁右翼前旗乌兰牧骑、科尔沁右翼前旗博物馆（科尔沁右翼前旗非物质文化遗产保护中心、科尔沁右翼前旗文物站）、科尔沁右翼前旗文化旅游体育局事业发展中心（科尔沁右翼前旗文化馆、科尔沁右翼前旗图书馆、科尔沁右翼前旗业余体育学校、科尔沁右翼前旗老年体协办公室、科尔沁右翼前旗旅游发展公共服务中心）。

【群众文化】 文化馆全年利用抖音、公共文化云平台发布舞蹈、声乐、美术、四胡、书法等艺术培训、慕课内容11期，通过创新服务方式为广大群众提供文化大餐，培训人数达1382人次；全年累计在国家公共文化云平台发布信息120条，并搭建科右前旗文化馆公共文化云平台，截至2022年年末已制作完成慕课12门；通过"文化工作者"专项，选派12名优秀文化工作者到受援苏木乡镇提供文化服务；招募4家艺术演出团体共完成84场"戏曲进乡村"惠民演出任务；科右前旗三家企业成功申报2022年文化旅游商品传承创新专项资金项目，三户被评选为2022年度全区农村牧区文化示范户，为科右前旗文化旅游产业发展探索新的模式；文化馆、乌兰牧骑根据各乡镇对文化的不同需求，有效开展"逐梦乡村 我们的舞台"下基层结对帮扶工作，选派专业教师进行文艺辅导1000余人。先后深入全旗各社区、乡村、部队、敬老院等地，进行"送欢乐送文明"进基层、"我们的中国梦"文化进万家、"百团千场下基层"等文艺主题演出活动70余场，以牧民们喜闻乐见的形式，将党的关怀和党的惠民政策宣传送到群众身边。全年开展红色音乐党课6场，将音乐艺术与党史学习教育有机融合。

【全域旅游】 培育文化遗产游、近郊游、猎奇游、生态游、会展赛事活动游等五大旅游板块，培育重要节点服务区改驿站工作，实现"全景引客，全业融合"，深入践行"三色旅游"。召开2022年科右前旗旅游工作论坛暨"三色"旅游推介大会和科右前旗旅游推介新闻发布会，推介科右前旗特色文旅资源；"5·19"中国旅游日期间，开展科右前旗第三届插秧节暨兴安论"稻"产业发展论坛、国家级非物质文化遗产——巴音居日合乌拉祭、2022·乌兰毛都草原牧民那达慕开幕式暨金马鞍风景区开园仪式、采摘季系列活动等，参与"兴安人游兴安"活动，推出精品游线路、发布诸多旅游优惠和减免政策，为游客带来多层次的文旅体验。第九届内蒙古自治区乌兰牧骑艺术节暨2022·兴安盟那达慕期间旅游人数达到55万人次，旅游收入突破1.8亿元。依托科右前旗城中草原

文化　旅游　体育

"前·海"不夜街"夜经济"打造消费新热点，激发文旅消费潜力，促进文旅消费升级。

【艺术创作】 在服务基层过程中，创作出一批具有区域特色、时代特点、反映人民群众追求美好生活的文艺作品。围绕铸牢中华民族共同体意识创作了女子群舞《萨日朗花语》、男女群舞《和弦琴韵》、好来宝《大中华温暖的家》；立足于"奋进新征程 喜迎二十大"主题创作歌曲《盛世足音》《锦绣中华》《中华我们的家》，舞蹈《遇见草原》《滚烫的青春》；关注环保主题歌曲《大地母亲》；立足于革命文化创作舞蹈《致家乡一个军礼》、器乐合奏《风雨中的记忆》；抗击疫情歌曲《春天的温暖》《时代英雄》等，原创文艺作品共30余部。第九届自治区乌兰牧骑艺术节中，科右前旗乌兰牧骑荣获团体金奖，优秀文艺作品乐器合奏《风雨中的记忆》、舞蹈《和谐琴韵》荣获表演一等奖，歌曲《盛世足音》获创作一等奖；演员阿拉木斯、财哈申吐雅分别荣获一专多能一等奖。打造以剧本《海凌花》为原型的情景歌舞剧《梦回乌兰毛都》。

【文艺演出】 举办2022年文化和自然遗产日·"查干伊德"文化节暨全民健身活动，来自全旗各苏木乡镇24支队伍700余名广场舞爱好者和200余名非遗传承人参加；举办"喜迎二十大 振兴正当时"2022年科右前旗红歌会暨惠民演出活动，来自各乡镇苏木12支队伍参加红歌赛，15支队伍参加惠民演出；举办第九届内蒙古自治区乌兰牧骑艺术节暨2022·兴安盟那达慕。来自全区各地的800多名乌兰牧骑队员们发挥草原上的红色文艺轻骑兵作用，17万农牧民群众参与其中，完成开幕式、文艺会演、惠民演出、"一专多能"比赛、乌兰牧骑改革与发展研讨会、艺术节闭幕式等6项活动内容。

【基础设施】 编写《科尔沁右翼前旗漫游前旗500里文化旅游长廊总体规划》《内蒙古科右前旗乌兰毛都草原金马鞍风景区控制性详细规划》《察尔森水库风景区总体规划及控制性详细规划》《科尔沁右翼前旗全域旅游发展规划》并已通过评审；为贯彻落实全盟旅游业高质量发展现场会精神，整合科右前旗红、绿、蓝"三色旅游"资源，2022年完成投资2.7亿元，有序推进12个重点文旅项目建设，其中包括番茄公社迷你田园综合体、"前·海"旅游驿站暨全域旅游集散中心项目、海力森百年古榆民俗旅游度假村项目等8个新建项目，草原宿集项目、科尔沁塔拉城中草原项目、金马鞍风景区、察尔森镇A级景区旅游基础设施建设工程项目4个续建项目；启动全域旅游示范区创建工作，实施金马鞍风景区、察尔森水库风景区2个4A级景区创建工作，并申报为3A级景区。兴安农村第一党支部按照3A级标准改造提升，察尔森镇察尔森嘎查被评为自治区乡村旅游重点村。

【文物保护】 博物馆按照全年工作计划，开展"博物馆的力量，透过文物看历史"博物馆日主题系列宣传活动，发放宣传手册6000余份，宣传品1000余份，专题展览义务讲解接待观众达4000余人，并将数字化展示设备应用到"流动博物馆"宣传活动展示中；推出文物数字化微展览，与旗融媒体中心合作录制云端文物鉴赏作品，推出7期"云上看古今"《文物鉴赏》节目，其中6期被学习强国平台采用；完成"科尔沁右翼前旗博物馆馆藏文物预防性保护方案"项目申报工作，申

— 265 —

请到项目资金98万元。成立文物保护工作巡查小组，全年针对全旗115处不可移动文物，开展革命文物资源普查现场踏查工作40余次；加强革命旧址保护维修和馆藏革命文物保护修复力度，制定《2022年文物保护工作实施方案》管理科右前旗境内不可移动文物安全，上报《宝力格图金界壕1段(局部)抢险加固工程计划书》，申请国家专项资金保护金界壕水毁段严重区域，并为阿力得尔苏木、索伦镇共4处重点文物设立7块标识标牌；坚持全旗文物(长城)长制管理常态化、长效化，加强属地管理，规范档案建设，做到"一址一档"。挖掘非遗丰富内涵，整理校对《札萨克图山水传说故事汇》书16万字，将非遗保护领域理论研究与工作实践需要有效结合。

【文化市场】 严厉打击文化旅游体育场所、出版物发行单位和印刷企业违规违法经营行为，加强安全生产检查指导工作。与场所签订《安全生产责任书》，开展专项整治行动10余次，共给予7家网吧、6家台球厅、2家歌厅和1家互联网文化单位停业整顿的处罚，对4家歌厅、2家网吧下达《责令改正通知书》，要求其当场或限期整改。开展"双随机、一公开"跨部门联合抽查6次，部门内"双随机"抽查10次，并及时在平台中录入检查信息。全年开展专项整治行动5次，办理行政处罚案件7件。持续整治校园周边文化市场、草原旅游乱象等突出问题。持续保持扫黑除恶、"扫黄打非"、打击假冒伪劣、侵权盗版的高压态势。

【图书管理】 图书馆加快实施装修布展，馆内硬件装修改造升级工作已全面完成；为有效促进文化阵地活动场地提档升级，两个非遗场馆也在加速建设中；有效推进第七次全国公共图书馆评估定级工作的顺利进行；配合科右前旗两个重点"中心书房"建设，为海力森草原书屋、大石寨草原书屋开展一系列草原书屋读书分享会及图书管理志愿服务活动。举办"书香内蒙古 喜迎二十大"全民阅读系列活动、"图书推广驿站"活动、讲红色故事活动、答题挑战活动60余项，开展"草原书屋"乡村阅读季系列活动共38次，巩固和深化科右前旗全民阅读建设成效。

【非物质文化保护】 开展科右前旗第七批非遗传承人和科右前旗第八批非遗项目申报工作，加强非遗传习建设，加大非遗保护力度；举办2022年科右前旗非遗文创产品大赛，收集刺绣、皮雕、草编等富有浓郁特色的非遗项目文创衍生展品300余件；推进非遗"在校区、在社区、在景区"系列活动，全年常态化开展非遗展示展演展销活动15场。在各乡镇苏木成立非遗项目《科尔沁长调民歌传承基地》《札萨克图手工刺绣传承基地》《查干伊德(奶食品)传承基地》的建设。筹备成立科右前旗非遗艺术团在各旅游景区展示展演。挖掘非遗丰富内涵，整理校对《札萨克图山水传说故事汇》书16万字，将非遗保护领域理论研究与工作实践需要有效结合。

【群众体育】 2022年，在科右前旗雪村滑雪场、草原冰雪乐园、察尔森慕森达莱景区开展群众性冰雪运动会。举办科右前旗全民健身健步走活动、趣味运动会、职工网球团体赛、全盟"体彩杯"羽毛球友谊赛、第五届"庆三八"女子门球赛、老年桥牌赛、老年风筝邀请赛等10余项全民健身赛事活动；科右前旗体校学生经过云南曲靖为期35天高原封闭集训后，斩获2022年内蒙古自治区"中国体育彩票杯"青少年(中学生)

田径锦标赛四金两银和兴安盟中小学生田径运动会冠军。

（袁 华）

全域文化旅游

【概况】 科尔沁右翼前旗全域文化旅游开发有限责任公司成立于2021年5月，注册资本为2000万元人民币。内设综合部、运营部、党群部、财务部和法务部，根据业务拓展需要，2021年6月和7月，分别成立科尔沁右翼前旗阿音沁旅行社有限责任公司和科尔沁右翼前旗绚舞文化传媒有限责任公司，2022年5月成立兴安盟中景电子商贸有限责任公司，9月成立兴安盟中纳商贸有限责任公司，10月成立兴安盟弘景食品销售有限责任公司，2023年6月分别成立天边杭盖有限责任公司和内蒙古康辉大学生国际旅行社7家全资子公司。

【2022年度项目】 城中草原"前·海"不夜街项目位于科右前旗科尔沁塔拉城中草原，总占地为16000平方米，一期投资370万元，共由1个组合集装箱、4个单体集装箱和20个小档口组成，共56个摊位。于2022年6月1日开街，又招商儿童娱乐摊位25个，总计81个摊位。2022年运营期为6月1日—10月8日，通过举办多重主题活动、美食音乐节、文创集市等活动，持续4个月高人气、高流量的氛围，累计接待游客80余万人，运营收入2000万元左右。高起点建设"前·海"旅游驿站，推动旅游产业振兴。"前·海"旅游驿站是科右前旗落实盟委实施科右前旗和北京海淀区长期战略协作的重要举措，聘请专业设计团队进行布展设计，同时启动项目楼主体收尾工程。力争成为兴安盟内集旅游宣传展示、旅游集散与服务、旅游商品售卖、民族手工艺品"制作+体验+展示+销售"及人才培训等功能于一体的服务型驿站。

（李健红）

融媒体中心
（广播电视 互联网信息）

【概况】 科尔沁右翼前旗融媒体中心隶属于中共科尔沁右翼前旗委员会，是直属正科级公益一类事业单位，业务由中共科右前旗委宣传部管理。融媒体中心按照"资源通融、内容兼容、宣传互融、利益共融"的工作思路，积极探索传统媒体与新兴媒体的综合运用，在实践中坚持融合、发展、管理并进，不断提升新闻信息生产、传播、服务能力，有效推进媒体深度融合，全媒体聚合共振，更好地发挥舆论引导功能，真正实现"一次性采集、多渠道发布、快速度传播、广覆盖受众"融合发展，重新设置包括办公室、汉语编辑组、蒙古文编辑组、通联组、网络技术组、应用服务组、广告组在内的七个内设机构，清晰各内设机构的职能职责。

【电视新闻方面】 2022年，结合全盟和旗委、政府中心工作部署，围绕兴安盟20条产业链、重大项目、两个打造、"五立一改"兴安行动、乡村振兴、四乡工程、"晓景"计划、"三色旅游"等，开展重大主题、重大活动、重大战役的宣传，精心策划推出《启航新时代 奋斗新征程·非凡十年》《聚焦抗疫一线》《"五大起底"行动》《"晓景计划"在前旗》等31个专栏。依据"生态优先，绿色发展"主题策划拍摄采写的2022兴安盟那达慕、大花杓兰主题的新闻在CCTV13播出，时长近10分钟；拍摄采写关于学习党的二十大精神相关报道，在内蒙古电视台及奔腾融媒播出7条。

— 267 —

围绕最美边境线、重大主题、乡村振兴、晓景计划等,在中央主要媒体发布164篇,在自治区主要媒体发布732篇,在《兴安日报》发表新闻稿件937篇。

【新媒体方面】 先后推出《今天我出镜》《"晓景计划"在前旗》《沿着公路去旅行》《探寻之旅》《非凡十年》《千位名人赞前旗》《五湖四海前旗人》等10余个专栏。其中,《沿着公路去旅行》栏目得到盟委书记的高度赞扬。累计制作发布图文稿件6500余条、视频980余条,累计浏览量超1000万人次。向学习强国、新华网、人民网等上级媒体发布稿件93条。学习强国平台发稿保持在2022年度全盟排名第一。联合上级媒体,围绕全旗大型节庆活动开展专题直播,全年共开展直播58场次,累计观看量近1.23亿次,爆款视频频出,斩获5万+、10万+、100万+观看量的作品近40条。"多彩前旗"App在中心全体人员的共同努力下,新增用户23653人,在全区"草原云"旗县级客户端融媒指数排行中连续多期获得周用户第一名。

【蒙古语宣传】 围绕重点工作,在"魅力札萨克图"蒙古语微信公众号开设《乡村振兴》《我为群众办实事》《以案说法》《非凡十年》《疫情防控》《青山绿水》等9个栏目,全年共发表131条。通过"以案说法"栏目发表法律相关稿件30余条,普及法律法规知识,提高民族地区干部群众法律意识。通过多渠道广泛宣传报道党和国家在少数民族地区经济社会发展的相关方针政策,推介地方经济、政治、文化、社会、生态建设等各领域发生的新变化。短视频《礼物》获中国少数民族新闻三等奖;短视频《琴事》获全国短视频大赛优秀奖。《石利彬:村民的"医"靠》先后获得内蒙古首届短视频创新创意大赛最佳传播作品、内蒙古首届短视频创新创意大赛优秀作品"草原云"全区旗县级融媒体中心2022年上半年三等奖、"喜迎党的二十大 我们的新时代"——第四届"三月三"网络短视频大赛三等奖和网络短视频大赛最具人气作品奖;《孙慧敏丨我和我的警犬"兄弟"》获得2022年第二季度网络视听节目季度推优作品;《大山深处的守望》获得兴安盟"优秀融媒体作品";《八月,来内蒙古兴安盟"看海"》获得"共建清洁美丽世界·亮丽内蒙古"主题摄影评选活动三等奖。

【疫情防控】 编辑记者全员深入抗疫一线策划采访,通过电视、新媒体平台及时发布疫情动态、宣传抗疫部署、科普防疫知识,为公众战胜疫情提供有力的舆论支撑和强大的精神动力。先后推出《主播说防疫》《防控疫情 我们"童"行》等专题视频。共推出疫情防控图文560余条,视频110余条。

【宣传党的二十大精神方面】 融媒体中心作为党的重要舆论阵地,在学习宣传贯彻党的二十大精神中,承担着双重任务,一方面,要带头把会议精神学习好、研究好,另一方面,也要把会议精神宣传好。中心结合科右前旗特点策划一系列学习宣传贯彻党的二十大精神的新闻选题,同时,通过开设《喜迎党的二十大》《庆祝二十大》《党的二十大精神》《学习贯彻党的二十大精神》等专栏,集中推出一批有深度、有分量的理论文章、新闻报道,多层次、多角度宣传党的二十大精神。

(白莹莹)

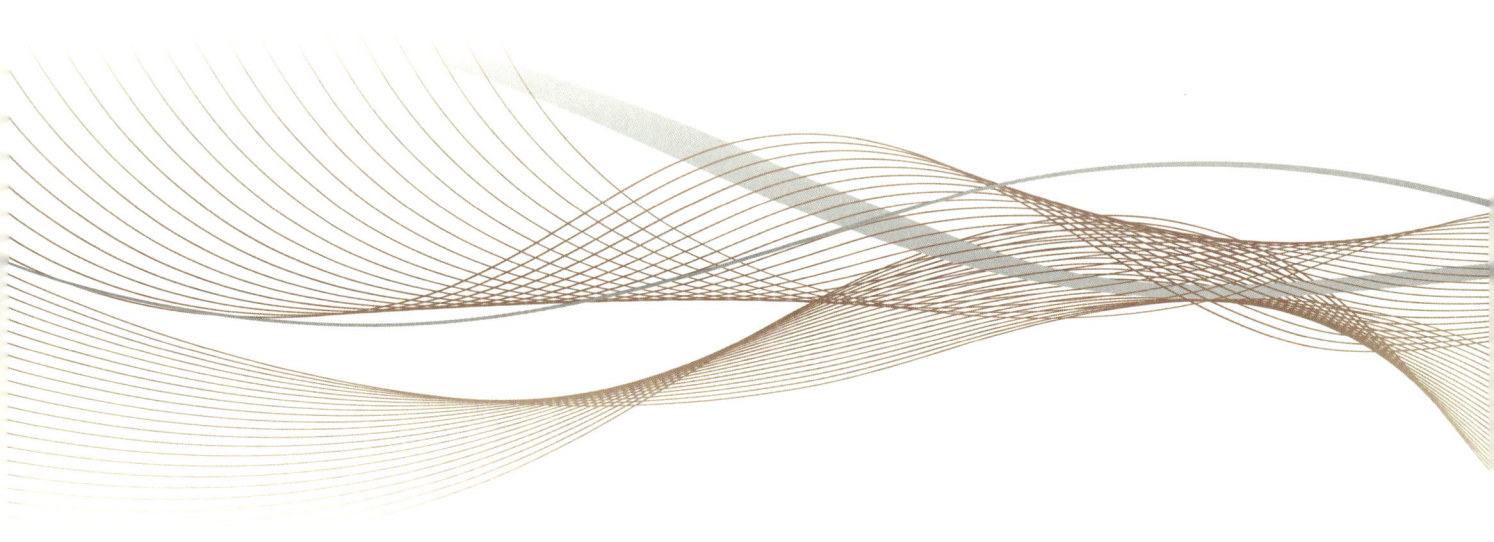

卫生健康

卫生健康

【概况】 科右前旗卫健委是旗政府工作部门，属正科级，加挂爱国卫生运动委员会办公室、蒙中医药管理局牌子，下设综合办公室、疾病预防控制股、医政医管和卫生应急股、基层卫生健康和食品安全与药物政策股、法治和综合监督股、蒙中医药股、规划信息股、妇幼健康服务股、计划生育家庭发展股、宣传股、机关党委等。

【健康前旗建设】 创城工作中已组建健康前旗行动推进委员会，制定17个专项方案，将健康融入所有政策，举办健康教育"六进"宣讲活动1399场，惠及百姓25216人，完成2022年盟级居民健康素养监测项目二审工作；推进爱国卫生专项行动，城乡环境卫生集中整治和病媒生物防治清理垃圾8774立方米，重点场所投放鼠药1156.4斤、设置捕鼠工具2637个；开展以健康为主题系列宣讲活动10余次，发放卫生健康宣传品4000余份。完成科右前旗64家党政机关无烟单位创建工作。

【疾病预防和公共卫生服务】 2022年，科右前旗无甲类传染病发生。全旗布病阳性患者较2021年同期相比下降25%。艾滋病干预、监测及检测持续进行，无失访病例，抗病毒治疗率100%；全旗所有接种单位常规疫苗接种率均超过90%以上，完成国家要求的90%接种率目标；截至2022年11月30日科右前旗在管严重精神障碍患者1484人，面访率99.46%、服药率96.97%。按时完成科右前旗2021年度心血管病完成长期随访调查和干预项目，随访率答102.1%，人口死因监测报告及时率100%。肺结核患者和疑似肺结核患者的总体到位率为97%。1—6月孕产妇健康管理率93.17%，孕产妇健康管理建册率94.57%；住院分娩率达100%。无孕产妇死亡；2022年1—6月活产数820人，新生儿访视数803人，访视率达97.93%。0—6岁儿童健康管理率达82.27%；新生儿死亡0人，死亡率0‰。完成免费宫颈癌筛查10002人，完成免费乳腺癌筛查9993人，预防艾滋病、梅毒和乙肝母婴阻断项目免费筛查2423人；卫健委已组建家庭医生团队102个，已完成常住人口签约145541人，签约率49.34%；重点人群签约97376人，签约率77.54%；脱贫人口签约18786人，监测人口签约2967人，做到应签尽签。

【医疗服务】 一级实验室完成备案22个，备案率88%，城乡每万名居民拥有6.06名合格的全科医生，全旗有非营利性医疗卫生机构268所，卫生技术人员1335人，每千常住人口卫生技术人员为3.81人；编制床位1246张，基层医疗卫生机构保证1所卫生院至少有1名全科医生；累计派出60名医生到兴安盟人民医院、北京海淀区医院进修培训学习，北京海淀区医院派驻6名专家来科右前旗开展1年的帮扶工作；科右前旗人民医院完成三大救治中心建设工作，在评估复核工作中是自治区唯一一家复核成绩全部优秀的单位；推进新HIS系统，完成专线安装工作并启用，稳步推进科右前旗DIP支付方式改革工作。

【中医药(蒙医药)振兴行动】 推进中医(蒙医)治未病健康工程升级，旗蒙中医院已完成挂牌，设置康复科，开展康复医疗服务。基层医疗卫生机构中医馆(蒙医馆)提供蒙中医药服务达100%，100%的社区卫生服务站和37%的嘎查村卫生室提供规范的中医药(蒙医药)适宜技术和健康服务。完成西学中报名22人，蒙中医类别定向生申报2名，报考蒙医类中高级职称7人，完成第一批蒙中医确有专长医师注册5人。

【卫生行业综合监管】 行政执法主体资格确认工作，重新梳理权责清单998项(其中行政处罚588项、监督检查63项、行政强制12项、行政许可13项、行政确认5项、行政奖励17项、行政给付4项、行政裁决1项、其他行政权力1项)，开展生活饮用水、学校卫生、传染病防治等监督检查523户次，检查医疗机构257户次、公共场所237户、病原生物实验室53户次、接种点32户次、学校托幼机构167所，下达监督意见书661份。

【"一老一小"服务】 投入2.49万元为全国示范性老年友好型社区碧桂园社区购置老年人专用设备；组织开展打击整治养老诈骗专项行动，发放各类宣传册15500份；完成17家乡镇卫生院与辖区内39个幸福院的《医疗服务协议书》的签订工作。新发展8家基层卫生院开展"老年友善医疗机构"创建工作；医疗与养老机构签约服务率100%。养老机构护理型床位占比为50.7%，生活不能自理特困人员集中供养率已达到66%；共有注册、备案的托育机构11个。可提供托育服务的机构21个，可提供托位971个，实际收托婴幼儿345人。计划生育特殊家庭"三个全覆盖"落实率达100%，旗域内居住特殊家庭成员的家庭医生签约率为100%；根据计划生育统计报表显示，截至2022年9月30日，全旗居住人口310113人，全年出生人口1587人，人口出生率为5.16‰，发放计划生育特殊家庭一次性扶助金28.94万元；2022年计生协申报自治区级"计生特殊家庭帮扶项目"；发放生育关怀公益金资金28.1021万元；全旗参保计划生育家庭系列保险覆盖人群为4061人，参保金额299350元；为49周岁以上失独家庭230人购买共计2.3万元的住院护理补贴保险。

【职业病防治】 2022年，有职业病危害因素企业单位申报率97%。职业病危害重点企业22家。无职业病例发生。完成职业危害因素监测任务34家，完成率103%；尘肺病主动监测任务400人已全部完成；职业健康核心指标个案报告工作任务完成率100%；布病专项治理中与11家屠宰养殖企业与职业卫生技术服务机构签订职业病危害因素检测合同；职业性布病健康体检已全部完成；对374家企业单位进行职业病危害专项治理调查，违规企业已建立台账并开展治理。

【营商环境】 46项政务服务事项全部入驻政务服务局审批大厅集中办理；深化"蒙速办·四办"服务，从业人员健康证办理实现"一网通办"，全旗办证14529份，出生医学证明实现"一次办"事项，下放乡镇服务受理事项共四项。落实一站式服务和承诺制等便民措施，完成生育登记1668人。关注集约化平台，及时答复群众咨询。

2022年群众咨询满意度100%。12345热线服务处置投诉、咨询事件80件,多次在盟12345热线办和前旗12345热线办的月通报和季度通报中做到响应率、处置率和满意率100%。

【疫情防控】 2022年科右前旗全面妥善处理新冠阳性病例。截至2022年年末,针对风险人群进行流调累计10157人次;累计消杀675次,消杀面积47.3万平方米,预防性消毒、终末消毒技术指导147次;应检尽检核酸检测41.29万人次,环境检测21556份,在全旗设置709处固定核酸采样点,匹配850名核酸采样人员完成数轮全员核酸采样工作;2022年累计派出150余名卫健系统工作人员前往吉林、呼和浩特、二连浩特、呼伦贝尔、赤峰等地进行疫情援助。推进疫苗接种工作。严格医疗机构预检分诊,首诊负责,规范院感防控;疫情防控培训,集中隔离点房间改造指导100余次。制定中医药(蒙医药)预防干预药方,为集中隔离场所、公共卡点工作人员及隔离人员提供1000份"那格布-9"香囊。

【乡村振兴】 健康帮扶工作,继续实行先诊疗后付费政策,建立健全防返贫监测和帮扶工作机制。2022年新增大病排查382人,纳入大病救治73人,全旗有监测对象3271人,已签约2765人。京蒙协作工作,2022年海淀区共派驻10名医生到科右前旗开展技术帮扶工作。科右前旗派出16名专业技术人员外出进修学习。开展"三服务一促进"干部人才"组团式"帮扶以来,科右前旗人民医院拓展医疗业务范围,提升常见病多发病的诊疗能力、危重症患者抢救能力。四乡工程,完成2022年20名财会人员的公开招聘任务;联合盟直医疗机构医师下派,组织二级以上医疗机构下乡义诊14次,共服务1500余人次;与长春恒康中医医院签约成功,达成为科右前旗提供远程诊断、线上培训、专家义诊等服务事项的约定。中办整改工作,经核查2022年全旗易地搬迁人口共有2447人,参保率100%。

(张 岩)

苏木乡镇　中心

乌兰毛都苏木　　额尔格图镇
阿力得尔苏木　　察尔森镇
桃合木苏木　　　归流河镇
巴日嘎斯台乡　　大石寨镇
满族屯满族乡　　德伯斯镇
科尔沁镇　　　　索伦镇
俄体镇　　　　　绿水种畜繁育中心
居力很镇

苏木乡镇　中心

乌兰毛都苏木

【概况】 乌兰毛都苏木位于内蒙古兴安盟科右前旗西北部，西与锡林郭勒盟东乌珠穆沁旗和兴安盟科右中旗接壤，南与前旗阿力得尔苏木相邻，东和北与前旗满族屯满族乡相连，总占地面积2408平方公里。全苏木辖6个嘎查1个社区，共有1240户4992人口。其中，蒙古族占96.8%，汉族占1.7%，满族、达斡尔族、朝鲜族、鄂伦春族、锡伯族和佤族占1.5%。地形地貌属山间草甸丘陵草原（杭盖草原），可利用草牧场面积为18.87万公顷，森林总面积1.88万公顷。支柱产业为畜牧业，全苏木有牧业点671个，全苏木大小牲畜存栏数达38.2万头（只）以上，2022年度农牧民人均纯收入为2.1万元。

【招商引资】 围绕盟委提出的"晓景计划"，培育出"晓景"式乡村产业发展带头人9人。其中盟级2人、旗级3人、苏木级4人。2022年苏木党委协调京蒙协作资金300万元为"科右前旗草地羊联合社"修建2万平方米集"屠宰、冷冻、仓储、包装"等一体的冷链车间。协调整合资金100万元的装修资金投入"萨日朗民族手工艺专业合作社"，通过建设刺绣基地扩大产能。截至2022年年末，乌兰毛都苏木9名"晓景"式乡村产业发展带头人共带动347户，户均增收4000元以上。

【产业发展】 2022牧业年度全苏木大小牲畜存栏达38.2万头（只），春季接羔保育率达100%；推进牲畜良种化进程，全年举办现代畜牧业养殖技术培训班8次，免费培训180余人次，全苏木西门塔尔等良种牛改良率达到90%以上，传统优质大尾羊占比达70%，杜泊、萨福克等良种羊改良率超过28%；落实蒙古马保护项目，安装芯片435匹。苏木政府、兽医站与防疫人员层层签订《防疫责任状》，春秋两季防疫密度均达到100%，全苏木境内未发生重大疫情。投资150万元新建勿布林嘎查良种母牛繁育基地，投资120万元新建白音居力合嘎查生态畜牧养殖基地。投资800万启动并实施草地羊冷链物流中心建设项目，加快畜牧业产业发展步伐。

【乡村振兴】 共开展4次动态调整工作，并于第一季度识别监测户1户1人，第四季度识别监测户1户4人，做到应纳尽纳。推进"四乡工程"建设，形成"能人返乡促创业、市民下乡促消费、干部到乡促提升、企业兴乡促发展"的良好氛围。2022年实施乡村振兴重点项目共计11个，总投入2650万元。其中，京蒙帮扶资金建设项目2个，共计1320万元；乡村振兴衔接资金项目8个，共计投入1260万元。街镇帮扶资金项目1个，共计70万元。

【特色小镇】 2022年6月承办2022·金马鞍风景区开园仪式暨乌兰毛都草原牧民那达慕；2022年8月成功承办第九届内

蒙古自治区乌兰牧骑艺术节暨2022·兴安盟那达慕，开幕式当天旅游人数突破17万人次，实现旅游收入6千万元。大型灯光秀、水上乐园、马戏团、飞行体验等游玩项目，吸引众多游客前来打卡，已成为全区全域旅游的打卡胜地。重新打造新时代文明实践所，为苏木新时代文明实践活动搭建有力平台。召开全区学习强国现场会。以铸牢中华民族共同体意识为主线，聚焦"三学一创铸同心"方法举措，借助"逐梦乡村 我们的舞台"农牧民文艺活动，积极开展"中华文化大家学""听党话、感党恩、跟党走""国通语假日课堂"等"石榴籽同心筑梦"主题系列活动。聘请音乐家齐峰为勿布林嘎查"文化村长"。中国传媒大学《知味兴安盟》栏目组在乌兰毛都苏木拍摄札萨克图婚礼，"央媒转文风、大美兴安行进行式"主题采访团采访报道乌兰毛都苏木生态旅游产业，《欢乐城市派》栏目组拍摄的乌兰毛都蒙古博克、马鞍制作节目和《乡村振兴中国行》栏目组在乌兰毛都苏木拍摄的"农牧并举、兴业安民"等节目陆续在中央2台、中央3台和自治区各有关媒体播放，那达慕大会、札萨克图刺绣、札萨克图马鞍制作等独具乌兰毛都草原民俗文化不断亮相新华网、人民网、中国网草原频道等主流媒体。内蒙古广播电视台《美丽乡村》栏目组播放以乡村振兴为主题系列节目《乌兰毛都的夏天》，使乌兰毛都草原旅游品牌逐步形成，乌兰毛都草原"四季沉浸式乡村旅游"名片已然形成。完成全国人大、全国政协、国台办、浙江省人大、贵州省政协等国家级各级领导及自治区党委孙绍骋书记、王莉霞主席来兴安盟调研的工作任务。

【生态环境】 落实草原生态奖补、草畜平衡政策，在白音居力合嘎查，敖力斯台嘎查草原保护沙化地治理6666.67公顷，围封6666.67公顷、12万延长米。乌兰河嘎查草原生态保护围封200公顷，草原执法大队常态化巡逻，控制饲草料地种植面积和种植经济作物行为，大力推进草产业试点工作，2022年培育科尔沁右翼前旗敖包山农牧业专业合作社理事长海双山为代表的草产业发展领军人才，巩固退耕还草项目成果，全面落实推行河长制、林草长制和路长制工作，完成阿日扎拉嘎河河道治理工程。投入60万元对勿布林嘎查至乌兰河嘎查河道进行全面清理，把河长制工作落到实处。启动实施乌兰河嘎查至科右中旗扎木沁管理区34.4公里的旅游公路建设项目。完成苏木辖区以案促改25家农场乱开荒地块及违规违法破坏草原林地专项整治行动疑似图斑的整改恢复工作。违法违规用地"百日攻坚"整治工作中共涉及19块图斑。16块图斑已整改完成，剩余3块图斑在办理组件报批手续，做到坚决守住保护草原生态红线。推进人居环境卫生治理工作，开展为期两个月的人居环境卫生整治月、"五一"劳动周、爱国卫生月和百日攻坚等活动，坚决做到"五清""五有""五化"。

【基础设施】 重视"一老一小"工作，配合旗教育局，提升教育教学质量，为乌兰毛都中学、乌兰毛都小学及乌兰毛都幼儿园师生提供更好的工作和学习环境。投入10万元改造提升老年体协活动室和办公室等场所。

【医疗卫生】 面对新冠疫情蔓延的严峻形势，全面做好新冠疫情防控工作，进一步增强乌兰毛都中心卫生院的基本医疗和公共卫生服务能力。

【社会保障】 完成城乡居民养老保险2900人，劳动力转移输出320人次，免费技能培训110人次以上，新农合参保率达90%以上；实施农村育龄妇女健康检查和全员人口信息化建设项目，提高育龄群众的生殖健康水平。做好民政工作，及时发放低保户补贴、五保户补贴、临时救助等各类补贴资金。

【基层工作】 2022年7月17日，在金马鞍景区开展民兵骑兵连军事训练，提高基干民兵应急能力；苏木司法所、综治办对2022年排查出的10余件各类矛盾纠纷全部调处，命案防控、信访维稳、普法、反邪教等工作有效开展；在进一步加强基层干部队伍建设的同时，统战、团委、妇联、工会、统计、科技、老年体协、关工委等各项工作也取得进步。

（哈斯塔娜）

阿力得尔苏木

【概况】 阿力得尔苏木地理坐标为东经120°51′~121°20′，北纬45°98′~46°32′，位于科右前旗西北部，行政区总面积1265.8平方公里，辖19个嘎查2个社区74个自然屯，总人口12577户31928人（常住户7701户、常住人口21665人）。耕地3.13万公顷，其中牧草种植面积7333公顷。林地4.8万公顷，草牧场7万公顷，是科右前旗最具典型的半农半牧区。交通区位方面，阿力得尔苏木呈现出"一个中心、两区交织、三河交汇、四路交叉"的布局特征，即科右前旗西北部农畜产品集散中心；也是科右前旗农区和牧区之间的农牧过渡带；辖区阿力得尔河末端、乌兰河末端、归流河源头三河交汇；霍阿一级公路、乌阿一级公路、省道309突泉至扎赉特旗新林旅游线路、乌锡铁路四路交叉。苏木境内有火车站3处。现代化的公路网络基本形成，以阿力得尔苏木为中心，向东至乌兰浩特、向南至突泉、向西至霍林河、向北至阿尔山半径距离约140公里。阿力得尔苏木毗邻阿尔山、乌兰毛都草原等旅游景区，北部与3个牧区接壤，南部与全旗粮食产区相邻，运输流转功能突出，是沿线旅游的中间节点，也是科右前旗西北部重要的农牧业生产资料供应地。农牧业方面，全苏木牛羊存栏50万头（只），农牧结合户达85%。粮食产量稳定在2亿公斤左右，2022年出栏牛羊30余万头（只）。辖区有优牧草业和河南天星园马铃薯深加工基地2家龙头企业，饲草储备库占地10公顷，规模化养殖场7处，具备带动周边地区农牧业产业的硬件基础。文化旅游方面，阿力得尔苏木历史脉络悠远，具有契丹岩画、喇嘛洞、金界壕、海力森百年古榆、归流河源头等旅游资源。

【农牧业】 种植优质玉米2.07万公顷、杂粮杂豆2666.67公顷、马铃薯1733公顷、牧草6666.67公顷、中药材66.67公顷，2022年产优质饲草4.2万吨。落实大豆玉米带状复合种植项目377.6公顷。加强黑土地保护力度，落实免耕项目1.6万公顷，落实深松整地项目966.67公顷。畜牧业生产稳定向好，存栏优质肉牛5万头、肉羊45万只，免疫密度达100%。全域推广"户户养畜"舍饲肉羊养殖，辖区新增舍饲寒羊5000只，新打造舍饲养殖专业自然村2个。全力推进"肉牛倍增计划"，获批肉牛贴息贷款7300万元，新购优质肉牛6000余头。林果经济方面，苏木有5333公顷经济林持续产出效益，其中山杏4666.67公顷、沙果666.67公顷。落实防汛抗旱、防灾减灾、森林防火等工作，农牧民群众生命财产安全得到有效保障。

【项目建设】 启动实施旗级重大项目草业园区一期工程建设,完成投资7500万元,建设集运输、加工、仓储于一体的大型饲草驿站,园区内已经引进7家国内草产业龙头企业。其中,科塔公司是从北京引入的唯一一家"中科羊草"种子加工生产销售公司,与中国科学院植物研究所签订合作协议,意味着全国产出的中科羊草种子,均会回流到阿力得尔草产业园区,对兴安盟乃至北方地区的盐碱地改良、退化草地修复、荒漠化治理、草种基地建设等重大工程具有重要意义。优牧草业注资420万元,扩建翁胡拉草库二期厂房。天星园马铃薯深加工基地投资1000万元,扩建淀粉深加工和污水处理建设。

【生态保护建设】 新造三北防护林300公顷,村屯绿化4000延长米。中办督查、中央生态环境保护督察及"回头看"反馈问题全部整改,上级下发的各类图斑任务,全部销号完毕。严格执行封山禁牧和草畜平衡制度,辖区境内所有无证临时牧点和私搭乱建等违法建筑全部拆除。严厉打击露天焚烧秸秆违法行为,秸秆禁烧工作在全旗排名第一,农业面源污染有效防治。严格落实河湖长制、林草长制,做好补植抚育、防火防汛和项目区管护等常规工作。常态化开展人居环境整治,集中拆除本街街面私搭乱建,辖区21个嘎查村、社区,全部建立"村两委包片""党员包街""保洁员一岗双责"的三级网格管理机制。全苏木累计投入资金320万元,清理各类垃圾杂物近7000立方米,70%的村屯路面两侧,均用风化砂铺垫路肩,辖区76个村屯存量垃圾全部清仓见底。2022年6月,成功召开"全旗农村牧区人居环境集中整治行动现场观摩会"。开展"十星级文明户""美丽庭院"创建,评选示范户146户。推行"积分银行"模式,9个嘎查村设立积分兑换超市,打通乡村治理体系新路径。

【乡村振兴】 季度开展动态调整,分类精准落实帮扶措施,2022年共新识别监测对象21户58人,监测对象风险消除31户76人。完成43户危房改造任务。开展扶贫资产后续管理工作,修订完善资产清查"三本账"。集体经济连年递增,辖区19个嘎查村集体经济收入平均达到56.2万元,其中大窝堡村、光明嘎查突破150万元。依托"四乡工程"和"晓景计划",各村产业进程取得实质性进展,混都冷嘎查1名村民,投资60万元发展舍饲寒羊养殖,重点改良杜泊、萨福克品种,有基础母羊400余只,带动37户群众发展舍饲养殖;盟药材协会投资200万元在大窝堡村建设育苗基地5.53公顷;拉斯嘎嘎查招商引资1000万元,土地流转166.67公顷,发展"中草药+旅游"产业;翁胡拉草库收储优质牧草1万吨;双发村肉牛产业规模壮大;红光特色马产业纯收入25万元;复兴村甜菜育苗基地,订单甜菜66.67公顷,累计创收60万元;混都冷蔬菜电商注资86万元扩大生产规模,2022年处理蔬菜300吨,烘干成品40吨,2022年销售额突破170万元;西合力木野山菌打造本地绿色农畜产品品牌。订单经济方面,苏木协调万佳集团、盟药材协会以及辖区各类合作社通过土地流转、订单回收等方式,发展紫苏、桔梗、党参等"订单中药材"15.33公顷,发展"订单糯玉米""订单南瓜""订单卜留克"20.33公顷,共计带动订单庭院经济760户,累计创收达500万元以上。完善易地搬迁后续扶持,投资300万元实施幸福院太阳能集中供暖项目。京蒙协作持续深化，申请160万元实施树木沟社区亮化工程，新建路灯250盏。北京中关村社会捐赠8.3万元。投资390万元，建设光明人畜分离养殖小区。投资105万元，建设翁胡拉高标准采摘园23公顷。落实土地增减挂钩项目31.27公顷，争取资金2400万元。2022年共实施阿力得尔苏木电子商务服务中心、草产业园区道路建设、海力森二队污水管网、安全饮水等14个乡村振兴项目，共争取衔接资金5667.65万元。苏木制定《乡村未来十年用地规划》，包括各村养殖设施用地、民生生产、旅游用地等相关项目的范围坐标和选址面积。

【民生改善】 协调化解本街楼盘复建开发事宜，解决15户群众多年来的急难愁盼问题。苏木成立社区供热管理委员会，采取"定温不定量"的办法，由社区居民自主监管燃煤量、均摊供热费用，妥善解决农村牧区冬季供暖民生大事。持续深化厕所革命，完成户厕整改281户。保障群众温暖过冬，发放平价暖心煤1万吨。民生领域累计支出各类救助、补助资金8346万元。2022年对590名急难对象，发放临时救助117.18万元。新纳入低保153人，实现应保尽保。提高残疾人生活保障水平，全苏木困残405人、重残213人，新配发无障碍辅助器具40余件，发放残疾优抚对象抚恤和生活补助金74.16万元。申请红十字会人道救助金4人。冒领死亡人员养老金16人、追缴5.3万元。组织"喜迎二十大 振兴正当时"等群众文化活动10余场，荣获旗政府颁发"红色文旅嘉年华"红歌二等奖。树木沟学校被评为"旗级教学质量优秀学校"。支持帮助就业创业，录入劳动就业经办子系统1万余人。优抚安置有序推进，乡村两级退役军人服务保障体系实现全覆盖。2022年6月，召开"全旗民兵整组点验现场会"。

【文化旅游】 海力森百年古榆民俗旅游度假村进入试运营阶段，投资2500余万元，修建老榆树公园、改造民宿、给排水一体化、集贸市场建设等，将海力森打造成为过境游、周边游的新晋网红打卡地。

【平安建设】 定期开展安全生产监督检查，强化对道路交通、食品药品、建筑施工、学校企业、废弃矿坑等重点行业领域，风险隐患排查治理，从目标任务、责任范围、检查频次、检查内容作硬性规定，安全生产形势平稳。2022年7月召开"全盟基层市场监管所标准化建设现场会"。深化市域社会治理现代化试点，抓实命案防控工作，制定《命案防控责任清单》，明确各地各部门职责，排查矛盾纠纷79件，化解率达96%。对涉法涉诉人群严格落实"五包一"责任，重点人员动态管控到位。巩固扫黑除恶斗争成果，以综治宣传月、"七五"普法等活动为载体，深化普法宣传教育。高度重视信访维稳工作，落实领导带头接访和包案制度，进京赴区等各级信访人员、信访总量均稳步下降。推进法治政府建设，"蒙速办"App注册率达93%。司法启动"万名律师进乡村"服务活动。

【人口】 2022年出生251人，发放奖励扶助、特别扶助、独生子女补助合计256820元。

【教育】 有中学1所、九年一贯制学校1所、小学1所，有在校中小学生2205人、中小学教职工275人。

【卫生】 有阿力得尔、树木沟卫生院2所，医护人员72人，急救车2台，X光机、B超机、心电图仪等常用设备齐全。有村级卫生室19所，合作医疗定点卫生室19所，村医19人。

【疫情防控】 适时调整疫情防控策略，严格落实临时静默期间各项管控措施，防疫物资储备充足。社会面持续严管严控，常态化做好返乡人员排查和商户管理。疫情防控期间，累计开展14轮全员核酸检测，辖区常住人口做到应检尽检。落实好呼市返乡大学生闭环转运、居家隔离及健康监测等工作，坚守住三年本地无"疫"底线，保障人民群众生命健康安全。

（徐　克）

桃合木苏木

【概况】 桃合木苏木位于科右前旗西北部150公里处，辖桃合木、照日格图、阿其郎图、合力木、好力保、乌申一合等6个嘎查，5个直属单位。总面积2300平方公里，总户数1704户，总人口4791人。有汉族、蒙古族、满族、朝鲜族、鄂温克族、鄂伦春族等民族。共有党组织12个，党员267人，农牧民党员185人。桃合木苏木是以牧业为主，是前旗纯牧区之一，可利用草牧场10.73万公顷，林地面积1万公顷，耕地面积6242.07公顷。以畜牧业养殖为主导产业，注册成立的专业合作社有24个，养殖规模为2000只，2022年肉羊出栏在1000只以上的标准化肉羊养殖场5个。桃合木地形属丘陵漫岗地貌，气候呈温带大陆性季风气候，春干燥，夏季气温较高，冬季严寒时间长，年平均气温4.2℃，无霜期95天左右，日照充足，温差较大。

【畜牧业】 2022牧业年度牲畜总头数26万头（只），接羔15万只，成活率达到100%，牲畜防疫全覆盖。享受金融系统"诚信苏木"低利率优惠政策，近两年农业银行发放贷款近4000万元，引进优质肉牛基础母牛1500多头，实现传统产业人均80只羊、5头牛的目标。争取资金突破4680万元。协调中广核道路维修资金3000万元；争取到自治区发改委资金1000万元，修建主街道；引进中国国土勘测规划院资金600万元新建岩芯存储库2座，综合办公楼1座，建设仓储区面积5800平方米；引资北京市国有资产有限公司80万元为桃合木嘎查购买优质基础母牛27头。

【项目建设】 2022年实施项目4个，总投资7430万元。投资6000万元完成照日格图嘎查、合力木嘎查城乡建设用地增减挂钩项目，为旗政府提供建设用地指标近40公顷；争取项目资金1000万元完成乌申一合嘎查人居环境整治道路建设6.8公里；投资200万元完成好力保嘎查旅游点建设；争取"一事一议"项目资金100万元，建设集社区党群服务中心、苏木新时代文明实践所、旅游接待中心一体化服务中心400平方米；争取以工代赈资金110万元建设桃合木嘎查牧点路通往桥2座。

【草原生态】 落实草畜平衡制度草场面积达到10.73万公顷，完成有机转换认证10.73万公顷，2022年度牲畜存栏保持在26万头（只）；打储天然牧草8万吨，在满足过冬度春牧草的同时出售牧草3万吨以上，户均增收1万元，为绿色畜牧业发展提供充足的天然饲草料保障。林草领域和自然资源领域违法图斑已经全部整改完毕，4家小农场已经实现规范化管理。

【民生工作】 完成人大代表票决民生实事项目2个，分别是阿其郎图嘎查村史馆建设项目和新建桃合木嘎查牧点路通往桥项目。全年累计发放各类救助金200.76万元，其中发放202户318人城乡低保救助金173.8万元；发放临时救助55人次，发放救助金11.33万元；发放特困人员供养救助金15人11.2万元；发放残疾人两项补贴87人2.61万元；为26人发放高龄补贴1.82万元。为33名重度残疾人每个月发放护理补贴300元。加大城乡居民医疗保险和养老保险宣传和收缴工作，医疗保险参与率达到100%，养老保险参保率突破90%。

【教育卫生】 协调40万元为学校优化教学环境，实现学龄孩子零辍学率；强化卫生院嘎查卫生室管理，实现慢性病签约服务全覆盖。

【疫情防控】 坚持"外防输入、内防反弹"总策略和动态清零总方针，设置7个采样点，8个采样组，专题培训工作人员3次，组织核酸检测演练6次，开展全员核酸实战演练15轮，与辖区内超市和蔬菜店、宾馆签订生活物资保供协议，确保应急状态下生活必需品供应充足。

【人居环境】 新建垃圾填埋场1处，简易固定垃圾箱45处，改造居民垃圾箱300个，建立健全工作机制，集中整治和常态管理相结合，共清理各类垃圾1100余吨，人居环境得到明显改善。

【平安建设】 持续推进矛盾纠纷大排查大化解专项行动和重大事项报告制度"变上访为下访"，做到"小事不出嘎查，大事不出苏木"。召开维稳专题会议5次，培训2次，开展法律宣传3次，发放宣传单1500张，调解纠纷29件，调处成功13件，已答复15件。

（苏日古嘎）

巴日嘎斯台乡

【概况】 巴日嘎斯台乡位于科右前旗中西北部32公里处，省道S203线贯穿全境。是兴安盟第一个农村红色党支部诞生地。全乡辖36个行政村、3个社区105个自然屯，全乡行政区域面积1000平方公里，总户数14863户，总人口5.4万人，耕地面积3.1万公顷，草场面积1.07万公顷，林地面积2.67万公顷，森林覆盖率23%。

【农业】 全乡种植杂粮杂豆等经济作物1.14万公顷，中草药1000公顷、水稻3400公顷；依托"红巴乡绿庭院"庭院经济联合社，带动2193户发展庭院经济，实现户均增收2500元以上。

【牧业】 发挥产业施策和发展壮大集体经济资金效用，支持肉牛肉羊养殖专业合作社发展，全年累计争取资金2436.2万元，实施民发村肉牛养殖合作社扩建、永安村山洪沟治理、兴安村水美乡村综合示范等13个项目。

【旅游业】 完成科右前旗首部革命历史故事题材话剧《半扇门板》拍摄项目，全年话剧公开演出60余场（次），观看者达5万余人；探索"农旅融合"巴乡模式，投资500万元，建设占地10.67公顷的"遇见·水库"生态度假园，全年园区接待游客4万人次，带来经济效益6万元，村集体增收20万元以上，销售农副产品达60万元。

【乡村振兴】 开展防致贫返贫监测工作，全年共识别监测户121户280人，有监测户348户757人，已采取评定低保五保、发放临时救助、提供公益性岗位、代缴合作医疗、实施危房改造等帮扶措施，因户制宜消除致贫返贫风险，累计消除风险84户187人。

【疫情防控】 落实上级疫情防控工作要求，做好核酸检测、市场监管、舆论宣传、人员管控等各项工作，2022年外地返乡人员累计8245人，集中隔离209人、居家隔离517人、居家健康监测2322人、三天两检1803人，共开展全员核酸检测15轮，累计检测336318人次，接种疫苗第一针25987人次、第二针24902人次、加强针18931人次，按照上级要求，储备宾馆1个（24个房间）、平房5间，严格执行"红事缓办、白事简办"要求，取消每月赶集等其他聚集性活动，巩固"无疫旗县"成果。

【科右前旗黑豆】 野生黑豆是豆科草本植物，又称零乌豆、马料豆、野料豆、冬豆。其性状呈椭圆形略扁、黑皮、绿瓤；其性能味甘、性微寒、补益肝肾；苗期叶片略圆形、淡黄色，花期叶片椭圆、淡绿色、蓝色花，结荚期叶片淡绿色，每株5—10个荚，每荚1—2粒。野生黑豆在科右前旗被发现并利用至今已有80余年历史，其价值有以下三点，一是生物多样性价值。野生黑豆是野生大豆近亲，具有耐贫瘠，耐干旱，耐寒等特性，超快发芽（温水浸泡3小时即可出芽），同时发现部分野生植株具有一定抗药性，这会是我国大豆育种过程中不可多得的原始材料。二是药学（保健）价值。《本草纲目》载："药黑豆有补肾养血、清热解毒、活血化瘀、乌发明目、延年益寿功效。"《延年秘录》载："服食黑豆，令人长肌肤，益颜色，填精髓，加气力。"相关机理正在研究，会是较好的保健食品原料。三是环境价值。野生豆科植物可改善土质，同时调整草原野生牧草结构，提高牧草使用价值。因过去过度放牧，大量野生黑豆在草原上消失，濒临灭绝。现发现内蒙古自治区兴安盟科右前旗巴日嘎斯台乡中安村蒙古屯红花山南坡有面积近20公顷野生状态黑豆保存相对较好。科右前旗黑豆种皮为亮黑色，形状为椭圆形，其直径0.6—0.7厘米，颗粒大而饱满，籽粒均匀，百粒重约15克。

（周翠芳）

满族屯满族乡

【概况】 满族屯满族乡位于大兴安岭南麓，科右前旗西北部，西北与蒙古国有32.27公里边境线，西与锡林郭勒盟东乌珠穆沁旗交界，北邻阿尔山市，总户数1509户，总人口4480人，其中满族占36%，蒙古族占62%，其他民族占2%。于1984年建乡。全乡土地总面积4318平方公里，辖8个嘎查、1各社区、5个直属机关。

【畜牧业】 2022年，牛羊存栏稳定在42万头（只），春季接羔成活率100%。肉牛头数4.3万头，同比增长7.2%；培育肉牛养殖示范嘎查2个，发展100头以上肉牛养殖专业户45个，扶持肉牛养殖合作社8个。完成改良肉羊约15万只，改良肉牛约2万头，实现牛羊改良和本地牛羊同抓同促。动物疫病免疫密度均达到100%。全乡4.67万余公顷优质打草场和近5333.33公顷人工牧草地产量丰收。

【奶产业】 依托2.2万头乳肉兼用西门塔尔牛优势，培育标准化奶食品家庭牧场、奶食品加工合作社（作坊）25家。庭院经济方面，"特门塔拉"合作社通过联镇联村模式发展庭院经济年产值达到100万元，带动300余户，户均年增收2000元以上。品牌培育方面，培育"特门郭勒""特门塔拉""特门乌拉"等地方特色产业品牌带动全乡畜牧业发展，其中"特门郭勒"年度产值达2000万元以上，带动农牧户300余户，户均增收5000元以上。

【乡村振兴】 开展巩固拓展脱贫攻坚成果同乡村振兴有效衔接工作。在保证"两不愁三保障"的前提下，2022年通过2次全乡范围内摸底排查工作，新识别监测户6户16人，有效避免规模性返贫风险。对"十四类重点人群"随时监测，必要时先帮扶后识别，杜绝致贫返贫人口发现不及时的情况发生。2022年，围绕乡村振兴共实施重点项目9个，总投资9020万元，项目均已完工并投入使用。招商引资实施三岔嘎查赛罕森林部落房车宿营基地项目，总投资7600万元。开展人居环境整治，动员2500余人次干部群众清理垃圾1800多吨，彻底清理乡政府和8个嘎查所在地，黑羊山—满族屯—乌兰毛都—三岔—阿尔山、满族屯—特门—西口、海力斯台—瑠门台—G331等300余公里重点沿路沿线和680个牧业生产点卫生。

【疫情防控】 在抓好外防输入工作的同时，接种60周岁以上人员疫苗354针，3岁以上人员疫苗1643针。以网格化模式管理各嘎查、社区人员，42个网格98名干部做好"敲门行动"全面排查，设置8个采样点完成4318平方公里15轮全员核酸检测。

【四项亮点工作】 草原宿集项目，"南岸""大乐之野"品牌民宿已具备接待条件；"飞鸢集""西坡"品牌民宿土建部分已完成"木亚"品牌民宿主体建设中；火山酒店和河谷酒店主体工程完工。打造景区沿路沿线可视范围内44户牧户建筑外立面，改造河道1000延长米。

【乌兰毛都草原自然度假区项目】 乌兰毛都草原自然度假区项目位于科右前旗满族屯满族乡海力斯台沟境内。地处乌兰浩特和阿尔山中间位置，旅游资源得天独厚、差异化明显，是"乌阿海满"黄金旅游线路上的重要节点，必经之路，项目规划面积50平方公里。主要项目占地23.13公顷，新建和改建总面积18000平方米，项目主要建设内容共分南火山酒店、北河谷酒店及"草原宿集项目"三部分。"草原宿集项目"以引全新业态、补市场空白、树文旅品牌为目的，以委托运营方式盟旅投公司与宁夏华正文旅公司合作，引进国内著名的西坡、大乐之野、飞鸢集、南岸、木亚五家高端民宿品牌。

【警示教育基地】 满族屯满族乡瑠门台沟"两山"理论警示教育基地位于满族屯满族乡抵边区域，对生态恢复区农场1011.13万公顷乱开滥垦草原地块全部安装界桩和警示牌，安排具体监管人，杜绝复垦违法行为的再次发生，满族屯满族乡瑠门台沟"两山"理论警示教育基地通过对违法开垦地块恢复前后对比图的展示，警醒全旗上下党员干部及农牧民群众提高生态保护意识，树立绿水青山就是金山银山的发展理念。

【满蒙民俗乡村旅游项目】 满族屯满族乡乌兰敖都沉浸式满蒙民俗乡村旅游项目，本项目以狼文化体验、生态旅游、研学拓训等多项功能为一体，具有观赏性，游玩性以及教育意义的以狼为主题的综合性景区，在景区266.67公顷草场上，200匹野狼奔跑、猎食、释放野性，还承担着野生动物救助的职责,致力于为游客朋友们提供放松心情、促进感情的生态化体验,让游客们通过空中栈道与狼群近距离互动。

【图布台国家草原自然公园】 满族屯图布台国家草原自然公园总面积832.12公顷,是满族屯满族乡党委、政府启动实施的一项旗级重点工程,也是乡党委政府在我为群众办实事方面,保护原生态草原,拉动旅游经济,带动合作社发展,促进牧民增收的一项重要依托。

(萨其木格)

科尔沁镇

【概况】 科尔沁镇是科右前旗政府所在地,位于科右前旗中南部,东与乌兰浩特隔河相望,西邻巴日嘎斯台乡,南与吉林省洮南市胡力吐接壤,北与归流河镇连接。镇内交通便捷,通信畅通,省际通道、乌阿高等级公路穿镇而过,与乌兰浩特有3条高等级油路连接。全镇总面积198平方公里,辖11个行政村,35个自然屯。全镇户籍人口16649人,常住人口10178人。有汉族、蒙古族、满族、朝鲜族、回族、壮族、鄂伦春族等7个民族在这里聚居。2022年实现财政拨款收入3897.54万元。全镇农民人均纯收入达到1.77万元,脱贫户人均纯收入达到1.68万元。经济社会发展呈现出良好势头,全镇经济总量突破3.73亿元,增长6.6%。

【农业】 "三农三牧"工作精准发力。全年粮食播种面积5600公顷,粮食总产量达到0.45亿公斤。蔬菜种植面积95.67公顷,成为科右前旗环城1小时鲜活果蔬供应链重要组成部分。设施农业规模大幅提升,新建、改建冷棚和暖棚152个,1291公顷高标准农田全部开工。远新村现代农业科技园区2022年8月19日正式开园,为全盟首个现代农业科技成果集中应用和展示的农业科技园区。

【畜牧业】 牧业生产稳定发展,牛存栏3514头,生猪存栏3552口,羊存栏5.48万只,禽8万羽。肉牛贴息贷款已发放548万元,有效提升肉牛养殖主体积极性。成立兽医社会化服务三方公司。秋防工作牛羊完成95%,其中羊防疫完成5万只,牛防疫3000只。布病主动检测531只。

【林业】 完成远新村6.67公顷优质特色林果示范基地建设、远光村重点区域绿化任务33.33公顷、湖南村26.67公顷栽植文冠果栽植任务、平安村栽植高标准果树13.33公顷。柳树川村南屯全盟义务植树点共完成绿化树栽植4.7万棵。产业带头人通过"免费供苗,订单回收",在远华村完成果树栽植2000棵。完成平安村、远峰村、远大村村屯绿化工作。"前·海"青年友谊林引导形成植绿、护绿、爱绿的社会新风尚。林草专项整治、以案促改等重点工作有序推进。

【水利】 柳树川村南屯村民安全饮水工程已全部完工,共接入自来水142户。推进远峰村河道内4处违法建筑处置问题。推进各村饮用水望闻问尝查验工作。远华村检修机电井40眼,更换电表30余块。平安村给排水一体化项目实现139户417人安全饮水及生活污水处理排放一体化。柳树川村自来水工程为120户农牧户提供安全稳定饮水条件。

【应急管理】 上报冬春救助476人35.79公顷。对烟花爆竹经营单位、非煤矿山、建筑工地、"小饭桌"经营户等进行安全专项整治联合大检查。开展春节、党的二十大等节点安全生产大检查，完成专项整治检查及常规检查共12次，发现隐患15例，均已完成整改。

【乡村振兴】 乡村振兴基础持续巩固。推进健全防止返贫动态监测和精准帮扶机制，组织开展4轮大排查行动，确保"应纳尽纳""应消尽消"，截至2022年年末，有监测户50户118人，均已落实针对性帮扶措施，坚决守住不发生规模性返贫的底线。推动项目建设，2022年在平安村、远新村、远华村落地5个衔接资金项目、2个京蒙协作项目，共投入衔接资金1028万元、京蒙协作资金1799万元，已全部完工。

【民生工程】 民生工程建设扎实推进，新建供电线路28.9千米，新增变压器12台，有效提升远景等4个村、523户农牧户用电质量。远征村道路升级硬化工程完成，解决屯内道路夏积水、冬结冰的问题。

【人居环境整治】 2022年，组织党员、志愿者、公益性岗位等各类人员9000人次参与人居环境整治，出动各类清运车辆12400台次，清理垃圾2万立方米、道路320公里、河沟60公里。

【疫情防控】 持续推进疫苗接种，筑牢免疫屏障，按照旗防指要求，完成60周岁以上老人93.9%的疫苗接种任务。按政策落实盟外返乡人员排查管理，累计排查低风险返乡2000余人次，重点关注涉疫地区返乡人员600余人次，落实管控、建档立册。完成大乌兰浩特城区静默管理、优化疫情防控管理等特殊管控时间段旗防指交办任务，协调各工作组开展工作，保障应急指挥体系高效运转。

（关 虹）

俄体镇

【概况】 俄体镇位于科右前旗西南部，地处大兴安岭南麓浅山丘陵区，地理坐标为东经121°32′～121°42′，北纬45°53′～45°55′，东南与吉林省洮南市胡力吐蒙古族乡、万宝乡和万宝镇接壤，西南与突泉县永安镇相连，北与科右前旗内科尔沁镇、巴日嘎斯台乡毗邻，是科右前旗的南大门。总面积432.37平方公里，有耕地1.88万公顷，辖14个行政村，118个农业生产合作社，48个自然屯，2个社区。全镇总人口22383人，其中常住人口14057人。有汉族、蒙古族、满族、回族、壮族、朝鲜族、达斡尔族、俄罗斯族等民族。政府驻地兴安村，距旗政府30公里。驻地有党政机关、中学、中心校、卫生院、派出所、供电所、信用社、粮库、邮政支局、电信支局等单位。辖区有万顺石材厂、中国海化、中国石油、顺佳石油、天甲粉业、恒佳果业、金朋热力有限责任公司等企业。有商住楼8栋3.93万平方米。G5511高速公路横贯全境。辖区地下水资源丰富，境内有文牛格尺、高老、齐心、永远4条河流，流程62公里。气候干旱缺雨，年平均气温4℃，年平均降雨量420毫米，无霜期130天左右，日照充足，昼夜温差较大，年积温2300—2600℃。有水库两座，用于灌溉、防洪和养殖。经济以农业为主，牧业为辅，主推粉条和林果两个特色产业，素有"粉业林果之乡"之美誉。2022年完成地区生产总值3.36亿元；地方财政收入完成目标任务；村集体经济平均达22.4万元，粮食产量保持在1.29亿公斤，农牧民人均纯收入增长8.5%，达到1.37万元。

【农业】 主要农作物有玉米、

大豆、高粱、马铃薯等。2022年种植优质玉米1.13万公顷，在6个村实施新品种示范推广项目700公顷，推进5个村高标准农田项目建设1473.33公顷，粮食安全进一步稳定。

【畜牧业】 全镇畜牧养殖羊10万只，猪7000口，出栏率实现40%。全镇优质肉牛存栏6000头、达到"户均一头牛"目标，"肉牛产业再造行动"成效明显。

【乡村振兴】 开展重点排查、全面排查和重点人群排查5次，按照"应纳尽纳、应帮尽帮"原则，新识别监测户70户171人，风险再标注1户7人，风险消除2户7人。排查发现危房8栋，及时进行翻建和除险加固。

【粉业经济】 俄体镇有粉条精包装厂1家，粉业专业合作社2家，污水处理厂1处。年产粉产品120万公斤，产值2240万元以上。

【林果经济】 全镇林果面积1600公顷，其中盛果期面积达到800公顷，年产2400公斤，承办兴安盟沙果节暨兴安岭上兴安盟"小沙果大产业"产销大会。2022年恒佳果业提档创新项目促使企业年加工量提升150万公斤，扩大企业产能的同时为果农提供更大的销售保障。

【生态建设】 完成村屯造林46.2公顷，落实沙果高接换头项目8.67公顷。完成国土违法图斑整改11块，林草图斑整改54块。

【社会保障】 累计发放农村低保2983人1361.6万元、城镇低保54人45.09万元，落实特困供养和城镇三无人员137人146.74万元，临时救助158人56.57万元。发放困难残疾人补贴697人74.2万元，重度残疾人补贴301人35.47万元。

【疫情防控】 在与吉林和突泉交界村屯设置的9处防控卡点值守161天。在旗防指部署下开展全员核酸检测工作12次，转运并管控返乡高校学生及务工人员共计337人。完成60周岁以上人员接种比例达到98.24%。

【教育医疗】 中小学义务教育阶段入学率达到100%。落实"两免一补"政策1364人、"雨露计划"21人、困难大学生补助15人。落实大病集中管理制度，开展"一站式结算"服务，推进家庭医生签约9150人，办理慢病证2446人。基本医疗保险参保率99.1%，满足群众基本就医需求。

【村容村貌整治】 增设户垃圾桶4512个，垃圾临时投放点82个，安排141名党员和村民代表包街，在村屯街道明显处设置包街责任人标识牌135个，全面落实包联责任制。对2013年以来各级财政支持改造户厕1466个进行排查整改，承办全旗深入推进农村牧区户厕问题整改工作现场观摩会。

（王巧儿）

居力很镇

【概况】 居力很镇地处科右前旗东南部，东隔归流河与乌兰浩特市毗邻，南接乌兰浩特市卫东镇、西与吉林省洮南市接壤，111国道横贯全镇，白阿铁路从镇东南穿过，交通便利，通信便捷。区域范围为东经121°94′~122°17′，北纬45°93′~46°04′。辖区总面积227平方公里，辖14个行政村，2个社区，1个留守处，共25个自然屯。全镇耕地面积8000公顷。林地面积2266.67公顷，森林覆盖率为24.3%。总户数6893户，总人口19801人。境内有汉族、蒙古族、满族、回族、朝鲜族、鄂温克族、鄂伦春族、锡伯族、畲族、水族、土家族、壮族、达斡尔族、苗族、彝族、瑶族、维吾尔族、藏族共18个民族。居力很镇多为低山丘陵区，属温带大陆性季风气候。年均气温5.0℃，年均降水量442.6毫米，年均日照2875.8小时，无霜期134天。经济发展以农牧业为主。种植业以玉米、杂豆、水稻为主要作物，畜牧业以肉牛、肉羊、生猪、肉鸡养殖为主。有109个农民专业合作社，中小企业258家。

【农牧业】 生物育种项目，承接国家生物育种项目1097.4公顷，其中清种玉米1063.27公顷，带状复合34.13公顷，惠及农户710户，承接盟级以上督查10余次，旗级以上现场会20余次。物化补贴，为30户科技示范户，发放共计120袋化肥测土配方（春/秋季为旗级耕地质量检测点测土配方28次并提供施肥建议，自治区级土壤质量监测点送样4次）。水稻一次补贴，发放水稻一次性补贴184195元，惠及农户189户。实际种粮农民一次补贴，发放实际种粮农民一次性补贴三批次，累计惠及农户11880户1767124.13元。落实农业发展项目，建立红心、红忠两个百亩田示范区；红旗、红峰两个千亩方示范区，并对示范区进行无人机喷施叶面肥累计公顷数149.7公顷。赤眼蜂防治玉米螟两批次，对全镇传统品种玉米种植区进行赤眼蜂防治玉米螟虫作业，开展防治技术培训现场会一次，两批次投放共计防治面积6687.85公顷。农药肥料包装废弃物，回收农药包装废弃物150袋3125公斤有机肥堆沤还田；建立有机肥堆沤试点2个，共计建设133.33公顷有机肥堆沤还田示范区产业科技人才培训；承接旗级科技人才培训30人次，农畜产品质量安全监管；超额完成检测任务3400批次，生产/销售主体例行巡检40次。参与旗级技术培训10余次。耕地轮作，推广耕地轮作技术47.46公顷。机电井摸排整改，对全镇2015年国土项目井进行打点登记造册摸排工作，共计摸排311座，发现问题306个，并立即整改。户厕摸排整改，对全镇992座户厕进行三轮摸排整改，发现问题立行立改，并完善相关档案材料，接待旗级考核10余次。小额贷款，对脱贫户及监测户提供全额贴息小额贷款扶持，惠及农户51户，共233万元。耕地地力保护补贴，发放耕地地力保护补贴4350.37公顷，4970287.03元，惠及农户3960户。生产者补贴：发放生产者补贴4228.98公顷1594115.12元。围绕"两袋米、两头牛"，深入实施牛产业"提质增效"工程，牛存栏6932头；积极推广羊产业舍饲养殖新模式，存栏39292只；大力发展生猪养殖，存栏4505头。

【社保民生】 2022年户籍到龄人员信息采集，截至2022年年末完成任务数100%。60周岁以上开支2209人。累计开展各类就业宣传，入户发放各类宣传单，共计1500余份；利用微信等宣传手段，推送盟、旗就业岗位信息。完成全镇在编职工的基本医疗、失业等五险缴纳工作。完成退役军人、三类人员、农村社区人员、分流人员、困难大学生、临时工的社会保险缴纳工作。组织各类技能培训4班次加大对农村人力资源开发的投入，开展特色培训和对口培训，把用工需求与培训衔接起来，通过就业指导、技能培训、考核发证、推荐上岗等方式，实行先培训后输出。居力很镇2022年度城乡居民基本医疗保险参保人数为16675人，2022年发放城乡居民基本医疗保险宣传资料1000余份。

【乡村振兴】 组织村两委和驻村工作队、扶贫专干及帮扶干部入户排查核实,增加脱贫户中低保渐退人员、产业失败户、脱贫户中新增低保、特困供养人员等13类重点人群,对基础信息、收入支出、"三保障"和安全饮水现状进行逐户排查,实行"先帮扶、后识别"绿色通道的要求实行月报表制度。制定出台《扶贫资产管理办法》《项目确权、移交细则》《资产收益分配细则》《资产处置细则》等文件,指导各村制定相关文件。根据旗档案馆业务指导,按照精准识别、精准退出、精准施策、文件综合四大类共计1000余本扶贫档案整理工作,档案馆业务人员验收后移交入馆。2022年居力很镇利用乡村振兴衔接资金实施4个项目,分别为居力很镇小靠山钢便桥项目、巨心村过水路面项目、红发村过水路面项目、红十月村山洪沟治理项目,以上4个项目都已完工并验收完毕。完成中办督察反馈整改,国家乡村振兴局局长视频会支出问题整改,自治区党委督导调研整改都已整改完毕,佐证收集完整并形成档案材料。2022年的国家和内蒙古自治区考核评估整改,逐一对照反馈的问题,主动认领6条问题,并已整改完毕,形成档案材料。与北京市海淀区温泉镇是对接镇,2022年7月,镇党委书记带队去北京完成会面对接,经过双方磋商利用对接资金60万元计划在居力很镇前进村硬化水泥路1公里,已竣工投入运行。在红峰村开展庭院经济项目,庭院种植糯玉米、豆角和庭院养殖芦花鸡,共计带动种植养殖180户,投资15.097万元,种植户都已种植完毕。配备到位一台18立方米压缩车,对各村产生的垃圾进行压缩处理。全镇12个行政村配备垃圾桶2131个户垃圾收集桶,组织村两委、驻村工作队、扶贫专干等力量通过手机沃填报系统录入后台3270户,并已同步上传户内照片。

【退役军人服务】 运用微信朋友圈等有效方式开展宣传教育。在辖区的大街小巷张贴双拥宣传内容,制作上墙海报100多张,印制各种大型宣传展板20多块,发放军人保障法400份,保证辖区内各条道路,各个村都能了解到双拥工作成效。对辖区的在册优抚对象通过财政系统进行年度优抚金和部分月份的价格补贴发放,已落实到位。

(王亮亮)

额尔格图镇

【概况】 额尔格图镇位于科右前旗东部,距科右前旗政府所在地58公里。东与扎赉特旗巴彦高勒镇接壤,南与乌兰浩特市葛根庙镇、太本镇相连,西与察尔森镇、乌兰浩特市乌兰哈达镇毗邻,北与扎赉特旗宝力根花苏木相接,集阿高速、111国道贯穿全境。全镇总面积667平方公里,镇政府驻地白音浩特嘎查,辖14个嘎查1个社区,有36个自然屯。镇党委下设20个党支部,全镇党员528名。镇户籍人口18616人,常住人口15598人,汉、蒙、满、朝鲜等各族儿女共同居住,携手奋进。耕地面积约3.6万公顷;林地面积1.32万公顷,林场林业用地1.06万公顷,总计2.38万公顷;草场面积1.9万公顷,其中天然牧草地1.8万公顷,其他草地1006.67公顷。粮食作物以玉米为主;畜牧业以饲养羊、牛、生猪为主。2022年,全镇农作物共种植3.16万公顷,粮食产量1.78亿公斤,其中种植玉米2.87万公顷、产量1.72

亿公斤、每公顷产6000公斤，水稻306.67公顷、产量253万公斤、每公顷产8250公斤，杂粮杂豆2000公顷。2022年年末牲畜总头数19.88万头（只），其中肉牛5350头，马1120匹，驴482头，羊16.4万只，猪6420口。全年肉类总产量2463.4吨，其中牛肉696.8吨，猪肉499.5吨，羊肉1084.7吨。2022年，落实新品种扩繁1507.33公顷，占全旗总面积的43%，其中清种玉米974.6公顷，占全旗的28.5%；清种大豆278.07公顷，占全旗的85.3%；带状复合254.67公顷，占全旗的71.2%。

【农业】 全镇粮食播种面积3.13万公顷，有序推进生物育种试点产业化，示范种植基地示范效应显著，落实新品种玉米、大豆、带状复合扩繁1057.33公顷，占全旗总面积的43%；落实各项农业补贴和农业保险相关工作，推进项目协调申报和农田水利整改，加大农业科技学习培训力度，加强农畜产品质量监管工作，农畜产品采样和农（兽）药残测卡化验3605次，巡查每月2—3次。

【畜牧业】 以111国道为界，构建"南猪北牛"产业发展新格局，推进肉牛扩群增量提质增效。在111国道以南嘎查，依托华西希望德康集团规划建设百万头规模化生猪养殖产业园；在111国道以北嘎查，依托伊利集团规划建设奶牛养殖产业园，好田扎拉嘎嘎查伊利悠然牧场和努布企嘎查中博农牧场已正式投入运行，奶牛存栏量近3万头；新艾里嘎查修刚云端牧场项目建设有序推进；落实"村权户养"肉牛养殖项目，涉及图门、六合、兴牧三个嘎查，总金额450万元，每年增加村集体经济7.5万元，农牧民收入人均增加2000元；已完成北安肉牛养殖项目建设，规模可达400头，切实推进肉牛养殖提质增效。

【特色产业】 采取党支部引领的"龙头企业+专业合作社+中药材基地+农户"运作模式，实施林药间作面积达933.33公顷，以额尔格图林场为主，辐射8个嘎查100余户，种植苍术、板蓝根、桔梗等13种药材，实现生态效益与经济效益双赢；完成白音浩特嘎查中药材种植示范园建设。

【人居环境】 牢固树立生态优先、绿色发展理念，深入推进大生态战略行动，加强环境保护和生态建设。开展农村人居环境集中整治专项活动，以"五清"为重点，"五有"为要求，"五化"为目标，有力形成"支部引领、党员带头、群众参与"的共治氛围；切实巩固破坏草原林地违规违法行为专项整治行动成果，深刻吸取以案促改工作教训，壮大集体经济；严格落实"河长制"，坚持一河一制制度、每周定期定点巡河，实现防汛及时、清理彻底、管理到位；稳步推进农村"厕所革命"，完成15个嘎查和社区共计1301户摸排工作，整改户厕问题户数222个，有效改善村民生活环境；抓好秸秆禁烧管控和综合利用工作，六合嘎查秸秆转化厂建设并投入生产，持续加快建成宜居宜业和美乡村。

【城镇建设】 扎实推进优然牧场好田扎拉嘎嘎查连接路、新艾里好田嘎查联通桥、白音浩特嘎查街巷硬化、扎格斯台嘎查街巷硬化、111国道改善提升，共完成投资5018万元，建成长52米、宽8.5米4孔桥一处，建成道路里程25.7公里；人大代表票决的民生实事项目全部竣工投用，共完成投资40万元，建设长寿山生态治理公园1处和镇区连接路亮化路灯30盏。统筹相关资金，抓好用煤储备，全力做到采暖期暖气不停供，为群众发放暖心煤，累计运载63车，发放1111户2037.71吨。

【乡村振兴】 持续巩固拓展脱贫攻坚成果，做好防返贫监测工作。2022年通过4次动态调整，新识别监测户11户31人，风险消除2户5人，全镇有脱贫户163户362人，监测户39户99人；推进稳岗就业政策落实，发放稳岗补贴8人，提供公益性岗位68个；推进肉牛再造行动、小额贷款发放及村权户养等，推动群众收入稳增，坚决守住不发生规模性返贫底线；深入挖掘培养三级"晓景"式人才21名，辐射带动农牧户1193户，带动群众增收近1000万元，助推全镇村集体经济提质增效；坚持"分类施策、分村指导、整镇推进"思路，14个嘎查集体经济收入全部超过10万元，其中百万元以上2个、50万元以上4个、20万元以上6个。全面推进乡村振兴，通过乡村振兴大讲堂等培训学习习近平总书记关于乡村振兴的重要论述，提高思想认识和政治站位，在产业结构调整、人居环境整治、乡村治理创新、深化农村改革等方面持续加力，全面推进乡村振兴，促进农业高质高效、乡村宜居宜业、农民富裕富足。

【疫情防控】 全面落实旗委、政府要求，结合区位实际，在111国道和高速公路出口处设立疫情防控服务站，镇村两级干部及志愿者24小时执勤，严密排查过往车辆，坚决筑牢"外防输入、内防反弹"屏障；严格落实"五包一"责任制，对居家隔离人员进行全方位管控；专项推进新冠疫苗接种工作，重点提高60周岁以上人群接种率；强化社会面管控工作，坚决红事缓办、白事简办，减少人员聚集，严格管控重点行业人员应检尽检的核酸检测频率；全力调配保障疫情防控物资，推动疫情防控工作扎实有力、平稳可控，尤其是在疫情紧急处置中，干部群众全力守护好科右前旗"东大门"。

（王 帅）

察尔森镇

【概况】 察尔森镇位于科右前旗东北部，距科右前旗政府35公里，南、北分别与乌兰浩特市、扎赉特旗接壤。总面积836.6平方公里，其中耕地面积1.64万公顷，草原面积2.24万公顷，林地面积2.33万公顷，牲畜保有量22.2万头（只、口）。全镇下辖15个嘎查（56个自然屯）、1个社区（察尔森嘎查、好田嘎查、茫哈嘎查、联合嘎查、水泉嘎查、永兴嘎查、爱国嘎查、振兴嘎查、宝日胡硕嘎查、呼和础鲁嘎查、苏金扎拉嘎查、沙力根嘎查、巴达嘎嘎查、前进嘎查、白音扎拉嘎嘎查和洮儿河社区），全镇常住人口1.98万人，其中农牧业人口1.68万人。全镇有汉族、蒙古族、满族、朝鲜族、回族、锡伯族等11个民族，其中蒙古族占总人口的96%，是一个多民族聚居镇。2022年全镇地区生产总值完成5亿元，同比增长6%；农牧民人均可支配收入达11798元，同比增长10%。

【农牧业】 完成农业播种面积1.87万公顷。带状复合种植533.33公顷，高标准农田建设600公顷，实施黑土地保护性耕作1.49万公顷，深松整地366.67公顷。投资382万元发展水稻产业园区智慧农业。投入140万元在察尔森嘎查新建50户分散式冷棚，修缮1处占地9000平方米集中式暖棚，发展察尔森嘎查特色采摘，壮大嘎查集体经济实力。全镇肉牛存栏2.1万头，羊存栏13.17万只。全镇新型养殖主体40余个，通过发展合作社带动成员户均增收5万元。投资600万元，实施村权民养肉牛养殖项目4个。中国农业大学扶持建设牛业教授工作站1处，通过胚胎移植等技术改良肉牛品种。

【旅游业】 察尔森水库风景区成功评选为国家3A级旅游景区。举办冰雪嘉年华、稻田插秧节、仲夏露营节等大型活动。兴安家禾野奢帐篷酒店、半亩方田民宿正式运营。全镇2022年已累计接待游客61万人次，旅游创收超5100万元。察尔森嘎查获评为2022年"中国美丽休闲乡村"、第二批"自治区乡村旅游重点村镇"荣誉称号。

【项目建设】 2022年，全镇续建和新建各类项目4个。已完成投资1.52亿元（白音牧场1.3亿元、兴安家禾832万元、康养旅游度假区1050万元、盟水投350万元）。申请实施乡村振兴项目10个，涵盖产业发展、壮大集体经济、人居环境整治等方面，合计项目资金956万元，已全部完工。

【便民服务】 深化三级政务服务体系建设，加快推进"一网、一门、一次"改革，探索实施"1234"便民工作法。在全盟率先实现公安、市场监督和税务进驻镇级便民服务大厅，服务事项由60项增加至497项，其中360项业务实现"蒙速办"。以广大党员为主体，建立镇村两级帮办代办队伍17支，提供跑腿代办服务，2022年受理帮办代办业务72次。

【基层治理】 在察尔森嘎查和洮儿河社区探索实施"村居共建"的网格化治理模式，科学划分网格10个，将"八大员"整合进网格担任网格员，解决嘎查和社区村居混住、管理不便的问题，网格员累计解决群众急难愁盼问题271件。探索实施"积分制"管理模式，重新制定实施方案和打分表，通过真金白银的奖励，激发群众参与环境整治、疫情防控等社会治理工作的积极性，落实奖励资金3万元。创建市域社会治理现代化试点，通过12345便民服务热线受理群众诉求98件，已全部办结。察尔森嘎查获评"全国民主法治示范村"。

【民生保障】 建立健全各种保险、救助制度，城乡居民基本养老保险、医疗保险实现全覆盖，全镇医疗保险参保1.57万人，养老保险参保1.5万人。全年发放各类低保金881.9万元，发放五保金、残疾人、高龄等各类补贴226万元。举办各类招聘会10余场，多渠道为用人单位和求职者搭建双向选择平台。安置公益性岗位16人，京蒙帮扶保洁员岗100人，发放就业政策宣传品5000余份，举办实用技术培训班3期，参加培训人员达100余人。扎实做好全镇常住人口全员核酸检测工作，确保应检尽检。专项推进新冠疫苗接种工作，重点提高60周岁及以上人群接种率。全面深入贯彻、落实疫情防控"新十条"要求，引导群众树立正确思想观念，"做好自己健康的第一负责人"，合力巩固疫情防控成果。

【察尔森白鲢、鳙鱼】 察尔森水库坐落于内蒙古科尔沁右翼前旗境内，是嫩江支流洮儿河干流上唯一控制性水利枢纽，是水利部松辽水利委员会直属的以防洪、灌溉为主、结合发电、养鱼、旅游等综合利用的大（1）型水库。察尔森水库山清水秀，风景怡人，素有"草原明珠"之称，是国家AAA级水利风景区之一，也是内蒙古自治区首批无公害水产品生产基地。库中盛产"鲢、鳙、鲤、鲫、草、鲶、鲴、鲂、公"等20多种优质鱼，尤其以白鲢、鳙鱼最为著名。白鲢，鳞片细小，且鳞片呈银白色,鳞片紧密,有光泽,肌肉组织紧密有弹性,具有鱼肉固有的色泽和气味;鳙鱼,背面为暗褐色,有黑色细斑,腹部为灰白色,肌肉组织有弹性,鱼鳞颜色为银色,其鳞片细而紧密,有光泽。察尔森水库鱼以鱼肉细嫩、营养丰富、绿色、有机而享有盛誉,获得国家无公害农产品、AA级绿色食品、有机食品的认证。

(康慧欣)

归流河镇

【概况】 归流河镇位于科右前旗西北45公里处,全镇行政区域面积722平方公里,属潜山丘陵地貌地形区。有耕地1.93万公顷,水田面积4666.67公顷,林地2.33万公顷,草场面积1.2万公顷;牲畜存栏量达24.7万余头(只、口、羽)。全镇辖22个嘎查,2个社区,共60个自然屯。户籍人口6823户22349人,其中常住农牧户5923户18624人。是传统农牧业生产为主导的汉族、蒙古族、满族、朝鲜族等多民族聚居的农业户镇,汉族占24.6%,蒙古族人口占71.3%以上,其他民族4.1%。2022年农牧民人均收入16226.86元。归流河镇工业企业较为发达,镇内有旗重点企业"内蒙古科尔沁王酒业有限责任公司"。2022年归流河有劳动能力的人大约13920人,外出务工人员大约2346人,其中盟内长期务工人员约800人,盟外长期务工人员约762人,其他784人均为本地零工、司机、个体等第三产业从业人员。

【经济】 2022年收入预算为1365.5万元,比2021年预算增加30.81万元,增长2.31%;预算总支出为1365.5万元。全镇财政拨款收入共计3516.44万元,财政拨款支出共计3758.35万元,其中,基本支出1955.13万元,项目支出1803.22万元。

【农业】 全年粮食种植面积2.15万公顷。其中,玉米种植面积1.75万公顷,大豆扩种面积1000公顷,大豆玉米带状复合种植面积落实任务540公顷,水稻种植面积2800公顷;完成水稻等一次性补贴统计发放工作;申报2022年生产者补贴面积1.2万公顷,其中玉米1.08万公顷(含带状复合中玉米部分233.33公顷)、大豆1200公顷(含带状复合种植大豆部分306.67公顷)。完成2021年、2022年高标准农田建设3766.67公顷;实施"百亩田、千亩方"高产田创建工作;实施赤眼蜂防治玉米螟;种植全株青贮玉米666.67公顷;完成水稻等一次性补贴统计发放工作;推进巴达仍贵万亩水稻观光园区续建项目,修建田间路8000米,栽植路旁林4600株,建设稻艺展示区20公顷;完成光荣、巴汉、北民河嘎查建设庭院冷棚180户,共计41945平方米;完成光荣嘎查全钢架设施蔬菜冷棚建设38栋;完成光荣嘎查蔬菜育苗基地暖棚建设5栋;以设施农业为着力点,稳定温室蔬菜种植面积53.33公顷。

【畜牧业】 全镇共有规模肉牛养殖场6个,标准化规模肉羊养殖场4个,奶牛养殖场1个,大小牲畜24.7万余头(只、口、羽),肉牛2.96万头,奶牛560头(日产鲜奶4.5吨),肉羊15.8万只,生猪8714口,禽类5万羽。通过品种改良,全镇肉牛、肉羊和生猪繁育再创新高,2022年新产牛犊5792头、羊羔91378只、仔猪4800口。齐心嘎查肉牛、肉羊养殖扩建项目完工投入使用;光荣嘎查秸秆转化及人畜分离建设项目、白音嘎查肉羊养殖扩建项目主体已完工。落实巴汉、乌兰尔格嘎查共300万元村权户养肉牛养殖项目。推进肉牛再造提升工作,全面宣传购牛贷款政策，与银行对接，申报贷款5000余万元，胚胎移植55枚，优质冻精繁育4000头，举办品种改良培训班2期，培养改良员36名。全面完成春秋动物防疫工作，免疫率100%。加快农畜产品质量安全检测工作，农药残留检测3914次，切实保障全镇畜牧业生产健康发展。

2022年重点项目——人畜分离肉牛养殖场

【林业】 全年新造林61.33公顷。通过补植补造退耕地，建设居力特嘎查标准化果园33.33公顷。中草药种植面积达26.67公顷。

【旅游业】 围绕国家级非物质文化遗产巴音居日合乌拉祭，有序开展非遗活动，巴音居日合非遗游在中国草原网等主流媒体进行转载推介。完善相关配套设施建设崞菏巷网红夜市，打造"吃、住、行、游、购、娱"一体化优质旅游服务，助推夜经济发展。农副产品首次荣登CCTV1，并在国家主流媒体进行推售，巴达仍贵大米喜获"珍珠玉"的美称。

（梁 清）

大石寨镇

【概况】 大石寨镇地处位于科右前旗北部，东与归流河镇接壤，南与突泉县相连，西与阿力得尔苏木相接，北与德伯斯镇毗邻。总面积873平方公里，下辖28个行政村、2个社区、5所学校，2所卫生院，99个自然屯，其中民族村有6个，全镇人口3.8万人。有汉族、蒙古族、满族、回族、朝鲜族、锡伯族、鄂温克族、鄂伦春族8个民族。镇内水资源丰富，归流河、洮儿河、哈图莫河流经镇内，镇内有1座永丰水库。全镇气候春季干旱，夏季气温较高，时间较短，冬季严寒时间长，昼夜温差较大，无霜期115天，有效积温2100℃，年平均降雨量400毫米。

【农业生产】 坚持"藏粮于地，藏粮于技"战略，坚决遏制耕地"非农化"，防止耕地"非粮化"，稳定粮食种植面积，完成农作物播种2.2万公顷，100%完成播种计划，全年播种粮食作物1.97万公顷、经济作物2340公顷，种植比例日趋合理，粮食产量稳步提高。落实大豆玉米带状复合种植706.67公顷，完成下达指标任务的150%。实施黑土地保护性耕作4533.33公顷，建设高标准农田1193.33公顷，极大提高农业综合生产能力。大力推广加厚地膜使用，全镇覆膜面积4800公顷，完成下达指标任务的158%，从源头控制和减少废膜残留造成的农业面源污染，推进肉牛产业再造行动，申请贷款6000余万元，全年发放贷款2000余万元，进一步夯实肉牛产业发展基础。全镇现存肉牛达1.24万头，较2021年增加20%以上，全镇肉牛产业做大做强做优态势良好。

【特色产业】 贯彻落实旗委"小沙果，大产业，兴旅游"的战略部署，推进林果业供给侧结构性改革。不断完善林果产业基础设施。引进吉红李子、干核李子、黄杏等市场需求紧俏的品种，不断丰富林果种类。申请资金365万元实施鸡冠山林果生态旅游营地提档升级项目。投入105万元实施高枝换头项目，改变挂果少、品质差、单产低等难题。实施287万元林果产能递增项目，提升林果产业发展质量。

【项目建设】 申请资金185万元，实施永合村方涵桥项目，阿林村桥涵项目，从根本上解决百姓出行难问题。申请资金71万元，建成前锋村板桥一座争取资金86万元，实施白音础鲁村街道硬化项目，为百姓出行提供便利。争取资金40万元，实施永新村路灯项目，方便百姓日常生活。申请资金170万元实施保门村山洪沟治理项目，申请资金83万元，完成前锋村山洪沟治理项目，保障群众生命财产安全。申请资金100万元，建设2座移动式气调保鲜库，降低鸡冠山附近储果成本。申请资金300万元，稳步落实套海村、太平村"肉牛村权民养"项目，进一步推进高品质肉牛产业发展进程。申请资金240万元，完成鸡冠山沙果旅游营地建设项目，进一步完善林果基地基础条件，提高林果基地承载能力。

【民生】 全年累计发放农村低保金、五保金、三无人员补助金、临时救助金等各项补助3180.3万元。保障"暖心煤"落实到位，累计发放2236户4049.48吨。落实稳就业各项政策，加大就业创业服务。优化家庭医生签约服务，做好重大疾病防控。教育质量稳步提高。深化拓展新时代文明实践中心建设，有效发挥引领思想、服务群众、培育文明的积极作用，大石寨新时代文明实践所获第二节兴安盟"我帮你"新时代文明实践志愿服务项目大赛"优秀新时代文明实践所"荣誉称号。持续加强安全生产、应急管理、食品药品监管等工作，没有发生重特大生产安全事故。强化退役军人服务管理，做好双拥优抚安置工作，大石寨武装部获"优秀基层武装部"荣誉称号。积极推动文化遗产传承，保门抻面成功入选科右前旗第八批非物质文化遗产名录。

【生态治理】 开展违法图斑整治工作，销号完成2021年重点打击图斑63块、森林督查图斑16块、33公顷以上以案促改违法图斑2块、绿化空间调查图斑632块、林草湿地变耕地图斑347块。2021林草专项整治图斑1块，已移交到旗公安局食药环大队，完成阶段性销号。历年森林督查图斑33块，已完成26块，剩余7块图斑已提请旗执法大队处罚。违法违规用地专项清理整治回头看地块17块全部完成。完成春、秋季森林草原防火工作，成立群众扑火队30支，开展宣传活动18次，及时处理小型火情8起。推进秸秆综合利用，从源头上加强治理。建立网格化管理体系，通过网格实行包村包组负责，按照定时、定点、定人，把具体责任细化到田间地头，对秸秆焚烧现象进行全方位、全覆盖监管。巩固落实河长制，着力做好"清四乱"工作。稳步推行林草长制，进一步加强对全镇森林草原的保护和管理。

【社会治理】 构建"党支部+党小组"网格体系，按照"多网合一"工作部署，重新划分网格105个，配备网格长兼专职网格员105人，专职网格员70人。全年累计收集问题3025件，解决问题2535件，大石寨村获旗级"最强党支部示范点"荣誉称号；大石寨村党支部书记获盟、旗两级"担当作为好支书"荣誉称号。建立党政领导包案、定期值班接访等制度，凝聚矛盾纠纷化解合力，及时回应群众合理诉求，全覆盖落实信访维稳重点人员和重点群体"一人一策一专班"稳控化解工作。全年累计化解信访问题26件，化解率达到96%。

【疫情防控】 累计投入120余万，完成15轮全员核酸检测工作，采样252435人次。完成疫苗接种11209剂次。储备隔离宾馆1家13间房间。签署保供企业21家，药店8家。全镇机关干部76人包联营业商户403家。对返乡重点人员进行隔离管控，落实落细各项管控措施。成立2个督察专班，督促落实"五包一"责任。抽调23名干部支持前旗疫情防控工作。累计派遣保峰村卡口、乌兰浩特西卡口、俄体卡口疫情防控值班408人次。全镇2022年没有脱管漏管人员，疫情封控期间无新增确诊病例。

【乡村振兴】 全年开展4次防返贫监测和动态管理工作，新识别监测户81户180人，全部落实针对性帮扶措施，风险消除80户202人，为399名群众提供公益性岗位，户均增收7000元，聚焦"三落实一巩固"，逐条逐项对照，确保达标。清查2012年以来扶贫项目资产63个，建立扶贫资产台账，强化资产管理。排查出风险隐患合作社19家，均已向法院提起诉讼，追回欠缴金435.31万元，用于资产收益到期施策户272户556人的转肉牛施策工作，提升脱贫户产业发展能力，助推全镇肉牛产业发展。

【人居环境】 持续加大人居环境整治力度，投入230余万元，出动人员4万余人次，出动车辆作业1万余次，清理农村垃圾、沟渠及水域周边垃圾20万立方米，种植树木3200棵，绿色围栏围封垃圾集中点2133.33平方米。全镇配套垃圾收集桶6578个，建设垃圾集中处理点2个，垃圾临时贮存点102个。

【科右前旗马铃薯、粉条】 科右前旗属中温带亚干旱气候区，立体气候明显，四季分明。年平均气温3.3℃，平均年降水量460毫米左右，无霜期90—130天。春秋昼夜温差大，境内有大小河流100多条，周边无重工业，水源充足无污染，当地土质为砂质壤土，通透性排水性良好，得天独厚的自然条件造就了科右前旗马铃薯的优良品质。科右前旗马铃薯尤以西北部的大石寨镇出产的品质更佳。归流河、哈图漠河横贯大石寨镇中西部，水资源丰富，两岸耕地肥沃，伏天一过，昼夜温差大，正符合马铃薯的生长特性，所出产的马铃薯薯形好，淀粉含量高，甜面起沙，鲜食、加工皆为佳品。大石寨镇种植马铃薯历史久远，出产的马铃薯和马铃薯淀粉粉条名扬区内外。70年代至80年代，每到9月末10月初，前来"调薯"和"收粉条"的车辆络绎不绝。吉林、黑龙江、辽宁等省的大型企事业单位和做"土豆""粉条"生意的老板遍布田间地头，公路、铁路运输昼夜不停，"土豆"成为当时大石寨农业最挣钱的支柱产业。时至今日，虽然玉米、大豆等农产品省时省工市场价格高，但还是有太多的"大石寨人"难以舍弃那份"土豆"情怀，这里依旧是科右前旗主要的马铃薯产地，市场上大石寨（保门）"土豆"和"粉条"依然是大家心仪的餐桌食材。半个世纪的时光悠悠，大石寨人眼中"土豆"依旧是扯不断的乡愁。

（付　麒）

德伯斯镇

【概况】 "德伯斯"系蒙古语，意为"地势略高而平坦"，位于科尔沁右翼前旗北部，（东经109°49′~110°29′，北纬37°40′~38°06′），全旗农区与牧区的交界处，距科右前旗100公里。镇域面积1470平方公里，辖24个嘎查、3个社区、67个自然屯，2.25万人口，常住人口1.7万人，其中蒙古族人口占98%。全辖区有耕地1.5万公顷，天然草场4.74万公顷，大小牲畜45万头（只），自然林4.85万公顷，人工林1333.33公顷。境内有大小河流16条，其中较大的河流是洮儿河。年积温为1900—2100℃，无霜期为95—110天，年降雨量在300毫米左右。德伯斯镇是典型的半农半牧地区，全镇以肉牛肉羊养殖为主导产业，按照旗委、旗政府对德伯斯镇的战略定位，逐步形成"为养而种、种养结合"的发展路径，持续推进建设草食畜牧业循环示范基地，其中和泰养殖专业合作社、蒙懿电子商务服务站、科右前旗肉羊改良实训基地、太平山嘎查养殖场已成为在脱贫攻坚、乡村振兴阶段带动农牧民增收致富的中坚力量。

【重大项目】 全镇全年落地项目10个，总投资近7000万元。其中，投资800万元建设前宝地人畜分离肉牛养殖场；投资300万元建设科右前旗肉羊改良实训基地；完成太平山嘎查、乌力根嘎查300万元产业到村项目；完成阿拉坦浩特142万元肉牛"村权民养"项目；投资450万元实施前宝地366.67公顷森林植被恢复项目；投资150万元实施20公顷重点区域绿化项目；投资137万元实施德伯斯社区道路工程项目；投资1160万元实施乌拉斯台至赛罕大坝13.5公里村屯连接路工程；投资1500万元实施白音套海13公里河治理工程；招商引资白龙驹马业牧旅融合项目，一期投资2000万元。

【传统产业】 落实玉米种植1.93万公顷，大豆200公顷，大豆玉米带状复合种植729.47公顷，居全旗第一；全镇肉牛肉羊存栏45万头（只），同比增长6.6%，全年肉牛出栏量1万头以上，肉羊出栏量30万只以上，同比增长10%和8.6%。牛羊接羔保育存活率99%。开展"晓景计划"撬动人畜分离+庭院经济多产融合发展模式，前宝地嘎查整村推进庭院甜糯玉米种植16.13公顷，带动每户增收2500元以上。

【乡村旅游】 2022年7月15日举办"上强国 铸同心 画家乡"主题岩画大赛，2022年9月30日举办兴安盟·黑羊山登山节，吸引盟内绘画、登山、摄影爱好者和过往游客6000余人参与其中，产生收益8万元以上，接待人次、营业收入实现双增长。黑羊山景区与馒头山杜鹃花、查干杏花山、洮儿河共同组成"三山一水"近郊乡村游，夏季日均游客量2000人次以上，成为科右前旗新晋网红打卡地。

【疫情防控】 严格落实疫情防控政策，全年开展14轮全员核酸检测采样14.7万人次，实现60周岁以上老年人群接种率达95.2%。累计排查盟外返乡人员509人，落实集中隔离政策，推进"人防+技防"相结合，动员镇村两级干部230人参与疫情值守，辖区实现无一例风险事件发生。

【社会保障】 开发公益性岗位234个，新增就业人数89人，推动创业24人，开办11个职业技能培训班培训人员达348人。为26人申请稳岗就业补贴共1.6万元。为困难群体3371人次发放补助资金1414万元，临时救助368人75.6万元。推动9808人开通电子社保卡。推进殡葬改革，拆除违建硬化墓地426个，在25个嘎查村、社区建设集中埋葬点38个，对S203沿线5个嘎查墓地进行改造，共种植松树700余棵。做实残联工作，为61名困难残疾人发放精准康复服务补助资金11590元。召开残疾人联合会第八次代表大会，并选举产生新一届班子成员。

【社会治理】 推进平安建设，对照五个专项行动和四项任务进行全覆盖摸底排查，掌握重点易发案人群582人，全年开展针对性普法宣传教育12次，全年化解土地、经济、酒后矛盾纠纷34起。加强防火防汛工作，紧盯重要节假日，全年出动防火人员近6000人次。做好全国两会、党的二十大期间的维稳工作，加强矛盾纠纷化解排查，确保重要会议期间社会和谐稳定。加强食品药品安全监管，累计进行食品药品安全检查6次，结合疫情防控督察40余次。联合市场监督管理所、应急办、综治办等多个相关部门，开展安全生产联合大检查6次。

【生态保护】 推进破坏草原林地违规违法行为专项整治行动，完成近1333公顷整治任务，完成森林督查专项整治违法图斑32块，打击违法图斑147块。

【人居环境】 开展人居环境整治，着力改善人居环境，完成"五一"劳动周、"爱国卫生运动月""人居环境整治会战季"既定目标任务。全年累计开展集中整治行动11次，设立标准化垃圾转运站1处、临时垃圾填埋点27个，投放垃圾桶5415个，购置垃圾压缩车1台、勾臂车2台、2.5立方垃圾箱128个，清理村内沟渠91.2公里，清理牲畜粪便3200余吨，集中转运农药瓶7.6吨，形成"人人参与、人人治理"的格局。

【环保问题整改】 完成中办督查反馈问题整改5方面48项清单整改任务，及时办结第二轮中央生态环保督察交办案件5件。立足实际，全年摸排整改户厕1114户，累计开展秸秆禁烧工作巡查200余次，追缴大豆补贴500万元，完成比例占全旗70%；整合巴日嘎森、西乌兰毛都嘎查土地增减挂钩35.33公顷，居全旗第一，以整改成效践行"两个维护"。

(徐 闯)

索伦镇

【概况】 索伦镇位于科尔沁右翼前旗西北部，东与扎赉特旗阿拉达尔吐镇相连，东南与德伯斯镇相接，西南与满族屯满族乡毗邻，北与阿尔山市明水河镇接壤。索伦镇辖联合、联丰、联兴、联胜、联发、岗根套海、宝田、乌敦、丰林、草根台、吉拉斯台11个嘎查委员会，桥南、桥北2个社区居委会；下设30个村民小组、3个居民小组。总面积1500平方公里。辖区6712户2.04万人，常住人口16802人，其中城镇常住人口3957人，城镇化率23.6%。常住人口中，以汉族为主，达0.93万人，占55%；有汉族、蒙古族、满族、回族、朝鲜族、达斡尔族、高山族等7个民族，人口7502人，占总人口的45%。超过千人的少数民族是蒙古族，共有7022人，占少数民族总人口的93.6%。

【农牧业】 加大绿色有机农作物发展力度，实施玉米种植4000公顷、大豆种植3333.33公顷、青贮种植1000公顷，农业播种面积达8666.67公顷。牧业年度牲畜存栏稳定在36万头(只、口)以上，其中肉牛、肉羊存栏分别突破2万头、33万只。

【产业发展】 鼓励农牧户大力发展庭院经济,实施中药材庭院经济种植补贴政策,带动845户农牧民种植中药材,发放补贴资金197万元,实现人均年收入增加4000元。鼓励龙头企业和专业合作社扩大中草药种植面积,促进龙头企业与合作社、种植户建立合作关系,全镇中草药种植合作社4个,中草药种植面积达到866.67公顷,中草药产业不断发展壮大。

【乡村振兴】 在丰林和宝田两个嘎查实施"村权户养"肉牛养殖项目,在增加村集体收入的同时,拓宽农牧民增收渠道。投入150万元实施联丰、联兴两个嘎查河道治理耕地保护项目,全镇水环境治理成效显著增强。厅局帮扶工作深入推进。内蒙古自治区烟草专卖局先后投入190万元,帮助岗根套海嘎查种植苍术6公顷、建设嘎查村文化广场及设立防返贫帮扶救助金。京蒙帮扶机制不断优化。与海淀区东升镇完成对接并签订帮扶协议,建立消费扶贫产品对接清单,京蒙帮扶工作取得新成效。

【生态治理】 把保护草原、森林作为首要任务,排查整治2021年国家森林督查、以案促改200—500亩(13.33—33.33公顷)草地变耕地、林地草地湿地变耕地等各类违法图斑161块、面积155.8公顷,开展联合执法检查120余次,切实做到尽数排查、不留死角。全力推动中央生态环境保护督察问题整改,切实解决人民群众反映强烈的突出环境问题。

【人居环境整治】 坚持"五清、五有、五化"工作标准,开展人居环境整治专项行动30余次,清理农村生活和畜禽养殖粪污垃圾4900余吨,疏通村内沟渠43公里。集中整治集市占道经营乱象,规范管理集市经营场所,做到"地点固定、时间固定、人员固定"。

【民生改善】 帮助困难及有需求群众申请补贴津贴,累计城乡低保81人、特困供养2人、两残补贴54人、高龄津贴32人、事实无人抚养儿童1人、为困难群众发放临时救助资金57.92万元,新型农村合作医疗覆盖率达到98%。

【教育】 索伦中学2022年中考喜获"26连冠",国家通用语言文字授课普通高中和民族语言授课普通高中升学率分别达64%、77%,乌兰浩特一中升学人数占全旗12所农村牧区学校的96%。

【综治】 在全镇范围内开展平安建设宣传工作,收缴管制刀具150把,推进命案防控治理。化解信访案件10起,其中包括历史遗留案件2起,排查各类矛盾纠纷65件,化解率100%。不断提升"两所一中心"服务水平,全镇划分47个网格,镇村两级联动,实现基础治理全覆盖,形成"格格有人站,事事有人管"的良好氛围。

【政府建设】 坚持服务型政府建设,提升政府职能。建立健全法治政府体系,推进治理能力现代化。宣传、统战、工、青、妇部门合力,开展助残、敬老、扫黄打非等志愿服务活动150余次,加强精神文明建设。严格执行政府各项规章制度,强化"一岗双责"落实。对接盟旗巡察、审计等部门,全力以赴完成整改工作。

(李恒阳)

绿水种畜繁育中心

【概况】 绿水种畜繁育中心位

于大兴安岭南麓，北与阿尔山市接壤，西与锡林郭勒盟相邻，南与乌兰毛都苏木相连，东与阿尔山市明水河镇隔河相望，行政区域在满族屯满族乡境内，距前旗政府所在地200公里。地理位置优越，既是科尔沁草原的一部分，又靠近大兴安岭原始森林，是森林和草原生态功能区的交汇点，绿水种畜繁育中心地处科右前旗和阿尔山市交界地带，西面G302省道直接与兴安盟乌兰浩特市、阿尔山市和科右前旗政府所在地相连，3处政府所在地与目的地之间车程都在2小时左右。东与S203国道相连，交通便利。种畜繁育中心有人口598人，总户数184户。下辖绿水村、哈日白辛村两个自然屯。蒙古族人口达到总人口的98%。绿水种畜繁育中心区面积60.6万亩（4.04万公顷），其中天然草牧场2.8万公顷，耕地3666.67公顷，次生林7353.33公顷，海拔700—1200米，属半湿润气候，年均气温1.5℃。主导产业是畜牧业和农业，牲畜总头数达到6.8万头，生活水平逐年提高。

【农业生产】　中心在农业生产方面认真落实"绿水青山就是金山银山"的两山理论，贯彻落实保护性耕作和科学储粮工作，坚持节约资源和保护环境的基本国策，既要保证基本农田也要保证不过度开垦，耕地资源经过合理开发后，对中心各项事业的发展做出巨大贡献，2022年中心耕种总面积达3366.33公顷，其中大豆3133.33公顷、青贮与玉米226.33公顷、甜菜6.67公顷，年底总收益达1500余万元。

【牧业生产】　持续推进小畜换大畜工作，近4年来，由中心党委牵头从农行累计贷款给牧民2000万元，引进西门塔尔牛1000头。2022年，中心西门塔尔牛数已从2017年的1400头增加至5000头，完成人均10头牛的工作目标。2022年3月由中心党委带头，向北京熊特公司购买海福特原种牛100头。按照盟肉牛产业再造行动要求，动员牧民以"自筹+贴息贷款"相结合的方式，力争完成辖区内肉牛扩群体质的目标。2022年7月9日，中心党委班子远赴宁城县东方万旗公司进行考察调研，通过调研推动中心与东方万旗公司签订"智慧牧场万头牛养殖项目合作协议"，项目预计总投资2亿余元，该公司达成与中心3户牧民签订租赁共计1333.33公顷草场的合作。在畜群改良工作上，中心党委通过培养本地改良员的方式无偿给辖区内牧民配种改良，冷配改良率高，逐步实现无种牛养殖。在动物疫病防疫工作坚持防疫优先的政策，防疫密度已达100%，确保布病、口蹄疫、小反刍不发生、不扩散。

【旅游业】　从2020年起至2022年已累计投入700余万元用于哈日白辛村民宿改造提升，可同时接待180人，夏季旅游旺季达到一床难求的程度。培养网红民宿，做好"打卡中国绿水"的准备工作，聘请知名教授、老师挖掘绿水蒙古族历史文化、草原文化，编好成吉思汗完婚故事，推动绿水种畜繁育中心旅游发展。加大与旗全域文化旅游开发有限责任公司合作，使过去简单的经营模式逐渐向规模化、正规化转变。全力扶持"绿水营地"项目的创收工作。2022年中心领导干部积极与"绿水营地"负责人联系，通过一系列举措的实施，将"绿水营地"项目落地于绿水种畜繁育中心，营地总占地面积将达20万平方米，分两期建设，预计投资1500万元左右。将提供就业岗位20余个。营地的建成带动绿水地区旅游收入及周边其他产业发展。

【民生工程】 在民生工程方面全年累计投资已达70余万元，医保及养老统筹方面，中心参加医保及养老统筹全年共计461人，其中牧民为410人、中心职工51人；完成辖区内无公害卫生厕所安装126户，厕改普及率达75%。修筑辖区内各野外牧点被暴雨冲毁路、桥，免费为牧民提供涵洞及挖掘机、翻斗车。

【社会事业】 有效治理湖泊、河流、防洪沟，预防山体滑坡、水土流失以及其他自然灾害，治理绿水村南800米河道；牧区防火工作。春秋两季开展牧区火灾隐患排查整治行动2次，严防牧区发生重特大火灾事故，时刻做好扑火灭火准备，配齐配强扑火组织机构；做好信访接待和矛盾纠纷排查调处工作，开展矛盾大排查工作2次，开展普法活动6次，未发生矛盾纠纷事件。

【新农村建设】 常态化开展环境整治工作。治理中心所有村屯道路两侧边沟，治理哈日白辛村山洪沟；投入垃圾清运车158台次、挖掘机122台次、推土机118台次、翻斗车122台次用于清理中心所有村屯一年以来的生活垃圾、牛羊粪便、农业生产废弃物等合计900余吨，与本地区住户签订"门前四包"责任书，共计183份。认真开展社会治理工作。2022年中心有效治理湖泊、河流、防洪沟，预防山体滑坡、水土流失以及其他自然灾害；开展牧区火灾隐患排查整治行动2次，严防牧区发生重特大火灾事故，时刻做好扑火灭火准备，配齐配强扑火组织机构。

【疫情防控】 2022年中心防控工作常抓不懈，中心全员无特殊情况者不得请假，实行24小时值班制度。对辖区内60周岁以上老人未接种疫苗者进行彻底清查，摸清底数，对于不适合接种者令其出具医院诊断证明。除不适宜接种老人（含盟外居住老人）共有11人，其他所有人员均已完成疫苗接种。在国庆节和11月兴安盟实施静默管理期间，绿水全员以临战状态开展疫情防控工作，中心成立新冠疫情防控指挥部，先后召开多次疫情防控专题会议；全体干部职工及村干部实行包户制，明确责任人，细化责任分工。

【三大攻坚战】 中心虽没扶贫任务，但经中心党委研究，决定把扶贫工作的精力投入提高中心牧民收入和稳定就业的环节当中，依托产业项目落实带动和辐射中心牧民收入呈多元化态势，牧民收入水平持续升高。常态化开展人居环境整治工作，修复水泥道路、野外各牧点周边环境等地生态，实行河段长责任制，以法治力量、制度优势保护蓝天、碧水、净土。

【京蒙扶贫】 绿水种畜繁育基地喂牛投料台、投料机、装牛台工程正式完工。项目资金来源为北京市海淀区京蒙协作帮扶资金，总投资为20万元。通过本项目的实施，创造就业岗位6个，可辐射带动周边农户87户，增加收入100余万元，对促进周边地区特色养殖业发展，巩固脱贫攻坚，助力乡村振兴和经济高质量发展具有重要意义。草业科研基地智慧牧场草原生态修复效果智慧监测项目已全部完成安装并投入使用。2022年7月8日—7月18日，北京林业大学有两批师生陆续抵达中心草业科研基地进行草业学习研究，2022年有三期学习班，包括本科生、硕士研究生在内共计72人。

（吴玉权）

驻旗国营农牧场

阿力得尔牧场
公主陵牧场
索伦牧场
跃进马场

驻旗国营农牧场

阿力得尔牧场

【概况】 阿力得尔牧场位于科右前旗西北部,距乌兰浩特市120公里,西南与突泉县交界。年平均降雨量300毫米左右,主要集中在6—8月,无霜期100—110天,年积温2100℃左右,适合小麦、油菜、大豆等多种农作物生长。总人口2117人,总户数937户,在册职工230人,管理人员49人,人均收入27386元。占地总面积3.33万公顷,耕地面积3533.33公顷,草原面积2.13万公顷,实现粮豆总产11541吨,牧业牲畜存栏76827(匹、只)。公司经营盈利262万元,全场盈利45万元。场党委下设6个党支部,共有党员138名。场下设三个生产队,有畜牧综合服务站和肉羊养殖场2个场直单位,有农机机械化家庭农场8家。

【农业】 2022年,全场完成农作物播种面积3533.33公顷,其中玉米1633.33公顷、大豆1745公顷、燕麦及其他作物163.67公顷,完成集团公司下达大豆扩种任务指标。争取并实施秸秆半覆盖免耕播种项目面积1580.6公顷,农机深松作业1130.47公顷;争取并实施2022年旱作高标准农田建设项目198公顷。场管场有规模化经营种植面积228.8公顷。其中,大豆121.67公顷,玉米93.8公顷。成立场管场有规模化经营管理区,挑选8名优秀农技人员成立专业队伍。投入资金200余万元,购买收割机、大型拖拉机等机械设备。开展膜下滴灌水肥一体化玉米种植试验3.33公顷。

【林业】 开展退耕还林项目管护工作,与补植户签订树苗补植协议。

【畜牧业】 全场牲畜防疫密度达到100%,肉羊羔羊繁殖成活率达98%。全场肉羊品种改良达2.6万只,牛600头。实施粮改饲工程,储青贮1.4万立方米,申报肉牛产业再造项目。完成开展有机羊肉质量可追溯认证工作。开办一期畜牧养殖技术培训班。2022年3月1日起,与内蒙古神农种植科技有限公司签订肉羊养殖场对外承包合同。12月下旬,承包方终止承包合同,养殖场肉羊已全部出售。

【社会事业】 推进人居环境集中整治专项行动。2022年,新建垃圾池5个、脏水井1个。开展道路整修,整修返浆路11公里,整修田间路桥7处。场部地区至一队、二队的两条"村村通"柏油路项目完工通车,总长度为20.19公里。投资30万元维修公共租赁房,改善居民居住环境,彻底解决屋顶冬春两季漏水的问题。为职工群众在乌兰浩特市农行协调低息贷款600余万元。为职工群众协调订购380吨暖心煤。民政工作,为1名职工申请到临时救助金5000元;为部分职工群众申请到大病救助金2.78万元;2022年新增低保对象8人,停保和户内减少5人。

【信访工作】 信访部门在国家两会、国庆和党的二十大等重要时间节点，深入开展矛盾纠纷化解工作，强化信访值班制度和隐患排查力度，确保无新增信访事件和重大集体上访案件发生。

【综治司法】 扎实开展社区矫正、普法工作。选拔1名优秀青年应征入伍，并对辖区内军事设施进行定期巡查、维护，为退役军人办理优待证。

【劳资工作】 扎实开展职工养老统筹缴纳和社会保障工作。

【行政办工作】 对场部办公室内外进行重新规划设计施工，建排球场1个，多功能宣传栏1个和132平方米停车棚1个，建360平方米大型农机具车库1个。新建机关大门、围栏、宣传栏和国旗台等设施。硬化机关水泥地面5300平方米。开展日常文件收发、劳动组织、考勤和后勤保障等工作，档案部门做到各类档案归档。

【疫情防控】 2022年共组织开展15轮全员核酸检测，派出党员干部到前旗疫情防控卡点轮换值班、协助开展高风险地区返乡人员转运等一系列工作，完成疫情防控阶段性工作任务。

（杨 蕊）

公主陵牧场

【概况】 公主陵牧场始建于1947年，隶属兴安盟农牧场管理局，位于乌兰浩特市北18公里处，东邻科右前旗额尔格图镇，西与乌兰浩特市义勒力特镇接壤，南与乌兰浩特乌兰哈达镇毗邻，北与科右前旗察尔森镇相连，全场以农为主，农牧林结合，多种经营协调发展的中型农垦企业，总面积1.3万公顷，耕地3933.33公顷，草原6466.67公顷，林地2133.33公顷，全场下设9个单位，有农牧业生产队5个，小学1所，医院1所，兴安细毛羊种羊场1个，规模化经营管理区1个，鲜食玉米加工厂1个。总户数1147户，总人口2121人，其中蒙古族、满族、朝鲜族等少数民族占总人口的43%，场部驻地第一生产队，驻地有党政机关、中心校、卫生院、公安派出所等场直单位，111国道、省际通道横穿第三生产队4.08公里，乡间公路31.55公里。2022年实现国民生产总值6111万元，企业实现利润286万元，实现全场人均收入25550元。

【农业】 2022年有耕地3903.67公顷。其中，玉米3406.48公顷、大豆486.32公顷、水稻5.33公顷、红小豆3.33公顷、高粱2.2公顷、鲜食玉米43.33公顷、管理区380.73公顷，粮食总产量达53吨。

【畜牧业】 2022牧业年度，全场家畜总头数27913头（匹、只），其中马169匹、牛757头、羊20562只、鸡3763只、鸭5只、鹅567只；兴安细毛羊母羊480只、种公羊64只；湖羊母羊1404只、湖羊种公羊52只、湖羊羔羊100只、全场有荒山和草场6466.67公顷。

【林业】 2022年全场共有林地2133.33公顷。

【农田水利】 2022年全场共有土地整理项目173.33公顷。

【农业机械化】 2022年全场机械总动力39840千瓦，新增配套农机具88台（套）3120千瓦。

【卫生】 2022年，卫生院经过全面翻新，标准配套齐全。拥有病床6张，卫生技术人员2人，有X光机、心电图仪等医疗设备，有队级卫生室4个。2022年出生9人，死亡14人，出生人口负增长，出生人数大大下降。

【企业自身建设】 严格规范行政行为，扩大政务公开的渠道和范围，广泛吸纳社会各界的意见和建议，科学决策，民主决策能力不断提高，进一步转变企业职能，深化企业制度改革。

（安琳琳）

索伦牧场

【概况】 索伦牧场始建于1949年5月，位于内蒙古兴安盟科右前旗和扎赉特旗境内，是全国建立最早的军马场之一，为兴安农垦集团有限责任公司索伦牧场子公司，公司现有"索伦河谷"面粉加工厂一处、"豆尚索伦"豆制品加工厂1处，在乌兰浩特市设立"索伦河谷"面粉经销处和"麦源谷"面食店。牧场全场总户数2782户，总人口5645人，职工2198人，场内有9个部室，4个直属单位，9个基层连队，15个基层党支部。索伦牧场辖区总面积210万亩（14万公顷），耕地面积1.24万公顷，草原面积4万公顷。有场管4个规模化经营管理区，集约耕种面积2733.33公顷，拥有大中型现代化配套农机具40余台（套），机械总动力0.42万千瓦，建有标准化三库一场共计3.6万平方米。场内建有占地24公顷的现代农业科技示范园区一处。

【主要经济】 企业营业收入6518.87万元，营业总成本5489.28万元，其他收益1743.82万元，经营净利润2792.02万元，社会事业性支出1943.18万元，兑现企业管理人员全年工资及绩效工资1216.94万元，发放2021年规模化经营管理区绩效资金302万元，缴纳公积金182万元，缴纳养老统筹2066.2万元，缴纳医保747.29万元。

【农业】 场管场有4个规模化经营管理区共集约经营耕地面积2786.67公顷，其中小麦733.33公顷，总产量238.03万公斤；大豆1400公顷，总产量394.19万公斤；玉米653.33公顷，总产量478.41万公斤。按照市场价格，2022年规模化经营管理区生产经营总收入2873.64万元。

【畜牧业】 全场牲畜存栏23.85万头（匹、只），牲畜出栏8.35万头（匹、只）。场公有肉羊养殖示范站和千头肉羊养殖基地存栏羊1559只，其中基础母羊976只，其他羊583只，全年出售育成羊354只，销售收入25.28万元。

【产业经营】 食品公司共生产各类面粉38.75万公斤，工业粉4.9万公斤，麦麸子21.35万公斤，生产各类豆制品0.55万公斤，销售总收入198.4万元。其中，乌兰浩特市"索伦河谷"产品经销处销售收入45万元，"麦源谷"面食店销售收入21万元。食品公司销售原粮164.15万公斤，销售收入475.6万元。

【生态保护】 落实"河长制"每月巡河制度，并督促各生产队做好日常巡河和清理工作，辖区内所在河道卫生得到明显改善。深入开展耕地草原自查、自纠行动，坚决打击破坏耕地草原资源的行为。

【"五率一降"落实情况】 通过调整土地提取标准，严格精细化管理，企业经济收入较2021年度增加266.86万元，增长率11%；规模化经营管理区耕地面积增加53.33公顷；先后与广东农垦集团、维维食品饮料股份有限公司、香港百花堂参茸燕草国际有限公司、苏粮集团等企业进行对接洽谈；在降低企业经营成本方面，进一步强化各项资金监管，严格执行财务预决算制度，按照"先报审后支付"的原则，限制计划外资金使用额度，财务部门严格按照预算计划执行资金使用，进一步全面压缩非生产性的社会支出，有效提高企业资金使用效率。企业先后调整下发机关、招待所、食堂管理制度，对工作人员请销假、出差报账、公务用车等内容进行再规范，进一步缩减三公经费。

【各项补贴及向上争取资金】 全场落实农业项目，旱作高标准农田建设项目800公顷，耕地轮作项目面积4076.67公顷，大豆玉米带状复合种植项目146.67公顷，膜下滴灌6.67公顷，玉米覆膜对比实验13.33公顷，"看禾选种"平台大豆面积6.67公顷，增施有机肥项目6000立方米。向上争取"一事一议"财政奖补河道治理、河堤护坡建设项目55万元；争取中央财政支持农牧民合作社项目资金28万元；落实兴安盟商品粮大省奖励资金项目35万元；申报扎旗桥梁建设项目200万元；申报"湿地鸳鸯繁殖保护基地"建设项目359.5万元。

【民生保障】 全场各连队集中清理生活垃圾1000余吨，清理畜禽养殖粪污1000余吨，植树2000余株，出动人工680人次，社会投入资金100余万元。

【平安综治】 完善社会治安综合治理机制，开展"八五"普法教育，推进法治建设；健全网格化管理，强化源头化解稳控，2022年解决信访诉求7起，24人次，无越访，全年无安全生产事故发生。

【文化建设】 开展"喜迎二十大永远跟党走 奋进新征程"文艺主题会演。建有职工活动中心兼职工科技培训中心1处，实现职工远程培训电子书屋、图书阅览室、篮球场全覆盖，场8个连队配备乒乓球、台球等文体设施，7处职工休闲广场配套健身器材。

【干部素质】 因工作需要，经请示集团公司党委同意后，在不超编制的情况下，严格执行选拔任用程序，公开招聘录用4名会计人员。选派1名优秀青年干部到旗交通局学习挂职锻炼1年。

【防火防汛】 各单位严格值班制度，排查安全隐患，配全防火器械，开展防火演练；针对2022年雨水量较大的情况，对各生产队的防洪堤和桥进行检查并督促各单位对隐患处进行加固，保证职工群众的人身财产安全。

【个体私营经济】 有个体私营经济35家，其中专业合作社15个，个体经营户24家，超市5家。个体私营经济从业人员92人，新增就业人员26人。

【教育】 有中心校1所，五队分校独立建校，在校学生91人，教职工40人。

【卫生】 全场10个单位实现卫生所全覆盖。职工医院有临床医剂科室9个，卫生专业人员42人，其中主治医师2人、医师21人、药剂师2人、护士5人。拥有床位25张，有X光机、B超机、彩超机、心电图仪、尿常规自动分析仪等医疗设备。

【人口】 2022年出生16人，死亡51人。

【社会事业】 2022年全场享受城乡低保116户，人数151人，救助金发放金额1226724元；享受农村低保人数3户，4人，救助金额21126元；享受城镇"三无"人员17人，救助金额381432元；享受"老年长寿金"135人，每人每年1200元；救助孤儿2人，每人每年41400元。

【社会保障】 参加养老统筹1772人，办理退休95人，参加城镇职工医疗保险1979人，城乡居民总参保3000人。

（包书茜）

跃进马场

【概况】 跃进马场位于内蒙古、黑龙江、吉林三省区交界处。地跨科右前旗与扎赉特旗境内，地处大兴安岭东南侧边缘无林山区。东经122°54′~122°03′，北纬46°58′~46°22′。平均年降水量410毫米，≥10℃年积温2600—2800℃，无霜期124—128天。全场占地面积4.4万公顷，主要种植玉米、葵花、大豆、高粱、小麦、杂豆等农作物，是全区商品粮基地场之一。场有林地6666.67公顷，草原面积1.23万公顷，水库面积253.33公顷。2022年牧业年度牧畜总头数144452头（匹、只），主要以生产发展兴安细毛羊为主。全场有常住人口近6253人，职工926人。场下设15个生产队，直属单位有，畜牧综合服务站、综合服务站、市场管理站。外驻单位有科右前旗邮电跃进邮政所、兴安盟网通公司跃进支局、科右前旗信用联社跃进分社、兴安盟移动分公司跃进营业厅、中国联通跃进代办处、兴安盟石油公司跃进加油站。全场有7个民族，汉族人口为3962人，蒙古族人口为1890人，满族人口为349人，朝鲜族人口为1人，达斡尔族人口为14人，苗族人口为1人，其他民族5人。全场职工人均可支配收入达到3.4万元左右。

【农业】 有耕地2.03万公顷，农作物以玉米、水稻、大豆、绿豆为主，兼有葵花、杂粮杂豆等，粮食总产量达1.35亿公斤。

【畜牧业】 2022牧业年度，全场家畜总头数144452多头（匹、只）。

【林业】 全场共有林地6666.67公顷，全年实行封山禁牧。

【农业机械】 玉米联合收割机（大、小）共94台，全场有农用车2140台。

【个体私营经济】 有个体私营经济97家。

【教育】 科右前旗跃进马场学校始建于1955年。2003年整体划归地方管理，2012年由一贯制学校变为小学，并附带一所幼儿园。学校占地面积29106平方米，建筑面积3435平方米，学校有教职工47人，学校有8个教学班，学生人数243人。教职工，本科学历26人，专科学历17人。高于规定95.5%。学校有旗级教学能手4名。

【卫生】 跃进马场场医院1个，卫生室14个，医院设有床位6张，DR机1台，彩超机1台，12道轨心电图1台，全自动生化分析仪1台，血液分析仪1台，低迷离心机1台，恒温水浴箱1个，尿液分析仪1台，半自动洗胃机1台，手术床1个，救护车1台。建筑面积，470平方米（14个卫生室）。

【人口】 全年出生25人，死亡46人，人口自然增长率为-3‰。计划生育率为56%。

（辛智慧）

人物　荣誉

个人荣誉

2022年科右前旗获全国荣誉个人名录

2022年科右前旗获自治区荣誉个人名录

2022年科右前旗获盟级荣誉名录

2022年科右前旗获旗级荣誉名录

集体荣誉

2022年科右前旗获全国荣誉集体名录

2022年科右前旗获自治区荣誉集体名录

2022年科右前旗获盟级荣誉集体名录

2022年科右前旗获旗级荣誉集体名录

人物　荣誉

个人荣誉

2022年科右前旗获全国荣誉个人名录

姓　名	工作单位及职务	奖项名称	授奖单位
董向丽	检察院	最高人民检察院"从事档案工作满十五年"荣誉证书	中华人民共和国最高人民检察院
林永山	林业和草原局防灾减灾中心	国家级林业有害生物中心测报点优秀测报员	国家林业和草原局生物灾害防控中心
孟金兰	纪委常委、监委委员	全国纪检监察系统嘉奖人选	中央纪委国家监委
王　伟	公安局	中国红十字会会员之星	中国红十字会总会
张兴宇	共青团科右前旗委员会宣传部部长	全国大学生"返家乡"社会实践活动表扬工作者	共青团中央青年发展部
王文军	俄体镇政府科协站长	2022年科普中国信息员	中国科协科普部
刘　晶	公安局	成绩突出个人	公安部

2022年科右前旗获自治区荣誉个人名录

姓　名	工作单位及职务	奖项名称	授奖单位
李常岁	察尔森镇老年体协主席	内蒙古自治区2022年农村牧区文化示范户	内蒙古自治区文化和旅游厅
冯　宇	察尔森镇团委书记	全区优秀科普信息员	内蒙古自治区科学技术协会
庞占山	察尔森嘎查党支部书记	全区抓党建促乡村振兴先进个人暨乡村振兴担当作为好支书	内蒙古自治区组织部、内蒙古自治区民政厅、内蒙古自治区农牧厅、内蒙古自治区乡村振兴局
邱初一	察尔森镇水泉嘎查党支部书记、航嘎日养殖专业合作社理事长	全区乡村振兴青年先锋	共青团内蒙古自治区委员会、内蒙古自治区农牧厅
白文杰	满族屯满族乡政府书记	担当作为好干部	内蒙古自治区组织部
许继承	统计局	内蒙古自治区第七次全国人口普查先进个人	内蒙古自治区统计局、内蒙古自治区人力资源和社会保障厅、内蒙古自治区第七次全国人口普查领导小组办公室
高　冰	科尔沁镇党委书记	全区民族团结进步模范个人	内蒙古自治区党委、内蒙古自治区人民政府
齐晓景	科尔沁镇乡土人才孵化中心主任	全区民族团结进步模范个人	
夏盼盼	科尔沁镇柳树川村兴安盟云下生活电子商务有限公司总经理	全区乡村振兴青年先锋	内蒙古自治区团委、内蒙古自治区农牧厅
阿木日	体校运动员	2022年内蒙古自治区"中国体育彩票杯"青少年（中学生）田径锦标赛男子U18组800米第一名	内蒙古自治区体育局青少年体育处、内蒙古自治区教育厅体育卫生与劳动教育处
阿木日	体校运动员	2022年内蒙古自治区"中国体育彩票杯"青少年（中学生）田径锦标赛男子U18组1500米第一名	内蒙古自治区体育局青少年体育处、内蒙古自治区教育厅体育卫生与劳动教育处
包美玲	体校运动员	2022年内蒙古自治区"中国体育彩票杯"青少年（中学生）田径锦标赛女子U18组3000米第一名	内蒙古自治区体育局青少年体育处、内蒙古自治区教育厅体育卫生与劳动教育处
包美玲	体校运动员	2022年内蒙古自治区"中国体育彩票杯"青少年（中学生）田径锦标赛女子U18组1500米第一名	内蒙古自治区体育局青少年体育处、内蒙古自治区教育厅体育卫生与劳动教育处
孙　鹤	税务局科员	"最美家庭"荣誉称号	内蒙古自治区妇联
汪　宇	税务局科员	"会员之星"荣誉称号	内蒙古自治区红十字会

续表

姓　名	工作单位及职务	奖项名称	授奖单位
韩塔本	民族事务委员会三级调研员	全区民族团结进步模范个人	内蒙古自治区党委、内蒙古自治区人民政府
吴海英	乌兰毛都苏木政府统计助理	优秀统计工作者	内蒙古自治区统计局
王恩贺	退役军人事务局办公室职员	优秀民兵	内蒙古自治区人力资源和社会保障厅、内蒙古军区政治工作局
利　莉	信访局职员	全区信访系统优秀办信员	内蒙古自治区人力资源和社会保障厅、内蒙古自治区信访局
牟光岩	政协提案委员会主任	优秀工作者	第九届内蒙古自治区乌兰牧骑艺术节暨2022兴安盟那达慕承办工作领导小组
张智慧	政协提案委员会副主任		
麻俊颖	检察院	全区检察机关"双先"表彰先进个人	内蒙古自治区人民检察院
唐金海			
包国庆	检察院	全区检察机关司法警察体能技能竞赛男警综合成绩第一名	内蒙古自治区人民检察院
		全区检察机关司法警察体能技能竞赛男警1000米第一名	
		全区检察机关司法警察体能技能竞赛男警俯卧撑第二名	
		全区检察机关司法警察体能技能竞赛男警立定跳远第二名	
		全区检察机关司法警察体能技能竞赛4×100米接力第三名	
		全区检察机关司法警察体能技能竞赛男警10米×4往返跑第三名	
舒日娜	共青团科右前旗委员会基层组织建设部部长	2022年全区大中专学生志愿者暑期文化科技卫生"三下乡"社会实践活动优秀个人	内蒙古自治区学生联合会
孙伟华	科协职员	自治区优秀科普信息员	内蒙古自治区科协
王建国	共青团科右前旗委员会西部计划志愿者	自治区级优秀疫情防控志愿者	共青团内蒙古自治区委员会、内蒙古青年志愿者协会
吴青海			
小岩			

续表

姓　名	工作单位及职务	奖项名称	授奖单位
宝红胜	人民法院政治部主任	2022年度全区法院办案标兵	内蒙古高院
包青山	专业法官会议主任	2021年全区法院审判执行质效提升"蒙马奔腾"专项行动先进个人	
		全区法院"担当作为好干警"	
包明霞	执行指挥中心副主任	法庭工作先进个人	
敖日格乐	共青团内蒙古自治区委员会，四级主任科员	2021年度优秀挂职干部	共青团内蒙古自治区委员会
		全区优秀共青团干部	
		自治区团委机关2021年度"优秀共产党员"	共青团内蒙古自治区委员会机关委员会
张国军	政协副主席	边疆民族地区优秀传统文化与铸牢中华民族共同体意识关系研究一等奖	内蒙古社会主义学院
张　鹏	德伯斯中心卫生院	2021年度人体生物检测项目先进个人	内蒙古自治区综合疾病预防控制中心
邰振红	好仁卫生院		
张英俊	科右前旗人民医院	内蒙古优秀医师奖	内蒙古自治区医师协会
张义光	俄体中心卫生院村医	内蒙古自治区2021年度优秀家庭医生	内蒙古自治区卫健委
张丽娜	科右前旗人民医院感染科	2021年度"全区群众身边最美护士长"荣誉称号	内蒙古医院协会
李凌华	科右前旗人民医院	护理学会"优秀护理工作者"	内蒙古自治区护理学会
王菲琳	委宣传部外宣组组长	"强国复兴有我"内蒙古青年党员vlog视频大赛三等奖	内蒙古自治区党委组织部
杜　鹃	党群服务中心副主任	2021—2022年度民盟内蒙古自治区委员会参政议政工作先进个人	民盟内蒙古自治区委员会
袁世瑛	兴科社区党委书记、主任	优秀青年志愿者	共青团内蒙古自治区委员会
赵艳芝	札萨克图社区两委委员	第二届公共就业服务专项业务竞赛基层公共就业服务人员组优秀奖	公共就业服务专项业务竞赛组委会（内蒙古人力资源和社会保障厅代章）
陈锐龙	机关事务服务中心主任	2022年度全区机关事务先进个人	内蒙古自治区机关事务管理局

续表

姓　名	工作单位及职务	奖项名称	授奖单位
尚尔宇	公安局	全区实施妇女儿童发展纲要先进个人	内蒙古自治区人民政府
丛浩宇	公安局	"枫桥式公安派出所"创建工作优秀个人	内蒙古自治区公安厅
尚尔宇	公安局		
孙冬梅	公安局	通报表扬	
包红军	公安局	个人三等功	
许　可	公安局	个人嘉奖	
于　鹏	公安局		
包月宝	公安局	全区公安教育工作成绩突出个人	
付泰然	公安局	成绩突出个人	
李一妲	公安局	反恐防范之星	内蒙古自治区反恐怖工作领导小组
何　欢	科右前旗人民医院	抗疫先锋	内蒙古自治区卫生健康委员会 内蒙古自治区新型冠状病毒感染疫情防控工作指挥部医疗防控组
刘耀聪			
孙　波			
于　鹤			
张佳佳			
黄　超			
董秋杨			
李　洋			
李珊珊			
杨　润			
金　福			
李　爽			

2022年科右前旗获盟级荣誉名录

姓　名	工作单位及职务	奖项名称	授奖单位
春　英	阿力得尔小学教师	兴安盟中小学优秀班主任	兴安盟教育局 兴安盟人民教育基金会
张淑兰	巴达仍贵小学教师		
高振荣	白辛中学教师		
顾世贤	大坝沟中学教师		
栾广萍	科右前旗第二小学教研组长		
阿荣斯琴	科右前旗第二中学教师		
王淑玲	古迹小学教师		
张玉爽	古迹中学副校长		
韩淑琴	归流河学校教师		
朱晓芳	居力很中学教师		
王乌云	满族屯学校教师		
郭铃小	索伦牧场五连小学工会主席		
白丽欣	索伦小学教师		
栾宏峰	索伦中学教师		
于春良	乌兰毛都中学教务处副主任		
韩玉连	科右前旗第五中学教师		
金　小	科右前旗第一小学教师		
阿拉坦乌拉赖萨其日拉图	科右前旗第一中学教师		
韩玉霞	阿力得尔小学教师	优秀教师	
贺庆波	巴日嘎斯台小学教师		
邹春杰	白辛小学教师		
曲占龙	保门学校教师		
包青英	察尔森小学教师		
德　顺	察尔森中学党支部书记		
周　雨	大坝沟小学教师		
刘敬伟	大石寨小学教师		
冷会玲	大石寨中学教师		
阿拉木斯	德伯斯学校总务主任		
陈玉荣	俄体小学教师		
石　敏	俄体中学教务副主任		
汤丽萍	科右前旗第二小学教师		

续表

姓　名	工作单位及职务	奖项名称	授奖单位
孟德艳	科右前旗第二幼儿园教师	优秀教师	兴安盟教育局 兴安盟人民教育基金会
付伟荣	科右前旗第二中学副校长		
李　颖	科右前旗第二中学教师		
刘　静	公主陵牧场小学教师		
李洪杰	归流河学校教师		
吕红艳	科右前旗哈布尔学校教师		
马东志	哈拉黑小学幼儿园园长		
闫修瑞	哈拉黑中学教师		
张敬丽	科右前旗教师发展中心教师		
马七十八	科右前旗第三小学教师		
杨玉荣	科右前旗第三中学教师		
娄建波	树木沟学校教师		
梁晓东	科右前旗第四幼儿园业务副园长		
王明颖	索伦牧场小学教务副主任		
斯琴高娃	桃合木小学教师		
包拾成	乌兰毛都小学教师		
那　钦	科右前旗第五中学教师		
韩敖道呼	科右前旗第五中学		
朱卫平	科右前旗第一小学教师		
龚永生	科右前旗第一中学教师		
杨玉明	科右前旗中等职业学校教师		
唐牡丹	查尔森中学教师	优秀乡村教师	
孟宪国	大坝沟中学德育工作负责人		
李　冰	俄体中学教师		
郝俊华	树木沟学校幼儿园园长 教务副主任		
白乌兰	乌兰毛都小学教务主任		
王彩芹	阿力得尔中学副校长	优秀教育工作者	
包红文	察尔森小学工会主席		
杨金辉	科右前旗教师发展中心主任		
李享宝	索伦中学工会主席		

续表

姓　名	工作单位及职务	奖项名称	授奖单位
于雪松	教育局教育装备管理中心主任	先进个人	兴安盟教育局
武　健	气象局	重大气象服务先进个人	兴安盟气象局
顾　轩	气象局	2021年事业单位人员嘉奖	
郑云汉	气象局气象台台长	2022年全盟综合气象行业职业技能竞赛技术保障二等奖	
		2022年全盟综合气象行业职业技能竞赛综合业务基础理论三等奖	
		2022年全盟综合气象行业职业技能竞赛个人全能二等奖	
朱天瑞	气象局	2022年全盟综合气象行业职业技能竞赛个人全能三等奖	
王思仪	气象局	2022年全盟综合气象行业职业技能竞赛个人全能优秀奖	
庄　妍	气象局	2022年全盟综合气象行业职业技能竞赛防雷装置检测基础理论二等奖	
闫　文	博物馆讲解员	兴安盟第三届红色故事讲解员大赛优秀奖	兴安盟宣传部、兴安盟文化旅游体育局
卢　婷	博物馆讲解员	"中国梦·劳动美—喜迎二十大建功新时代"全盟职工主题演讲比赛优秀奖	兴安盟工会
乌云格日勒	非遗保护中心主任	兴安盟第五届道德模范敬业奉献奖	兴安盟宣传部
孟根巴根	民族事务委员会一级主任科员	全盟民族团结进步模范个人	兴安盟行政公署
孙立明	退役军人事务局移交安置与就业创业股职员	先进民兵	兴安军分区
王桂玲	阿力得尔苏木新时代文明实践所负责人兼铸牢中华民族共同体意识促进会会长	第二届兴安盟"我帮你"新时代文明实践优秀志愿者	兴安盟宣传部、兴安盟文明办、兴安盟直机关工委、兴安盟民政局、兴安盟工会、团兴安盟委、兴安盟妇联、兴安盟红十字会
		全盟民族团结进步模范个人称号	兴安盟委员会兴安盟行政公署
岳嵩山	政协主席	盟直公务员三等功	兴安盟盟委组织部

续表

姓 名	工作单位及职务	奖项名称	授奖单位
代建国	兴安盟生态环境局科右前旗分局监察员	全盟生态环境保护执法大练兵生态环境执法岗位技能实战比武活动三等奖	兴安盟生态环境局
王晋	检察院	兴安盟检察机关第七届"正义杯"排球赛优秀运动员	兴安盟检察分院
张宇航	索伦镇党委副书记、镇长	2022年度"学习强国"学习积极分子	兴安盟宣传部、"学习强国"兴安盟管理组
冯成	索伦镇委员会宣传委员	盟级优秀网络监督员	兴安盟委员会网络安全和信息化委员会办公室
		2022年度"学习强国"优秀管理员	兴安盟委宣传部、"学习强国"兴安盟管理组
陈晓芙	索伦镇委员会宣传干事	盟级优秀网络监督员	兴安盟委员会网络安全和信息化委员会办公室
肖明圆	共青团科右前旗委员会西部计划志愿者	兴安盟优秀共青团员	共青团兴安盟委员会
小岩			
肖明圆		兴安盟优秀青年志愿者	
陈昶	人民法院院长	党的二十大维稳安保信访工作先进个人	兴安盟政法委
卢筱明	自然资源局副局长	2022年度"学习强国"积极分子	兴安盟宣传部
		2022年度优秀干部	兴安盟自然资源局
许久儒	自然资源局副局长	2022年度优秀干部	兴安盟自然资源局
吴琼	派驻巴日嘎斯台乡新胜村第一书记	兴安盟2022年度驻村帮扶工作先进个人	兴安盟乡村振兴局
安玉柱	桃合木苏木自然资源所所长	2022年度"学习强国"积极分子	兴安盟宣传部
姚玉森	人武部政治委员	人武部建设优秀个人	兴安军分区
袁文文	人武部保障科科长		
侯瑞芳	额尔格图镇人民政府,党委宣传委员	优秀网络监督员	兴安盟委员会网络安全和信息化委员会办公室
赵国海	额尔格图镇兴牧嘎查,村委副主任、治保主任	兴安盟银牌人民调解员	兴安盟司法局
王佳骥	俄体镇党委书记	兴安盟担当作为好干部	中共兴安盟委员会
刘中华	俄体镇统战委员	民族团结进步模范个人	中共兴安盟委员会 兴安盟行政公署
		铸牢中华民族共同体意识主题演讲比赛优秀奖	兴安盟委统战部 兴安盟民委 兴安盟工商联

续表

姓　名	工作单位及职务	奖项名称	授奖单位
贾丽国	俄体镇齐心村书记	乡村振兴担当作为好支书	兴安盟组织部
王宝华	俄体镇武装干事	党的二十大精神群众性学习竞答活动二等奖	兴安军分区
艾菲岳	俄体镇团委书记	志愿服务先进个人	兴安盟团委
张　妍	俄体镇人大秘书	2022年度"学习强国"优秀管理员	兴安盟委宣传部
张继光	机关事务服务中心副主任	兴安盟最美家庭	兴安盟妇联
樊新宇	林业和草原局政策法规室主任	兴安盟2022年度学习强国学习积极分子	兴安盟宣传部、兴安盟"学习强国"管理组
陈　昊	林业和草原局林业事业发展中心宣传干事	优秀青年志愿者	共青团兴安盟委员会
		优秀共青团员	共青团兴安盟委员会
		铸牢中华民族共同体意识主题演讲比赛优秀奖	兴安盟宣传部、兴安盟民族事务委员会、兴安盟教育局、共青团兴安盟委员会
		兴安盟青年讲师团讲师	共青团兴安盟委员会
		兴安青年推荐官	
		中国农民丰收节"网红带货"第一名	兴安盟农牧局
王　鑫	科右前旗人民医院	兴安盟医学会放射分会委员会副主任委员	兴安盟医学会
高丽莉	林业和草原局人事股股长	兴安盟2022年度学习强国学习积极分子	兴安盟宣传部、兴安盟"学习强国"管理组
崔建平	宣传部常务副部长	全盟民族团结进步模范个人称号	中共兴安盟盟委兴安盟行政公署
李　莹	组织部基层组织组科员	2022年度全盟组织系统"优秀信息员"表彰	
佟　童	组织部信息组组长	2022年度全盟组织系统"优秀网宣员"表彰	兴安盟组织部
张丽莹	组织部干部组组长		
王天夫	组织部研究室主任党建秘书组组长		
林　田	组织部干部监督组组长		
张　辉	党群服务中心副主任	2022年度全盟对外宣传工作先进个人	兴安盟宣传部
黄庆宇	科右前旗人民医院	"先进民兵干部"	兴安军分区
包圆圆	碧桂园社区党委书记、主任	最美社区工作者	兴安盟民政局

续表

姓　名	工作单位及职务	奖项名称	授奖单位
朱连升	文联党支部书记、四级调研员	全盟民族团结进步先进个人	中共兴安盟委员会 兴安盟行政公署
梁　乐	文联宣传委员	"中国梦劳动美—喜迎二十大建工新时代"全盟职工主题演讲比赛优秀奖	兴安盟工会
高　超	归流河镇宣传干事	2022年度"学习强国"优秀管理员	兴安盟宣传部
刘　晶	公安局	敬业奉献奖	兴安盟精神文明建设委员会
陈　烨	公安局	优秀青年志愿者	共青团兴安盟委员会
韩丽华	公安局	兴安好人	兴安盟妇联
卞福成	公安局	个人嘉奖	兴安盟政法委
郝晓峰	公安局	个人嘉奖	兴安盟公安局
李泽彦			
田晓宇			
杨　桢			
李海峰			
侯亚强			
于　鹏			
白银杰			
宋炳男			
岳　爽	公安局	辅警嘉奖	兴安盟公安局
吴东升			
董景毓			
李　鹏			
张瑙敏			
哈　帅	公安局	个人三等功	
王维航			
于泽龙			
袁　达			
刘　杨			
马泽平			
何　琪			
初晓东			

续表

姓 名	工作单位及职务	奖项名称	授奖单位
姜 辉			
王晓刚			
刘 晗			
胡云龙	公安局	个人三等功	兴安盟公安局
包双峰			
韩志超			
李 健			

2022年科右前旗获旗级荣誉名录

姓　名	工作单位及职务	奖项名称	授奖单位
刘庆杰	白辛小学副校长	优秀教育工作者	科右前旗委员会 科右前旗人民政府
王丽艳	大坝沟小学政教主任	优秀教育工作者	科右前旗委员会 科右前旗人民政府
陈青格勒	大石寨学校副教务主任	优秀教育工作者	科右前旗委员会 科右前旗人民政府
黄雁飞	教育督导评估中心幼儿园督学	优秀教育工作者	科右前旗委员会 科右前旗人民政府
彭喜梅	哈布尔学校教师	优秀教育工作者	科右前旗委员会 科右前旗人民政府
倪　凯	哈拉黑中学副校长	优秀教育工作者	科右前旗委员会 科右前旗人民政府
王丽华	教育综合服务中心教师	优秀教育工作者	科右前旗委员会 科右前旗人民政府
董丽辉	居力很中学教务副主任	优秀教育工作者	科右前旗委员会 科右前旗人民政府
黄成亮	索伦小学教师	优秀教育工作者	科右前旗委员会 科右前旗人民政府
王凌峰	科尔沁右翼前旗第一中学教师	优秀教育工作者	科右前旗委员会 科右前旗人民政府
王天龙	科尔沁右翼前旗第一中学副校长	优秀教育工作者	科右前旗委员会 科右前旗人民政府
刘云峰	学生资助服务中心教师	优秀教育工作者	科右前旗委员会 科右前旗人民政府
刘玉桩	教育考试中心教师	优秀教育工作者	科右前旗委员会 科右前旗人民政府
白学峰	察尔森小学教师	优秀教育工作者	科右前旗委员会 科右前旗人民政府
陈立岩	哈布尔学校教师	优秀教育工作者	科右前旗委员会 科右前旗人民政府
李广海	教育综合服务中心教师	优秀教育工作者	科右前旗委员会 科右前旗人民政府
李炳良	学生资助服务中心教师	优秀教育工作者	科右前旗委员会 科右前旗人民政府
李迎春	前旗二中副校长	优秀教育工作者	科右前旗委员会 科右前旗人民政府
崔东明	教育考试中心教师	优秀教育工作者	科右前旗委员会 科右前旗人民政府
曲　静	学生资助中心教师	优秀教育工作者	科右前旗委员会 科右前旗人民政府
杨凤武	哈布尔学校副校长	优秀教育工作者	科右前旗委员会 科右前旗人民政府
徐　强	阿力得尔小学教师	优秀班主任	科右前旗委员会 科右前旗人民政府
代宝欣	阿力得尔中学教师	优秀班主任	科右前旗委员会 科右前旗人民政府
徐庆艳	巴日嘎斯台乡小学教师	优秀班主任	科右前旗委员会 科右前旗人民政府
张秀敏	巴日嘎斯台中学教务副主任	优秀班主任	科右前旗委员会 科右前旗人民政府
尉秀鹏	保门学校教师	优秀班主任	科右前旗委员会 科右前旗人民政府
刘凤云	察尔森小学教师	优秀班主任	科右前旗委员会 科右前旗人民政府
陈玉兰	察尔森中学教师	优秀班主任	科右前旗委员会 科右前旗人民政府
唐莹莹	大坝沟小学教师	优秀班主任	科右前旗委员会 科右前旗人民政府
冯丽文	大坝沟中学教师	优秀班主任	科右前旗委员会 科右前旗人民政府
席凤琴	大石寨小学教师	优秀班主任	科右前旗委员会 科右前旗人民政府
白晓艳	大石寨中学党务干事	优秀班主任	科右前旗委员会 科右前旗人民政府

续表

姓名	工作单位及职务	奖项名称	授奖单位
王连庆	德伯斯学校政教副主任	优秀班主任	科右前旗委员会 科右前旗人民政府
张春荣	俄体小学教师		
赵燕燕	俄体中学教师		
王秀彬	额尔格图学校教师		
范立敏	科尔沁右翼前旗第二小学教师		
代兄	前旗二中教师		
周文华	公主陵牧场小学教师		
张明岩	古迹小学教师		
格日乐	古迹中学教师		
刘彬彬	归流河学校教师		
邓宏霞	哈拉黑小学教师		
唐清文	哈拉黑中学关工委副主任		
罗红兰	好仁小学教师		
杜美华	居力很小学教师		
吴永梅	满族屯学校教师		
包艳杰	科右前旗第三中学教师		
李丽	树木沟学校教师		
国立华	索伦牧场小学教师		
吴玉兰	索伦小学教师		
胡志明	科尔沁右翼前旗索伦中学教务副主任		
白丽华	桃合木小学教师		
英格	乌兰毛都小学教师		
乌云塔娜	乌兰毛都中学教师		
白银梅	科右前旗第五中学教师		
图雅	科右前旗第一小学教师		
戴红霞	前旗一中语文教师		
臧春英	永兴小学教师		
刘志红	跃进马场小学教师		
刘晓慧	科尔沁右翼前旗中等职业学校教师		
包阿拉台	巴达仍贵小学教师	优秀教师	
辛占鸿	巴日嘎斯台小学教师		

续表

姓　名	工作单位及职务	奖项名称	授奖单位
王春红	巴日嘎斯台中学教师	优秀教师	科右前旗委员会 科右前旗人民政府
王庆娟	白辛小学教师		
高雪松	白辛中学教师		
薛丹华	白辛中学教师		
姜丽颖	保门学校教师		
额尔敦图	察尔森小学教师		
郭艳宇	大坝沟小学政教副主任		
张莹	大石寨小学教师		
柴雪晴	大石寨中学教师		
王小红	德伯斯学校教师		
屈婷婷	俄体小学教师		
刘春成	俄体小学教师		
姜菲菲	俄体中学教师		
何晶磊	额尔格图学校教务主任		
康志光	科尔沁右翼前旗第二小学教师		
周蜜	科尔沁右翼前旗第二小学政教副主任		
张策	科尔沁右翼前旗第二幼儿园教师		
李红程	前旗二中教师		
李旭	前旗二中教师		
刘林	公主陵牧场小学教师		
王超	古迹中学教师		
邰英英	归流河学校团委书记		
潘伟	归流河学校教师		
王金凤	哈布尔学校教师		
卜凡宇	哈拉黑小学教务主任		
陈立宏	好仁小学教师		
刘静平	教师发展中心教师		
红霞	教师发展中心教师		
王萍	居力很小学党务干事		
苏雅拉图	居力很中学教师		
李月英	满族屯学校教师		
纪阳阳	科右前旗第三幼儿园保教主任		

续表

姓　名	工作单位及职务	奖项名称	授奖单位
代宝静	科右前旗第三中学教师	优秀教师	科右前旗委员会 科右前旗人民政府
张华跃	科右前旗第三中学教务主任		
李文静	树木沟学校教师		
桂　英	科右前旗第四幼儿园教师		
海万喜	索伦牧场五连小学教师		
陈　影	索伦牧场五连小学教师		
臧　瑞	索伦牧场小学教师		
胡小红	索伦小学教师		
卜领兄	索伦中学教务副主任		
巴根那	桃合木小学教师		
罗特日格勒	乌兰毛都小学教师		
莲　花	乌兰毛都中学教师		
王秀花	科右前旗第五中学教师		
来　祥	科右前旗第五中学教师		
乌云毕力格	科右前旗第一小学教师		
包海莲	科右前旗第一小学教师		
吴秀新	科右前旗第一幼儿园教师		
萨如拉	科尔沁右翼前旗第一中学教师		
丁晓丽	永兴小学教师		
杜　静	永兴幼儿园教师		
胡建权	科尔沁右翼前旗中等职业学校教师		
周　磊	科尔沁右翼前旗中等职业学校教师		
王天生	水利局	2022年度考核优秀领导干部	
卢志勇	水利局	兴安盟2022年度驻村帮扶工作先进个人	
袁世瑛	兴科社区党委书记、主任	优秀党务工作者	科右前旗委员会
苑欣欣	文联副主席	第九届内蒙古自治区乌兰牧骑艺术节暨2022·兴安盟那达慕优秀工作者	科右前旗委员会 科右前旗人民政府
梁　乐	文联宣传委员	2022年度全旗优秀信息员	科右前旗委员会
苑欣欣	文联副主席	2022年度实绩考核优秀领导干部	科右前旗委员会 科右前旗人民政府

续表

姓　名	工作单位及职务	奖项名称	授奖单位
王松林	公安局	优秀领导干部	科右前旗委员会
张　明			
王星华	自然资源局办公室职员	2022年度科右前旗政务信息工作先进个人	科右前旗人民政府
达胡巴雅尔	机关事务服务中心副主任	科右前旗乌兰牧骑艺术节先进个人	
王宏宇	政协综合保障中心副主任	旗级优秀志愿者	科右前旗委员会
张　岩	卫生健康委员会	2022年度科右前旗政务信息工作先进个人	科右前旗人民政府
白　颖	科协职员	科普工作先进个人	
吴　静	科疾病预防控制中心	突出贡献奖	二连浩特疫情防控指挥部
李曼瑞	疾病预防控制中心		
王佳佳	好仁卫生院		
王　佳			
成可心	科右前旗妇幼保健院		
邹可心			
曲　洋	科尔沁社区卫生服务中心	最美逆行者	二连浩特疫情防控指挥部
包亮亮	科尔沁社区卫生服务中心	最美逆行者	二连浩特市锡林社区党工委
包　磊	卫生健康委员会	最美逆行者	二连浩特市新型冠状病毒感染防控工作指挥部
		抗疫先进工作者	苏尼特左旗人民政府
董秋杨	科右前旗人民医院	突出贡献奖	二连浩特市新冠疫情防控工作指挥部
殷　爽	疾病预防控制中心	最美逆行者	满洲里市委员会 满洲里人民政府
			满洲里市人民医院
		抗疫先锋	呼和浩特市委员会 呼和浩特市人民政府
张　蕊	疾病预防控制中心	抗疫先锋	呼和浩特市委员会 呼和浩特市人民政府
宋佳欣			
魏　心			
何　欢	科右前旗人民医院	抗疫先锋	吉林省委员会 吉林省人民政府
刘耀聪			
孙　波			

续表

姓　名	工作单位及职务	奖项名称	授奖单位
于　鹤			
张佳佳			
黄　超			
董秋杨	科右前旗人民医院	抗疫先锋	吉林省委员会 吉林省人民政府
李　洋			
李珊珊			
杨　润			
金　福			
李　爽			
王佳骥	俄体镇党委书记	优秀领导干部	科右前旗委员会 科右前旗人民政府
王爱武	巴日嘎斯台乡党委书记		
高　冰	科尔沁镇党委书记		
宗大伟	额尔格图镇党委书记		
王红喜	德伯斯镇党委书记		
范洪成	阿力得尔苏木党委书记		
高　波	归流河镇党委书记		
李国林	居力很镇党委书记		
尹东方	巴日嘎斯台乡副书记		
刘百刚	阿力得尔苏木副书记		
梁立国	巴日嘎斯台乡人大主席		
白连胜	满族屯满族乡人大主席		
李彦彬	察尔森镇人大主席		
乌力吉德力格尔	乌兰毛都苏木人大主席		
陆　博	巴日嘎斯台乡党委委员		
李　娜	俄体镇党委委员		
崔福岩	俄体镇副书记		
李海艳	巴日嘎斯台乡副书记		
王　舒	科尔沁镇副书记		
刘志峰	科尔沁镇副镇长		
白双虎	察尔森镇副镇长		
鄂仪苋	察尔森镇党委委员		
明　明	额尔格图镇武装部长		

续表

姓　名	工作单位及职务	奖项名称	授奖单位
马　建	额尔格图镇副镇长	优秀领导干部	科右前旗委员会 科右前旗人民政府
刘国成	归流河镇纪委书记		
郭金凤	归流河镇副镇长		
马　帅	索伦镇副镇长		
袁立平	乌兰毛都苏木武装部长		
包艳芳	满族屯满族乡副书记		
韩纯玉	大石寨镇副书记		
闫利伟	大石寨镇副镇长		
色汗其其格	乌兰毛都苏木党委委员		
敖喜明	满族屯满族乡副乡长		
董志强	索伦镇副书记		
计芃宇	阿力得尔苏木副苏木达		
张洪祥	阿力得尔苏木武装部长		
白文英	德伯斯镇副镇长		
白小凤	德伯斯武装部长		
刘　泽	居力很镇副镇长		
谢建华	桃合木苏木苏木达		
特木勒图	桃合木苏木副书记		
王越鹏	居力很镇副镇长		
裴作红	巴日嘎斯台乡党群服务中心		
于海翔	俄体镇党群服务中心		
王佳佳	索伦镇综合行政执法局局长		
杜晓明	巴日嘎斯台乡综合保障和技术推广中心		
红　云	德伯斯综合保障技术推广中心		
包阿荣	察尔森镇综合保障和技术推广中心		
程书亭	旗委办公室副主任		
刘立军	政府办公室主任		
常文娟	组织部常务副部长		
张洪智	人大常委会		
陈宝龙	政协办公室主任		
陈永民	纪委副书记		
陈秋祥	旗委办公室副主任		

续表

姓　名	工作单位及职务	奖项名称	授奖单位
吴　铎	旗委办公室副主任	优秀领导干部	科右前旗委员会 科右前旗人民政府
刘宇光	组织部副部长		
窦伟奇	政府办公室副主任		
高广宇	政府办公室副主任		
李建成	纪委常委		
王剑峰	法院纪检组长		
付　松	纪委常委		
张智慧	政协提案委员会		
王春华	监委委员		
于　强	政法委副书记		
郎永贵	宣传部副部长		
王立军	统战部副部长		
杨冬生	人大财经工作委员会		
张曙艳	机构编制主任		
徐东华	妇联主席		
姜文广	巡察办第三巡察组组长		
常　宝	机构编制副主任		
徐嘉其	巡察办第三巡察组副组长		
敖永珍	妇联副主席		
杨　婷	红十字会副会长		
陈建辉	科协副主席		
佟占军	人力资源和社会保障局局长		
张雅琨	卫生健康委员会主任		
陈　玲	文化旅游体育局局长		
良　泰	医疗保障局局长		
张敬海	民政局局长		
张静媛	教育局副局长		
杨忠斌	卫生健康委员会		
赵景龙	交通运输局副局长		
来永强	医疗保障局副局长		
刘　莹	政务服务局副局长		
丁祥彬	农牧业和科学技术局		

续表

姓　名	工作单位及职务	奖项名称	授奖单位
孟凡祺	乡村振兴局局长	优秀领导干部	科右前旗委员会 科右前旗人民政府
韩永林	农牧业和科学技术局副局长		
隋玉波	农牧业和科学技术局副局长		
韩　军	乡村振兴局副局长		
李　光	工业和信息化局局长		
张玉文	财政局局长		
邰慧璟	统计局党组书记		
刘　峰	发改委副主任		
方伟田	工业园区管委会		
孙牧羊	发改委副主任		
赵　萌	财政局副局长		
杨仲庭	住建局副局长		
刘海鹏	工业和信息化局副局长		
田志伟	市场监督管理局局长		
施建春	公安局副局长		
司丰林	公安局副局长		
刘志财	审计局副局长		
王　楠	市场监督管理局副局长		
张子成	党校常务副校长		
包天娇	党群服务中心主任		
陈锐龙	机关事务服务中心主任		
李　扬	党群服务中心副主任		
赵宏伟	融媒体副主任		
彭明武	党群服务中心		
王义军	供销社副主任		
杨秀玲	党校副校长		
包塔娜	行政事务服务中心		
纪相国	科技事业发展中心		
达胡巴雅尔	机关事务服务中心		
田国江	区域经济合作服务中心		
温秀华	社会治理中心		
李鹏飞	交通运输事业发展中心		

续表

姓　名	工作单位及职务	奖项名称	授奖单位
郝晓峰	生态环境食品犯罪侦查大队		
杨军武	综合保障中心主任		
王晓峰	社保中心主任		
何建坤	林业和草原局		
黄异腾	政务和公益机构域名注册中心		
吕双勇	教育局局长		
卞福成	公安局副局长		
王晓平	文化旅游体育局		
赵竟一	科尔沁镇综合行政执法局局长		
王　宏	阿力得尔苏木综合行政执法局局长	优秀领导干部	科右前旗委员会 科右前旗人民政府
金丽华	科尔沁镇综合保障和技术推广中心主任		
陈　伟	额尔格图镇综合保障和技术推广中心主任		
安雄雨	纪委监委办公室主任		
贾玲艳	人大		
朱晓红	保密局局长		
张云竹	大数据中心主任		
鲍哈斯	行政事务服务中心副主任		
阿　友	疾病预防中心副主任		
李迎春	教育局		
王淑媛	全域文化旅游开发有限责任公司		

集体荣誉

2022年科右前旗获全国荣誉集体名录

获奖单位	获奖名称	授奖单位
察尔森镇察尔森嘎查	中国美丽休闲乡村	农业农村部
	全国民主法治示范村	司法部、民政部
	第九批"全国民主法治示范村(社区)"	司法部、民政部
察尔森中学	八一爱民学校	教育部、 中央军委政治工作部、 全国双拥工作领导小组办公室
人民检察院	全国检察机关"文明接待室"	最高人民检察院
兴科社区	铸牢中华民族共同体意识大讲堂	中国成人教育协会
	先进基层群众性自治组织	国家民政厅
札萨克图社区	全国红十字会模范单位	中国红十字会总会
文联	文学志愿服务示范性重点扶持项目	中国作家协会

2022年科右前旗获自治区荣誉集体名录

获奖单位	获奖名称	授奖单位
察尔森镇察尔森嘎查	全区民族团结进步模范集体	内蒙古自治区党委、 内蒙古自治区人民政府
	第二批自治区乡村旅游重点村镇名单	内蒙古自治区文化和旅游厅
察尔森水库风景区	国家3A级旅游景区	
居力很司法所	内蒙古自治区司法行政系统集体二等功	内蒙古自治区司法厅
统计局	内蒙古自治区第七次全国人口普查先进集体	内蒙古自治区统计局、 内蒙古自治区人力资源和社会保障厅、 内蒙古自治区第七次全国人口普查领导小组办公室
乌兰牧骑	第九届内蒙古自治区乌兰牧骑艺术节团体金奖	内蒙古自治区文化和旅游厅、 中共兴安盟委员会、 兴安盟行政公署
	第九届内蒙古自治区乌兰牧骑艺术节优秀组织奖	
居力很司法所	集体二等功	内蒙古自治区司法厅
公证处	2017至2022年度全区优秀公证处	
税务局	作品《血染乡土不悔 魂佑兴安永存》被自治区党委宣传部评选为"我们的新时代"理论微视频大赛三等奖	内蒙古自治区党委宣传部

续表

获奖单位	获奖名称	授奖单位
共青团科右前旗委员会青年突击队	2021—2022年度全区疫情防控青年志愿服务工作优秀组织奖	内蒙古自治区青年志愿者协会
青年志愿者协会	第七届全区青年志愿服务项目大赛优秀组织奖	内蒙古自治区团委、内蒙古自治区残疾人联合会、内蒙古自治区民政厅、内蒙古自治区乡村振兴局、内蒙古自治区消防救援总队
机关事务服务中心	全区机关事务先进集体	内蒙古自治区机关事务管理局
德伯斯中心卫生院	2022年度人体生物检测项目先进集体	内蒙古自治区综合疾病预防控制中心
宣传部	"我们的新时代"理论微视频大赛三等奖	内蒙古自治区党委宣传部
党群服务中心	内蒙古自治区第七次全国人口普查先进集体	内蒙古自治区第七次全国人口普查领导小组办公室、内蒙古自治区人力资源和社会保障厅、内蒙古自治区统计局
兴科社区	"非遗在社区"示范社区	内蒙古自治区文化和旅游厅
教育局	自治区第一批幼小衔接实验区	内蒙古自治区教育厅
中等职业学校团委	全区五四红旗团委	共青团内蒙古自治区委员会
第一小学	内蒙古自治区红领巾奖章四星章集体	
第二小学		
科尔沁社区	最美志愿服务社区	共青团内蒙古自治区委员会、内蒙古青年志愿者协会
文联	2022年度基层文联工作先进单位	内蒙古自治区文联
	"内蒙古诗歌之乡"（内蒙古首次获此殊荣）	内蒙古诗歌学会
	内蒙古"五个一工程"奖	内蒙古自治区党委宣传部
兴科社区	疫情防控先进组织	内蒙古自治区团委
青年志愿者协会	第七届全区青年志愿服务项目大赛银奖	内蒙古自治区团委、内蒙古自治区残疾人联合会、内蒙古自治区民政厅、内蒙古自治区乡村振兴局、内蒙古自治区消防救援总队
司科尔沁镇供电所	内蒙古自治区工人先锋号	内蒙古自治区总工会
国网科右前旗供电公司"雷电之光QC小组"	"2022年电力行业质量管理"三等奖	国家电网蒙东电力公司
国网兴安科右前旗供电公司输电运检班	2022年度工人先锋号"称号	

2022年科右前旗获盟级荣誉集体名录

获奖单位	获奖名称	授奖单位
税务局	参赛作品"青团"计划荣获2022年度创新项目第一名	兴安盟税务局
气象局	重大气象服务先进集体	兴安盟气象局
气象局	综合目标管理优秀达标	兴安盟气象局
气象局	全盟综合气象行业职业技能竞赛团体奖第三名	兴安盟气象局
察尔森镇察尔森嘎查	盟级"最强党支部"农村牧区领域示范点	兴安盟委组织部
满族屯满族乡	2022年度全盟环境整治优秀奖	兴安盟农牧业局
满族屯满族乡新时代文明实践所	优秀新时代文明实践所	兴安盟委宣传部
满族屯满族乡守望草原巡防队	优秀志愿服务组织	兴安盟委宣传部
满族屯满族乡守望草原巡防队	2022年度"法治事件"	兴安盟政法委
共青团科右前旗委员会	"热爱内蒙古、建设内蒙古——我为北疆添光彩"兴安盟大学生暑期社会实践活动优秀组织奖	共青团兴安盟委员会
自然资源局	优秀领导班子	兴安盟自然资源局
自然资源局国土空间规划股	兴安盟"巾帼文明岗"	兴安盟妇女联合会
归流河镇	"学习强国"优秀管理组	兴安盟委宣传部
公安局户政大队	武装工作先进单位	内蒙古兴安军分区
前旗一中	高中男子组冠军	兴安盟教育局
前旗五中	初中男子组冠军	兴安盟教育局
察尔森小学	小学男子组亚军	兴安盟教育局
教育局	田径运动会获得团体总分第一名	兴安盟教育局
人民检察院	兴安盟检察机关第七届"正义杯"排球赛冠军	兴安盟检察分院
额尔格图镇团委	"五四红旗团委"	共青团兴安盟委员会
俄体镇齐心村	全盟民族团结进步模范集体	兴安盟委员会、兴安盟行政公署
俄体镇管理组	"学习强国"优秀管理组	兴安盟宣传部
林业和草原局兴隆林场	"学习强国"优秀管理组	兴安盟委宣传部、兴安盟"学习强国"管理组
林业和草原局乌兰大坝林场	"学习强国"优秀管理组	兴安盟委宣传部、兴安盟"学习强国"管理组
宣传部	"学习强国"优秀管理组	兴安盟委宣传部、兴安盟"学习强国"管理组
"扫黄打非"工作领导小组办公室	兴安盟"扫黄打非"工作先进集体	兴安盟"扫黄打非"工作领导小组

续表

获奖单位	获奖名称	授奖单位
文化馆	喜迎二十大"健康和谐相伴·激情快乐同行"兴安盟第八届广场舞（操）网络大赛优秀组织奖	兴安盟委宣传部、兴安盟文化旅游体育局
乌兰牧骑	十佳党务政务新媒体	兴安盟委宣传部、网信办
非遗保护中心	兴安盟首届非物质文化遗产保护传承主题摄影展优秀组织奖	兴安盟文化旅游体育局、兴安盟文学艺术界联合会
司法局	"兴安盟司法所长知识竞赛"团体第二名	兴安盟司法局
索伦镇委员会	互联网违法和不良信息举报受理处置一体化机制建设先进集体	兴安盟委员会网络安全和信息化委员会办公室
索伦镇管理组	"学习强国"基层优秀管理组	兴安盟委宣传部、"学习强国"兴安盟管理组
公安局基层基础大队	集体三等功	兴安盟公安局
公安局治安管理大队		
树木沟派出所		
公安局情报指挥中心	集体嘉奖	
大石寨派出所		
看守所		
公安局刑事侦查大队党的二十大安保维稳专班	集体三等功	
公安局经侦大队		
归流河镇	兴安盟文明村镇	兴安盟精神文明建设委员会办公室
	盟级环境卫生提升奖	兴安盟委农牧办
	兴安盟网络文明先进集体	兴安盟委员会网络安全和信息化委员会办公室
碧桂园社区	盟级最强党支部示范点	兴安盟委组织部
	盟级优秀志愿者服务团队	共青团兴安盟委员会
科尔沁社区	优秀志愿服务社区	
永宁社区	疫情防控志愿服务先进集体	共青团兴安盟委员会
人武部	兴安盟驻村帮扶工作先进集体	兴安盟委员会农牧区工作领导小组
额尔格图镇六合嘎查党支部	兴安盟委组织部"最强党支部"示范点	兴安盟委组织部
兴科社区	优秀志愿服务社区	兴安盟文明办

2022年科右前旗获旗级荣誉集体名录

获奖单位	获奖名称	授奖单位
科尔沁镇排球女队	科右前旗"体彩杯"农牧民职工排球赛乡镇女子组冠军	科右前旗委员会、科右前旗人民政府
税务局	通报表扬	
满族屯满族乡	科右前旗农村牧区人居环境整治工作综合考评二类地区一等奖	科右前旗人民政府
内蒙古青山国家级自然保护区管理局	科右前旗"中国体育彩票杯"农牧民、职工排球赛职工男子组第三名	科右前旗人民政府、科右前旗文化体育旅游局
国家统计局科右前调查队	文明单位	科右前旗委员会、科右前旗人民政府
自然资源局	科右前旗政务信息工作先进集体	科右前旗人民政府
额尔格图镇兴牧嘎查党支部	最强党支部示范点	科右前旗委员会
人社局	科右前旗农牧民职工篮球比赛获得职工男子乙组第五名	科右前旗人民政府
北京市海淀区教委教师支教团	教育帮扶贡献奖	科右前旗委员会、科右前旗人民政府
北京市林业大学教师支教团		
中国传媒大学教师支教团		
人民医院	"中国体育彩票杯"农牧民、职工排球赛荣获第七名	
科尔沁镇	科右前旗科普工作先进集体	
兴科社区	最强党支部示范基地	科右前旗委员会
扎萨克图社区	最强党支部	
文联	第九届内蒙古自治区乌兰牧骑艺术节暨2022·兴安盟那达慕先进集体	科右前旗委员会、科右前旗人民政府
归流河镇	"喜迎二十大 奋进新征程"科右前旗广场舞大赛优秀奖	科右前旗人民政府
	"喜迎二十大 振兴正当时"科右前旗首届红色文旅嘉年华红歌会最佳创意奖	
科尔沁派出所	最强党支部	科右前旗人民政府
科尔沁镇供电所	最具传播影响力供电所	英大传媒投资集团有限公司
俄体镇	优秀领导班子	科右前旗委员会、科右前旗人民政府
居力很镇		
巴日嘎斯台乡		
科尔沁镇		
阿力得尔苏木		
乌兰毛都苏木		

续表

获奖单位	获奖名称	授奖单位
直属机关工委	优秀领导班子	科右前旗委员会、科右前旗人民政府
妇联		
编办		
工商联		
文联		
教育局		
人社局		
卫健委		
文化旅游体育局		
农牧和科技局		
林业和草原局		
乡村振兴局		
自然资源局		
生态环境局		
产业园管理办公室（工业园区）		
发改委		
公安局		
审计局		
检察院		
法院		
党群服务中心		
融媒体中心		
供销社		
城市管理综合行政执法局		
科技事业发展中心		
税务局		
供电公司		
信用联社		

附 录

科右前旗 2022 年国民经济和社会发展统计公报
内蒙古自治区人民政府令

科右前旗 2022 年国民经济和社会发展统计公报

科尔沁右翼前旗统计局

2022 年，面对极其复杂严峻的国际形势和国内新冠疫情散发等多重考验，科右前旗旗委、旗政府坚持以习近平新时代中国特色社会主义思想为指导，全面贯彻党的十九大和十九届历次全会精神，深入贯彻习近平总书记对内蒙古重要讲话重要指示批示精神，坚持稳中求进工作总基调，坚持生态优先、绿色发展导向不动摇，科学统筹疫情防控和经济社会发展，扎实做好"六稳"工作，全面落实"六保"任务，社会大局和谐稳定，全旗经济持续恢复。

一、人口与就业

年末全旗户籍人口 330969 人，126107 户。其中，城镇人口 48244 人，占总人口的 14.58%；乡村人口 282725 人，占总人口的 85.42%。男性人口 169551 人，女性人口 161418 人，男女性别比是 105.04。总人口中蒙古族人口 158330 人，汉族人口 154924 人，少数民族人口 176045 人，少数民族人口占总人口 53.19%。全年出生 1928 人，死亡 2721 人。户籍人口出生率为 5.82‰，死亡率为 8.21‰；人口自然增长率为 -2.39‰（用户籍人口数据计算）。年末科右前旗常住人口 28.17 万人。

2022 年全年城镇新增就业 1364 人，失业人员再就业 858 人，困难人员实现再就业 642 人。年末城镇登记失业率 2.9%。办理就业创业证 2229 本；办理失业登记 1876 人；完成就业困难人员认定 642 人（含残疾 4 人），所认定的 642 人已全部实名制录入内蒙古人社系统业务综合办理平台。

委托 16 个定点职业培训机构开展中式面点师、母婴护理等 19 个职业（工种）培训班 78 个班期、培训人员 2298 人。推广"企校双制、工学一体"和企业培训相结合模式，兴安盟鑫华玉商贸有限责任公司和兴安盟亚龙汽车销售服务有限公司企业依托兴安职业技术学院开展新型学徒制培训 7 个班期，培训人员 117 人。为 186 家企业发放稳岗返还补贴 247.4 万元，惠及企业职工 4816 人；发放一次性留工培训补助 344 万元，惠及参保单位 272 户、职工 6880 人；发放一次性扩岗补助 33.5 万元，惠及企业 40 家、职工 223 人；审批认定见习单位 13 家，安置青年见习生上岗 110 人（高校毕业生 78 人、失业青年 32 人）。加强创业担保贷款政策宣传力度，通过中国银行科右前旗支行和科右前旗信用合作联社发放创业担保贷款 1615 万元（企业 4 家 1060 万、个人创业担保贷款 30 笔 555 万元）（由科右前旗人力资源和社会保障局提供）。

二、综合

经济总量 初步核算，全年地区生产总值完成 128.79 亿元，按可比价计算，比上年增长 2.9%。其中，第一产业增加值 75.21 亿元，增长 4.7%；第二产业增加值 18.17 亿元，下降 4.7%；第三产业增加值 35.41 亿元，增长 3.6%。三次产业比例为 58.4∶14.1∶27.5。按常住人口计算，全旗人均 GDP 是 45573 元，比去年增长 3.43%（可比价）。

2022年科右前旗地区生产总值三产比重

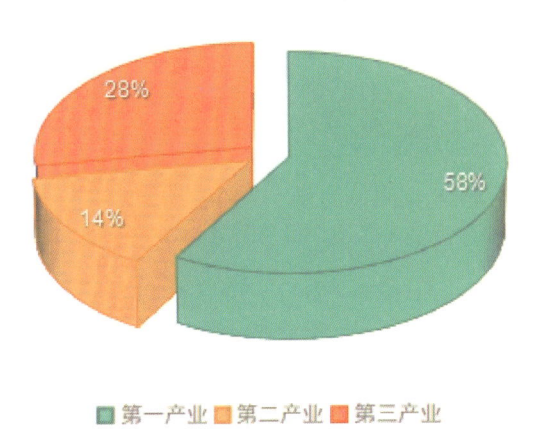

- 第一产业：58%
- 第二产业：14%
- 第三产业：28%

2018—2022年地区生产总值（亿元）

年份	2018年	2019年	2020年	2021年	2022年
生产总值	86.77	95.5	104.04	114.22	128.79

财政税收 全年一般公共预算收入47901万元。其中，税收收入29019万元，占一般公共预算收入的比重为60.58%。全年一般公共预算支出500007万元。其中，社会保障和就业支出86108万元，卫生健康支出30842万元，教育支出84652万元（由科右前旗财政局提供）。

非公经济 年末，全旗私营企业3713户，其中本期登记836户；个体工商户20162户，其中本期登记4268户；农民专业合作社2209户，其中本期登记83户（由科右前旗市场监督管理局提供）。

招商引资 2022年全旗有到位资金项目48个，均为续建项目，到位资金47.12亿元。从项目的投资规模看，亿元以上项目13个，到位资金36.7027亿元；5000万元到亿元项目11个，到位资金7.2681亿元；5000万元以下项目24个，到位资金3.1492亿元（由科右前旗工商联区域经济合作服务中心提供）。

三、农业

全年全旗实现农林牧渔业增加值76.15亿元，按可比价格计算，比上年增长4.8%。

2022年，科右前旗克服了春季低温干旱等多重不利条件影响，出台粮食稳产行动方案以及玉米、水稻、大豆等粮食作物专项扶持方案，完成粮食播种面积243661.45公顷，比上年增长2.95%。粮食总产量达到154.47万吨，比上年减少2.07万吨，同比下降1.32%。其中，玉米产量133.92万吨，下降0.29%；稻谷产量6.08万吨，比去年下降25.12%；大豆产量10.07万吨，比去年增长56.06%（由国家统计局科右前调查队提供）。

日历年度牲畜存栏总头数282.8万头（只、口），其中牛存栏17.5万头，同比增长4.17%；羊存栏248.5万只，比上年下降1.7%；生猪存栏14.4万口，比上年下降41.46%（数据由国家统计局兴安调查队反馈）。

四、工业、固定资产投资和建筑业

全部工业增加值比上年增长13%。全旗22家规模以上工业企业实现增加值增长6.7%。全年规模以上企业实现主营业务收入比上年增长54.04%。

全年全旗固定资产投资（不含农户）比上年增长0.7%。

全旗纳入统计的资质总承包和专业承包建筑业共完成总产值150165万元，比去年同期下降22.06%。

2018—2022年地区生产总值增速、规模以上工业增加值增速和500万元以上固定资产投资增速折线图

年份	GDP增速（%）	规上工业增加值增速（%）	500万元以上固定资产投资增速（%）
2018年	5.2	-11.2	-44.5
2019年	7.1	1.7	28
2020年	5.9	-0.6	20.4
2021年	5.2	-15.3	3.4
2022年	2.9	6.7	0.7

五、贸易与金融

贸易 全年批发和零售业增加值3.71亿元，同比下降1.9%；住宿餐饮业增加值0.72亿元，同比下降23.1%。社会消费品零售总额19.81亿元，同比下降0.6%。

截至2022年年末，全旗全年完成电子商务交易额41238.29万元，同比增长15.16%。全年外贸进出口总额17610万元人民币，同比增长30%，其中出口总额508万元人民币，同比下降9605%（由科右前旗政府外事办公室提供）。

金融 全旗金融机构存款余额873486万元，比上年增长10.56%，其中住户存款778346万元，同比增长20.94%。各项金融机构贷款余额1086900万元，同比增长19.09%，其中住户贷款477938万元，同比增长15.24%（由中国人民银行阿尔山市支行提供）。

六、交通、通信和旅游

交通 全旗公路总里程3394.63公里。其中，高速公路72.09公里，国道473.53公里，省道242.39公里，县道704.33公里，乡道409.87

公里，村道1564.52公里。按照公路等级划分，其中，一级公路284.82公里，二级公路275.67公里，三级公路461.23公里，四级公路2283.07公里，等外公路17.76公里。全年货物量354.04万吨，货运周转量39485.47万吨公里；客运量15.5万人次，旅客周转量2097.2万人公里（由科右前旗交通运输局提供）。

通信 全旗邮政电信业务收入23466万元，其中邮政快递业务收入1535万元，电信业务收入21931万元。固定电话用户数为7332户，移动电话357768户，年末互联网端口总数为94959户，互联网宽带接入用户为93756户。

旅游 全年旅游人数301万人次，旅游综合收入10.39亿元，同比增长19.4%。实施金马鞍风景区、察尔森水库风景区两个4A级景区创建工作，并成功申报为3A级景区。兴安农村第一党支部按照3A级标准改造提升，察尔森镇察尔森嘎查成功评为自治区乡村旅游重点村。大力培育文化遗产游、近郊游、猎奇游、生态游、会展赛事活动游等五大旅游板块，培育重要节点服务区改驿站工作，实现"全景引客，全业融合"，深入践行"三色旅游"，形成特色鲜明、形式多样的全域旅游新业态。成功召开2022年科右前旗旅游工作论坛暨"三色"旅游推介大会和科右前旗旅游推介新闻发布会，全方位推介我旗特色文旅资源；"5·19"中国旅游日期间，积极开展科右前旗第三届插秧节暨兴安论"稻"产业发展论坛、国家级非物质文化遗产——巴音居日合乌拉祭、2022·乌兰毛都草原牧民那达慕开幕式暨金马鞍风景区开园仪式、采摘季系列活动等，旅游节事活动在旅游市场广泛和高频次开展，并积极参与"兴安人游兴安"活动，推出精品游线路、发布诸多旅游优惠和减免政策，为游客带来了多层次的文旅体验。第九届内蒙古自治区乌兰牧骑艺术节暨2022·兴安盟那达慕期间旅游人数更是达到55万人次，旅游收入突破1.8亿元，乌兰毛都大草原火爆出圈，受到越来越多旅游消费者青睐，成为新热搜。依托科右前旗城中草原"前·海"不夜街"夜经济"打造消费新热点，激发文旅消费潜力，促进文旅消费升级（由科右前旗文化旅游体育局提供）。

七、教育科技、文化、体育和卫生

教育 截至2022年年末，全旗共有59所幼儿园，学前入园率92.26%。小学（校点）23所、普通中学24所。初中（九年一贯制）21所，其中蒙授9所；高中3所，其中蒙授2所。职业高中1所。特殊教育学校1所。小学有专任教师2216人，在校生17100人，当年毕业生2965人；普通中学有专任教师1571人，在校生11361人，当年毕业生3364人；其中，初中有专任教师1141人，在校生8083人，当年毕业生2287人；高中有专任教师430人，在校生3278人，当年毕业生1077人。

2022年度我旗拨付义务教育阶段蒙古语授课住宿生生活补助费424.116万元，中小学困难寄宿生生活补助费拨735.9985万元。2022年继续推进高中阶段免费教育，两免资金1082.1715万元（其中，普通高中阶段两免资金727.5715万元；职业高中两免资金354.6万元）（由科右前旗教育局提供）。

科技 开展各类农技培训60余场、开展各类新品种新技术新机具试验50余项、发放三批实际种粮农民一次性补贴6518万元，发放耕地地力保护补贴15404万元、发放生产者补贴20448万元（由农牧和科技局提供）。

加强科技育才引才，建立区级科技特派员工作站1个、盟级科技特派员工作站2个，在全盟率先探索成立旗级科技特派员工作站6个，选派科技特派员100名、"三区人才"8名，开展科技培训11期，累计培训544人次，初步形成"科技育才引才、人才兴产兴业"的良好态势(由科右前旗科技事业发展中心提供)。

当年专利授权量为42件，累计授权量为164件(由科右前旗市场监督管理局提供)。

文化 全旗拥有旗级图书馆1个、文化馆1个、博物馆1个、专业艺术表演团体1个、科尔沁剧场1个、苏木乡镇(中心)基层综合文化站19个、"草原书屋"229个。

开展了"札萨克图的祝福"2022年科右前旗春节联欢晚会，线上直播+线下观看人数总浏览量达34万，开展"赏年画·过大年"新年画线上美术作品展44幅，弘扬了社会主义核心价值观和中华优秀传统文化；举办了"书香内蒙古 喜迎二十大"全民阅读系列活动、"图书推广驿站"活动、讲红色故事活动、答题挑战活动60余项，开展了"草原书屋"乡村阅读季系列活动共38次，巩固和深化了我旗全民阅读建设成效，掀起了全民阅读新热潮；举办了2022年文化和自然遗产日"查干伊德"文化节暨全民健身活动，来自全旗各苏木乡镇24支队伍700余名广场舞爱好者和200余名非遗传承人参加；举办"喜迎二十大 振兴正当时"2022年科右前旗红歌会暨惠民演出活动，来自各乡镇苏木12支队伍参加了红歌赛，15支队伍参加了惠民演出，多措并举地丰富了群众文化生活。文化馆全年利用抖音、公共文化云平台发布舞蹈、声乐、美术、四胡、书法等艺术培训视频、慕课内容11期，通过创新服务方式为广大群众提供文化大餐，培训人数达1382人次；全年累计在国家公共文化云平台发布信息120条。博物馆开展了"博物馆的力量，透过文物看历史"博物馆日主题系列宣传活动，发放宣传手册6000余份，宣传品1000余份，专题展览义务讲解接待观众达4000余人，并将数字化展示设备应用到了"流动博物馆"宣传活动展示中，吸引了大批群众了解文化、关注文化；因地制宜地推出了文物数字化微展览，与旗融媒体中心合作录制云端文物鉴赏作品，推出了7期"云上"看古今《文物鉴赏》节目，其中6期被学习强国平台采用。

第九届内蒙古自治区乌兰牧骑艺术节中，科右前旗乌兰牧骑荣获团体金奖，优秀文艺作品乐器合奏《风雨中的记忆》、舞蹈《和弦琴韵》荣获表演一等奖，歌曲《盛世足音》获创作一等奖；演员阿拉木斯、财哈申图雅分别荣获一专多能一等奖。

体育 年初，在科右前旗雪村滑雪场、草原冰雪乐园、察尔森慕森达莱景区开展了群众性冰雪运动会。

先后举办了科右前旗全民健身健步走活动、趣味运动会、职工网球团体赛、全盟"体彩杯"羽毛球友谊赛、第五届"庆三八"女子门球赛、老年桥牌赛、老年风筝邀请赛等10余项全民健身赛事活动；科右前旗体校学生通过云南曲靖为期35天高原封闭集训后，斩获了2022年内蒙古自治区"中国体育彩票杯"青少年(中学生)田径锦标赛四金两银和兴安盟中小学生田径运动会冠军的好成绩(由科右前旗文化体育旅游局提供)。

卫生 举办健康教育"六进"宣讲活动1600场，惠及百姓30100人，推进爱国卫生专项行动，城乡环境卫生集中整治和病媒生物防治清理垃圾15350立方米，重点场所投放鼠药578.2公斤、设置捕鼠工具2637个。我旗居民健康素养率达27.4%。

一级实验室完成备案24个，备案率96%，城乡每万名居民拥有6名合格的全科医生。全旗现有非营利性医疗卫生机构268所，卫生技术人员1335人，每千常住人口卫生技术人员为3.81人；编制床位1246张，基层医疗卫生机构保证了1所卫生院至少有1名全科医生；累计派出60名医生到兴安盟人民医院、北京海淀区医院进修培训学习，北京海淀医院派驻5名专家"组团式"帮扶我旗；科右前旗人民医院完成三大救治中心建设工作，在评估复核工作中是自治区唯一一家复核成绩全部优秀的单位；推进新HIS系统，完成专线安装工作并启用，稳步推进我旗DIP支付方式改革（由科右前旗卫生健康委员会提供）。

八、资源、环境、社会治安

土地供应　2022年供应土地142宗，面积480.4087公顷，完成出让价款1.9374亿元。其中，工业、仓储用地25宗，面积68.8683公顷；住宅用地4宗，面积14.6080公顷；商服用地15宗，面积20.3068公顷；公共管理与公共服务64宗，面积136.3523公顷；交通运输用地32宗，面积220.4545公顷；水域及水利设施用地2宗，面积19.8189公顷。

《科尔沁右翼前旗国土空间总体规划（2021—2035年）》通过旗人大审议。14个苏木（乡、镇）空间规划编制成果已初步完成并通过旗规委会审议，120个"多规合一"实用性村庄规划现成果已完成，并获旗政府批复（由科右前旗自然资源局提供）。

水资源　2022年全年水资源总量188872.19万立方米。2022年，前旗用水总量为20111.1435万立方米。其中，工业用水量55.5051万立方米；农业用水量17323.33万立方米；生活用水量1391.9228万立方米；生态环境用水量15.3856万立方米；林木渔畜用水量1325万立方米（由科右前旗水利局提供）。

林草业　完成重点区域生态修复治理项目312.87公顷，总投资1408万元；在全旗9个苏木乡镇18个嘎查村完成乡村美化绿化示范村项目，总投资300万元；完成发展庭院经济项目，总投资25万元；完成果树经济林基地项目133.33公顷，总投资1000万元；完成文冠果基地项目66.67公顷，总投资117万元。

完成2021年草原生态保护修复项目退化草原保护修复治理800公顷，总投资336万元；已完成2021年高原生态保护和修复工程建设围栏67万米，毒害草治理2000公顷已全部完成，退化草原改良6666.67公顷已全部完成，总投资2526万元；完成2021年草原旅游区生态修复治理项目修复治理草原旅游区历史遗留的无主矿坑23.67公顷，总投资122万元；完成2022年草种基地建设526.67公顷，总投资395万元；完成8个无主矿坑植被恢复，投资350万元。

2022年春秋两季全旗层层签订3597份森林草原防火责任状。全旗各地分散性组织防扑火知识与操作技能培训，共开展9期培训班，参训人员达1200余人次。组织开展大型扑火演练2次，小型6次。对全旗五个林场机耕或机耕加点烧林缘防火隔离带58.39公里，宽度30至50米。组织开展116次防火宣传活动，参加人员1571人次，出动防火宣传车590台次，全旗共悬挂防火宣传旗与横幅标语4385面，定做翻新永久性防火牌1960个，发放宣传单、册17万余份，电视播放防火信息13条，发布防火宣传微信、短信26万条，融媒体、公众号发布信息21条，宣传覆盖人群29万余人。对各地防火工作开展督查检查82次，并多次开展夜间突击检查。全旗各地设巡护检查卡、站点201

个。同时旗政府组织各地开展了大规模的"三清"活动，共计160次，出动车辆242台，参加人员975人，检查各种过往车辆9836台，人员25281人，清除违规人员28人。

城市环境 城关镇环境空气质量优良天数比率达到97.12%。细颗粒物（PM2.5）年均浓度值为24微克/立方米。二氧化氮和二氧化硫年均浓度值分别为14微克/立方米和4微克/立方米，分别上升7.7%和下降20%。5个地表水国控监测断面平均水质全部达到优良标准，集中式饮用水源水质100%达标，无劣Ⅴ类水体。

2022年新发排污许可证4个，排污许可证到期延续3个，排污许可证变更21个，注销排污许可证5个。现全旗持证企业100家，其中重点管理20家，简化管理80家。2022年"双百工作"排污许可证质量审核，完成排污许可证质量审核34个，初审率100%（由兴安盟生态环境局科右前旗分局提供）。

社会治安 全旗刑事案件立案数同比下降8.89%，破案数同比上升56.11%。抓获犯罪嫌疑人同比上升58.5%。现行命案连续17年全部破获（由科右前旗公安局提供）。

九、人民生活和社会保障

居民生活 全体居民人均可支配收入19084元，比去年同期增长8.9%；全体居民人均消费性支出12369元，比去年同期增长4.7%。城镇常住居民人均可支配收入34466元，比上年增长6.5%；城镇常住居民人均消费性支出20573元，比上年增长2.5%。农村牧区常住居民人均可支配收入15632元，比上年增长9.2%；农村牧区常住居民人均消费性支出12286元，比上年增长5.4%（由国家统计局科右前调查队提供）。

2018—2022年科右前旗全体居民人均可支配收入、城镇常住居民人均可支配收入和农村牧区常住居民人均可支配收入柱状图

年份	全体居民人均可支配收入（元）	城镇常住居民人均可支配收入（元）	农村牧区常住居民人均可支配收入（元）
2018年	13567	26498	10430
2019年	14910	28485	11661
2020年	16018	29909	12827
2021年	17524	32362	14315
2022年	19084	34466	15632

社会保障 2022年度全旗参加城镇职工基本养老保险参保人数为55943人（其中在职参保职工35157人，离退休职工20786人）。全旗已有207066名城乡居民参加了城乡居民基本养老保险，有13226人参加了失业保险，有19377人参加了工伤保险（由科右前旗人力资源和社

会保障局提供）。

年末全旗参加职工基本医疗保险39443人，参加城乡居民基本医疗保险的人数为252596人（由科右前旗医疗保障局提供）。

年末农村低保对象20187户、28874人，城镇低保1110户、1402人，城乡低保金共发放15219.26万元。

全年为1716名农村特困供养对象、167名城镇特困供养对象发放生活费2124.27万元，发放城乡供养对象失能人员护理费262万元。

累计支出临时救助金924.7万元，救助困难群众4101人（次）。救助41名重特大疾病患者，发放慈善医疗救助金41.7713万元。救助护送流浪乞讨人员10名，结算2022年度全年住院治疗费用和伙食费20.89万元（由科右前旗民政局提供）。

住房公积金 截至2022年年末兴安盟住房公积金科尔沁右翼前旗营业部累计缴存公积金236942.59万元，公积金缴存余额82427.14万元，2022年当年缴存额32108.33万元；当年提取住房公积金19888.58万元；累计发放住房公积金委托贷款111553.40万元，当年发放住房公积金贷款4105.10万元（由兴安盟住房公积金中心科右前旗营业部提供）。

注：1. 公报中部分数据为初步统计数据。

2. 国内生产总值以及各产业增加值按现价计算，增长速度按可比价格计算。

3. 人均GDP以常住人口计算。

内蒙古自治区人民政府令

第 256 号

《内蒙古自治区人民政府关于修改和废止部分政府规章的决定》已经 2022 年 9 月 7 日自治区人民政府 2022 年第 26 次常务会议审议通过,现予公布,自公布之日起施行。

自治区主席　王莉霞
2022 年 10 月 21 日

内蒙古自治区人民政府
关于修改和废止部分政府规章的决定

为了维护社会主义法制统一、尊严和权威,自治区人民政府决定:

一、对 3 部政府规章的部分条款予以修改。(附件 1)

二、对 2 部政府规章予以废止。(附件 2)

本决定自公布之日起施行。

《内蒙古自治区地方志工作规定》《内蒙古自治区公共安全视频监控图像信息系统管理办法》《内蒙古自治区广播电视管理办法》根据本决定作相应修改,重新公布。

附件:1. 内蒙古自治区人民政府决定修改的政府规章
　　　2. 内蒙古自治区人民政府决定废止的政府规章

附件1

内蒙古自治区人民政府决定修改的政府规章

一、将《内蒙古自治区地方志工作规定》第八条第一款修改为："盟行政公署、设区的市人民政府和旗县级人民政府应当建立健全地方志工作机构，配备专职人员。"

第九条修改为："编纂地方志应当吸收有关方面的专家、学者参加。地方志编纂坚持专职人员为主、专兼职相结合的原则，专兼职编纂人员应当具备相应的专业知识。"

第十一条修改为："旗县级以上地方志工作机构负责拟定本行政区域地方志工作规划和编纂方案。"

"盟市级地方志工作机构、旗县级地方志工作机构拟定的地方志工作规划和编纂方案，报自治区地方志工作机构备案。"

删去第十七条、第十八条。

第二十六条改为第二十四条，修改为："编纂单位有下列行为之一的，由有关主管部门责令改正；情节严重的，对负有责任的主管人员和其他直接责任人员依法给予处分：

（一）拒绝承担地方志编纂任务或者未能在规定的时限内完成地方志承编任务的；

（二）未经评审验收，擅自出版的；

（三）地方志稿经验收后，擅自增补、删除、改动内容的。"

第二十八条改为第二十六条，修改为："负责地方志工作的机构及其工作人员有下列行为之一的，由其所在单位或者有关主管部门责令改正；情节严重的，对负有责任的主管人员和其他直接责任人员依法给予处分：

（一）未履行相关指导和督查职责的；

（二）未按照规定对地方志书进行评审验收的；

（三）未按照规定征集和保管资料的；

（四）将地方志文稿作为个人著作发表的。"

"旗县级以上人民政府地方志工作机构"均修改为"旗县级以上地方志工作机构"，"本级人民政府地方志工作机构"均修改为"本级地方志工作机构"，"本级或者上一级人民政府地方志工作机构"修改为"本级或者上一级地方志工作机构"，"同级人民政府地方志工作机构"均修改为"同级地方志工作机构"，"本级人民政府新闻出版主管部门"修改为"本级新闻出版主管部门"。

二、将《内蒙古自治区公共安全视频监控图像信息系统管理办法》第四条修改为："公共安全视频监控图像信息系统建设应当列入国土空间规划。"

第七条修改为："下列场所和部位应当安装公共安全视频监控图像信息系统：

（一）广播、电视、电信、邮政等系统的重要部位；

（二）国防科技工业重要产品的研制、生产场所；

（三）金融机构的金库、营业场所及其重要部位以及货币押运车辆等；

（四）民用机场、车站、道路交通、轨道交通、物流园区的重要部位，公共交通工具；

（五）重要物资仓库和粮库；

（六）研制、生产、销售、储存危险物品的场所或者实验、保藏传染性菌种、毒种单位的重要部位；

（七）大型能源动力设施、水利设施和城市水、电、燃油(气)、热力供应设施；

（八）旅店、商场、旅游景区、文化娱乐场所的主要出入口和通道；

（九）博物馆、档案馆、文物保护单位以及存放有重要物品的纪念馆和展览馆等场所；

（十）学校、幼儿园、医院、养老机构以及其他民政服务机构、公园、城市广场、体育场馆、地下人行通道等人员较多的场所；

（十一）国家机关、人民团体、事业单位、大型企业、居民住宅区的公共区域和重要部位；

（十二）其他旗县级以上人民政府确定的治安保卫重点单位的相关场所或者部位；

（十三）其他法律、法规、规章规定的需要安装公共安全视频监控图像信息系统的场所或者部位。"

删去第十六条第二款。

第十八条修改为："公共安全视频监控图像信息系统的使用单位，应当采取下列措施，保证系统安全运行：

（一）建立值机值班、日常检查、定期维护、图像信息使用登记、安全保密等制度；

（二）公共安全视频监控图像信息系统维护、操作人员应当经过专业培训；

（三）建立突发事件应急处置预案，定期组织演练；

（四）系统图像存储时间和质量应当满足相关标准要求，原始图像信息的存储时间应当在三十日以上。法律、法规或者国家另有规定的，从其规定；

（五）委托其他单位运营、维护公共安全视频监控图像信息系统的，双方应当明确保证系统安全运行的责任。"

第十九条修改为："任何单位和个人不得有下列行为：

（一）拒绝、阻碍公安机关等有关部门依法使用公共安全视频监控图像信息系统的设施、设备以及调取图像信息；

（二）擅自删改，故意隐匿、毁弃留存期限内图像信息的原始记录；

（三）破坏公共安全视频监控图像信息系统的运行程序和记录；

（四）泄露公共安全视频监控图像信息系统的秘密；

（五）非法提供、使用、传播、复制公共安全视频监控图像信息资料；

（六）擅自改变公共安全视频监控图像信息系统用途、权限和范围；

（七）影响公共安全视频图像信息系统正常运行的其他行为。"

增加一条，作为第二十一条："违反本办法规定的行为，有关法律、法规已经作出具体处罚规定的，从其规定。"

第二十一条改为第二十二条，修改为："违反本办法第七条规定，应当安装公共安全视频监控图像信息系统而未安装的，由旗县级以上人民政府公安机关责令限期改正；逾期不改正的，对单位处5000元以上1万元以下罚款；造成严重后果的，对单位处1万元以上3万元以下罚款，对负有责任的主管人员和其他直接责任人员由有关部门依法给予处分。"

删去第二十二条。

第二十四条修改为："违反本办法第十九条规定，有下列行为之一的，由旗县级以上人民政府公安机关对单位处5000元以上2万元以下罚款，对个人处1000元以上5000元以下罚款；构成犯罪的，依法追究刑事责任：

(一)拒绝、阻碍公安机关等有关部门依法使用公共安全视频监控图像信息系统的设施、设备以及调取图像信息的;

(二)擅自删改,故意隐匿、毁弃留存期限内图像信息原始记录的;

(三)非法提供、使用、传播、复制公共安全视频监控图像信息资料的;

(四)擅自改变公共安全视频监控图像信息系统用途、权限和范围的。"

删去第二十五条。

第二十六条改为第二十五条,修改为:"公安机关及其工作人员违反本办法规定,未依法履行公共安全视频监控图像信息系统监督管理职责,或者滥用职权、玩忽职守、徇私舞弊的,对负有责任的主管人员和其他直接责任人员依法给予处分;构成犯罪的,依法追究刑事责任。"

"旗县级以上公安机关"均修改为"旗县级以上人民政府公安机关"。

三、将《内蒙古自治区广播电视管理办法》第三条修改为:"广播电视事业应当坚持为人民服务、为新时代中国特色社会主义服务,坚持正确的舆论导向、坚持弘扬社会主义核心价值观,突出铸牢中华民族共同体意识,满足各族人民群众精神文化需求的基本原则。"

第五条修改为:"旗县级以上人民政府应当鼓励和扶持民族团结进步主题广播电视节目的创作生产,多渠道、全方位开展民族团结进步宣传报道活动。"

第九条第一款修改为:"设立广播电视站的,应当由所在地旗县级以上人民政府广播电视行政部门负责审核,依法报批。"

删去第十六条第二款。

第二十条修改为:"广播电视台应当增加自办节目和民族团结进步主题节目。"

第四十一条第一款修改为:"工程建设应当尽量避开广播电视设施。确实无法避开而需要搬迁广播电视设施的,城乡规划行政主管部门在审批前,应当征得广播电视行政部门同意,迁建所需费用由造成广播电视设施迁建的单位承担。"

删去第四十七条。

附件2

内蒙古自治区人民政府决定废止的政府规章

一、《内蒙古自治区法治政府建设考评办法》(2017年2月17日内蒙古自治区人民政府令第223号公布)

二、《内蒙古自治区法治政府建设指标体系(2016—2020年)》(2017年4月5日内蒙古自治区人民政府令第225号公布)

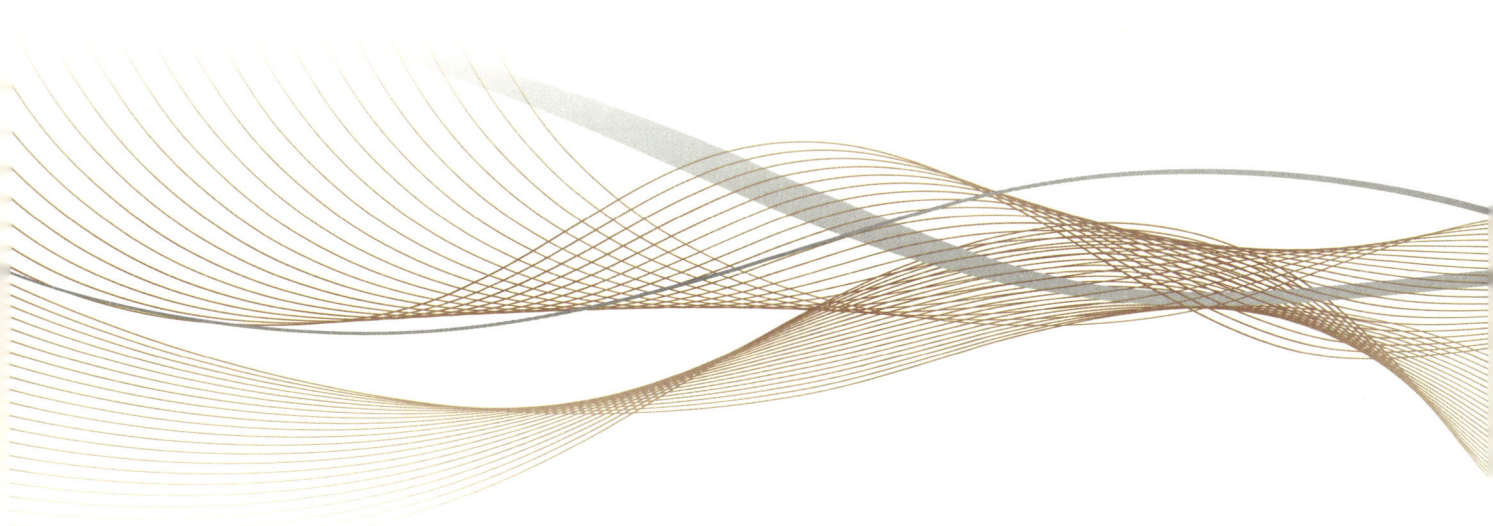

索 引

索 引

使用说明

1. 本索引采用内容分析索引法编制。年鉴中有实质检索意义的正文内容均予以标引,以供检索使用。

2. 本索引先将类目标题按汉语拼音字母表序排列,即按照首字的首字母依次排列,首字相同则以第二字首字母排序,依此类推。

3. 索引标目后的数字表示检索内容所在的正文页码。

4. 索引标目间逻辑关系是在一级标目下缩两格的形式编排二级标目,后再按汉语拼音字母表音序排列。

0—9

2022年度项目　267
2022年科右前旗组织机构及负责人名录　056

A

阿力得尔牧场　301
阿力得尔苏木　276
安全管理　259
安全环保建设　205
安全生产　129、132、208、213、240
安全隐患专项整治　242

B

巴日嘎斯台乡　280
巴音居日合乌拉祭　054
办公用房　142
办事　086
办文办会　085、112、123、149
保　险　235
保护区基础设施建设　247
保障民生福祉持续增进　117
边境管控　175
编外人员专项调查统计　102
便民服务　290
标准化管理　225
病虫灾害监测防控　189
部队建设　182

C

财　政　220
财务计划　231
财务收支　232
财政财务收支审计　219
财政各项工作　221
财政体制改革　220
参与立法工作　111
参政议政　146
残　联　164
残疾人教育就业创业　164

残疾人就业培训工作以及残保金征收　165
残疾人维权及无障碍改造工作　164
残疾人宣传文化体育工作　165
残疾人证办理及动态更新　164
草产业加工物流交易园区　221
草原生态　279
草原资源　051
察尔森白鲢、鳙鱼　290
察尔森水库　052
察尔森镇　289
产品开发　206、206
产品宣传　235
产品质量安全监管　226
产业发展　274、297
产业工人队伍建设　158
产业工作　135
产业经营　303
常务委员会会议　109
沉淀资金大起底审计　219
沉淀资金大起底专项行动　220
城市管理　242
城市基层治理　106
城市投资建设　240
城乡建设　239
城乡交通投资　208
城乡面貌明显改善　116
城镇基层党建工作　091
城镇建设　288
处理投诉举报工作　227
传统产业　295
创新业务　212
村容村貌整治　285
村镇建设与管理　240
存贷款指标　230

存款　229
存款业务　229、233

D

打击各类违法犯罪　173
大石寨镇　292
代表工作　111
贷款　229
贷款模式　234
贷款业务　229、233
档案管理　123
档案利用　104
档案史志　104
档案信息化建设　104
档案业务监督检查　104
档案业务指导　104
档案指导移交　104
党的建设全面加强　081
党风廉政建设　094
党群服务中心　105
党史编研　105
党外代表人士队伍建设　100
党校教育　102
党员电教工作　092
党员管理　094
党员管理工作　092
德伯斯镇　295
地方综合年鉴编纂　105
地理位置　049
地形地貌　049
第九届内蒙古自治区乌兰牧骑艺术节暨2022·兴安盟那达慕开幕式　095
第三产业不断壮大　116
第十二届会员代表大会　157

电商项目 251
电视新闻方面 267
电信公司 213
动物疫病防控 190
兜牢"三保"底线 220
督查督办 123
队伍建设 153、154
对外交流 147
多元解纷服务 178

E

俄体镇 284
俄体粉条 052
额尔格图镇 287
遏制违法建设 243

F

发展与改革（粮食工作） 215
法　　院 177
法律服务 180
法治化营商环境 178
法治建设 179
法治素养和依法履职工作 095
法治营商环境 171
防返贫工作 134
防风险，保安全 229
防火防汛 304
防汛抗旱 132、197
房地产市场监管 239
非物质文化保护 266
粉业经济 285
风险管控 232、234
扶贫开发投资 136
服务保障 143

服务保障体系建设 184
服务产业加速回暖 080
服务能力 213
服务青年 160
服务三农 231
服务水平 212
服务业 217
负债总额 231
妇　　联 161
妇女就业创业 161
干部档案工作 089
干部监督工作 088
干部教育培训 089
干部素质 304
干部综合日常管理 089
岗位执勤 133
高标准农田建设 188
高考中考 258
个体私营经济 304
个体私营经济 305
各领域改革 101
各项补贴及向上争取资金 304
各项存款 230、230、235
各项贷款 230、230、235
耕地保护制度 249
工　　会 157
工会工作 260
工会组织"揭榜领题"工作 158
工商业联合会 157
工商银行 230
工业 217
工业经济管理 200
工业经济快速发展 115
工业经济势头良好 080

工业经济运行　200
工业重点项目　200
工作要点　211
公　安　173
公安队伍建设　174
公安改革　174
公安基层基础　174
公安宣传　174
公共安全管理　174
公共机构节能　142
公务接待　142
公务用车　142
公务员管理　088
公益诉讼检察　177
公主陵牧场　302
共　青　团　159
供　　销　252
供销社综合改革　253
固定资产投资　215、217
管理服务　103
广播电影电视　098
广告监管　226
归流河镇　291
规范服务行为　125
国防动员和后备力量建设　182
国家安全工作　087
国家安全信息中心工作　087
国家农畜产品质量安全县创建　190
国网内蒙古东部电力有限公司　200
国有资产　142
国有资产投资　221

H

夯实固农兴牧发展格局　114

河湖长制工作　197
黑羊山旅游度假区　052
红色档案　105
红十字会　165
后勤保障　123、133、262
后勤工作　184
湖羊　194
互联网＋政务服务平台　125
环保问题整改　296
环卫管理　243
回报社会　233
惠企项目　200

J

机构编制　101
机构编制资源使用　102
机构改革　101、223
机构设立　258
机关事务服务　142
基本草原划定　196
基本单位统计　216
基本地情　049
基层档案管理体制建设　105
基层工作　276
基层基础建设　160
基层社组织建设　252
基层协商　145
基层政权和社区建设　131
基层治理　290
基层组织　166
基础教育　258
基础设施　265、275
基础设施建设　127、129、239
基础业务　257

基建工作　260
基金业务　231
疾病预防和公共卫生服务　270
集团发展　203
计划执行　215
计量监管　225
技术改造　202、204、205、206
加强党对机构编制的全面领导　101
加强知识产权发展和保护　226
家庭文明建设　178
价格监督与不正当竞争　226
监督工作　110
检　　察　176
检察监督　177
建设国有城市环境管理企业　241
建设国有进出口贸易企业　241
建设国有农牧业管理企业　241
建设国有新能源企业　241
建设银行　229
建筑市场监督与管理　239
健康前旗建设　270
教　　育　258
教研成果　103
教育　278、297、304、305
教育督导　260
教育基金会　262
教育考试　261
教育科研　261
教育卫生　280
教育医疗　285
教育装备　260
接待服务　150
金融服务　233、234
京蒙帮扶　260

京蒙扶贫　299
京蒙协作　135
经济　291
经济社会发展能力　249
经济效益　201、202、202、206、206
经济运行　127
经济责任审计　219
经营工作　211
精神文明创建　097
警示教育基地　282
就业创业　136
居力很镇　285
卷烟营销　253
军事工作　183

K

康复服务　164
科　　协　163
科尔沁右翼前旗边境管理大队　175
科尔沁右翼前旗德康饲料有限公司　201
科尔沁右翼前旗武警中队　183
科尔沁右翼前旗消防救援大队　133
科尔沁镇　283
科技成果　256
科技工作者　163
科技合作　256
科技培训与推广　192
科技人才　256
科技事业　256
科技投入　256
科右前旗草地羊　053
科右前旗产业园　127
科右前旗非物质文化遗产　054
科右前旗黑豆　281

科右前旗马铃薯、粉条　294
科右前旗奶豆腐、黄油　053
科右前旗沙果、沙果干　053
客户服务　236、236
控股资质优秀的建设公司　241
矿产资源　051
困难帮扶工作　158

L

垃圾处理厂提标改造工程　243
劳动领域政治安全　159
劳资工作　302
老干部工作　093
理论武装　096
历史沿革　049
利润　230
联通公司　211
练兵备战工作　182
粮食安全保障　215
两新党建　091
亮点工作　216、219
林草病虫害防治监测　196
林草生产　195
林草有害生物防治　247
林草长制度　196
林草资源管护　195
林果经济　285
林业　283、292、301、302、305
林业草原　195
领导班子和干部队伍建设　087
流动摊贩管理　242
旅　　游　051
旅游业　280、290、292、298
履职能力建设　099

绿水种畜繁育中心　297

M

迈出改革开放重要一步　117
满蒙民俗乡村旅游项目　282
满族屯满族乡　281
矛盾纠纷排查化解　127
蒙古羊　193
蒙古语文工作　141
蒙古语宣传　268
蒙商村镇银行　233
民　　政　130
民生　293
民生保障　290、304
民生改善　278、297
民生工程　284、299
民生工作　279
民事检察　176
民营经济　100
民政项目建设　131
民族　050
民族工作　099、140
民族事务　140
民族团结与精神文明建设　125
敏感节点信访安保维稳工作　127
牧业　280
牧业生产　298

N

那达慕　054
纳税服务品牌　222
奶产业　281
奶业振兴行动　188
内部管控　236

内蒙古阿尔一一九八酒业有限公司　205
内蒙古宏达压铸有限责任公司　202
内蒙古科尔沁王酒业有限责任公司　206
内蒙古蒙佳粮油工业集团有限公司　202
内蒙古银行　235
内生动能持续释放　079
年鉴供稿工作　105
农村公路养护　208
农村牧区基层组织建设　089
农村牧区经营服务　192
农村调查　218
农牧产业成果丰硕　079
农牧和科学技术　187
农牧业　217、276、286、289、296
农牧业综合执法　191
农田水利　302
农　业　280、283、284、288、291、301、302、303、305
农业保险　235
农业发展银行　230
农业机械　305
农业机械化　189、302
农业生产　292、298
农业银行　230

P

培训办班　103
平安建设　107、278、280
平安科右前旗建设　171
平安前旗建设　176
平安综治　304

Q

"七一"系列活动　095

其他　086
其他项目　203
其他重点工作　165
旗人大常委会办公室　112
旗委办公室　085
旗委审计委员会第四次会　219
旗政府办公室　122
旗政府常务会议　120
旗政府党组会议　118
旗政协办公室　149
企　　业　200
企业管理　201、204、205、206
企业文化　204、237
企业兴乡　157
企业自身建设　303
气　　象　256
气候　050
气象服务　257
气象科普宣传　257
侨务工作　100
青年组织工作　161
青山国家级自然保护区　247
青少年思想政治引领工作　159
权益工作　162
全国科普示范旗创建工作　163
全民科学素质建设　163
全年办件量　124
全域旅游　264
全域文化旅游　267
群防群治　176
群众体育　266
群众文化　264
群众信访事项　126

R

人武部　182
人保财险　236
人才工作　093
人工影响天气　257
人居环境　280、288、294、296
人居环境改善　192
人居环境整治　163、284、297
人口　050、278、304、305

人口　民族　050
人口变动抽样调查　217

人力资源和社会保障　136
人民代表大会会议　109
人民防空　183
人民监督　179
人民幸福指数日益攀升　081
人事人才　137
人事任免　111
认证认可和检验检测监管　226
荣誉　202

融媒体中心　267
肉牛再造行动　188

S

三大攻坚战　299
"三救"工作　166
"三献"工作　166
"扫黄打非"工作　098
森林草原防火　132
森林防火　247
森林资源　051
沙果精深加工园区基础设施项目　221
山脉概况　050

山脉水系　050
商业贸易　217
少数民族发展资金项目　141
社保民生　286
社会安全稳定　177
社会保障　276、285、295、305
社会保障体系建设　137
社会服务　106
社会福利　131
社会救助　130
社会事务　131
社会事业　299、301、304
社会宣传教育　097
社会治理　180、293、296
深化改革　153
深入贯彻党中央重大决策部署　114

审　计　218
审查调查　152
审计工作　260
审计业务　218
审计整改　219
审议决定重大事项　110
生产技术　202
生产经营　205
生态保护　248、296、303
生态保护建设　277
生态环境　275

生态环境（环境保护）　245
生态环境保护　247
生态环境不断改善　080
生态环境监测　246
生态环境执法　246
生态建设　285
生态治理　293、297

师资建设　103
实绩考核工作　089
食品安全监管　224
史志开发利用　105
市场监管　223
市场开拓　204、206、206
市场营销　203
市域社会治理　159
市域社会治理现代化试点工作　172
市政工程　239
事业单位登记管理　102
视察调研　145
收益分配　136
收支管理　220
书香政协　146
数字生活惠及家庭　213
双拥创建工作　185
水　利　196
水利　283
水利工程建设　196
水土流失综合治理　197
水系概况　050
水资源管理及节约用水　197
税　收　222
税收工作　222
司　法　179
司法保障网　178
司法救助　177
思想引领　161
思想政治和权益维护　184
思政教育　259
四项亮点工作　282
诉源治理　177
速裁团队建设　178

所有者权益　232
索　伦　镇　296
索伦牧场　303

T

桃合木苏木　279
特色产业　288、293
特色亮点　141
特色亮点工作　252
特色小镇　274
特色饮食　052
特种设备安全监察　226
提案办理　145
提升网络能力　212
体卫艺劳　259
体制机制创新　128
通信运营机构　211
通信重保工作　212
统　计　216
统计咨询服务　217
统一战线工作　100
统战工作（宗教事务）　099
图布台国家草原自然公园　283
图书管理　266
土地节约集约利用　248
团队工作　260
推动项目建设提质提效　114
推行代开发票"一表通"　223
推行信访代办制　127
推进精确执法　222
退役军人服务　287
退役军人事务　184

— 358 —

W

外事办（商务） 251
外资外贸 251
完善大统战工作格局 099
完善服务 125
完善制度 147
网上信访 126
网信工作 098
违法建设 242
维稳安保工作 170
委员活动 146
卫生 278、302、304、305
卫生行业综合监管 271
未成年人司法保护 177
文　联 166
文化建设 304
文化旅游 278
文化市场 266
文化文艺 098
文物保护 265
文艺创作 167
文艺品牌 167
文艺演出 265
文艺志愿 168
乌兰毛都草原 051
乌兰毛都草原自然度假区项目 282
乌兰毛都苏木 274
污染防治攻坚 245
"五大起底"工作 200
"五大起底"完成整改 198
"五率一降"落实情况 303

X

先进典型选树 159
险种 236、236
现代农牧业园区管委会 128
乡村产业发展 190
乡村建设及治理 135
乡村旅游 295
乡村振兴 134
乡村振兴 102、123、126、130、143、159、161、164、178、211、212、229、232、240、248、252、253、261、272、274、277、280、282、284、285、287、289、294、297
乡村振兴队伍建设 092
乡村振兴有效衔接 081
向上争取资金 215
项目建设 277、279、290、293
消防监督 133
消费促进 251
校外培训 259
协调督办 150
新媒体方面 268
新农村建设 299
新时代文明实践 097
新闻宣传 175
新闻舆论 096
信访案件化解 126
信访工作 126
信访工作 302
信访和劳动保障 137
信访举报 242
信息公开 125
信用联社 231
信用体系 216

信用与网络安全监管　226

刑事检察　176

兴安埃玛矿业有限公司　204

兴安第一党支部　053

兴安盟艾郎风电科技发展有限公司　204

兴安盟乌兰泰安能源化工有限责任公司　201

兴安细毛羊　194

行政办工作　302

行政处罚　242

行政复议案件　179

行政检察　176

行政区划　049

畜牧技术推广　193

畜牧业　279、281、283、285、288、291、301、302、303、305

宣传筹资　165

宣传党的二十大精神方面　268

宣传辅导培训　222

宣传工作　096

宣传工作　134、248

学生资助　261

巡察覆盖　153

巡察工作　153

巡察工作　153

Y

烟草专卖　253

盐务工作　200

养殖业生产　187

药品、医疗器械、化妆品安全监管　225

野生动植物资源　051

业务发展　236、236

"一老一小"服务　271

医保改革　139

医保基金　139

医疗保障参保工作　138

医疗保障服务　138

医疗保障行风政风建设　140

医疗保障事务　138

医疗服务　270

医疗卫生　275

依法合规经营　234

移动公司　211

移交安置与就业创业　185

遗址遗迹　053

以案促改　195

以技辅政　123

以文辅政　122

以智辅政　122

艺术创作　265

易地搬迁后续帮扶　134

疫情防控　095、102、104、107、126、128、129、139、143、154、159、165、166、172、175、176、208、211、212、213、216、223、240、247、252、268、272、279、280、281、282、284、285、289、294、295、299、302

疫情防控、创城工作　257

意识形态　096

银　　行　229

银行业概述　229

营商环境　223、271

营商环境持续优化　197

应急管理　283

应急管理（安全生产监督）　132

应急救援队伍建设　132

应急预案演练　132

拥军优抚与褒扬纪念　185

优化服务　234

优化营商环境　138、159、196、215、246、249、257

邮政储蓄银行　233

邮政管理　211

油烟污染专项治理　242

幼儿教育　258

与阿里集团合作工作　251

语言文字　261

预算执行审计　218

园林绿化　239

园区重点项目建设　129

跃进马场　305

Z

灾害救助　133

札萨克图刺绣　054

札萨克图羊　194

债务风险　220

招商引资　157、274

整顿规范市场秩序　227

政法委与综治　170

政府建设　297

政务服务（行政审批）　124

政务服务建设　124

政务服务效能建设　124

政协常委会会议　148

政协科右前旗第十五届委员会第一次会议　147

政治工作　184

政治监督　152

政治思想　133

政治稳定和国家安全　173

支持地方经济　230、231

支持地方经济建设　235

支援地方建设　184

执法检查　217

执法与安全　208

执行体制改革　179

直属机关工委　094

职业病防治　271

职业教育　258

志书蒙古文翻译工作　105

志愿服务　162

质量管理　203

智慧法院建设　179

"中村事件"发生地　053

中国银行　229

中寰·盛世豪庭一期项目　221

中心工作　146

中央生态环境保护督察问题整改　130

中央生态环境保护督察整改　246

中医药（蒙医药）振兴行动　271

种业振兴行动　189

种植业生产　187

重大项目　215、295

重大政策落实情况审计　218

重点工程建设　208

重点工作　150

重点领域行业监管　251

重点支持　231

重要会议　082、109、118、147

重要文件　121

主要工作　110、145

主要工作　201、209、218

主要经济　303

主要气象要素　256

助力企业上云　213

助力中小微企业　213

住房保障体系　240

驻村帮扶　134
驻园企业　128
铸牢中华民族共同体意识　147
专卖管理　254
专项整治　173
专项整治整改　195
装备管理　184
资产管理　136
资产总额　231
资金项目管理　135
资料审读　105
资源合理开发利用　249
自然资源　051
自然资源督察执法　249

自然资源管理　248
自然资源规划体系建设　248
自然资源资产管理体制　249
自然资源资产离任审计　219
自身建设　111、112
宗教工作　099
综合保障能力　183
综治　297
综治司法　302
组工信息和调研工作　093
组织工作　087
组织建设　166
最强党支部　095